モダン JavaScript を基礎から実用レベルまで

狩野祐東
SUKEHARU KANO

これからの
JavaScript
の教科書

SB Creative

サンプルデータのダウンロード

本書のサンプルデータは下記の Web ページからダウンロードできます。

ダウンロードページ	https://www.sbcr.jp/support/4815617843/

サンプルデータの使用方法は、本書の 0-2「用意するもの」以降をお読みください。

本書に関するお問い合わせ

この度は小社書籍をご購入いただき誠にありがとうございます。小社では本書の内容に関するご質問を受け付けております。本書を読み進めていただきます中でご不明な箇所がございましたらお問い合わせください。なお、ご質問の前に小社 Web サイトで「正誤表」をご確認ください。最新の正誤情報を下記の Web ページに掲載しております。

本書サポートページ	https://isbn2.sbcr.jp/18025/	

上記ページの「正誤情報」のリンクをクリックしてください。なお、正誤情報がない場合、リンクをクリックすることはできません。

ご質問送付先

ご質問については下記のいずれかの方法をご利用ください。

Web ページより

上記のサポートページ内にある「お問い合わせ」をクリックしていただき、ページ内の「書籍の内容について」をクリックすると、メールフォームが開きます。要綱に従ってご質問をご記入の上、送信してください。

郵送

郵送の場合は下記までお願いいたします。

〒 105-0001
東京都港区虎ノ門 2-2-1
SB クリエイティブ　読者サポート係

はじめに

「いま JavaScript を学ぶ人が、いちばん学びやすく、力がつく学習ルートを作りたい」

　そんな考えで書き上げたのが本書です。

　近年の JavaScript は、Web 開発での利用だけとっても、ユーザーインターフェースの構築に使うこともあれば、アニメーションの制御に使うこともあります。テーブルやチャートの出力に使われたりもします。JavaScript の使われ方はプロジェクトによってさまざまで、内容も多岐にわたります。

　そのように多様な使われ方をする中にあって、まず必要になるのは、どんな場面・用途にも対応できる、応用の土台となる基礎的な知識といえるでしょう。そんな、「しっかりした基礎を身につける」ことを基本のコンセプトとし、取り上げる内容をなるべく汎用的に使われているものに絞ったうえで、取り上げた分野に関しては広く、深く、詳しく解説しています。

　そのアプローチに従って、JavaScript の文法・構文に関しては言語仕様に沿って詳細に解説しました。それと同時に、一般的なプロジェクトでよく見られる、慣例的なコードの書き方についても詳しく紹介しています。機能面では主に、Web 開発で必須となる JavaScript の核心的な機能「DOM 操作」と、どんなプロジェクトでも必要になる「データ操作」を重点的に取り上げました。

　機能面で集中して取り上げるトピックの 1 つ、DOM 操作は、HTML コードをプログラミングで編集・書き換えることで Web ページの表示を変化させる技術のことです。現在の Web 開発では DOM 操作を書きやすくするライブラリーやフレームワーク（開発支援プログラム）を利用するケースが多く、JavaScript そのものの機能を直接的に使う機会はそれほど多くないと考えられることから、主に操作の流れや具体的な仕組みがわかるような解説を心がけました。

　いっぽうのデータ処理 —— 数値や文字列、配列、オブジェクトといったデータの操作、外部ネットワークから情報を取得する方法 —— については、たとえフレームワークを利用していても JavaScript そのものを使ってコードを書くことになりますので、とくに詳しく解説しました。たくさんのサンプルを用意し、実践ではどんなときに使う機能なのかイメージできる使用例を交えて詳しく解説しました。ぜひ、手を動かしながら学習を進めてください。

　また、本書は全体を通して、コードが書けるようになるだけでなく、読めることも重視しています。そのために、掲載したソースコードには細かくコメントをつけました。コードリーディングのガイドとしてご活用ください。

■ 本書で扱う内容と構成

　JavaScript の正式名称は ECMAScript といい、Ecma International という標準化団体が仕様を策定しています。本書では、2023 年に発表された ECMAScript 2023（ES2023）までに導入された機能と、同時期に別の標準化団体で策定された仕様の中で Web 開発に関連の深いものを中心に取り上げています。2015 年に発表された ECMAScript 6 以降の機能を使用し、サンプルのソースコードも現代的な書き方に合わせてあります。

　本書の構成は次のとおりです。

　Chapter 0、1 はイントロダクションです。どんなことができるのか、どういうときに使うのか、現在の JavaScript を取り巻く環境を交えながら概要に触れます。Chapter 1 には簡単なチュートリアルも載せましたので、JavaScript に触れるのがはじめての方は一度通して実習してみてください。

　Chapter 2 〜 5 では、変数、データ型、各種構文、関数といった、どんなプログラミングをするときにも必要になる、基礎的な機能と文法を解説します。続く Chapter 6 〜 10 では、データを扱うための各種機能を深く掘り下げます。Chapter 11 ではそれまでの章で扱わなかった、比較的高度な機能を解説します。

　Chapter 12、13 では DOM 操作を扱います。Chapter 14 は、ネットワーク通信を中心とした非同期操作を見ていきます。最後の Chapter 15 では、現在の Web 開発では必須のツールとなった、デスクトップで JavaScript プログラムを動かす実行環境である Node.js を取り上げます。現代的な Web 開発の大まかな流れをつかめるよう、簡単な Web サイトを作ってみます。

■ 本書で扱わない内容

　本書は JavaScript の基礎知識と、多くの Web 開発で使われる重要機能の解説にフォーカスしています。使用するケースが限られる機能、たとえばストレージ、ワーカー、サービスワーカーについては割愛しました。HTML や CSS についても原則として説明していません。また、公式の仕様になかったり、特定の Web ブラウザーでだけ動作する機能は取り上げていません。いまは使わない・使うことを推奨されない古い書き方や機能、現代の開発では気にしなくてもよい仕様なども、一部の例外を除き掲載していません。

　現代的な Web 開発の流れを知るために、Chapter 15 で Node.js や開発環境を構築

するためのツールや、基本的なコマンドライン操作は紹介しますが、特定のライブラリーやフレームワークの説明はしません。

■ JavaScript を学習するために必要なスキル

　本書で学習するにあたり、プログラミングの知識がなくても、JavaScript でコードを書いたことがなくてもかまいません。ただ、簡単な Web ページを作れるくらいの HTML、CSS の知識は必要です。本書でなくても、HTML や CSS をまったく知らないと JavaScript の学習は困難になります。入門レベルでかまいませんから、書籍や Web サイトで学習しておくことをおすすめします。

　この本はさまざまなハードルを乗り越えて、ようやく完成にこぎ着けました。たくさんの関係者の皆様、ありがとうございました。とくに担当編集者の友保健太氏の厳しいツッコミでクオリティが 1 段も 2 段も上がったと思っています。そして、長いプロジェクトを支えてくれたわたしの家族には大変感謝しています。ありがとう。ようやくかたちになって、わたしはホッとしています。

　本書が、少しでもみなさまのお役に立てることを願っています。

狩野祐東

Contents

Chapter 7 文字列の操作   197

Chapter 8 配列 249

Chapter **11**　高度な機能　　　　　　　　　　　　　　　　　　　　353

本書の使い方

本書で紹介するソースコード、サンプルデータはすべて、Web ブラウザーで開いて実行することを前提に作られています。0-2「用意するもの」で紹介する各種アプリをご用意のうえ、読み進めてください。

0-1 本書の読み方

初学者の方は、まずは本書の順番に沿って、ひととおり読んでみてください。とくに Chapter 1 のチュートリアルは、JavaScript プログラミングの概要をつかみ、使われる用語を知るうえで役に立つでしょう。Chapter 2 〜 5 では基本的な機能・文法・構文を取り上げているので、まずはそこまで到達することを目標に読み進めてください。後半になるほど高度なトピックを扱うので、だんだん難しくなってきます。わからないところがあるのは当然で、一度で 100％理解できなくても大丈夫ですし、完璧に理解できていなくてもプログラムは書けます。わからないところは飛ばして先に進んでかまいません。

ある程度プログラミング経験のある方は、興味があるところ、知らないところだけ読んでも大丈夫です。リファレンスとしても活用できます。

「手を動かす」のが「使える」ようになる近道

コードが書けるようになるためには、文法や機能を知ることはもちろん大事ですが、「どうやったら実現したい動きが作れるか」を考えられる力が重要です。

そんな力を身につけられるように、本書にはたくさんのサンプルを用意しました。それもできるだけ、実際に使う場面が想像できるようなものにしてあります。ぜひ、サンプルを動かしてみて、動作を体感しながら読み進めてください。疑問に思ったところはさらに、コードを書き換えて、動きがどう変わるか確認してみると理解の助けになります。

コードを書き写す、いわゆる「写経」は読み進めるペースが鈍るので必ずしもおすすめしませんが、せめて「これはどうやって動いているんだ？」とか「なぜこう書くんだ？」と、疑問に思ったサンプルは実際に動かしてみてください。手を動かすと、読んでいるだけではわからなかったこともわかるようになるはずです。

サンプルデータは、Windows、Mac で動作する主要な Web ブラウザーで動作確認を行っています。ローカルの Web サーバーを経由して開くことを前提に作られているため、ファイルをダブルクリックして開いても動作しないものがほとんどです。**サンプルデータの動かし方については、0-2「用意するもの」以降をお読みください。**

紙面の見方

紙面の見方は以下のとおりです。

サンプルデータのソースコード	ファイル名

Sample 使用しているすべてのタグの配列を作る　　　　　　　　　　c08/array-reduce-tags.html

```
const tags = articles.reduce((previous, current) => {
  const cur = current.tags ?? [];          ← 配列 article に含まれるオブジェクトの tags プロパティを定数 cur に代入。tags がない場合は空の配列を代入
  return [...previous, ...cur];  ← 前回までの結果と cur を結合
}, []);  ← 初期値は空の配列
console.log(tags);
// ['プログラミング', '入門', '働き方', '健康', 'プログラミング', 'JavaScript']
```

コード例。サンプルデータはありません

▽ String.fromCodePoint( ) を使って「♠」を表示する例

```
console.log(String.fromCodePoint(9824));          // '♠'
```

書式・文法・構文。コードの書き方

書式 padStart( ) メソッド

＜文字列＞.padStart(整形後の文字数, '埋める文字')

▌6-5-3 アニメーションに応用する　　　　　やや高度な内容 ◀

　三角関数のメソッド、Math.sin( )、Math.cos( ) を使って Web ページ上の HTML 要素をアニメーションさせてみましょう。要素を動かすには CSS を使い、JavaScript でプロパティの値を計算します。このサンプルでは CSS の transform プロパティを使用し、要素の位置（translate）と回転角度（rotate）を制御します。

> 高度なトピックが含まれています。はじめは読み飛ばしてもかまいません。

▌5-6-2 即時実行関数式　　　　　参考情報 ◀

　即時実行関数式（IIFE）は、呼び出さなくても自動的に実行される関数です。前もってお話ししておくと、現在では即時実行関数式を使う利点がほとんどありません。過去のソースコードを解読するときなどの参考情報として挙げておきます。

> 現在はあまり使用しないが、知っていると有益な機能・情報を取り上げています。

関連する情報や応用に役立つ話題、注意など

Note　{ } や return が省略できないとき

　処理が複数行にわたるときは { } も return も省略できません。また、そもそも return がない関数の場合は { } を省略できません。

0-2 用意するもの

　ソースコードの確認・編集・実行には Web ブラウザーとテキストエディター、さらにローカル環境で動作する開発用の Web サーバーが必要です。本書のサンプルデータもあわせてダウンロードしてください。

Web ブラウザー

　4 つの主要 Web ブラウザー（Chrome、Edge、Firefox、Safari）いずれかの**最新版をご利用ください**。本書掲載のソースコード、サンプルデータには 2023 年 6 月にリリースされた ES2023 で導入された機能を使用するものもあり、2023 年よりも前のバージョンのブラウザーでは動作しない場合があるのでご注意ください。

テキストエディター

　ソースコードを確認・編集するテキストエディターにはお好きなものをご使用いただいてかまいませんが、本書ではプログラミングに適した機能を持ち、動作も軽い Visual Studio Code（以降、VSCode）の使用を前提に解説していきます。VSCode はマイクロソフトが開発している無料のエディターで、次の URL からダウンロードできます。

Visual Studio Code の公式サイト
`URL` https://code.visualstudio.com/

　インストールは、ダウンロードしたセットアップ用ファイルを実行して、あとは画面の指示に従っていけば完了します。途中に選択肢が出てきますが、本書の学習ではすべてデフォルトのまま［次へ］をクリックして進んで大丈夫です。

𝒩ote　VSCode のメニューを日本語表示にしたいときは

　VSCode はとくに設定しなくても日本語のファイルを編集できますが、初期状態ではメニューは英語で表示されます。メニューを日本語表示にしたいときは、インストールして初めて起動するときに表示される次のダイアログで［インストールして再起動］をクリックします。これで「Japanese Language Pack for Visual Studio Code」という拡張機能がインストールされます。

　このダイアログからインストールしそびれたときは、同じ名前の拡張機能を自分で探してインストールします。拡張機能の検索やインストール方法は、0-4「VSCode に Live Server 拡張機能をインストールする」(p.6) で紹介する手順を参考にしてください。

図　［インストールして再起動］をクリック

> ⓘ 表示言語を 日本語 に変更するには言語パックをインストール ⚙ ✕
> します。(Install language pack to change the display
> language to Japanese.)
>
> インストールして再起動 (Install and Restart)

3

本書のサンプルデータ

本書のサンプルデータは次の URL からダウンロードできます。

サンプルデータのダウンロードページ
`URL` https://www.sbcr.jp/support/4815617843/

0-3 VSCodeのワークスペースを準備する

VSCode の**ワークスペース**とは、Web サイト開発やアプリ開発などのプロジェクトで作成するファイルや設定を、ひとまとめにして管理する機能のことです。たとえば Web サイト開発であれば、その Web サイトのルートフォルダーをワークスペースとして登録しておけば、HTML や CSS などの構成ファイルを VSCode から開けるようになります。あとでインストールする Live Server 拡張機能の動作にも関係します。サンプルデータの動作を確認する前に、必ずワークスペースに登録してください。

ワークスペースの登録

ワークスペースを登録するには、VSCode のウィンドウ左にあるプライマリサイドバーの［エクスプローラー］をクリックし❶、開いたパネルに、プロジェクトのルートとなるフォルダーをドラッグします❷。すると、ドラッグしたフォルダーに含まれるすべてのフォルダー／ファイルの一覧がパネルに表示されるようになります❸。**本書のサンプルデータを確認・編集するときは、ダウンロード・解凍してできた「jsbook」フォルダーをドラッグし、ワークスペースとして登録します。**

図　エクスプローラーパネルに「jsbook」フォルダーをドラッグする。フォルダー／ファイルの一覧が表示される

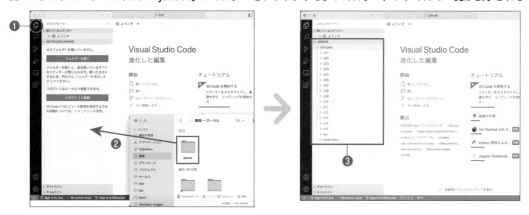

ここで「このフォルダー内のファイルの作成者を信頼しますか？」というダイアログが表示された場合は、「信頼します」のボタンをクリックしてください。

ワークスペースの保存

こうして登録したワークスペースは保存しておくことができます。[ファイル] メニューから [名前を付けてワークスペースを保存] を選択し❹、ダイアログが出たら保存場所を選びます。一般的にはワークスペースのフォルダー（今回は「jsbook」フォルダー）の中に保存しておくのがよいでしょう。拡張子「.code-workspace」ファイルが保存されます。

図　名前をつけてワークスペースを保存する

ワークスペースを開く

作業を再開するときは、保存したワークスペースファイルを開きます。その際は [ファイル] メニューから [開く] または [ファイルでワークスペースを開く] を選びます。

図　ワークスペースファイルを開いて作業を再開する

0-4 VSCode に Live Server 拡張機能をインストールする

本書掲載のほとんどのソースコード、サンプルデータはファイルを直接 Web ブラウザーで開いても動作せず、Web サーバーを経由して開く必要があります。とはいえ、編集するたびにいちいち Web サーバーにアップロードするのは大変なので、代わりに作業用 PC にローカルで（＝その PC だけで）動作する開発用 Web サーバーを用意します。

VSCode では、Live Server 拡張機能をインストールすることで簡単にローカル Web サーバーを構築できます。その手順を紹介します。

Live Server のインストール

VSCode を起動し、ウィンドウ左のプライマリサイドバーにある［拡張機能］をクリックし❶、パネル上部の検索フィールドに「Live Server」と入力します❷。検索結果に「Live Server」が出てきたら［インストール］をクリックします❸。これでインストールは完了です。

図　Live Server 拡張機能をインストール

Live Server の起動／停止

ローカル Web サーバーを起動してサンプルデータの動作を確認するときは、エクスプローラーパネルで確認したい HTML ファイルを選んでから❹、ステータスバーにある［Go Live］をクリックします❺。試しに、ワークスペースの「jsbook/samples/c01/」にある 01.html を選んでサーバーを起動してみましょう。既定のブラウザーが自動的に起動し、サンプルの表示が確認できます。サーバーを停止するときは［Port: 5500］をクリックします❻（数字はポート番号で、起動するごとに変わる可能性があります）。

図 Live Server を起動する（左）停止する（右）

　なお Live Server 拡張機能は、ワークスペースの最上位フォルダーをルートとして Web サーバーを起動するため、使用するときには事前にワークスペースに登録しておく必要があります。本書では 0-3 で登録したとおり、「jsbook」フォルダーをルートとして Web サーバーが起動します。

ほかのファイルを Live Server で開くには

　Live Server を起動すると、起動した時点で選択していたファイルが Web ブラウザーで開きます。ほかのファイルを開くときは、エクスプローラーパネルから開きたいファイルを右クリック（Mac は control キーを押しながらクリック）して、メニューから［Open with Live Server］を選びます。

図 開きたいファイルを右クリックして［Open with Live Server］を選ぶ

　もしかしたらはじめのうち少し難しく感じるかもしれませんが、とにかく、サンプルデータの「jsbook」フォルダーをワークスペースに登録すること、Live Server 拡張機能をインストールすること、この 2 つを押さえておけば大丈夫です。何度も操作していればそのうち慣れて、わかってくるはずです。

JavaScript プログラミングの基本

本章はイントロダクションです。JavaScript でできること、基本的な機能と書き方、プログラムの動作を確認するのに必要な開発ツールの使い方、HTML と連携させるための <script> タグの書き方など、学習を進めることはもとより、実践的なプログラミングするうえでも大切な、最低限押さえておきたい知識に触れます。まずは全体像を把握しましょう。

1-1 JavaScriptってどんな言語？　プログラミングで何ができる？

JavaScript は Web ブラウザーに搭載された、ブラウザー自身や Web ページの表示を操作するための言語として 1995 年に登場しました。それから 25 年以上が経ち、いまでは PC 上で自動化処理をするためにも使われたり、デスクトップアプリの開発にも使われたりと、活躍の範囲を広げています。

　JavaScript は、Web ブラウザーに搭載された、**ブラウザー本体を操作する**、または **Web ページを操作する**ために生まれたプログラミング言語です。現在では Node.js という、ブラウザーではなく PC 上で動作する JavaScript 実行環境もありますが、基本的にはブラウザー本体や表示されている Web ページを操作するための言語と考えてよいでしょう。

1-1-1　ブラウザーや Web ページを操作するってどういうこと？

　JavaScript でできることを見てみましょう。「ブラウザー本体を操作する」というのは、ブラウザーウィンドウや閲覧履歴などにアクセス・制御することです。たとえば、いま開いているウィンドウサイズを調べたり、アラートダイアログを出したりすることができます。

図　ウィンドウサイズを調べる、アラートダイアログを出す

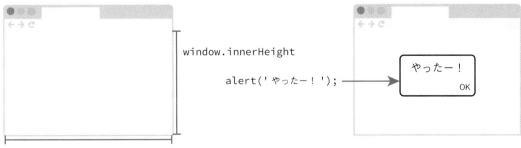

それでは「Webページを操作する」とはどういうことなのでしょう？　JavaScriptはブラウザーに表示されているページのHTMLを操作して、書き換えることができます。しかも、JavaScriptからHTMLを操作して書き換えると、ブラウザーの再読み込みをしなくてもその場でページの表示が変わります。どうやってWebページの表示を変化させるのか、もう少し具体的に見ていきましょう。

　WebページのHTMLにはたいていの場合、複数の要素が含まれています。要素とは、タグと、タグに囲まれ実際にページに表示されるテキストなどのコンテンツをひとまとめにしたものを指します。次図でHTMLの要素と各部の名称を確認しておきましょう。

図　HTMLの要素と各部名称。タグとコンテンツを合わせたものが「要素」

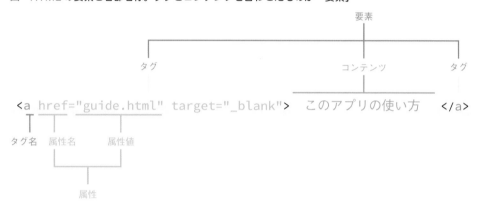

　JavaScriptによって、プログラミングで要素のコンテンツや属性を書き換えることができます。また、要素を指定した場所に挿入したり、すでにある要素を削除したりすることもできます。

図　JavaScriptでできる要素の操作の例
●要素のコンテンツを書き換える

```
<span id="price"></span>
```

```
              element.textContent = '¥3,980-';
```

```
<span id="price">¥3,980-</span>
```

●属性を書き換える

```
<img src="forest.jpg">
```

```
              element.src = 'river.jpg';
```

```
<img src="river.jpg">
```

●要素を指定した場所に挿入する

```
<ul id="log">
  <li>12:31 振り込み限度額変更 </li>
</ul>


          element.insertAdjacentHTML('afterbegin', '<li>12:34 振り込み </li>');


<ul id="log">
  <li>12:34 振り込み </li>
  <li>12:31 振り込み限度額変更 </li>
</ul>
```

　こうした操作をすることで、実際には何ができるのでしょう？　具体例を見てみます。

要素のコンテンツを書き換える　➡ページに表示されるテキストを変える

　要素のコンテンツを書き換えると、ページに表示されるテキストを変えることができます。それにより、たとえば、通販サイトの商品ページでよく見かけるような、数量を入力するとその場で合計金額を計算して表示させる機能を実現できます。

図　合計金額を表示させることができる

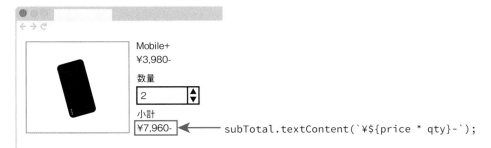

属性の値を書き換える　➡ページの表示を変える

　属性の値を書き換えると、ページの表示を大きく変えることができます。たとえば class 属性の値を書き換えれば、その要素に適用される CSS を切り替えられます。スマートフォンサイトでよく見かけるハンバーガーメニューは、JavaScript で要素の class 属性の値を書き換えて、適用される CSS を切り替える方法で実現できます。

図　要素の class 属性を書き換えて、適用される CSS を切り替える

要素を挿入する・削除する

　要素の挿入・削除ができると、ページにコンテンツを追加したり、表示されているコンテンツの一部を入れ替えたりできます。たとえばブラウザーのスクロールに従ってコンテンツを追加することもできるので、SNS のような無限スクロールの動作も実現できます。

図　スクロールに従ってコンテンツを追加する

　ここまで見てきた HTML を操作するテクニックは DOM <ruby>操作<rt>ド　ム</rt></ruby>と呼ばれています。DOM 操作は Web ページにコンテンツを追加したり、すでに表示されているものを書き換えたり、プログラムを実行して、その結果を画面に "出力する" 操作の 1 つです。

　ブラウザーで動作する JavaScript には、結果を出力できる場所が大きく分けて 3 カ所あります。

JavaScript の結果を出力できる場所

- HTML を操作して Web ページを書き換える（DOM 操作）
- コンソールに表示する
- ダイアログを出す

　それぞれの出力場所の詳しい内容や実際のプログラミングの仕方は 1-2「入門 JavaScript プログラミング」（p.14）で実際に試してみますが、いまのところは「出力場所は 3 カ所ある」ということだけ頭に入れておいてください。

▌ 1-1-2　出力する前に、表示するコンテンツを用意する必要がある

　ここまで、JavaScript で HTML を書き換えることができ、それによって Web ページの表示が再読み込みせずに瞬時に変わること、HTML の書き換えはプログラムを実行した結果を "出力" する操作であることを見てきました。

　紹介した例のうち、数量を入力すると合計金額を表示する機能を実現するには、商品単価と数量を掛けて合計金額を算出する処理が必要になるはずです。コンテンツをページに表示するためには、事前にデータ（商品単価、数量、ログイン名など）をさまざまに処理・加工する必要が出てきます。

図　Web ページに表示する前のデータの加工処理の例

ログイン名の前後に
テキストを追加

単価 × 数量

　こうした処理はすべて JavaScript プログラムで行います。JavaScript にはそのための機能がたくさん用意されていて、それらの機能を組み合わせてたくさんの処理を実現します。JavaScript で行う処理や加工をすべて挙げたらキリがありませんが、代表的なものをいくつか挙げておきます。

JavaScript で行う処理や加工の例

- 数値を計算する
- テキスト（文字列）を操作して新たなテキストを作る・検索置換する
- データから必要な部分を抜き出す
- データを更新する・書き換える
- Web サーバーやほかの Web サイトから必要なデータを取得する
- フォームに入力した内容を Web サーバーへ送信する

▌ 1-1-3　加工するためには元になるデータが必要

　JavaScript でプログラムを作る大きな目的は、最終的に HTML を書き換えるなどの "出力" をすることであり、何かを出力するためにはその前に、出力するためのコンテンツなどを処理・加工する必要があることを見てきました。ここでもう一度、数量を変えたら合計金額を再計算するプログラムを考えてみましょう。再計算をするためのプロセスは次図のような流れになるでしょうか。

図　再計算する処理の流れ

この処理を実現するためには、そもそも、処理する元になるデータとして商品の価格と数量が必要です。こうした処理・加工のための原材料になるようなデータを"入力"といいます。多くのプログラムはデータの入力があり、そのデータを処理・加工して、その結果を出力する、という流れで進行します。

図　多くのプログラムの処理の流れ

JavaScript にはたくさんの機能があります。本書ではブラウザーが対応している機能を中心にその多くをカバーしていますが、それらはこの「入力→処理→出力」というプロセスの流れを作るために使います。プログラミングをする際は、最終的にほしい結果＝出力から逆算して、どんな処理をすれば結果が得られるのか、そのためにはどんな元データが必要かを考えながら進めることになります。

1-2　入門 JavaScript プログラミング

JavaScript にはさまざまな機能があります。非常に多いため一度に紹介することはできませんが、はじめにだいたいの概要を把握しておいたほうが理解が進みます。JavaScript の初学者や、ほかのプログラミング言語の経験もほとんどない方のために、JavaScript の基本的な文法や書き方、扱うデータの種類、ブラウザーを使ってプログラムを実行する方法がわかる簡単なサンプルを用意しました。多少なりとも経験のある方は、1-3「JavaScript の基本的な文法と書き方」（p.32）に進んでかまいません。

　本節では JavaScript の基本的な書き方や機能をざっと紹介します。前半はブラウザーのコンソール（後述）を使って短いプログラムコードを試しながら、JavaScript で扱えるデータの種類を確認します。後半は HTML と組み合わせたプログラムを紹介します。<script> タグの使い方やプログラムコードを書く場所、HTML を操作して Web ページを書き換える方法を見ていきます。

1-2-1　ブラウザーのコンソールの開き方、確認の方法

　すべての主要な Web ブラウザーには「開発ツール」が搭載されています[*1]。この開発ツールには「コンソール」という、JavaScript の処理結果や、不具合がある場合にはエラーメッセージを表示する機能

＊1　DevTools、Web インスペクタなど、ブラウザーによって呼び方は異なりますが、どれも基本的な機能や使い方は変わりません。本書では統一して「開発ツール」と呼ぶことにします。

があります。コンソールに直接プログラムを書いて試してみることもできます。

　開発ツールを開くには、すべてのブラウザー共通で ⌈Ctrl⌋ ＋ ⌈Shift⌋ ＋ ⌈I⌋ キー（Windows）、⌈command⌋ ＋ ⌈option⌋ ＋ ⌈I⌋ キー（Mac）を押します。Windows の場合は ⌈F12⌋ キーを押すのでもかまいません。さらに、開発ツールが開いた状態で［コンソール］タブ（または［Console］）をクリックするとコンソールが開きます❶。

図　コンソールを開く（図は Chrome）。開発ツールを開いてから［コンソール］をクリック

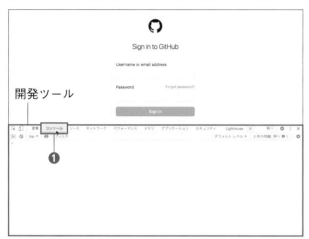

　なお、Safari では最初の 1 回だけ、開発ツールの使用を許可する必要があります。［Safari］メニュー―［環境設定］を選んで環境設定を開き❷、［詳細］タブをクリックして❸、「メニューバーに開発メニューを表示」にチェックをつけます❹。

図　Safari の環境設定

▍1-2-2　JavaScript の基本的な機能

　これから簡単な例を見ながら JavaScript の基本的な機能を確認していきます。ここで取り上げる短いコードはブラウザーのコンソールを使って実行できます。

演算子

演算子とは「=」や「+」など特定の役割を持つ記号のことで、主に算術演算や条件式（➡ Chapter 4「制御構造」p.109）の作成に使用します。演算子のうち、+、-、*、/ を使えば四則演算ができます。コンソールを開き、以下のプログラム（先頭が「>」で始まる行の色文字の部分）を入力して試してみましょう。

コンソールではプログラムの入力後 Enter キーを押すと実行され、次の行に結果が出力されます。結果が出てくることを「結果が返る」といい、返ってきた値（ここでは計算結果）のことを返り値または返りといいます[2]。

▼ 算術演算の例（> で始まる行がプログラム）

実行結果 コンソールに入力して実行した例

変数と数値

変数は、計算の結果などなんらかの値を保存しておき、あとで使えるようにしておく仕組みのことです。**変数を使うときはまず「宣言」をして、それから保存しておきたい値を代入します。**

JavaScript では変数に 2 つのタイプがあります[3]。1 つは値を代入したあとでも何度でも値を代入し直せる変数、もう 1 つは一度値を代入すると再び代入はできない定数です。2 つの違いについては次章で詳しく説明しますが、まずは宣言と代入の方法だけ見ておきましょう。

＊2 「戻り値」と呼ぶこともあります。
＊3 実際にはもう 1 つ「var」がありますが、ここでは除外します。

変数を宣言する際は、先頭に let と書きます。次の例では、変数 result を宣言し、そこに 25 / 5 の結果、つまり 5 を代入します。コンソールに入力して試してみましょう。

▽ 変数を宣言して値を代入

```
> let result = 25 / 5 ●─────────────────  変数 result を宣言し、計算結果を代入
undefined
```

宣言した「result」は変数名です。変数名はルールの範囲内で自由につけることができます（➡ 2-1-2「変数名をつけるときのルール」p.57）。変数名に続くイコール（=）は代入演算子といい、「右辺の処理結果を、左辺に代入する」という意味があります。

定数を宣言する際は、行の先頭に let の代わりに const と書きます。

▽ 定数を宣言して値を代入

```
> const answer = 25 / 5 ●───────────────  定数 answer を宣言し、計算結果を代入
undefined
```

𝒩ote　undefined って何？

「let result = 25 / 5」や「const answer = 25 / 5」をコンソールに入力して実行すると、次の行に「undefined」と表示されます。

図　「let result = 25 / 5」の実行結果は undefined

undefined は「定義されていない」という意味です。ここでは let result = 25 / 5 などを実行しても返り値がないことを示しています。それに対し、「result = 15」を実行してみると、次の行に「15」と表示されます。これは「15 という値が返ってきた」ことを示しています。

この例のように、プログラムのコードは返り値がある「式」と、返り値がない「文」の 2 種類に大別されます。この 2 つの違いを知っていると、とくにソースコードを読んで動作を解読したり、言語マニュアルを読んだりするときに役立ちます。式と文の違いについて詳しくは Note「式と文」（p.114）で取り上げます。

文字列

JavaScript はさまざまな値（データ）を扱うことができます。前項では数値を扱いましたが、文字列も扱えます。次のコードをコンソールに入力してみましょう。

▽ 変数に文字列を代入

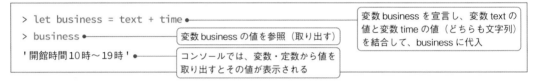

「開館時間」や「10 時～ 19 時」は文字列と呼ばれるデータです。**文字列はダブルクォート（"）もしくはシングルクォート（'）で囲みます。** どちらで囲んでも機能的な違いはありませんが、本書では原則としてシングルクォート（'）を使います。

文字列データには文字列データ特有の操作ができます。**文字列に対して + 演算子を使うと、複数の文字列を結合することができます。**

▽ ＋演算子で文字列を結合

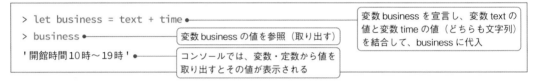

配列

ここまでに数値と文字列という 2 種類のデータを紹介しましたが、JavaScript が扱えるデータはほかにもあります。配列は、**複数の値を 1 つにまとめて保存しておけるデータです。** 次の例では変数 menus に配列を代入し、3 つの文字列を保存しています。コンソールに入力してみましょう。

▽ 変数に配列を代入

配列に保存されているそれぞれの値には、0 から始まる**インデックス番号**がついています。それぞれのデータを参照するときは、配列名（変数名）に続けて中カッコ（[]、ブラケットともいう）を書き、その中にインデックス番号を含めます。たとえば最初のデータを参照するなら次のようにします。

▽ インデックス番号で配列のデータを参照

```
> menus[0] ●              変数 menus のインデックス 0 番目の値を参照する（取り出す）
'ハンバーガー'
```

配列は複数のデータを保持・参照するだけでなく、さまざまな機能があります。たとえば、配列の長さ（要素数）を調べるには次のようにします。

▼ 配列の長さ（要素数）を調べる

```
> menus.length                                    ← menus の要素数を調べる
3                                                 ← 要素数が返ってくる（表示される）
```

ここで使用した length を**プロパティ**といいます。**プロパティとはそのデータの種類（ここでは配列）だけが持っている情報にアクセスするための機能です。** 配列のプロパティは length の1つだけですが、データの種類によっては多数のプロパティを持つものもあります。

作成した配列にあとからデータを追加することもできます。次の例では、配列 menus に ' オレンジジュース ' を追加します。

▼ 配列にあとからデータを追加

```
> menus.push(' オレンジジュース ')                 ← menus の末尾に要素を追加
4
```

push( ) は、( ) 内のデータを配列の最後に追加し、追加後の配列の長さを返します。上記のコードでいえば、配列 menus の最後に「オレンジジュース」という文字列が追加され、追加後の配列の長さが4になったことを示しています。

push( ) のように後ろに ( ) がつくものを**メソッド**といい、なんらかの処理を実行するために用意されています。

オブジェクト

オブジェクトは、配列と同じように複数の値を1つにまとめて保存しておけるデータです。次の例では item という変数に、3つの項目を持つオブジェクトを代入しています。実際にコードをコンソールに入力してみましょう。「{」の後ろで改行すると自動的にインデントされ、最後の「}」を入力して Enter キーを押すまで、コードの実行（ここでは変数 item にオブジェクトが保存されること）は保留されます。

▼ 変数にオブジェクトを代入

```
> let item = {                                    ← 変数 item を宣言し、オブジェクトを代入
>   name: ' モバイルバッテリー Max',
>   capacity: '10000mAh',
>   price: 4998,
> }
```

オブジェクトは全体を波カッコ（{}、ブレイスともいう）で囲み、その中に項目（データ）をカンマ(,) 区切りで追加します。データの1つひとつを**プロパティ**と呼び、「プロパティ名：値」というかたちで記述します。「プロパティ名」は文字どおりプロパティの名前で、値を参照したり書き換えたりするときに使用します。なお、プロパティ名のことを**キー**と呼ぶこともあります。

19

図　プロパティ名と値の関係

プロパティの値を参照するにはプロパティ名を使います。2つの書き方があり、1つはオブジェクト名とプロパティ名をドット（.）でつなぎます。

▼ **オブジェクトのプロパティ値を参照①**

```
> item.capacity ●━━━━━━━━━━  変数 item の capacity プロパティの値を参照
'10000mAh'
```

もう1つはオブジェクト名に続けて [] を書き、その中に参照したいプロパティ名をクォート（「'」または「"」）で囲んで含めます。

▼ **オブジェクトのプロパティ値を参照②**

```
> item['capacity'] ●━━━━━━━━  別の書き方でプロパティを参照
'10000mAh'
```

プロパティの値を変更する場合も、先ほどと同じ2つの書き方が使えます。

▼ **オブジェクトのプロパティ値を変更**

```
> item.price = 3998 ●
3998                  ┣━━━━━━  変数 item の price プロパティに値を代入
> item['price'] = 3998 ●
3998
```

　ところで、先に紹介した配列のプロパティと今回のオブジェクトのプロパティ、呼び名が同じですが、それもそのはず、実際には配列もオブジェクトの一種で、どちらの場合も「そのデータの種類だけが持っている情報」を「プロパティ」と呼んでいるのです。配列やオブジェクトの特性や書式については Chapter 8「配列」（p.249）、Chapter 9「オブジェクトと Map、Set」（p.293）で詳しく取り上げます。

1-2-3　HTML と組み合わせて使う

ここまでコンソールを使ってコードを書いてきましたが、ここからは HTML と組み合わせてみましょう。まずは HTML と JavaScript プログラムを連携させる方法を確認します。本書のサンプルデータも使用しながら、実際に手を動かしてみてください。

<script> タグを追加する

Web ページを操作するプログラムを作るには、HTML ドキュメントと JavaScript プログラムを関連づける必要があります。そのために必要なのが <script> タグで、次の 2 つの使い方があります。

1. <script> ～ </script> に JavaScript プログラムを直接書く
2. <script> タグに外部の JavaScript ファイルを指定して HTML に読み込む

<script> タグは HTML ドキュメントのどこに挿入してもよいのですが、一般的には <head> ～ </head> の中、もしくは </body> タグのすぐ上に書きます。<script> タグに「type="module"」属性が使えるようになってからは、<head> ～ </head> の中に書かれるケースが増えています。

Sample　<script> タグを書く　　　　　　　　　　　　　　　　　　c01/01.html

```html
<!DOCTYPE html>
<html lang="ja">
<head>
  <meta charset="UTF-8">
  <meta name="viewport" content="width=device-width, initial-scale=1.0">
  <title>scriptタグ</title>
  <link rel="stylesheet" href="../res/style.css">
  <script type="module"></script>
</head>
<body>
略
</body>
</html>
```

<script> ～ </script> に JavaScript プログラムを直接書く

1. の使い方、HTML に直接 JavaScript プログラムを書く場合は、<script> ～ </script> の中にコードを記述します。次の例ではブラウザーウィンドウにダイアログを表示します。サンプルデータを開く場合は HTML（02.html）を Live Server で開いてください。

```
<head>
  略
  <script type="module">
    alert('alert()はダイアログを表示するメソッド');  ●──── ページを開くと alert( ) メソッドが実行される
  </script>
</head>
```

実行結果 ダイアログが表示される

　alert( ) はブラウザーに搭載されている JavaScript に定義されているメソッドで、実行するとウィンドウにダイアログが表示されるようになっています。表示されるダイアログには、alert( ) の「( )」内に書かれた文字列が表示されます。実行するプログラムを書き換えて、ダイアログに現在日時を表示させてみます。

```
<head>
  略
  <script type="module">
    const now = new Date();  ●──── 定数 now に現在日時を代入
    alert('いまは' + now + 'です。');  ●──── 文字列と変数 now の値を
                                          結合し、ダイアログに表示
  </script>
</head>
```

実行結果 ダイアログに現在日時が表示される

プログラムでは定数 now を宣言して、そこに現在日時を代入しています。new Date( ) については 6-6「日付・時刻を扱う Date オブジェクト」（p.186）で詳しく解説しますが、ここでは new Date( ) によってプログラムが実行されたときの日時が返ってくる、と考えてください。そして、返ってきた値が定数 now に代入されます。

図 「返ってくる」イメージ。new Date( ) が実行されると日時が返ってくる。変数には返ってきた値が代入される

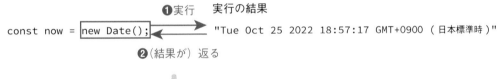

`<script>` タグで外部の JavaScript ファイルを指定して HTML に読み込む

次に 2. の使い方、外部の JavaScript ファイル（JS ファイル）を HTML に読み込む方法を見てみます。たとえば HTML ファイルと同じフォルダー内の JavaScript ファイル（拡張子「.js」のファイル）を読み込む場合、次のような `<script>` タグを書きます。

Sample 外部 JavaScript ファイルを読み込む（HTML 側）　　　　　　　c01/04.html

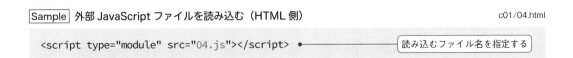

23

```
console.log('外部JSファイルが読み込まれました。');
```

「04.html」を開くとコンソールに「外部 JS ファイルが読み込まれました。」というテキストが表示されます。今回のように外部 JavaScript ファイルを読み込むときも、HTML ファイルのほうを Live Server 経由で開いてください。

実行結果　「04.html」のコンソールの表示

console.log( ) は「( )」内の値をコンソールに出力するメソッドです。公開する Web サイトで使用することはまずありませんが、プログラムの開発中に動作を確認するのによく用いられます。本書でもたびたび登場します。

ブール値

新しいメソッド、confirm( ) を使ってみましょう。confirm( ) メソッドは ［OK］ と ［キャンセル］ の 2 つのボタンがあるダイアログを表示します。このメソッドは ［OK］ がクリックされたときは「true」を、［キャンセル］ がクリックされたときは「false」を返すようになっていて、今回のプログラムではその返り値を変数 forHere に代入しています。HTML は JS ファイルを読み込んでいるだけなので割愛しますが、サンプルデータを実行するときは HTML のほう（05.html）を Live Server 経由で開いてください。

Sample ブール値　　　　　　　　　　　　　　　　　　　　　　　　　　　　c01/05.js

```
const forHere = confirm('店内ご利用ですか？');    ●———［ダイアログを表示して、結果を変数 forHere に代入］

console.log(forHere);    ●———［コンソールに変数 forHere の値を出力］
```

ダイアログのボタンをクリックすると、コンソールに「true」もしくは「false」と表示される

　コンソールに表示される true や false という値はブール値という、これまで取り上げてきたものとは別のデータの種類です。日本語では「真偽値」と呼ばれ、何かが「真（true、成り立つ、正しい）」か、「偽（false、成り立たない、正しくない）」かを判別するときに使われます。ブール値について詳しくは Chapter 3「データ型と演算子」（p.61）で取り上げます。

条件文

　confirm( ) メソッドで表示されるダイアログにある 2 つのボタンのどちらをクリックしたかで処理を振り分けてみましょう。条件文（if 文）を使います。HTML は JS ファイルを読み込んでいるだけなので割愛します。

Sample 条件文（if）　　　　　　　　　　　　　　　　　　　　　　　　　　　　　c01/06.js

```
const forHere = confirm('店内ご利用ですか？');

if (forHere) {          変数 forHere の値が true なら {～} の中を実行
  console.log('かしこまりました。');
}
```

　HTML ファイル（06.html）を Live Server 経由で開き、ブラウザーのコンソールを確認します。confirm ダイアログで［OK］をクリックするとコンソールに「かしこまりました」と表示されます。［キャンセル］をクリックした場合は何も表示されません。

ダイアログで［OK］をクリックしたときだけコンソールに「かしこまりました」と出力される

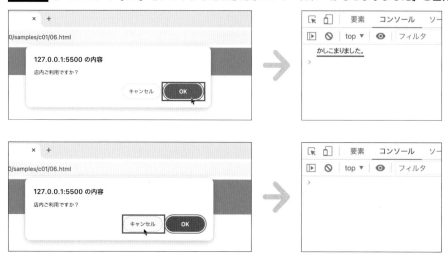

　「if」で始まり、最後の「}」までの部分を「if 文」といいます。if 文は、if の次の ( ) 内が「true」であれば、続く { ～ } 内の処理を実行します。( ) 内が「false」であれば何もしません。ダイアログの 2 つのボタンのどちらかをクリックした時点で、定数 forHere には true か false が代入されますから、この if 文はダイアログで［OK］をクリックしたときだけ、{ ～ } 内の処理が実行されることになります。

　［キャンセル］をクリックしたときの処理を追加するなら、次のようになります。

Sample 条件文（if ～ else）	c01/07.js

```
const forHere = confirm('店内ご利用ですか？');

if(forHere) {
  console.log('かしこまりました');
} else {
  console.log('お持ち帰りですね');
}
```

> 変数 forHere の値が true でない（false である）
> なら { ～ } の中を実行

　HTML ファイル（07.html）を開き、［キャンセル］をクリックするとコンソールに「お持ち帰りですね」と出力されるようになります。

実行結果 ［キャンセル］をクリックすると「お持ち帰りですね」と表示される

if 文の ( ) 内が「false」だと、else に続く {～} 内の処理が実行されます。

この if 文のように、なんらかの条件が true の場合と false の場合で処理を振り分ける構文（書き方）を条件文といいます。詳しい使い方は Chapter 4 「制御構造」（p.109）で取り上げます。

関数

関数は、呼び出されたときだけ処理を実行する小さなプログラムです。いままではダイアログのボタンをクリックした際に、コンソールに「かしこまりました」などテキストを出力していましたが、今回はクリックしたボタンに応じて消費税率を変更するプログラムを追加します。HTML は JS ファイルを読み込んでいるだけなので割愛します。

Sample 関数   c01/08.js

```javascript
// confirmダイアログを表示
const forHere = confirm('店内ご利用ですか？');
const taxRate = calc(forHere);        ●———————————————①
console.log("消費税率 " + taxRate);

// OKをクリックしたときは消費税率を1.1に
// キャンセルをクリックしたときは消費税率を1.08にする
function calc(here) {        ●——————————②
  let tax = 1.08;
  if(here) {
    tax = 1.1;
  }
  return tax;
}
```

関数

どちらのボタンをクリックしたかによって、コンソールに表示される消費税率の数字が変わるようになります。

クリックしたボタンに応じてコンソールに表示されるテキストが変わる

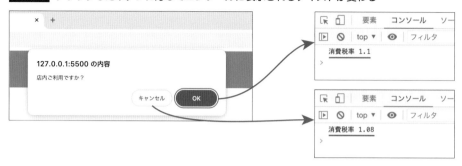

function で始まり、「}」で終わる部分が関数です。関数に処理をさせるには呼び出す必要があるので、何か適当な名前をつけます。今回のプログラムでは関数の名前を「calc」にしています。また、関数の具体的な処理の内容は続く { 〜 } の中にすべて書きます。

関数には次の2つの特徴があります。

関数の特徴

- 呼び出されたときにだけ、処理（{ 〜 } に書かれた部分）を実行する
- 一般的に、関数はなんらかの値を受け取り、その値をもとに処理をして、処理結果を返す

今回のプログラムの流れを見てみましょう。いきなり完全に理解できなくても大丈夫なので、おおよその流れを追ってみてください。作成した関数 calc が呼び出されるのは定数 taxRate に値を代入するときです❶。関数 calc を呼び出す際に、定数 forHere の値を渡しています。

関数 calc は定数 forHere の値を受け取り、その値は ( ) 内に書かれた here に代入されます❷。この here のことを引数といい、関数がなんらかの値を受け取るのに使います。

図　関数を呼び出す際に定数 forHere を渡している

```
const taxRate = calc(forHere);
```

呼び出す。定数 forHere を渡す

forHere の値が here に代入される

```
function calc(here) {
  ...
}
```

そして、関数 calc は次図のような処理をします。

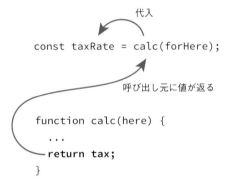

```
function calc(here) {
    let tax = 1.08;  ──────────▶ 変数 tax に 1.08 を代入
    if(here) {       ──────────▶ here の値が true なら
        tax = 1.1;   ──────────▶ tax に 1.1 を代入
    }
    return tax;
}
```

呼び出し元に
tax を返す

この図にあるとおり、「return tax;」の部分で変数 tax の値を呼び出し元に返します。そしてそれが定数 taxRate に代入されるのです。

図　関数 calc から返された値が定数 taxRate に代入される

```
代入
const taxRate = calc(forHere);

呼び出し元に値が返る

function calc(here) {
    ...
    return tax;
}
```

$\mathcal{N}ote$　{ } で囲まれる部分は「ブロック」

　関数名と ( ) に続く、実際の処理が含まれる波カッコ（{ }）で囲まれている部分を**ブロック**といいます。ブロックは、関数だけでなく if 文でも使いますし、繰り返しの for 文、while 文などでも使用します。

　ブロックの最も重要な役割は、処理を行う複数のプログラム行を 1 つにまとめることです。たとえば関数の場合であれば、関数が呼び出されたときに「どの処理を、どこからどこまで行うのか」を示しているのがブロックなのです。

図　{ } で囲まれた部分が「ブロック」

```
function calc(here, price) {              if(forHere) {
    let tax = 1.08;                           console.log(" かしこまりました ");
    ...                           ブロック   } else {
    return price * tax;                        console.log(" お持ち帰りですね ");
}                                         }
```

基本の DOM 操作

ここまで主にコンソールを出力先に使ってきましたが、ここからは処理の結果を Web ページに表示してみます。Web ページに何かを表示するには HTML を書き換える必要があり、そのためには DOM 操作と呼ばれる処理をします。

ここでは 600 円のハンバーガーを購入したという想定で、消費税を足した合計金額を Web ページに表示します。

Sample 基本の DOM 操作   c01/09.html

```html
<head>
  略
  <script type="module" src="09.js"></script>
</head>
<body>
  略
  <main>
    <div class="container">
      <p>お会計は<span id="total"></span>円です。</p>
    </div>
  </main>
</body>
```

Sample 基本の DOM 操作   c01/09.js

```js
// confirmダイアログを表示
const forHere = confirm('店内ご利用ですか？');
const total = calc(forHere) * 600;          ●————————  合計金額を計算
document.querySelector('#total').textContent = total;  ●——  ❶
略  ●————  消費税を計算する関数は 08.js と同じなので省略
```

HTML ファイル（09.html）を開き、動作を確認します。confirm ダイアログで［OK］をクリックすると「お会計は 660 円です」、［キャンセル］をクリックすると「お会計は 648 円です」とページに表示されます。

［OK］をクリックすると

お会計は660円です。

［キャンセル］をクリックすると

お会計は648円です。

開発ツールの［要素］タブ[*4]で HTML を見てみると、<span id="total"> ～ </span> の中に「660」または「648」というテキストが挿入されていることを確認できます。これが、今回の DOM 操作でHTML を書き換えた部分です。

図　<span id="total"> ～ </span> のテキストが書き換えられている

```
<!DOCTYPE html>
<html lang="ja">
▶ <head> … </head>
▼ <body>
  ▶ <header class="header"> … </header>
  ▼ <main>
    ▼ <div class="container">
      ▼ <p>
          "お会計は"
          <span id="total">660</span> == $0
          "円です。"
        </p>
      </div>
    </main>
    <!-- Code injected by live-server -->
  ▶ <script> … </script>
  </body>
</html>
html   body   main   div.container   p   span#total
```

今回行った操作は、要素のコンテンツの書き換え、つまり、特定のタグに含まれるテキストを書き換える処理です。要素のコンテンツを書き換えるときは、まず対象となる要素——ここでは <span id="total"> ～ </span> ——を取得します。要素の取得をしているのがコード❶の次の部分です。

<span id="total"> ～ </span> を取得

```
document.querySelector('#total')
```

document.querySelector() メソッドは、( ) 内に書かれた CSS セレクターにマッチする要素を取得します。マッチする要素が複数ある場合は、最初にマッチした要素を 1 つだけ取得します。取得した HTML 要素は、JavaScript では Element オブジェクトと呼ばれるオブジェクトとして扱われます。この Element オブジェクトには textContent プロパティがあって、要素のコンテンツを指しています。ページに表示されるテキストを書き換えるときは、このプロパティに新しい値を代入します。

＊4　Firefox では［インスペクター］タブ

```
document.querySelector('#total').textContent = total;
```

　以上、駆け足でしたが基本の JavaScript プログラミングを試してみました。なんとなくでも雰囲気はつかめましたか？　全体的な作業の流れと、プログラミングで使う用語に触れておけばそれで十分なので、「あまりよくわからなかった」という方も安心してください。それぞれの機能の詳細は次章以降で詳しく解説していきます。

1-3　JavaScriptの基本的な文法と書き方

どんなプロジェクトにも共通する JavaScript のファイルの作り方、HTML と連携するために必要な `<script>` タグの書き方、そして、言語の基本的な文法とルールを確認しましょう。

　JavaScript でコードを書くうえで必要となる基本的な文法のルールはそれほど多くはありませんが、それでも最低限のルールを知っておく必要はあります。本節では文法上のルールと、プログラムファイルを用意する方法、HTML と組み合わせるときの方法を紹介します。また、コードの書き方の一貫性を保ち、読みやすさを維持するために多くのプロジェクトで導入されている「スタイルガイド」についても説明します。

1-3-1　半角英数字で、大文字・小文字を区別する

　JavaScript では、**アルファベットや各種記号、スペースを含め、原則としてすべて半角文字で入力します**（ただし、文字列データや変数名などには全角文字も使えます）。また、**アルファベットの大文字・小文字を区別します。**そのため、次の 2 つは違うものとして認識されます。

- inStock
- instock

　大文字・小文字を正しく記述しないとメソッドも呼び出されません。たとえばコンソールに以下のコードを入力すると ReferenceError というエラーが出ます。このエラーは「メソッドがない」ということを意味していて、Confirm( )（C が大文字、誤った記述）と confirm( )（c が小文字、正しい記述）が別のものとして扱われていることがわかります。

▽ 大文字・小文字を正しく記述しないとメソッドも呼び出されない

```
> Confirm('ダイアログを表示します。')        // ReferenceError
```

1-3-2　文末にはセミコロン（;）をつける

　文（ステートメント）とは、変数宣言、条件や繰り返し、関数の定義、関数やメソッドの呼び出しな

ど、コンピューターに対する指示や命令の1セットのことを指します（➡ Note「式と文」p.114）。

▼ 「1文」の例

```
const num =16; ●────────────── 定数の宣言・代入は1文
console.log(num); ●──────────────────────────────── メソッドの呼び出しは1文
if (num < 10) { ●────────── 条件文。終了の「}」までが1文
    ～
}
```

1つの文の終わりには原則としてセミコロン（;）をつけます。

図　1文の終わりにセミコロン（;）をつける

```
alert('IDまたはパスワードが正しくありません。');
                                                └── 文の終わり（行の終わり）にセミコロン
```

　実は、JavaScriptは文末にセミコロンがなくても動作します。実際、コンソールでコードを試すときはセミコロンを省略することがよくありますし、ネットで公開されているコードには省略しているケースもよく見かけます。しかし本書では、書き方のルールとして文末にはセミコロンを入れることにしています。次の「本書で紹介するサンプルコードのセミコロン」、1-3-5「スタイルガイド」（p.37）も参考にしてください。

本書で紹介するサンプルコードのセミコロン

　本書のサンプルコードは原則として、すべての文の終わりにセミコロンをつけることにしています。ただし、関数定義、クラス定義、クラス内のメソッド定義からはセミコロンを省略します。また、制御構造の構文（for ／ while ／ if ～ else ／ switch ／ try ～ catch）の終わりもセミコロンを省略します。

　セミコロンをつける、つけないの代表例を挙げておきます。それぞれの機能や構文については該当の章を参照してください。

▼ 本書でのセミコロンをつける、つけないのルール1　～関数（Chapter 5）

```
function func() {
    ～
} ●──────────────────── つけない：関数定義
const func = function() {
    ～
}; ●──────────────────── つける：関数式

const func = () => {
    ～
}; ●──────────────────── つける：アロー関数を使った関数式
```

```
class MyClass {
  myField = 'value';  •─────────── つける：フィールド

  constructor() {
    ～
  }  •─────────── つけない：コンストラクター
  myMethod() {
    ～
  }  •─────────── つけない：メソッド定義
}  •─────────── つけない：クラス定義ブロックの終端
```

▼ 本書でのセミコロンをつける、つけないのルール 3　～制御構造（Chapter 4）

```
if (～) {
  ～
} else {
  ～
}  •─────────── つけない：if 文の終端

 while (～) {
  ～
}  •─────────── つけない：while 文の終端

for (～) {
  ～
}  •─────────── つけない：for 文の終端
```

▌ 1-3-3　インデント

JavaScript では文法上インデント（字下げ）は必須ではありませんが、コードを読みやすくするためにほぼ必ず入れます。本書ではインデントに半角スペース 2 個を入れています。

図　インデントの例

```
function greeting() {
  return 'hello';
}
```
─────────── インデント（本書では半角スペース 2 つ）

VSCode など現在よく使われているテキストエディターの多くが自動でインデントしてくれるため、わざわざ入力する必要もなく、あまり気にする必要はないかもしれません。VSCode では、手動で入力する場合は Tab キーを押します。

$\mathcal{N}_{ote}$ VSCode でインデント量を調整するには

VSCodeでインデント量を調整するには次のようにします。アクティビティバーの［管理］❶ー［設定］❷をクリックします。

図　［管理］－［設定］をクリック

［設定］タブの「設定の検索」に「tab」と入力して❸、右側の設定一覧から「Editor: Tab Size」を探し、数字のところをクリックしてインデント時に挿入される半角スペースの数を入力します❹。

図　VSCode の［設定］タブ

▌ 1-3-4 コメント文

コメント文は、コードの中にコメントを残しておける機能です。コードの実行中は無視されるので、プログラムの動作には影響しません。JavaScript のコメント文は 2 種類あります。1 つは 1 行コメント、

もう1つは複数行コメントです。コメントとなる文にはどんな文字でも使えます。

```
// 1行コメントの例
```

「//」以降がコメントになります。そのため、行の先頭からだけでなく、行の途中から始まるコメントも書けます。

```
return isInScreen; // trueまたはfalseを返す
```

もう1種類のコメント、複数行コメントは「/*」で始まり、「*/」で終わります。

```
/* 複数行コメントの例
説明が長くなるときに便利 */
```

1行コメント同様、複数行コメントも好きな文字を書けますが、コメントの途中に「/*」や「*/」を含めることはできません。

```
/* これはダメな例。
複数行コメントの中に
「/*」や「*/」を
入れることはできない */
```

𝒩ote　JSDoc コメント

　複数行コメントのバリエーションとして JSDoc コメントというものがあります。JSDoc コメントは関数やクラスの説明を書くのに特化した書式で、JSDoc でコメントをつけておけば、専用のツールを使ってあとから HTML や JSON、Markdown などの形式でドキュメントを作成することもできます。次の例は関数 add に JSDoc コメントをつけたものです。

```
/**
 * JSDoc コメントの例。引数を足す。
 * @param {number} a - 数1
 * @param {number} b - 数2
```

```
 * @return {number} aとbを足した結果
 */
function add(a, b) {
  return a + b;
}function add(a, b) {
  return a + b;
}
```

　JSDoc コメントは「/**」で始めて、「*/」で終わります。そして、途中の行は「 * 」で始めます。関数の機能についての説明を書けるほかに、どんな引数を渡せて、どんな値を返すのかを記しておくことができます。

書式　引数についてのコメント。「 - 説明」の部分は省略可

```
 * @param ｛値のデータ型｝ 引数名 -  説明
```

書式　返り値についてのコメント

```
 * @return ｛値のデータ型｝ 返り値の説明
```

　JSDoc を使うとコメントが定型化できて、さらに引数や返り値のデータ型など必要な情報を盛り込みやすく、あとから読んでも、ほかの人が読んでも読みやすくなって有益です。書式も難しくはないので、ドキュメントを作成する予定がなくても使ってみる価値はあります。
　JSDoc コメントについてもっと詳しく知りたい方は、次の URL を参照してください。

Use JSDoc: Index（英語）
URL https://jsdoc.app/index.html
jsdoc/jsdoc: An API documentation generator for JavaScript.（英語）
URL https://github.com/jsdoc/jsdoc

▍1-3-5　スタイルガイド

　スタイルガイドはコードの書き方のルールを定めたガイドラインです。JavaScript 向けに公開されているスタイルガイドには有名なものが 3 つあります。

Airbnb JavaScript Style Guide（英語）
URL https://github.com/airbnb/javascript
Google JavaScript Style Guide（英語）
URL https://google.github.io/styleguide/jsguide.html
Standard（英語）
URL https://standardjs.com/rules.html

　本書はこのうちの Google JavaScript Style Guide を採用しています。同スタイルガイドに書かれているルールのうち主なものを紹介します。

変数宣言には原則として const を使う

変数は原則として、値を書き換えられない定数の const で宣言します。値を書き換える必要がある場合にかぎって let を使います。var は使いません。

▼ × ── let は原則使わない

```
let number = 947;
```

▼ ○

```
const number = 947;
```

文字列はシングルクォートで囲む

原則として、**文字列はシングルクォート（'）で囲みます。**

▼ × ── ダブルクォートで囲まない

```
const string = "ダブルクォートで囲んだ文字列";
```

▼ ○

```
const string = 'シングルクォートで囲んだ文字列';
```

もし文字列中にシングルクォートが含まれる場合はバックティック（`）で囲み、エスケープ[*5]やダブルクォート（"）は極力避けます。

▼ 文字列中にシングルクォートが含まれる場合はバックティックで囲む

```
const string =`60's Music`;
```

セミコロンを省略しない

文末のセミコロンは省略しません（➡「本書で紹介するサンプルコードのセミコロン」p.33）。

1 行に複数の文を書かない

JavaScript は、セミコロンを省略しなければ 1 行に複数の文を書くことができ、ソースコード全体の行数が抑えられるかもしれません。しかし読みづらくなるので**文と文のあいだでは必ず改行し、1 行につき1 文を守ります。**また、1 つの const や let で複数の変数を宣言するのも禁止です。

▼ × ── 1 行に複数の文を書かない

```
const letter1 = 'a'; const num1 = 1557;
const letter2 = 'b', num2 = 1558;
const letter2 = 'c',
      num3 = 1559;
```

▼ ○

```
const letter = 'a';
const num = 1560;
```

----

* 5 「エスケープシーケンス」(p.199)

オブジェクトの最後のプロパティにもカンマ（,）をつける

オブジェクトを定義するとき、最後のプロパティにも「,」をつけます。

▼ × ── 最後のプロパティの後ろにカンマがない

```
const student = {
  id: '23-0046',
  name: 'Tanaka',
  class: 'c1'
};
```

▼ ○

```
const student = {
  id: '23-0046',
  name: 'Tanaka',
  class: 'c1',
};
```

▌ 1-3-6　コードを書く場所

　p.21 でも説明したとおり、Web ページで動作する JavaScript は HTML の中に直接書くか、HTML ファイルとは別にプログラムファイルを用意してそこに書くか、2 通りあります。どちらの場合も HTML ファイルの中に <script> タグを追加します。このタグの属性については後ほど説明しますが、ES2015 以降に対応したコードであれば、読み込むファイルがモジュールでなくても── Chapter 11 で解説する import、export を使っていなくても── type="module" を追加することをおすすめします。

HTML ファイルの中に直接書く場合

　JavaScript コードを HTML ファイル内に直接書く場合は、<script> ～ </script> の中に書きます。

書式　JavaScript を HTML ファイル内に書くとき

```
<script type="module">
  ここに JavaScript プログラム
</script>
```

外部ファイルを用意する場合

　外部 JavaScript ファイルの拡張子は「.js」です。

　新たにファイルを作る場合は、必ず文字コードを UTF-8 にします。それ以外の文字コードでは正しく動作しません。とはいえ、現在は多くのテキストエディターでデフォルトの文字コードが UTF-8 になっているので、あまり神経質にならなくても大丈夫でしょう。なお、改行コードに関しては Windows で主に使われる CR/LF でも、UNIX 系 OS（Mac や Linux、Unix）で主に使われる LF でも問題なく動作するので気にする必要はありません。

　<script> タグは以下のようにします。src 属性に指定する JavaScript ファイルのパスは、相対パスでも絶対パスでも大丈夫です。

```
<script type="module" src="JSファイルのパス"></script>
```

src 属性がある <script> タグの中にコードを書いても無視されます。また、</script> 終了タグは省略できません。

▼ src 属性がある <script> ～ </script> の中にコードを書いても無視される

```
<script type="module" src="source.js">
  alert('ダイアログは開きません。');←─────────── このコードは実行されない
</script>
```

▌1-3-7 <script> タグを書く場所

JavaScript プログラムを HTML に直接書く場合でも、外部ファイルを用意する場合でも、<script> タグは原則として <head> ～ </head> の中か、もしくは </body> 終了タグのすぐ上のどちらかに記述します。

図 <script> タグを書く場所

<head>～</head> に書く

```
<html>
  <head>
    ...
    <script type="module"></script>
  </head>
  <body>

  </body>
</html>
```

</body> 終了タグのすぐ上に書く

```
<html>
  <head>

  </head>
  <body>
    ...
    <script type="module"></script>
  </body>
</html>
```

長いあいだ「<script> タグは </body> 終了タグのすぐ上に書くのがよい」と言われてきましたが、type="module" 属性が使えるようになったことにより状況が変わってきています。現在では、コードの読みやすさなどを考えて、<head> ～ </head> の中に書くことが増えています。JavaScript プログラムはページに表示されるものではないので、<script> タグも本来なら <body> よりも <head> の中にあるほうが自然に感じますが、これまではなぜ </body> 終了タグのすぐ上に書いていたのでしょうか？ 理由は「ページをできるだけ早く表示させたい」からです。

ブラウザーは、ページを見ている利用者を待たせないために、Web ページのファイルのダウンロードが完了するのを待たずに HTML ドキュメントの上から順にパース（解析）を始めます。そして、パースが終了して表示できるようになったところからブラウザーウィンドウに表示します。そのいっぽうで、JavaScript はコードがすべて読み込まれないと実行できません。そのため、<script> タグによって

JavaScript の読み込みが始まると、コードのダウンロード・評価が完了するまで HTML のパースも止まってしまい、ページの表示が遅くなってしまいます。この現象を<u>パーサーブロッキング</u>といいますが、</body> 終了タグのすぐ上に <script> タグを書いておけば、このパーサーブロッキングを可能なかぎり回避できるようになります。

図　パーサーブロッキングのイメージ。<script> タグが <head> ～ </head> 内にあるとページのパース・表示開始が遅くなる

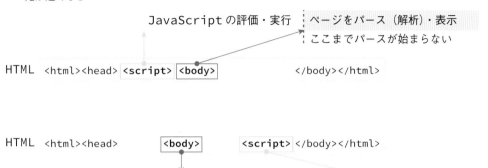

しかし、<script> タグに async 属性、defer 属性あるいは type="module" を追加しておくと JavaScript の読み込み・評価が HTML のパースと並行して行われるようになり、パーサーブロッキングが発生しなくなります。そのため、これらの属性がついている <script> タグは HTML ドキュメントの上のほう、つまり <head> ～ </head> 内に書けるようになりました。

図　<script type="module"> があればパーサーブロッキングは発生しない

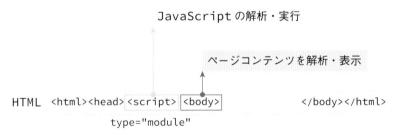

1-3-8 <script> タグについてもっと詳しく　やや高度な内容

<script> タグにはたくさんの属性が定義されています。正しく使うと Web ページの表示パフォーマンスが向上したり、安全性を高めたりできるものもあります。<script> タグの動作は複雑で、本項にはやや高度な内容も含まれています。ただ、はじめのうちは気にしなくても問題はないので、とくに初心者の方は本項は読み飛ばして、必要になったら読み返すくらいの気持ちで大丈夫です。

表 <script> タグで使用できる属性

属性	説明	書式例
crossorigin	別のサイトからスクリプトを読み込むとき、ログイン情報などの情報を送信する範囲を指定	crossorigin="anonymous"
integrity	読み込むスクリプトが改ざんされていないかどうかを確認するためのハッシュ値を指定	ingegrity="sha256-pvPw+…"
nonce	セキュリティ確保のためにサーバー側で出力されたノンス値を指定	（なし）
referrerpolicy	送信するリファラーを指定	（なし）
src	読み込むスクリプトファイルの URL を指定	src="https://example.com/script.js"
type	スクリプトのタイプ。"module"、"importmap"、もしくは MIME タイプを指定	type="module"
async	HTML パースと並行してプログラムを評価。ブール属性	（後述）
defer	HTML パースと並行してプログラムを評価。ブール属性	（後述）
nomodule	モジュールに対応していないブラウザーで実行するスクリプトであることを明示。ブール属性	<script nomodule src="nomodule.js">
blocking	パーサーブロッキングが発生する処理を明示	blocking="render"

type 属性に指定できる値

type 属性に指定できる値には次の 3 種類があります。

- type=" 読み込むデータの MIME タイプ " [6]
- type="importmap" [7]
- type="module"

type="module" にすると、<script> 〜 </script> 内に書かれたコードもしくは読み込まれた外部 JavaScript ファイルはモジュールとして扱われ、次のように動作します。

- スクリプト内で import、export が使える。つまり、別の JavaScript モジュール [8] を読み込めるようになる（➡ 11-1 「複数のファイルに分割する　〜モジュール化」 p.353）
- import、export を使っている場合、すべてのモジュールの読み込みが完了してから DOMContentLoaded イベント（後述）が発生する
- Strict モード（後述）で動作する
- パーサーブロッキングが発生しない

＊6　JavaScript 以外のファイルを読み込む場合に指定することがあります。JavaScript ファイルを読み込む場合に text/javascript を指定することもありますが、省略可能です。
＊7　インポートするモジュールのパス、ファイル名を書き換える JSON データを設定します。
　　　https://developer.mozilla.org/en-US/docs/Web/HTML/Element/script/type/importmap
＊8　ここでは「別の JavaScript ファイル」と考えてかまいません。

async 属性、defer 属性、type="module" の違い

async 属性、defer 属性はブール属性で、値を指定しません。

▽ async 属性の使用例

```
<script async src="script.js"></script>
```

▽ defer 属性の使用例

```
<script defer src="script.js"></script>
```

どちらも HTML のパースと並行して JavaScript の読み込みと評価を行います。そのためパーサーブロッキングは発生しないのですが、動作に少し違いがあります。

表　async 属性、defer 属性、type="module" の動作の違い

	async	defer	type="module"
パーサーブロッキング	発生しない	発生しない	発生しない
複数 JS ファイルの実行順序	制御できない	制御できる	制御できる
プログラムの実行タイミング（DOMContentLoaded イベントの）	発生後	発生前	発生前
import、export の利用可否	不可	不可	可
Strict モード	選択可	選択可	Strict モードのみ
外部 JS ファイルの実行	可	可	可
<script> 内のプログラム実行	可	不可	可

この表を見ると、async 属性は DOMContentLoaded イベント発生後にプログラムが実行されるため、逆にいえばプログラムの実行中には DOMContentLoaded イベントが発生せず、このイベントを用いたプログラムを作ることができません[9]。これは簡単にいえば「ページの HTML の解析が完了したタイミングでプログラムを実行することができなくなる」ので、たとえば、「ページのタイトルを、ページが表示される前に動的に書き換える」ような操作ができなくなります。また、複数の <script> タグがある場合、async 属性があるものは、タグが書かれた順でなく読み込みが完了した順にプログラムの実行が始まるため注意が必要です[10]。

defer 属性は外部 JavaScript ファイルの読み込みのときにしか使えません（<script> ～ </script> 内にプログラムを書くときは使えません）。また、type="module" と併用はできません。

type="module" は defer 属性に似ていますが、より多機能です。ただし Strict モード（次項で説明）

---

[9] DOMContentLoaded は HTML のパースが完了したときに発生するイベントです。このイベントが発生したタイミングでページに埋め込む動的コンテンツ（たとえばグラフの表示など）の処理を行うことが多く、重要なイベントの1つといえます。

[10] たとえば jQuery ライブラリーと jQuery を利用するスクリプトファイルを読み込む場合、ライブラリーが先に実行されないと正しく動作しませんが、実行される順序が保障されません。

で動作することから、ES2015 よりも前には許されていた書き方で書かれた JavaScript ファイルは動作しない可能性があります。これらのことから、<script> タグを書くときは次のように考えればよいでしょう。

<script> タグを書くときの基本的な考え方

- Strict モードで動作するプログラムを使用するとき[*11] は、type="module" を含めたうえで、<head> 〜 </head> 内、もしくは </body> 終了タグの直前に書く
- Strict モードでは動作しない、またはわからないときは、defer 属性を含めて <head> 〜 </head> 内に書くか、async、defer、type のどれも含めずに </body> 終了タグの直前に書く

本書で紹介するプログラムは基本的に ES2015 以降の仕様に沿って書かれているので、type="module" を含めたうえで、<head> 〜 </head> 内に <script> タグを記述しています。

古い書き方をエラーにする「Strict モード」

Strict モードは、過去の JavaScript では許されていた、またはエラーが発生せずに実行できていた処理の一部を明確にエラーとすることで、より厳密で安全な（誤動作の少ない）プログラムが書けるようにするものです。モジュール化されている――つまり、import や export を使っている、もしくは <script type="module"> で読み込まれているプログラム、またはモジュール化されていなくても「'use strict';」と書かれたプログラムは Strict モードで動作します。

▽ "use strict" の使用例。jQuery 3.6.3 のソースコード冒頭部分

```
( function( global, factory ) {
  "use strict";
  if ( typeof module === "object" && typeof module.exports === "object" ) {
略
```

Strict モードで許可されなくなった主な操作は次のとおりです。

表　Strict モードで許可されない主な操作

許可されなくなった操作	Strict モードでエラーになる例	例の説明
let、const、var なしで変数宣言ができていたが、それができなくなった	a = ' 変数宣言 ';	変数宣言がない
undefined などの書き込み不可プロパティへ代入できていたが（エラーが出ないだけで実際には代入できない）、ReferenceError が発生するようになった	NaN = 'not NaN';	NaN に代入している
予約語が使えなくなった	const return = 10;	return は予約語
関数の引数名が重複していると SyntaxError が発生するようになった	function add(a, a) {	2 つの引数名が同じ
古い 8 進数表記ができなくなった	015	新しい 8 進数表記は「0o15」

※ 11　ちなみに最近よく使われるフレームワーク（Angular、React、Vue.js、Svelte など）は当たり前のように Strict モードで動作します。jQuery も Strict モードで動作します。

1-4 JavaScriptのいま・Web開発のいま

次章から本格的に JavaScript コードに触れますが、その前に、JavaScript や Web 開発を取り巻く現在の状況を少しだけ説明します。早くプログラミングを始めたいという方は Chapter 2 に進んでかまいません。

1-4-1 JavaScript のバージョンと仕様

JavaScript が誕生したのは 1995 年で、1997 年からは標準化団体 Ecma International が言語仕様を策定・公開するようになり、正式名称も「ECMAScript」、もしくは「ecma-262」と呼ばれるようになりました[*12]。

もともとはホームページにちょっとした動きをつけられる、手軽に使えるプログラミング言語として登場しましたが、ほかの言語と比べて独特な動作をするところや、特殊な書き方をしなければならないところがいくつかあったうえに、ブラウザー間で異なる動作をする機能が多数あったため、Web サイトに求められる機能が高度化・複雑化するにつれ、とくに大規模なプログラムを書くのが困難になっていきました。

そうした問題を解消すべく、2015 年に公開されたバージョン 6（通称 ES6、ES2015）で大きな仕様変更があり、独特な動作や特殊な書き方を排除して、本格的な開発でも使いやすい言語に生まれ変わりました。2015 年以降は毎年言語仕様がアップデートされ、2016 年公開の仕様ドキュメントからは「ES2016」などとバージョン番号として年号がつくようになりました。現在では Chrome や Edge、Firefox、Safari といった主要なブラウザーも仕様に準拠するように開発が進められていて、どのブラウザーを使っていてもプログラムはおおむね同じように動作します。

本書では基本的に ES6 以降の JavaScript をもとに各種機能を紹介し、サンプルのソースコードも現代的な書き方に合わせてあります。それ以前の JavaScript の挙動や書き方は原則として説明していません。

一部の機能は別の標準化団体が仕様を決めている

ECMAScript の仕様では主に、言語の文法や、どんな環境で動作するプログラムであっても必要な機能が定められています。しかし、特定の環境で動作するプログラムに必要な機能——たとえば Web ブラウザーで動作する JavaScript であれば、HTML を操作する機能や、ブラウザー自体を操作する機能、外部のサーバーと通信する機能など——は、HTML の標準化団体である WHATWG や W3C が仕様を策定しています。以下に各仕様が掲載されている URL を載せておきますが、プログラミングの仕様書は英語であるだけでなく、非常に難解です。わからなくても落胆することはまったくありません。

ECMAScript® 2023 Language Specification（英語）
URL https://262.ecma-international.org/
WHATWG（英語）
URL https://whatwg.org/
W3C（英語）
URL https://www.w3.org

[*12] ただ、一般的には「JavaScript」と呼ぶことが多く、本書も特別な理由がないかぎりは JavaScript と表記します。

ブラウザーの対応状況

「次のバージョンの ECMAScript にどんな機能を追加するか」という議論は 1 年を通して行われています。ブラウザーベンダーもその議論に参加しているので、どんな機能が追加されるかは事前にわかっています。そのため、次期 ECMAScript の仕様が正式に発表されるころには主要なブラウザーへの実装がおおむね完了していることが多く、Web 開発者も比較的早い段階で新機能を試せます。

主要ブラウザーのアップデートも頻繁です。現在、Chrome、Edge、Firefox は、4 週間に一度新しいバージョンをリリースすると公式に発表しています。Safari は公式なリリース頻度の発表をしていませんが、おおむね毎年 9 月ごろに新しいバージョンを、そのあいだは 1 〜 2 カ月に一度の頻度でアップデート版をリリースしています。ブラウザーのリリース情報については次のページで確認できます。

Chrome Releases（英語）
`URL` https://chromereleases.googleblog.com/
The Firefox release process - MozillaWiki（英語）
`URL` https://wiki.mozilla.org/Release_Management/Release_Process
Microsoft Edge リリース スケジュール | Microsoft Learn
`URL` https://learn.microsoft.com/ja-jp/deployedge/microsoft-edge-release-schedule
Safari Release Notes | Apple Developer Documentation（英語）
`URL` https://developer.apple.com/documentation/safari-release-notes

---

𝒩ote　活躍の場が広がる JavaScript

現在の JavaScript は Web ブラウザーだけでなく、Node.js という、デスクトップで JavaScript プログラムを動かすアプリケーション（実行エンジンという）もあります。Node.js を使えば JavaScript でデスクトップアプリの開発ができ、現在は多くのアプリが JavaScript で作られています。有名なものではチャットアプリの Slack、メモツールの Obsidian、実はテキストエディターの VSCode も、JavaScript で作られています。

図　Obsidian。JavaScript で作られたデスクトップアプリケーションの例

`Ctrl` ＋ `shift` ＋ `I` キーを押せばブラウザーと同じ開発ツールが開き、JavaScript を含む Web 技術で作られているのがわかる

▍1-4-2 現在の Web 開発を取り巻く状況

　すべてのプロジェクトがそう、というわけではありませんが、現在の Web サイト／ Web サービス開発では、なんらかのライブラリーやフレームワークを使うことが多くなります。ライブラリーやフレームワークとは、JavaScript コードを書きやすくする「開発支援ツール」で、よく行われる処理を簡単に呼び出せるようにしています。ライブラリー自体も JavaScript で書かれていて、JavaScript でできないことができるようになるわけではありませんが、開発者の負担を大幅に軽減し、結果的により高度なアプリを作れるようになります。

　ライブラリーとフレームワークにはっきりした区別はありませんが、特定の機能を提供する、比較的規模の小さい（といっても相当なサイズの）プログラムを「ライブラリー」、規模が大きく、決められたルールに合わせて開発を進めるようなものを「フレームワーク」と呼ぶことが多いようです。

　こうしたライブラリーやフレームワークには、2005 年あたりに登場し始めた従来型のものと、従来型が誕生してからおよそ 10 年後くらいに普及し始めた次世代型フレームワークと、大きく 2 種類に分けられます。

手軽に導入できた従来型のライブラリー

　従来型のライブラリーの代表例が jQuery です。jQuery は 2006 年ごろに登場し、DOM 操作が簡単にできることから爆発的に普及しました。Web ブラウザーの機能の違いをうまく吸収してくれる作りだったため、いまよりもブラウザー間の動作の違いが大きかった時代に、高い互換性を確保できるライブラリーとして人気を博しました。JavaScript の性能が向上したこと、ブラウザー間の機能差が少なくなったこと、より高機能な次世代フレームワークが登場したことなどから一時期ほどは使われなくなっていますが、いまでも現役です。

　こうした従来型のライブラリーは、HTML に <script> タグを追加して読み込めば利用できるので、既存の Web サイトにも組み込みやすく、手軽に導入できるのが特徴です。

現代的な Web 開発に使う、より高機能なフレームワーク

　時代が進み、Web サイトの動作が高度化・複雑化してくると、DOM 操作を効率的に書ける、より高機能なフレームワークが登場してきました。

　新しいタイプのフレームワークは、Web ページが「コンポーネント（部品）」と呼ばれる、短いHTML の組み合わせでできていると考え、そのコンポーネントを JavaScript で挿入・変更・削除して、ページの表示を更新するのが特徴です。そうしたフレームワークの代表例が React で、それ以外にもVue.js、Angular、Svelte などがあります。

　これら jQuery 以降に出てきた次世代型フレームワークの多くは、JavaScript の文法を拡張したような DSL 言語（Domain-Specific Language、用途に特化した言語という意味）を使って開発します。たとえば React は JSX という拡張言語を使用して、JavaScript の中に、HTML とほぼ同じコードを直接書けるようになっています。たとえば次のコードは React のコンポーネントを定義している部分で、JavaScript のコードの中に、HTML に似たコードが含まれています。これは通常の JavaScript ではできない書き方ですが、コンポーネントの HTML がソースコードを見ただけでわかるようになっています。

▼ React のコンポーネント例。JavaScript の中に HTML に似たコードを書けるようになっている[13]

```
export default function MyApp() {
  return (
    <div>          ── 通常の JavaScript であれば、この HTML のようなコードは「'」で囲まないといけない
      <h1>Welcome to my app</h1>
      <MyButton />   ── コンポーネントの中に、さらに別のコンポーネントを挿入している
    </div>
  );
}
```

　ただ、JSX のような DSL 言語は開発環境でしか動作しないため、Web サイトを本番公開する前に、一般的なブラウザーで実行できる "ふつうの"JavaScript に変換する必要があります。開発のときは DSL 言語で書き、本番用に変換をするという工程を経るには、次表のような専用のツールを使うことになります。

表　高機能なフレームワークとあわせて使用するツール類

ツール	説明
Node.js	JavaScript をデスクトップ上で動作させるアプリケーション（実行エンジン）。すべてをコマンドラインで操作する
パッケージマネージャー	ライブラリーやフレームワークのインストール、管理をするツール。コマンドラインで操作する。Node.js と一緒にインストールされる npm や、yarn など数種類ある
トランスパイラー	最新の JavaScript や DSL で書いたプログラムを、開発環境でなく、少しバージョンの古いブラウザーであっても動作する互換性のあるコードに変換（トランスパイル）するツール。多くの場合ビルドツールに統合されていて、特殊な開発をしないかぎりトランスパイラーを直接操作することは少ない
モジュールバンドラー	インストールしたライブラリーや、分割された JS ファイルを結合して、1 枚の JS ファイルに変換するツール。トランスパイルとモジュールバンドルを同時に行う RollUp などのツールがある。トランスパイラーと同様直接操作することは少なく、ビルドツールに統合されている
ビルドツール	本番公開に適したファイルを生成するツール。JavaScript プログラムのトランスパイル、モジュールバンドルだけでなく、CSS や画像ファイルの最適化も行うことが多い。webpack や Vite（ヴィート）が有名

　こうしたツールを使うには、ターミナルや PowerShell を使ったコマンドライン操作に慣れておく必要があります。つまり、現代的なフレームワークを活用するには DSL 言語もツールの使い方も学習しないといけないので、習得には時間がかかるのが難点です。あんまりいろいろやろうとすると大変なので、とりあえず、いまはこうした次世代フレームワークのことは忘れておきましょう。

　本書では特定のフレームワークの説明やツールの詳しい使い方の解説はしませんが、Node.js の基本的な操作と、Vite というビルドツールを使って簡単な Web サイトを作る方法を、Chapter15 で紹介します。

＊13　React 日本語サイトから引用。https://ja.react.dev/learn

Note AltJS

DSLの中には、JavaScriptそのものを書きやすくしたり、なんらかの機能を追加するために文法・構文を拡張するようなタイプの言語があります。こうした言語をAltJS（Altはalternativeの略、「代わりのJavaScript」という意味）といい、現在よく使われているものとしては、マイクロソフトが中心になって開発しているTypeScriptがあります。詳しくは説明しませんが、TypeScriptはJavaScriptに「型アノテーション」と呼ばれる機能を提供し、より安全で堅牢なプログラムを書くサポートをします。現代的なフレームワークと併用することも多い言語です。

TypeScript: JavaScript With Syntax For Types
URL https://www.typescriptlang.org/ja/

こうしたフレームワークを使った開発が主流になっている中でも、"素の"JavaScript を学ぶ理由はなんでしょう？　それには、フレームワークを使っても結局 JavaScript を書かなければいけないので、JavaScript を先に知っておく必要があるということもあります。しかし、それよりも重要なのは、Web プログラミングの考え方や仕組みを知るには、JavaScript でコードを書くのが一番ストレートで理解しやすく、最適だからです。

Web プログラミングとは、JavaScript だけでなく HTML や CSS の知識も必要で、また、ページにテキストを表示するだけでも DOM 操作という処理が必要だったり、外部サーバーからデータをダウンロードするような時間がかかる処理を行ったりと、複数の要素が複雑に組み合わさった、少し特殊な環境といえます。まずはこうした環境に慣れるための「基礎固め」として、そしてフレームワークを使い始めてもずっと書き続けることになる、長い付き合いになる言語として、JavaScript の学習を始めましょう。

Chapter

2

変 数

変数・定数は、値を保存しておくために使用するプログラミングの基本的な機能の1つです。JavaScript
では2015年（ES2015）に大幅に機能が拡張され、格段に使いやすくなりました。本章では変数・定
数の特性、書き方、使い方を紹介します。また、JavaScriptで慣例的に使われている、変数名や定数名
をつける際の「命名ルール」についても詳しく触れます。

2-1 あとで利用するために値を保存しておくのが変数

変数とは、なんらかの値（データ）を、名前をつけて保存しておく仕組みのことです。JavaScriptの変
数には、あとから値を変更できる変数と、変更できない定数の2種類があります。

　プログラムは処理の途中で、さまざまな「データ」を扱います。プログラミングでいうデータとは、処
理の対象や、その処理によって得られた結果を指します。具体例を考えてみましょう。「15 + 8」の答え
は「23」ですが、このとき、「15」や「8」は処理の対象、「23」は処理の結果です。そして、15も8も
23も、すべてデータです。しかし、次図にある「+」や「=」など、処理の対象や結果にならないものは
データとはいいません。

図　データとは処理の対象もしくは処理の結果のことを指す

　データには15や23などの数字、'この歌いいですね'などの文字列があり、それ以外にも配列、オブ
ジェクトなどさまざまな種類があります（➡ Chapter 3「データ型と演算子」p.61）。また、プログラムに
よっては外部からファイルなどを読み込んで利用する場合もありますが、読み込んだものも含め、「処理
の対象となるもの」、または「処理の結果出てきたもの」はすべて「データ」です。

変数は、そうしたデータを保存しておくための機能です。変数には、保存したデータをあとから参照して利用したり書き換えたりできるように名前をつけます。この名前のことを変数名といいます。

▌2-1-1 変数の基本的な使い方

変数には基本的な使い方の流れがあります。

1. 変数を宣言する

2. 宣言した変数に値を入れる（代入）

3. 必要なときに変数に保存された値を取り出す（参照）、または書き換える

「1. 変数を宣言する」は、値を保存するための新たな変数を作成し、それに名前をつける作業です。その次の「2. 宣言した変数に値を入れる」では、作った変数に値を入れます。この作業のことを代入といいます。

JavaScript の変数には 2 種類あります。1 つは宣言したあとも値を何度も代入し直せる変数、もう 1 つは宣言の際に代入した値をあとから変更できない定数です。

𝒩ote　本書の変数・定数の呼び方

　本書では、変数・定数を指すときに、原則としてとくに区別せずまとめて「変数」と呼ぶようにしています。ただし、再代入できるものとできないもの、機能の違いを明確に区別する必要があるときには「変数」「定数」を使い分けることもあります。

変数　〜 let

変数から見てみましょう。変数の宣言は次のようにします。

▽ 変数を宣言する

```
let number;
```

先頭の let は「変数を宣言する」という意味です。上の例では変数 number を宣言だけしていて、値は代入していません。宣言と同時に値を代入することもできて、その場合は次のようにします。

▽ 変数を宣言し、同時に値を代入する

```
let number = 16;
```

変数 number を宣言して、そこに 16 という値を代入しています。「=」は代入演算子といい、右辺の値を左辺の変数に代入します。

書式 変数を宣言する

```
let 変数名;              // 変数を宣言するだけで値を代入しない
let 変数名 = 値;         // 変数を宣言する際に値も代入する
```

一度宣言した変数の値を取り出す（参照する）には、取り出したい変数の変数名を書くだけです。以下の例では 1 行目に変数 number を宣言すると同時に値を代入し、次の行でコンソールに表示しています。

Sample 変数の値を読み出す   c02/let.html

```
let number = 16;
console.log(number);    ●━━ 参照するときは変数名を書くだけ
```

値を取り出す方法に続けて、書き換えの方法を見てみましょう。変数の値を書き換えることを<u>再代入</u>といいます。再代入するときは、変数名の後ろに代入演算子（=）と、代入したい値を書きます。たとえば、すでに宣言されている変数 number の値を 1.05 にするとしたら、次のコードのようにします。変数自体はすでに宣言が完了しているので let は不要です。

▼ 値を書き換える（再代入する）

```
number = 1.05;
```

変数自体を宣言し直すことはできません。つまり、同じ名前の変数を再度宣言することはできないのです。これはすでに宣言している変数を間違って上書きしてしまうことを防ぐための動作で、次のようなコードを実行しようとするとエラーが発生します。

Sample 同じ変数名の変数を再度宣言することはできない   c02/duplicate-variable.html

```
let number = 16;
let number = 173;      // SyntaxError
```

コンソールを見ると「SyntaxError」というエラーが発生していることがわかります。**エラーが発生するとそこでプログラムの実行が止まり、それ以降に書かれた処理は行われません。**エラーにはいくつかの種類があるのですが、この「SyntaxError」は文法上のエラー、つまり書き間違いがあることを示しています。

ブラウザーによってメッセージの内容や表示の仕方は少しずつ違いがありますが、変数を二度宣言しようとすると「変数 number はすでに宣言されています」とか「同じ名前の変数を何度も宣言することはできません」など、エラーが発生した理由が表示されます。また、多くのブラウザーではエラーが発生したファイルとコードの行数も表示されるので、不具合がある場所を発見しやすくなっています。

図　同じ変数名の変数を再度宣言しようとしたときのエラー

エラーが発生したコードの行番号

定数　〜 const

定数（constants）は一度宣言して値を代入すると、あとから値を書き換えることができないタイプの変数です。let で宣言した変数とは違い、とりあえず宣言だけしてあとで値を代入するということはできないので、**定数は宣言と代入を必ず同時に行うことになります。**

定数を宣言するときは先頭に「const」と書きます。

書式 定数を宣言して値を代入する

```
const 定数名 = 値;
```

値を取り出す方法は let と同じで、定数名を書くだけです。以下の例では定数 shareButton を宣言すると同時に値を代入し、次の行でコンソールに表示しています。

Sample 定数の値を取り出す　　　　　　　　　　　　　　　　　　　　　　　　c02/const.html

```
const shareButton = '共有する';
console.log(shareButton);  // 共有する
```

定数は値を書き換えることができないため、再代入しようとするとエラーが発生します。

Sample 定数の値を書き換えることはできない　　　　　　　　　　　　　　c02/const-readonly.html

```
const shareButton = '共有する';
shareButton = '共有を停止する'; // TypeError
```

コンソールを見ると、今度は「TypeError」というエラーが発生しています。この TypeError はいろいろな場面で発生するのですが、基本的には、許可されていない処理をしようとして処理ができなかったことを示しています。今回の場合は、定数に値を再代入できなかったことを表しています。

変数　〜 var

参考情報

変数宣言にはここまで紹介してきた let と const のほかに、もう 1 つ、var があります。

▽ var による変数宣言

```
var video = 'javascript-seminar.mp4';
```

　結論からいうと、現在では var は使用すべきではありません。ただ、もしかしたら var で書かれたコードを見る機会があるかもしれませんので、ここで参考情報として説明しておきます。

　let、const は 2015 年に導入されました。var はそれよりも前からある変数宣言で、一度宣言したあとも値を書き換えられるという点で let と似た性質を持っています。ただ、var には独特な性質がいろいろあって、とくに次の 3 つが重要です。

- 巻き上げが発生する
- 広い範囲から変数を参照したり書き換えたりできる
- 同じ変数を何度でも宣言できる

　プログラムのコードは原則として書かれた順に上から下に 1 行ずつ実行されますが、var による宣言は、コードのどこに書かれていたとしても、それ以外のプログラムが実行される前に、真っ先に処理されます。この動作を巻き上げ（hoisting）といいます。ただし、値の代入は宣言の処理と同時には行われず、コードが書かれた場所で実行されます。

　巻き上げによって何が起こるかというと、var で宣言した変数はプログラムが実行された直後から参照できてしまいます。そして、コード上ではまだ宣言していない段階でその変数を参照すると、エラーにはならず undefined（値がない）が返ってくるようになるのです。この動作は let を使った変数定義と比較すると違いがわかります。

　let で宣言した変数は、コードに書かれた " その場で " 宣言・代入の処理が行われます。巻き上げは起きず、プログラムが実行された直後から参照できるようなことにはならないので、次のコードのように、宣言前に変数を使おうとすると ReferenceError（参照エラー、変数が宣言されていないという意味のエラー）が発生します。

▽ let で宣言した変数を宣言前に使用するとエラーが発生する

```
console.log(x); // ReferenceError
let x = 10;
```

いっぽう、var で宣言した変数は巻き上げられ、プログラムの実行が始まると最初に宣言の処理が行われるため、コード上では宣言前に参照してもエラーにはなりません。ただし、宣言の処理が実行された時点では代入はされないので、その変数には「値がない」ことになり、undefined が返ってきます。

▼ var で宣言した変数を宣言前に使用すると undefined になる

```
console.log(x); // undefined
var x = 10;
```

また、let や const は変数を宣言した {} 内でしかその変数を参照することができませんが、var で宣言した変数は基本的にソースコードのどこからでも値の参照・書き換えができてしまいます[*1]。宣言した変数を参照できる範囲のことをスコープといいますが（➡ 5-2「スコープ」p.135）、var のスコープは広く、いろいろなところから参照・書き換えができるのです。

▼ var で宣言した変数は {} の外から参照できる

```
{
  var var1 = 8;
  let let1 = 10;
}
console.log(var1);    // 8を出力。varで宣言した変数は {} の外からでも参照できる
console.log(let1);    // ReferenceError。letで宣言した変数は {} の外からは参照できない
```

さらには var で宣言した変数は何度でも宣言し直すことができます。

▼ 同じ変数（ここでは qty）を何度でも宣言できる。let や const ではできない

```
var qty = 1;
var qty = 2;
```

スコープが広すぎること、同じ変数を何度でも宣言できること、こうした性質は間違えて値を上書きしてしまう可能性が高まるため、バグを生み出しかねず危険です。これから書くコードでは var を使わないでください。

----

*1　ただし、関数の {} 内で宣言された場合はその {} 内でのみ参照・書き換えが可能。

𝒩ote **{ }は単体で使用することもできる**

　{ }は関数定義（function）やif文、繰り返し、オブジェクトの作成など、なんらかの構文の一部に組み込まれていることが多いのですが、上のコードで紹介したように単体で使うこともできます。主にスコープを作る（{ }の外側から変数を参照したり書き換えたりできないようにする）ために、以前はよく使われていました。しかし、以前に比べてJavaScriptの機能が向上しているため、現在では{ }を単体で使用する必要性はほとんどなくなっています。

▌ 2-1-2　変数名をつけるときのルール

　変数や、あとで出てくる関数やクラスなどにつける名前のことを識別子といいます。つまり、変数名＝識別子です。識別子は特定の変数や関数などを参照したり、呼び出したりするためにつける「名前」で、原則としてコードを書く人が自由につけられます。ただし、使える文字に多少の制限があるほか、使ってはいけない英単語があるなど、最低限守らなければならないルールがあります。

基本のルール

　変数や関数などにつける名前である、識別子に使ってよい文字は、次のように考えておくのが安全です。

識別子に使ってよい文字

- 大文字・小文字の英字アルファベット（a〜z、A〜Z）
- 数字（0〜9）、ただし変数名の1文字目は数字にできない
- 記号はアンダースコア（_）とダラー（$）

　アルファベットについては1つだけ注意しておきたいことがあります。1-3「JavaScriptの基本的な文法と書き方」（p.32）でも取り上げましたが、**JavaScriptは大文字・小文字を区別します。識別子についても大文字・小文字は区別される**ので、たとえば「myAddress」と「myaddress」は別のものとして認識されます。

　「識別子に使ってよい文字」に挙げた文字以外に、実際には日本語の漢字やかな、「é」などアクセント記号がついた文字も使えるには使えますが、一般的に使用しませんし、コードの可読性が落ちるためおすすめしません。

　また、予約語と呼ばれる、識別子に使ってはいけない単語もあります。予約語とはJavaScriptが言語自体で使うために確保しているキーワードで、全部で46単語あります。

識別子に使ってはいけない予約語

await / break / case / catch / class / const / continue / debugger / default / delete / do / else / enum / export / extends / false / finally / for / function / if / implements / import / in / instanceof / interface / let / new / null / package / private / protected / public / return / static / super / switch / this / throw / true / try / typeof / var / void / while / with / yield

以上がJavaScriptで識別子をつける際の最低限のルールです。このルールは変数名だけでなく、関数名、クラス名、オブジェクトのプロパティ名などをつける際にも適用されます。

ここまでの話をまとめて、もう少し具体的に、変数名につけてもよい名前、つけてはいけない名前の例を挙げておきます。

表　つけてもよい変数名の例

変数名	説明
address	予約語も特殊な記号も含まれていない
_prop	アンダースコア（_）は使える
$divTag	ダラー（$）は使える
color1	1文字目でなければ数字は使える
inArray	予約語（in）が含まれているが、そのものではない

表　つけてはいけない変数名の例

変数名	つけてはいけない理由
1level	1文字目が数字
border-width	ハイフン（-）は使えない
&reference	アンパサンド（&）は使えない
class	予約語は使えない

変数名を考えるときのヒント

あとからソースコードを読んだときにもわかりやすい変数名にするポイントをいくつか挙げておきます。

》 変数名はどんなデータが保存されているかを表す英単語にする

変数には、なんらかの目的を持ってデータを入れます。そこで、変数名はどんな内容のデータが保存されているかがひと目でわかるような、簡単な英単語でつけるようにしましょう。また、複数の単語を組み合わせて1つの変数名を作るときは、JavaScriptでは後述するキャメルケースで表記するのが一般的です。

簡単な英単語を使った変数名としては、次のようなものが考えられます。

- 金額が保存されている変数なら　　　　　　　　➡ price
- 合計金額なら　　　　　　　　　　　　　　　　➡ total
- フォームの「名前欄」に入力されたテキストなら ➡ name、firstName、lastName
- 「名前欄」そのものを指すなら　　　　　　　　➡ nameField

「単語が思い浮かばない」というときでも、英語辞書を引くのはおすすめしません。難しい単語をつけてしまったり、どんなデータが保存されているかわからない変数名になったりしがちです。英語辞書の代わりに日常英会話の本を使うか、ほかのプログラム——たとえばExcelの関数名——などを参考にした

ほうがよいでしょう。また、絶対にダメとはいいませんが、日本語をローマ字にするのも意外と読みづらいのでできるだけ避けます。

- × jikan（時間のローマ字）　➡ ○ time
- × goukeiKingaku　　　　　➡ ○ total

》》 原則として短すぎる変数名はつけない

「a」や「b」など、英字 1 文字だけの変数名などは原則としてつけないようにします。どんなデータが保存されているかわからなくなるのが最大の理由ですが、それ以外にもテキストエディターのコードヒントや検索機能が使いづらくなるので、コーディング作業がしにくくなります。

図　テキストエディターで変数 a を検索しても多くの場所がヒットしてしまう

ただし、ごく短いプログラム、繰り返しで使うカウンター変数[*2]、関数内で一時的に使用する変数などには、記述の手間を減らすために短い変数名をつける場合もあります。

- - - - - - - - - - - - -

＊2　4-3-2「カウンター変数を使用して繰り返す　〜 for」（p.122）

```
function multiple(num1, num2) {
    // 関数内でしか使わない変数なので短い変数名にしている
    const x = num1 * num2;
    return x;
}
```

》》 よく使われる省略語は使って OK

短すぎる変数名は基本的に避けるようにしますが、プログラミングでよく使われる省略語は使用してかまいません。とくに近年のトレンドとして長すぎる変数名は避ける傾向があるようなので、省略語を使って短くできるなら使ってもよいでしょう。

- number　　➡ num
- string　　➡ str
- property　➡ prop
- properties　➡ props

𝒩ote　キャメルケース

先述の firstName、lastName、nameField など、複数の単語を組み合わせて変数名などの識別子を作る場合は、JavaScript ではキャメルケースにするのが一般的です[*3]。キャメルケースとは、英単語の頭文字だけ大文字で、あとは小文字にする表記法です。ただし、1文字目（最初の単語）の頭文字は小文字にします。たとえば電話番号を保存しておく変数に、電話の phone と番号の number を組み合わせた名前をつけたいとしましょう。この場合、JavaScript では慣例的に、1文字目は小文字、2つ目以降の英単語の頭文字を大文字にします。

▼ キャメルケースの例

```
phoneNumber
```

ただし、Chapter 10「クラス」（p.327）で紹介するクラス名をつけるときは、1文字目も大文字にするアッパーキャメルケースを使うのが一般的です[*4]。

▼ アッパーキャメルケースの例

```
MyClass
```

＊3　アッパーキャメルケースと区別するために、ローワーキャメルケースと呼ぶこともあります。
＊4　パスカルケースと呼ばれることもあります。

データ型と演算子

プログラミングではさまざまなデータ（値）を扱います。JavaScript で扱えるデータには数値や文字列、ブール値などさまざまな種類があり、それぞれにできることが変わってきます。JavaScript に定義されているデータ型とその特徴を見ていきましょう。また本章では、データの処理に関連の深い演算子と、データを変数に保存する「代入」の高度な方法についても解説します。

3-1　データには「型」がある

プログラミングで扱うデータには、「データ型」と呼ばれる "型" があります。データ型が違えばできることが違ってくるので、プログラミングをするうえでデータ型を理解しておくことはとても重要です。この章では、JavaScript で定義されているデータ型と、それぞれのデータ型の特徴を見ていきます。

　Chapter 2「変数」でも触れましたが、データとは、処理の対象や、その処理によって得られた結果を指します[*1]。そうした処理の対象や結果には、数値もあれば文字列もあり、ほかにも 1-2「入門 JavaScript プログラミング」（p.14）で試した配列、オブジェクト、ブール値などもあり、これらすべてをデータと呼びます。JavaScript では関数もデータとして扱われます。

3-1-1　データ型とは

　データ型とはデータの種類のことで、数値、文字列、オブジェクトなどは、それぞれ別のデータ型になっています。データ型が違えば取り得る値が違いますし、そのデータを使ってできることも違います。
　データ型をイメージするうえで、一番わかりやすい例は「数値」と「文字列」の違いでしょう。数値のデータが「2」や「3.14」ということはあっても、「にさんがろく」というテキストのことはありません。また、数値は計算ができますが、「23」と「45」を連結して「2345」にすることはできません。文字列にも同じことがいえます。文字列のデータが数字の「23」になることはありませんし[*2]、計算もできません。その代わり「にさんが」と「ろく」を連結して「にさんがろく」にすることはできます。
　まとめると、データ型が違うと次の 2 つのことが違ってくるのです。

- 取り得る値が違う
- できることが違う

＊1　2-1「あとで利用するために値を保存しておくのが変数」（p.51）
＊2　ただしクォートで囲んで「'23'」とすれば文字列にできます。

61

図　数値データと文字列データの違い

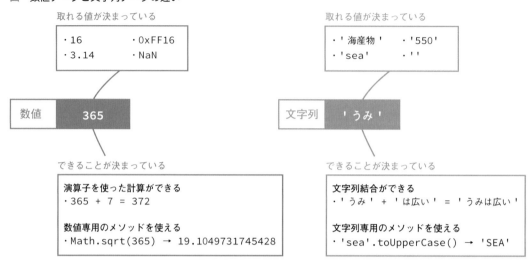

𝒩ote　JavaScriptは「動的型付け」かつ「弱い型付け」言語

　JavaScriptは動的型付け言語と呼ばれるタイプのプログラミング言語です。**動的型付けとは、変数を宣言する際に代入できるデータ型を指定する必要がなく、変数にはどんなデータ型のデータ（値）でも代入、および再代入できる性質の**ことをいいます。そのためJavaScriptでは次のコードのように、1つの変数に異なるデータ型の値を代入・再代入できます。

▼　JavaScriptの変数にはどんなデータ型の値でも代入・再代入できる

```
let data = 418; ●——— 変数 data に数値を代入
data = '文字列を再代入'; ●——— 変数 data に文字列を再代入
```

　また、JavaScriptは弱い型付けと呼ばれる言語でもあります。**弱い型付けとは、できるだけエラーを起こさず処理を続行できるように、必要に応じて自動的に値のデータ型が型変換される性質のことをいいます。**たとえば次のコードでは、数値と文字列という、異なるデータ型の値を結合しています。数値の8は文字列の'8'に自動的に型変換され、「結合」という、文字列に特有の処理がエラーなく行われるのです。

▼　数値は自動で文字列に変換され、文字列結合される

```
const num = 8;
const msg = num + '個のケーキ'; ●——— 定数 num は文字列に変換され、結合される
console.log(msg); // 8個のケーキ
```

　JavaScriptは「動的、かつ弱い型付け」言語なので、扱う値のデータ型を気にせず変数に代入したり処理をしたりでき、比較的気軽にコードが書けます。ただ、いくら気軽にコードが書けるとはいえ、実際には値のデータ型とその特徴を理解しておかないと、どんな処理ができて、どんな処理ができないのかがわからなくなってしまいます。コードを読んだり書いたりするときは、扱っているデータのデータ型を常に把握することを心がけましょう。

▎3-1-2 JavaScript のデータ型

JavaScript には 7 つのプリミティブ型と 1 つのオブジェクト型、合計 8 つのデータ型が定義されています。このうちオブジェクト型はさらに、純粋なオブジェクトと、オブジェクトを原型として機能を継承[*3]して作られた配列・関数など、多数の特定の用途に特化した（特殊な機能を持つ）オブジェクトがあります。

プリミティブ型

- null 型 ── ヌル。値がない、存在しないことを示す
- undefined 型 ── 値が定義されていないことを示す
- Boolean 型 ── 真偽値
- Number 型 ── 数値
- BigInt 型 ES2020 ──Number で扱えるよりも大きい、または小さい整数を扱う
- String 型 ── 文字列
- Symbol 型 ES2015 ── シンボル

オブジェクト型

- オブジェクト型 ── 関連するデータやメソッドを 1 つにまとめたもの。データ構造

3-2 プリミティブ型のデータ型とその特徴

プリミティブ型には 7 つのデータ型が定義されています。各データ型の特徴を 1 つひとつ見ていきましょう。

プリミティブ型に分類される 7 つのデータ型の性質と特徴を説明します。「値が取得できない」ことを示す null 型、undefined 型と、どんなコードを書くときでも必ず出てくる Boolean 型、Number 型、String 型、この 5 つはとくに重要です。

▎3-2-1 null

「ヌル」と読みます。「値がない、存在しない」ことを示すデータ型で、値は null しかありません。コーディング中に自分で null と書くことは多くありませんが、取得したい値がないなど、プログラムが思ったように動作しないときに遭遇します。なお、JavaScript は大文字・小文字を区別するので、ヌル値を表すときは必ず null と書きます。Null にしてはいけません。

----

*3 オブジェクト型が持つ機能は受け継ぎつつ、さらに機能を追加して、元のオブジェクトとは別の処理や操作ができるオブジェクトを作ること。継承について詳しくは Chapter10「クラス」(p.327) を参照してください。

書式 null の表記法（リテラル）

```
null
```

$\mathcal{N}$ote　リテラル

　値の書き方、表し方、表記法のことを「リテラル（literal）」といいます。たとえば上の「**書式** null の表記法（リテラル）」は、「null を表す書き方（表記法）が書かれている」ことを示しています。

　このリテラルという言葉は、JavaScript 関連のマニュアルやドキュメンテーションなどでよく出てきます。見かけたら「あ、表記法のことを言っているのだな」と、思い出してください。読んでいるマニュアルの内容がよりよく理解できるはずです。

---

　null が出てくる例を見てみましょう。Chapter 1 で使用した document.querySelector() メソッドを使って CSS セレクターをもとに、HTML 中の特定の要素を取得しようとしたとします。もし指定したセレクターにマッチする要素がなければ null が返ってきます。次のコードでは、id 属性が target の要素を取得して定数 element に代入しようとしていますが、HTML 中にそのような要素がないため、コンソールには null と出力されます。

Sample null が出てくる例（HTML 部分）　　　　　　　　　　　　　　　　c03/null.html

```
<body>
  略
  <main>
    <div class="container">
      <p>コンソールを開いて確認します。</p>
    </div>
  </main>
</body>
```

Sample null が出てくる例（JavaScript 部分）　　　　　　　　　　　　　　c03/null.html

```
const element = document.querySelector('#target'); ● ─[ HTML に id 属性が「target」の要素はない ]
console.log(element); // null
```

実行結果 「id="target"」の要素がないので定数 element の値は null になる

⚡ ⊡	要素	コンソール	ソース	ネットワーク	パフォーマンス

```
▷ ⊘   top ▼   👁   フィルタ
    null
>
```

▌3-2-2 undefined

値が定義されていないことを示すデータ型です。値は undefined しかありません。 宣言しただけで値が代入されていない変数を参照したときや、返り値がない関数を使用したときなどに undefined が返ってきます。

`書式` undefined の表記法（リテラル）

```
undefined
```

undefined が返ってくる例を見てみましょう。次のコードでは変数 something を宣言していますが、値は代入していません。この変数を参照しようとすると undefined が返ってきます。

`Sample` undefined が出てくる例　　　　　　　　　　　　　　　　　　　　　　c03/undefined.html

```
let something;  ●━━━━━━━━━━━━━━ 値は代入していない
console.log(something);        // undefined
```

`実行結果` 変数 something を宣言しただけの状態では、値を参照しても undefined になる

undefined は「値が定義されていない」という意味、1 つ前に紹介した null は「値が存在しない」という意味ですが、違いはわかりにくいですね。実際、どんな状況で undefined が出るのか null が出るのか、はっきり区別するのが難しいケースもあります。ただ、コードを書くときに undefined なのか null なのかを区別する必要はまずありません。どちらが出た場合も「値がないんだな」と考えておけば十分です。

undefined や null はエラーではない

先ほどのコードでは変数 something を宣言後、値を代入しないで参照すると undefined になることを確認しました。それでは、変数 something を宣言する前に参照するとどうなるでしょう？　その場合は ReferenceError [*4] が発生し、プログラムの動作が止まります。

`Sample` 変数を宣言前に参照するとエラーが発生する　　　　　　　　　　　　c03/reference-error.html

```
console.log(something);  ●━━━━━ 変数 something を宣言前に参照しようとしている
let something;
console.log(something);
```

＊4　「参照エラー」、つまり参照しようとしている変数などがそもそもないことを示しています。

```
要素    コンソール   ソース   ネットワーク   パフォーマンス   メモリ   アプリケーション

top ▼    ⊘    フィルタ

⊗ ▶ Uncaught ReferenceError: Cannot access 'something' before initialization
     at reference-error.html:9:17

>
```

　それに対して、値を代入していない変数を参照して undefined が返ってくるのは、変数に値が代入されていないことを示しているだけで、エラーが発生しているわけではありません。エラーが発生していないので、プログラムの実行も止まりません。

　もちろん、変数に値が代入されていない状態では思ったとおりにプログラムが動かない可能性が高いでしょう。しかし、エラーが発生すると動作が止まるのに対し、undefined（または null）が出てもプログラム自体は動作しているので、対処をすればプログラムは正しく動くようになります。対処法はその時々によってさまざまですが、たとえば、次のようなコードを書くケースは非常に多くなります。

▼ 変数が undefined の場合に 1 を代入するケース

```
let number;    // 変数 number を定義だけして値は代入していない
if(number === undefined) {
  number = 1;
}
console.log(number);
```

　このコードの場合、変数 number が undefined になるのを避けるために、値が代入されていない場合は「1」を代入しています[5]。

3-2-3 Boolean

　「ブーリアン」と読みます。「ブール値」や「真偽値」と呼ばれるデータ型で、値は true と false の 2 つです。このうち、true は「真、正しい、（条件などが）成り立つ」という意味、false は「偽、正しくない、（条件などが）成り立たない」という意味で、条件分岐の if 文や繰り返しの for 文、while 文で使う条件式と関係の深いデータ型です。ブール値の特徴や実際の使い方は 3-5「演算子」（p.83）、Chapter 4「制御構造」（p.109）などで取り上げます。

----

* 5　コード中で使用している「if」については、Chapter 4「制御構造」（p.109）で取り上げます。

書式 ブール値の表記法（リテラル）

```
true
false
```

true と見なされる値、false と見なされる値

　ブール値の値は true と false の 2 つのみですが、JavaScript で扱う値の中には「true と見なされる値」や「false と見なされる値」があります。「見なされる」とはどういうことかというと、条件式でその値を評価するときや、ブール値に型変換すると true または false が返ってくる値のことです。まず、false と見なされる値から紹介します。8 種類あり、変数などの値がこの 8 つのどれかのとき、false と見なされます。

false と見なされる値

- false ── ブール値の false
- 0 ── 数値のゼロ
- -0 ── 数値のマイナスゼロ[*6]
- 0n ── BigInt 型のゼロ（p.68）
- "、""、`` ── 空の文字列（「'」または「"」または「`」を 2 つ続ける）
- null ── 値がない、存在しない
- undefined ── 値が定義されていない
- NaN ── 数ではない（p.164）

　たとえば、数値の 0 をブール値にデータ型を変換すると false になります（➡ 3-4「データ型の操作」p.81）。コンソールに次のコードを入力してみると確認できます。

▽「0」をブール値に型変換すると false が返ってくる

```
> Boolean(0)  // false
```

実行結果 「0」をブール値に型変換すると false が返ってくる

　いっぽう true と見なされる値は「false と見なされる値」以外のすべての値です。たとえば次のような値が考えられます。

----
* 6　JavaScript の数値には -0 があります。

true と見なされる値の例

- true —— ブール値の true
- 19、3.56、-173 —— 0、-0 以外のすべての数
- 1n —— 0n 以外のすべての BigInt 型
- 'abc'、" 日付順 " —— 空の文字列以外のすべての文字列
- [1, 2, 3] —— 配列
- [ ] —— 値が含まれない空の配列
- {color: 'red'} —— オブジェクト
- { } —— 値が含まれない空のオブジェクト

true と見なされる値も、型変換したり if 文を書いたりして実際に確認できます。興味がある方は false のところで紹介したコードを応用して試してみましょう。

3-2-4 Number

数値を表すデータ型です。整数、小数、正負の区別なく、すべての数値が Number 型です。

JavaScript の数値は倍精度 64 ビット浮動小数点形式（IEEE754）という形式で表され、± 2^{53}-1 までの数を扱えます。計算の結果がこの範囲内に収まっていれば正しいことが保証されるため、安全な数とも呼ばれます。逆に、計算の結果がこの範囲を超えると、正しい答えが出なくなります。

JavaScript で扱える数の範囲

-2^{53}-1 （-9007199254740991）〜 2^{53}-1 （9007199254740991）

数値の表記（リテラル）は「365」や「3.14」のような、日常的に使う 10 進法の数字の書き方のほか、いくつかのパターンがあります。詳しくは Chapter 6 「数値と計算」（p.161）で取り上げます。

書式 最も一般的な数値の表記法（リテラル）

```
1846
1.4142135623730951
```

3-2-5 BigInt

Number 型では扱えない、ものすごく大きい、または小さい数を扱うためにできたデータ型です。ES2020 で新たに導入されました。BigInt 型の数値は、数字の最後に n をつけて表します。次の書式例では Number 型で扱える数（2^{53}-1 = 9007199254740991）よりも 1 大きい数を BigInt 型で表しています。BigInt 型で扱えるのは整数のみで、小数は扱えません。

9007199254740992n

BigInt 型の値でできる計算

BigInt 型は大きな数字を扱えますが、Number 型ほど柔軟に計算ができません。安全にできる、正しい答えが得られる計算は次の 4 種類のみです（➡ 3-5「演算子」p.83）。割り算はいちおうできますが、小数点以下が切り捨てられます。

- BigInt + BigInt（足し算）
- BigInt - BigInt（引き算）
- BigInt % BigInt（剰余、割り算の余り）
- BigInt ** BigInt（べき乗）

注意しなければならないのは、BigInt 型と BigInt 型同士の計算だけができるということです。BigInt 型と通常の数値である Number 型の計算はできません。次の例は TypeError [7] が発生する例で、BigInt 型と Number 型で計算してしまっています。

▽ エラーが発生する例。BigInt 型と Number 型で計算しようとしている

```
9007199254740992n + 2 // TypeError
9007199254740992n * 2 // TypeError
```

エラーを発生させずにこれらの計算を行うには、Number 型の数値（例では 2）も BigInt 型にしてしまうことです。つまり、2 と書く代わりに 2n と書きます。Number 型で扱えるような大きさの数であっても、後ろに n をつければ BigInt 型にできるのです。

▽ 正しく計算される例。BigInt 型は BigInt 型とのみ計算ができる

```
9007199254740992n + 2n // 9007199254740994n
9007199254740992n * 2n // 18014398509481984n
```

▌3-2-6　String

シングルクォート（'）、ダブルクォート（"）、もしくはバックティック（`）で囲まれた 0 文字以上の文字の連なりを文字列（String 型）といいます。

- - - - - - - - - - - - -

＊7　型エラー。この例では、BigInt 型や Number 型のデータで許可されていない処理をしていることを示しています。

文字列の表記法（リテラル）

"JavaScriptはブラウザーで動く言語"
'JavaScriptはブラウザーで動く言語'
` JavaScriptはブラウザーで動く言語`

　これら3つの文字列を囲む記号のうち、「'」と「"」は、どちらを使っても機能的な違いはまったくありません。「`」で囲むと、その文字列はテンプレートリテラルと呼ばれる、文字列の中に変数などを埋め込める特殊な文字列になります。

　たとえば「こんにちは、〇〇さん」という文字列の「〇〇」の部分に、ログイン中のユーザー名を表示させたいとしましょう。そんなとき、テンプレートリテラルを使うととても簡単にユーザー名を埋め込めます。具体的には、文字列中の変数を埋め込みたい場所に ${ 変数名 } を挿入します。

Sample テンプレートリテラル　　　　　　　　　　　　　　　　　　　　　　　　c03/template-literal.html

```
const loginName = document.querySelector('#loginname');

const userId = '岡田';
loginName.textContent = `こんにちは、${userId}さん`; ●────[文字列中に定数 userId が埋め込まれる]
```

実行結果 テンプレートリテラルで作成した文字列が表示される

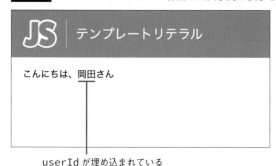

userId が埋め込まれている

　文字列はとくによく使うデータ型の1つで、また、さまざまな機能があります。文字列の特徴や機能の詳細は Chapter 7「文字列の操作」（p.197）で取り上げます。

3-2-7 Symbol

　Symbol（シンボル）は、ほかの変数や、文字列、数値などのデータと絶対に同じにならない、唯一であることが保証されたデータ型で、もともとは JavaScript の内部でメソッドなどを定義し、あとから書き換えられないようにするために作られました。オブジェクトのプロパティ名（キー）を定義するなどの用途で使われることがあるものの、実際のプログラミングで使用することはまれです。

とはいえ、Symbol の特徴だけでも把握しておきましょう。Symbol を作成するときの書式は以下のとおりで、( ) 内には作成するシンボルの説明を書きます。「説明」であることがポイントで、これは作成する Symbol の値ではありません。Symbol に値はありません。

書式 Symbol の表記法（リテラル）

```
Symbol('データの説明')
```

次の例では定数 sym1、sym2 に Symbol を代入しています。「データの説明」はどちらも ' シンボル ' にしてあります。しかし、sym1、sym2 は " 同じもの " とは見なされません。

Sample Symbol の例   c03/symbol.html

```
const sym1 = Symbol('シンボル');          定数 sym1 に Symbol を代入
const sym2 = Symbol('シンボル');          （個別の Symbol に値はない）
                          定数 sym2 に Symbol を代入

console.log(sym1 === sym2);     // false | 「データの説明」が同じでも同じシンボルにならない。
                                 sym1 と sym2 は絶対同じにならない
```

なお、上のコードで使用した「===」は比較演算子といい、左辺と右辺が同じであれば true、異なれば false を返します。詳しくは 3-5「演算子」（p.83）で取り上げます。

3-3 オブジェクト型の特徴

ここまでプリミティブ型のデータ型 7 種類を見てきました。残る 1 種類のデータ型「オブジェクト」は、プリミティブのデータ型とは性質がだいぶ異なります。

ここまで見てきたプリミティブの各種データ型は、どれも値そのもの――true、16、' 日曜日 ' など――を指していました。これに対して**オブジェクトは、そうした、プリミティブで表される複数の値や、値を操作するための命令（メソッドという）をまとめ、1 つのデータとして扱えるようにする**データ構造です。

図　プリミティブ型は値そのもののデータ型、オブジェクト型はデータ構造

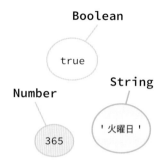

プリミティブ型
値そのもののデータ型

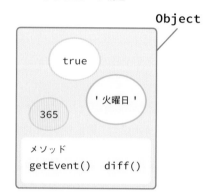

オブジェクト型
値と値を操作するメソッドを
1つにまとめたデータ構造

　オブジェクト型のデータには、「組み込みオブジェクト（ビルトインオブジェクト）」と呼ばれる、固有の機能を持ったオブジェクトが複数定義されています。組み込みオブジェクトはたくさんあるのですが、その中でも代表的なものを次表にまとめました[8]。この表にあるオブジェクトのうち、本節ではとくに重要な、オブジェクト・配列・関数の概要を説明します。

表　代表的な組み込みオブジェクト

名前	説明
Object	オブジェクト。プロパティを複数持てるオブジェクト型のデータ。 ➡ 3-3-1「オブジェクト」p.72、➡ Chapter 9「オブジェクトと Map、Set」p.293
Array	配列。複数の値を 1 つのデータ（値）にまとめるオブジェクト型のデータ。 ➡ 3-3-2「配列」p.74、➡ Chapter 8「配列」p.249
Function	関数。➡ 3-3-3「関数」p.75、➡ Chapter 5「関数」p.129
Date	日付を扱うオブジェクト。➡ 6-6「日付・時刻を扱う Date オブジェクト」p.186
JSON	JSON データを扱うオブジェクト。➡ 14-3「JSON」p.520
Map	マップ。キーと値のセットを 1 つのデータにまとめるオブジェクト型のデータ。 ➡ Chapter 9「オブジェクトと Map、Set」p.293
Set	セット。重複しない値を 1 つのデータにまとめるオブジェクト型のデータ。 ➡ Chapter 9「オブジェクトと Map、Set」p.293

▌3-3-1　オブジェクト

　オブジェクト（Object）は、プロパティと呼ばれる、参照するための「名前」と「値」がセットになったデータを、複数保持するデータ構造です。基本的なオブジェクトの表記法は次のとおりで、波カッコ（{}）、ブレイ

----

[8]　6.1.7.4 Well-Known Intrinsic Object - https://tc39.es/ecma262/multipage/ecmascript-data-types-and-values.html#sec-well-known-intrinsic-objects

スともいう）で囲み、プロパティをカンマ（,）で区切って入れます。各プロパティは「名前（プロパティ名、キーとも呼ぶ）」と「値」をコロン（:）でつなげます。プロパティ名は文字列でつけますが、クォートで囲む必要はありません[*9]。

書式 オブジェクトの表記法（リテラル）

```
{
  プロパティ名1: 値1,
  プロパティ名2: 値2,
  プロパティ名3: 値3,
}
```

次の例では定数 video に 3 つのプロパティを持つオブジェクトを代入しています。

▽ 定数 video にオブジェクトを代入する

```
const video = {
  title: '15分でできるチーズケーキ',
  file: 'cheesecake15.mp4',
  duration: '4:52',
};
```

オブジェクトの各プロパティの値を参照するにはプロパティ名を使います。たとえば video オブジェクトの title プロパティの値を取り出すには次のようにします[*10]。

▽ video オブジェクトの title プロパティの値を取り出す

```
console.log(video.title);    // '15分でできるチーズケーキ'
```

プロパティの値を書き換えたり、プロパティを追加したりすることもできます。

▽ video オブジェクトの title プロパティの値を書き換える

```
video.title = '10分でできるフロランタン'; ●—— 既存のプロパティに値を代入すると、プロパティが書き換えられる
```

▽ video オブジェクトに size プロパティを追加する

```
video.size = '720'; ●—— 存在しないプロパティに値を代入すると、プロパティが追加される
```

＊9 　クォートで囲んでもかまいませんが、JavaScript では慣例的に囲みません。また、プロパティ名を Symbol にすることも可能です。
＊10 　ほかの書き方もあります。詳細は Chapter 9「オブジェクトと Map、Set」(p.293) で取り上げます。

プロパティには数値、文字列、配列、別のオブジェクトなど、どんな値でも入れることができます。さらには関数を入れることもできます。次の例では、オブジェクト user の getName プロパティに関数を入れています。この関数は引数に数字の文字列を受け取り、それが id プロパティと同じなら name プロパティの値を返します。

c03/function-as-property.html

Sample プロパティの値が関数の例

```
const user = {
  id: '11005',
  name: 'Tanaka',
  getName: function(id) {        ← プロパティに関数を代入
    if (id === this.id) {        ← this はこのオブジェクト自身（p.301）。
                                    引数 id の値と user.id の値が同じなら……
      return this.name;          ← user.name の値を返す
    }
    return 'idが見つかりません。';
  },
};
略
```

このプロパティに入れた関数を呼び出すには、次のようにします。

書式 プロパティに入れた関数を呼び出す方法

＜オブジェクト名＞. プロパティ名 (引数)

定義した user オブジェクトの getName プロパティを呼び出す場合は以下のようになります。

c03/function-as-property.html

Sample プロパティの値が関数の例（つづき）

```
console.log(user.getName('11005'));   // 'Tanaka'
console.log(user.getName('12445'));   // 'idが見つかりません。'
```

プロパティ値が関数の場合、その関数はメソッドと呼ばれます。メソッドの定義、呼び出し方以外にも、オブジェクトにはさまざまな機能があります。詳しくは Chapter 9 「オブジェクトと Map、Set」（p.293）で紹介します。

3-3-2 配列

配列（Array）はオブジェクト同じく、複数の値を保存しておけるデータ構造です。オブジェクトと違ってプロパティを持たない代わりに、値に自動的にインデックス番号がつきます。配列を作るときは、角カッコ（[]、ブラケットともいう）で囲み、その中に 1 つひとつの値をカンマ (,) で区切って入れます。

配列の表記法（リテラル）

[値1, 値2, 値3]

次の例では定数 docs に 3 つの値（文字列）が含まれる配列を代入しています。

▼ 定数 docs に配列を代入する

```
const docs = ['入会申込書', '振込口座登録書', 'チェックリスト'];
```

配列に含まれた値には、先頭から 0、1、2、……と、0 から始まる**インデックス番号**がつきます。値を取り出したり書き換えたりするときには、このインデックス番号を使います。たとえば配列 docs の先頭の値——インデックス番号で 0 番目の値——を読み出すには次のようにします。

▼ 配列 docs の先頭の値を読み出す

```
console.log(docs[0]); //'入会申込書'
```

配列を使うと複数の値を 1 つにまとめて保持できるだけでなく、あとから値を追加・削除できるため、たくさんのデータを効率的に管理できるようになります。配列の各種機能や使い方は、Chapter 8「配列」（p.249）で取り上げます。

▌3-3-3 関数

関数（Function）は、なんらかの値を受け取り（引数、ひきすうという。パラメーターと呼ぶこともある）、その値をもとに処理をして結果を返す小さなプログラムです。次の例では関数 add を作成しています。

▼ 関数の例

```
function add(x, y) {
  return x + y;
};
```

この関数は引数 x、y を受け取り、その 2 つを足した数を返します。

関数に定義された処理を実行するには、その関数を呼び出す必要があります。呼び出しは次のように関数名（ここでは add）に続けて () を書き、その中に必要なだけ引数をカンマで区切って指定します。

▼ 関数 add( ) を呼び出す

```
console.log(add(15, 4));  // 19
```

関数について詳しくは Chapter 5「関数」(p.129) や 11-4「関数の高度な性質」(p.371) で説明します。

3-3-4 プリミティブ型とオブジェクト型の違い

ここまで見てきたとおり、JavaScript のデータ型は大きく 2 種類、プリミティブ型とオブジェクト型に分けられます。プリミティブ型とオブジェクト型のデータには、2 つの異なる特徴があります。

図　プリミティブ型とオブジェクト型のデータの違い

プリミティブ型		オブジェクト型
一度定義すると値を変更できない	⟷	定義したあとも値を変更できる
コピーするとディープコピーが作られる	⟷	コピーするとシャローコピーが作られる

この 2 つの違いを理解するために、コンソールを使ってコードを書きながら動作を体験してみましょう。

プリミティブ型のデータ（値）の特徴

プリミティブ型のデータ型はどれも、値そのものの「型」(値が数値なら Number 型、文字列なら String 型) を指しています。そして、プリミティブ型の値は一度定義をする——たとえば文字列であれば、クォートで囲んで「'テキスト'」などとして値を作る——と、その値そのものはあとから変更することができません。その値が変数に代入されているのであれば、別の値を再代入すれば、変数に代入されている値は変更できますが、値そのものが変わるわけではないのです。これがどういうことなのか、変数に文字列や数値などプリミティブ型の値を代入して試してみます。次のコードをコンソールに入力して、実行してみてください。

▼ 変数 str に文字列を代入

```
> let str = 'ここにテキストが入ります。'
```

変数 str に、プリミティブ型である文字列の値を代入しました。コンソールに str と入力すれば、代入した文字列が出力されます。

▼ 変数 str の値を確認

```
> str
```

```
⟘ ⟘   要素   コンソール   ソース   ネットワーク   パフォーマンス
▶ ⊘   top ▼   ◉   フィルタ
> let str = 'ここにテキストが入ります。'
⟨ undefined
> str
⟨ 'ここにテキストが入ります。'
>
```

次に、変数 str に代入した文字列を操作してみます。ここで使用する repeat() は、String 型のデータに使えるメソッドで、( ) 内に指定した回数だけ文字列を繰り返し、その結果を返します。実行すると、文字列が 5 回繰り返されてコンソールに出力されます。コンソールに出力されたのはメソッドから返された、実行結果であることを頭に留めておいてください。

▽ repeat( ) メソッドを実行

```
> str.repeat(5)
```

実行結果 文字列が 5 回繰り返されて出力される

```
⟘ ⟘   要素   コンソール   ソース   ネットワーク   パフォーマンス   メモリ   アプリケーション   セキュリティ
▶ ⊘   top ▼   ◉   フィルタ
> let str = 'ここにテキストが入ります。'
⟨ undefined
> str
⟨ 'ここにテキストが入ります。'
> str.repeat(5)
⟨ 'ここにテキストが入ります。ここにテキストが入ります。ここにテキストが入ります。ここにテキストが入ります。ここにテキストが入ります。'
>
```

ここでもう一度、変数 str の値を確認します。すると、変数 str の値は最初に代入したときと変わっていない（5 回繰り返されたものにはなっていない）ことがわかります。つまり、String 型に使えるメソッドを使用しても、変数 str に代入されている文字列そのものを変えることはできないのです。

▽ もう一度変数 str の値を確認

```
> str
```

実行結果 変数 str の値は変わっていない

```
⟘ ⟘   要素   コンソール   ソース   ネットワーク   パフォーマンス   メモリ   アプリケーション   セキュリティ
▶ ⊘   top ▼   ◉   フィルタ
> let str = 'ここにテキストが入ります。'
⟨ undefined
> str
⟨ 'ここにテキストが入ります。'
> str.repeat(5)
⟨ 'ここにテキストが入ります。ここにテキストが入ります。ここにテキストが入ります。ここにテキストが入ります。ここにテキストが入ります。'
> str
⟨ 'ここにテキストが入ります。'
>
```

このように、String 型のデータはメソッドを使って操作をしても、最初に定義した値を変えることはできません。これがプリミティブ型の特徴である「**一度定義すると値を変更できない**」ということです。

もし変数 str の値を変更したいなら、次のようにしてメソッドの実行結果を再代入する必要があります。

▼ 変数の値を変えるなら再代入する必要がある

```
> str = str.repeat(5)
```

プリミティブ型のデータのもう 1 つの特徴、「コピーするとディープコピーが作られる」も試してみましょう。変数 num1 を作り、プリミティブ型の数値（例では 15）を代入します。さらに変数 num2 を作り、変数 num1 を代入します。このとき、代入されている値がプリミティブ型であれば、変数 num2 には変数 num1 の値そのものが代入されます。

▼ 変数 num1、num2 を作る

```
> let num1 = 15
> let num2 = num1
```

変数 num2 のほうに 3 を足してから、num1 と num2 の値を確認してみましょう。

▼ 変数 num2 に 3 を足して、値を確認する

```
> num2 = num2 + 3
> num1 // 15
> num2 // 18
```

実行結果 変数 num2 にだけ数字が足され、num1 は変化していない

```
☐☐   要素   コンソール   ソース   ネットワーク   パフォーマンス
▷ ⊘   top ▼   👁   フィルタ
> let num1 = 15
< undefined
> let num2 = num1
< undefined
> num2 = num2 + 3
  18
> num1
  15
> num2
  18
>
```

変数 num1 と num2 は違う値になります。このことから、2 つは完全に別の変数になっていることがわかります。**プリミティブ型のデータを持つ変数を別の変数に代入すると、完全に別個の値として扱われるようになり、結果として変数 num1 と num2 は別々の変数として機能するようになります。**この動作のことをディープコピー（深いコピー）といいます。直感的で素直な動作といえるかもしれませんが、オブジェクト型のデータはそうなりません。次にそちらの特徴も見てみましょう。

オブジェクト型のデータ（値）の特徴

　オブジェクト型のデータは複数の値を 1 つにまとめた「データ構造」です。プリミティブ型と違い、「定義したあとも値を変更でき」「コピーするとシャローコピーが作られ」ます。この 2 つの動作を試してみましょう。

　オブジェクト型のデータの代表例として、ここでは配列を使ってみます。まずは第 1 の特徴、「定義したあとも値を変更できる」から試します。変数 arr1 を作り、配列を代入します。

▼ 変数 arr1 に配列を代入

```
> let arr1 = [1, 2, 3]
```

　いま作った配列にデータを 1 つ追加しましょう。push( ) という、配列で使えるメソッドを利用します（➡ Chapter 8 「配列」p.249）。そして、arr1 の値を確認します。

▼ 配列にデータを 1 つ追加する

```
> arr1.push(4)
> arr1
```

実行結果　arr1 の値を確認するとデータが 1 つ追加されている

　データが 1 つ追加されています。つまり、メソッドを使って配列 arr1 自体の値を変えることができています。プリミティブ型のデータでは一度定義するとメソッドを使っても値が変わらず、変数に代入されている値を変えるためには再代入しないといけませんでしたが、それとは異なる動作をしています。

　それではオブジェクト型のデータの第 2 の特徴、「コピーをするとシャローコピーが作られる」はどうでしょうか。変数 arr2 を作り、配列 arr1 を代入します。その後、arr2 の値を確認します。

▼ 変数 arr2 を作り、配列 arr1 を代入

```
> let arr2 = arr1
> arr2  // [1, 2, 3, 4]
```

　配列 arr2 ができました。配列 arr1 とまったく同じ値が代入されています。

　ここで配列 arr2 のインデックス 0 番目のデータを書き換えてみます。配列の値を書き換えるには、「配列 [インデックス番号] = 書き換えたい値」とします。その後、arr2 の値を確認します。

```
> arr2[0] = 6
> arr2  // [6, 2, 3, 4]
```

配列 arr2 の 0 番目の値が変更できています。ここで配列 arr1 の値を確認してみましょう。なんと、arr1 の値も変わってしまっています。

▼ 配列 arr1 の値を確認する

```
> arr1  // [6, 2, 3, 4]
```

実行結果 配列 arr2 を操作すると、配列 arr1 も変わる

```
[ ]  [ ]   要素  コンソール  ソース  ネットワーク  パフォーマンス
[▶]  [⊘]  top ▼  [●]  フィルタ

<  4
>  arr1
<  ▶ (4) [1, 2, 3, 4]
>  let arr2 = arr1
<  undefined
>  arr2
<  ▶ (4) [1, 2, 3, 4]
>  arr2[0] = 6
<  6
>  arr2
<  ▶ (4) [6, 2, 3, 4]
>  arr1
<  ▶ (4) [6, 2, 3, 4]
>
```

これが**シャローコピー**です[11]。

プリミティブ型のデータが代入されている変数には「値そのもの」が保存されているのに対し、オブジェクト型のデータが代入されている変数には、実際には値そのものが保存されているのではなく、その値が保存されているメモリー内の場所（アドレス）の情報が記録されています。そのため、オブジェクト型のデータが代入されている変数をコピーして別の変数を作っても、アドレス情報がコピーされるだけで、その中身である実際の値はコピーされません。結果的に、元の変数と新しく作った変数で、代入されている値の実体は同じものを指すことになります。そのため、元の変数、あるいは新しく作った変数のデータになんらかの操作をすると、その影響が双方のデータに及んでしまいます。

- - - - - - - - - - - - -

＊11　シャロー（shallow）は「浅い」という意味です。文字どおりの「浅いコピー」で、変数名は違うけれどもデータの実体は同じものを指しています。

図　オブジェクト型データをコピーする仕組みのイメージ

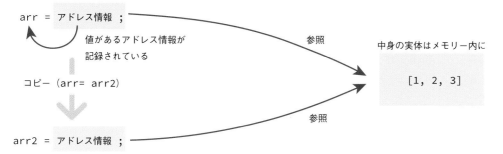

```
arr = [1, 2, 3] ;
```

実際には……

```
arr = アドレス情報 ;
```
値があるアドレス情報が
記録されている

コピー（arr= arr2）

```
arr2 = アドレス情報 ;
```

参照

参照

中身の実体はメモリー内に

[1, 2, 3]

　配列やオブジェクトの全部または一部をコピーして別の変数を作ることは実際のプログラミングでもよくあることで、この挙動を知らないでいると、意図せず元の配列やオブジェクトの値も書き換えてしまって、プログラムが正しく動かない原因になることがあります。配列やオブジェクトのシャローコピーについては、8-5-3「配列のコピーの仕組み」（p.277）でさらに詳しく取り上げます。そちらも参考にしてください。

▎3-4　データ型の操作

データ型が違えばできる操作も違うため、状況によっては思ったような処理ができないことがあります。そういうときに役立つ、データ型の変換と、変数などに保存されているデータのデータ型を確認する方法を説明します。

　データ型を変換したり、変数などに保存されているデータのデータ型を調べたりする機会は意外と多く、実践的なコードを書くうえで重要な知識の1つといえます。本節ではデータ型を変換する方法と、確認する方法を解説します。

データ型の変換（キャスト）

　データ型が違えば取り得る値が違いますし、できることも違います。しかし、場合によっては「文字列だけど計算したい」など、やりたい操作とデータ型が一致しないときがあります。たとえば、Webページのフォームに入力された値はすべて文字列になるので、テキストフィールドに「300」と数値を入力しても文字列（String 型）のデータになります。しかし String 型のデータのままだと計算ができないので、計算したいときは数値（Number 型）のデータに変換する必要が出てきます。そうした、データ型を変換する操作のことを型変換またはキャストといいます。代表的な型変換とその方法を次表にまとめておきます。

コード	使用例	説明
Number(値)	Number('36')	「値」を Number 型（数値）に変換。ただしすべての値を Number 型に変換できるわけではない
+ 値	+'16'、+'-12.5'	「値」を Number 型に変換する別の方法
BigInt(値)	BigInt(37)	「値」を BigInt 型に変換。ただし「値」が文字列など数値でない 場合は SyntaxError、小数の場合は RangeError が発生する
String(値)	String(-16)	「値」を String 型（文字列）に変換
Boolean(値)	Boolean(' 正しい文字列 ')	「値」を Boolean 型（ブール値）に変換
!! 値	!!0	「値」を Boolean 型に変換する別の方法。否定演算子（!）を 2 回 連続で使用（➡ 3-5「演算子」p.83）

データ型を確認する

データのデータ型を確認するには、typeof 演算子を使います。

書 式 **データ型を確認する**

typeof　調べたいデータ

次の例では、変数 test に代入する値を変えながら、それぞれのデータ型を調べてコンソールに出力します。1 行ずつコンソールに入力すれば動作を確認できます。

▼ **typeof を使ってデータ型を調べる**

```
let test = 'これは文字列';
console.log(typeof test);     // string
test = 112;
console.log(typeof test );    // number
test = 2n;
console.log(typeof test);     // bigint
test = [1, 2, 3];
console.log(typeof test);     // object
test = {a: 1, b: 2};
console.log(typeof test);     // object
```

それぞれのデータ型の詳細については 3-2「プリミティブ型のデータ型とその特徴」(p.63)、3-3「オブジェクト型の特徴」(p.71) を参照してください。また、配列（Array）やオブジェクト（Object）、関数（Function）など、オブジェクト型はすべて「object」が返ってきます。配列やオブジェクトのデータ型を object ではなく、より細かく区別して知りたい場合には instanceof 演算子を使用します。

調べたいデータ instanceof オブジェクトの種類

instanceof では、書式中の「調べたいデータ」が「オブジェクトの種類」のとき true、そうでない場合は false が返ってきます。たとえば次のように、変数 test の値が配列で、「オブジェクトの種類」が「Array」なら true が返ってきます。

▼ 変数 test のデータ型が Array かどうかを調べる

```
test = [1, 2, 3];
console.log(test instanceof Array);    // true
```

また、変数 test の値がオブジェクトで、「オブジェクトの種類」が「Object」のときも true が返ってきます。

▼ 変数 test のデータ型が Object かどうかを調べる

```
test = {a: 1, b: 2};
console.log(test instanceof Object);   // true
```

3-5　演算子

演算子とは、あるデータとデータを足したり、変数に値を代入したり、大小を比較したりと、決められたなんらかの演算や操作を行ってその結果を返すように定義された記号やキーワード（単語）のことです。JavaScript で使用できる演算子を解説します。

　演算子は、英語でオペレーター（operator）と呼ばれています。また、演算子によって演算・操作される対象となるデータのことをオペランド（operand）と呼びます。

図　オペレーターとオペランド

　演算子は演算・操作の内容によっていくつかのグループに分けられます。たとえば計算をする算術演算子や、変数に値を代入する代入演算子などがあります。ここでは代表的な演算子を機能別に分けて説明します。

▌3-5-1 算術演算子　〜計算に使う演算子①

足し算や掛け算など、いわゆる算術的な演算をする演算子です。次表のものがあります。

表　算術演算子

演算子	使用例	働き、名称
+	a + b	a 足す b。加算演算子。文字列結合も可能
-	a - b	a 引く b。減算演算子
*	a * b	a 掛ける b。乗算演算子
/	a / b	a 割る b。除算演算子
%	a % b	a 割る b の余り。剰余演算子
**	a ** b	a の b 乗。べき乗演算子

算術演算子の多くは数学で使われるものと同じで、使い方も困らないでしょう。たとえば 20 を 5 で割る場合は、次のように「/」を使います。

▼ 20 を 5 で割る

```
console.log(20 / 5);  // 4
```

割り算の余りを計算したい場合は「%」を使います。

▼ 15 を 6 で割った余りを計算する

```
console.log(15 % 6);  // 3
```

ES2016 からは「数値の〇乗」も演算子を使って計算できるようになりました[*12]。2 の 3 乗を計算するなら次のようにします。

▼ 2 の 3 乗

```
console.log(2 ** 3);  // 8
```

＋演算子は文字列結合にもなる

＋演算子は、オペランドの少なくとも 1 つが文字列の場合、文字列結合をします。次の例では通常の文字列と、文字列が保存された変数をつなげています。

[*12]　2015 年以前は Math.pow( ) というメソッドを使っていました。いまでもこのメソッドを使用することはできます。

```
const date = '11月8日';
const message = '前売り券は' + date + '発売開始です。';
console.log(message); // '前売り券は11月8日発売開始です。'
```

オペランドの中に1つでも文字列があれば、数値やブール値などそれ以外のデータ型の値はすべてJavaScript実行エンジンが自動で文字列に型変換し、結合します。

▼ 数値と文字列を連結。数値は文字列に変換される

```
let warning = 0.1 + '～' + 1 + 'の範囲で指定してください。';
console.log(warning); // '0.1～1の範囲で指定してください。'
```

3-5-2 インクリメント（++）、デクリメント（--）
～計算に使う演算子②

インクリメントとデクリメントという2つの演算子があります。インクリメント（++）は変数に1を足し、デクリメント（--）は変数から1を引き、その結果を返します。

表　インクリメント、デクリメント

演算子	使用例	働き、名称
++	a++ または ++a	変数aに1を足す。インクリメント
--	a-- または --a	変数aから1を引く。デクリメント

++ も -- も、変数名の前、または後ろに、スペースを空けずにつけます。前後どちらにつけても「1を足す」または「1を引く」ことに変わりありませんが、少し動作が変わります。動作の違いについては後ほど説明します。

書式　インクリメント（変数の値に1を足す）

++変数
変数++

書式　デクリメント（変数の値から1を引く）

--変数
変数--

使用例を見てみましょう。まずインクリメントの例です。次のコードでは変数xに1を足して、その結果をコンソールに出力しています。

```
let x = 6;
++x; ●────────────────── 変数 x の値に 1 を足す
console.log(x);        // 7
```

　コード中では「++x」としていますが、「x++」でもかまいません。前後どちらにつけても、インクリメントは実際には「x = x + 1;」というコードを書くのと同じ動作をします。
　次にデクリメントの例も見てみましょう。デクリメントは変数から 1 を引きます。動作は「x = x - 1;」としたときと同じです。

```
let x = 6;
--x; ●────────────────── 変数 x の値から 1 を引く
console.log(x);        // 5
```

前置と後置

　インクリメント／デクリメントは、変数の前につける場合を前置、後ろにつける場合を後置といって区別します。
　前置が「いまの変数の値に 1 を足してからその結果を返す」のに対し、後置は「1 を足す前にいまの変数の値を返す」動作をします。この動作の違いは、上の例で見たように「変数そのものの値を変化させる」場合にはなんの違いも起こりません。

図　変数そのものの値を変化させる場合、前置でも後置でも動作に違いはない

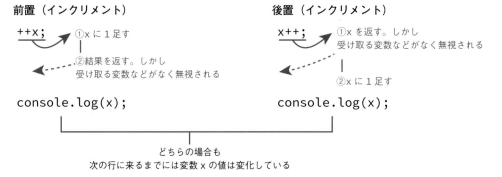

前置（インクリメント）
後置（インクリメント）

　しかし、インクリメントまたはデクリメントした値を、別の変数に代入する場合は注意が必要です。前置の場合は変数に 1 を足し、その結果を返すので、別の変数には 1 足された数が代入されます。後置の場合は 1 足す前に値を返すので、別の変数には 1 足される前の数が代入されます。

図　前置と後置、動作の違い

前置（インクリメント）

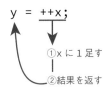

y = ++x;

①x に 1 足す

②結果を返す

後置（インクリメント）

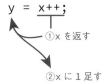

y = x++;

①x を返す

②x に 1 足す

違いがわかるサンプルを見てみましょう。

Sample　インクリメント、前置と後置の動作の違い　　　　　　　c03/pre-post.html

```
// 変数aに前置でインクリメント
let a = 10;
let b = ++a;
console.log('a = ' + a);      // 'a = 11'
console.log('b = ' + b);      // 'b = 11'

// 変数cに後置でインクリメント
let c = 10;
let d = c++;
console.log('c = ' + c);      // 'c = 11'
console.log('d = ' + d);      // 'd = 10'
```

3-5
演算子

3
データ型と演算子

実行結果　変数の値に注目。前置のインクリメントを使った結果の変数 b の値は 11 だが、後置を使った変数 d の値は 10 になる

```
          要素   コンソール   ソース   ネットワーク   パフォーマンス
        top ▼   ◉   フィルタ
      a = 11
      b = 11                                    —— let  b  =  ++a（前置）
      c = 11
      d = 10                                    —— let  d  =  c++（後置）
    >
```

　この例では、変数 a に 10 を代入し、前置でインクリメントして変数 b に代入しています。変数 c にも 10 を代入していますが、後置でインクリメントして変数 d に代入しています。すると、変数 d の値だけ 10 になり、ほかの 3 つは 11 になることがわかります。

　後置は「1 を足す前に値を返す」ので、変数 d には、変数 c に 1 が足される前の値、つまり 10 が代入されるのです。

　一般にインクリメント／デクリメントは繰り返しの for 文などでカウンター変数を増減させるのによく使います（➡ 4-3-2「カウンター変数を使用して繰り返す　～ for」p.122）。**カウンター変数で使用するときは前置でも後置でも動作の違いは出ませんが、別の変数に代入するようなときには注意が必要です。混乱のもとなので、そもそも変数の代入には使わないほうがよいかもしれません。**

▌3-5-3 比較演算子 ～条件式に使う演算子

比較演算子は、2つの値を比較して、等しい／等しくない／大きい／小さいを評価します。if 文や繰り返しで使う条件式を作るのに欠かせない重要な演算子です[13]。

表 比較演算子

演算子	使用例	働き、名称
==	a == b	a と b が等しいと見なせるなら true、そうでなければ false を返す。等価演算子
===	a === b	a と b が厳密に等しいなら true、そうでなければ false を返す。厳密な等価演算子
!=	a != b	a と b が異なると見なせるなら true、そうでなければ false を返す。不等価演算子
!==	a !== b	a と b が厳密に異なるなら true、そうでなければ false を返す。厳密な不等価演算子
<	a < b	a が b より小さければ true、そうでなければ false を返す。小なり演算子
>	a > b	a が b より大きければ true、そうでなければ false を返す。大なり演算子
<=	a <= b	a が b 以下なら true、そうでなければ false を返す。小なりイコール演算子
>=	a >= b	a が b 以上なら true、そうでなければ false を返す。大なりイコール演算子

条件式とは、ある条件が満たされるとき（＝真のとき）true を返し、満たされないとき（＝偽のとき）false を返す短いコードのことです。 比較演算子はどれも左側の値と右側の値を比較し、true か false を返します。大きく次の3つのグループに分けられます。

- 左の値と右の値が等しいかどうかを調べる　　　===、==
- 左の値と右の値が等しくないかどうかを調べる　!==、!=
- 左の値と右の値の大小を比べる　　　　　　　　<、>、<=、>=

比較演算子を使った条件式の例をいくつか見てみましょう。以下の例では厳密な等価演算子（===）を使って、定数 number に代入されている値が「100」かどうか、「99」かどうかを調べる2つの条件式を作り、評価の結果をコンソールに出力しています。条件式が true か false を返すことがわかります。

Sample 条件式は true か false を返す（===）　　　　　　　　　　　　　　c03/eq.html

```
const number = 100;
console.log(number === 100);  // true
console.log(number === 99);   // false
```

----
[13] Chapter 4「制御構造」(p.109)

コンソールに true、false の順に出力される

```
┌──┬──┬─────┬─────┬────┬──────┬────────┐
│ ▷ │ 📋 │ 要素 │ コンソール │ ソース │ ネットワーク │ パフォーマンス │
├──┴──┴─────┴─────┴────┴──────┴────────┤
│ ▷ │ ⊘ │ top ▼ │ ◉ │ フィルタ │
│  true                                 │
│  false                                │
│ >                                     │
│                                       │
│                                       │
└───────────────────────────────────────┘
```

　今度は数の大小を比べてみます。以下の例では小なり演算子（<）を使って、変数 counter の値が 10 より小さいかどうかを調べる条件式を作っています。代入されている値が 1 のときと 10 のときとで、条件式が返す値が変わることを確認できます。

Sample 条件式は true か false を返す（<）　　　　　　　　　　　　　　c03/condition.html

```
let counter = 1;
console.log(counter < 10);    // true
counter = counter + 9; ●─────────────── counter に 9 を足して 10 にする
console.log(counter < 10);    // false
```

コンソールに true、false の順に出力される

```
┌──┬──┬─────┬─────┬────┬──────┬────────┐
│ ▷ │ 📋 │ 要素 │ コンソール │ ソース │ ネットワーク │ パフォーマンス │
├──┴──┴─────┴─────┴────┴──────┴────────┤
│ ▷ │ ⊘ │ top ▼ │ ◉ │ フィルタ │
│  true                                 │
│  false                                │
│ >                                     │
│                                       │
│                                       │
└───────────────────────────────────────┘
```

　このように、比較演算子を使って 2 つの値を比べると、必ず true か false が返ってくるようになっています。

=== と == の違い

　左の値と右の値が等しいかどうかを調べる演算子には、「=」が 3 つの === と、2 つの == があります。どちらも基本的には同じ動作をするのですが、**== のことは忘れて、=== だけを使うようにしましょう**。

　== は、=== よりも古くからある等価演算子で、左と右の値が"できるだけ等しく"なるように、JavaScript の実行エンジンが型変換などの処理をしてから評価します。たとえば、次の条件式では true が返ってきます。

▼ 「==」を使うと true になる条件式①

```
16 == '16'    // true
```

左の値が数値、右の値が文字列でも、型変換をすればどちらも「16」なので true になる、というわけです。次の条件式も true が返ってきます。

▽ 「==」を使うと true になる条件式②

```
'0xff' == 255;  // true
```

これは '0xff' が 16 進数表記の数値であると判断され（➡「2 進法、8 進法、16 進法」p.162）、10 進数で表せば 255 になるため、true が返ってきます。

ここに挙げた 2 つの条件式を「=」3 つの === で書き換えると、どちらも false が返ってきます。=== は左と右の値を型変換などせずそのまま比べます。より厳しく、等しいかどうかを調べるわけです。「厳密な等価演算子」と呼ばれるゆえんです。

「=」2 つの等価演算子（==）は、正しい動作を理解していないと思わぬ不具合を招く可能性があります。バグの温床になりかねないので、等しいかどうかを調べるときは必ず === を使うようにしましょう。

!== と != にも同じような違いがある

不等価演算子の !== や != は、どちらも左と右の値が異なれば true、同じなら false を返します。

▽ 不等価演算子は左と右の値が同じなら false、異なれば true を返す

```
8 != 8    // false | != を使った条件式
8 != 9    // true
8 !== 8   // false | !== を使った条件式
8 !== 9   // true
```

しかし、!= と !== にも 2 つの等価演算子と同様の違いがあります。!= は == と同じように、実行エンジンが型変換などの処理をしてから評価し、!== はそうした処理をせずに評価するので、次のような条件式では両者の結果が結果が異なります。

▽ != と !== で評価の結果が異なる例

```
'8' != 8   // false | 不等価演算子は左の値を型変換するため、左右が同値と評価する
'8' !== 8  // true  | 厳密な不等価演算子は型変換しないため、左右が異なる値と評価する
```

等価演算子と同様、!= の動作は思わぬ不具合を招く可能性があるので、厳密な !== のみを使うようにしましょう。

3-5-4 論理演算子
〜主に比較演算子と組み合わせて複雑な条件式を作る演算子

論理演算子は、true または false と見なせる値や条件式を 2 つ取り、「両方とも true」あるいは「ど

ちらか片方でも true」といった条件を満たすかどうかを評価する演算子です。比較演算子と組み合わせて使うことが多い演算子です。

3-5
演算子

3
データ型と演算子

表　論理演算子

演算子	使用例	働き、名称
&&	a && b	a も b も true と見なされる値のとき true を返す。AND（論理積）演算子。「a かつ b」という条件式を作るときに使う
||	a || b	a または b が true と見なされる値のとき true を返す。OR（論理和）演算子。「a または b」という条件式を作るときに使う
??	a ?? b	a が null または undefined なら b、そうでなければ a を返す。Null 合体演算子
!	!a	a が true と見なされるなら false、false と見なされるなら true を返す。論理否定演算子

&& 演算子（AND 演算子）

　&& 演算子には、簡単な説明と、より正確な説明があります。まずは簡単な説明から。**条件式が「a && b」のとき、「a も b も true のとき true を、どちらか 1 つでも false なら false を」返します。この動作はつまり、「a かつ b」という条件式になります。**そのことから && 演算子はとくに、ある数値が「特定の範囲内に収まっている」かどうかを調べるのによく使われます。例を見てみましょう。次の例の条件式は、変数 loc の値が「0 以上、かつ 299 以下」のとき true、それ以外であれば false を返します。

Sample　&& 演算子 　　　　　　　　　　　　　　　　　　　　　　　　　c03/and-operator1.html

```
let loc = 285;
console.log(loc >= 0 && loc <= 299);  // true
```

　より正確な説明もします。&& 演算子は、条件式が「a && b」のとき、実際には次の順序で評価をします。

1. a を評価する

　　1-1. a の値が true、もしくは true と見なされるとき、2. へ

　　1-2. そうでない（a の値が false）なら a の値を返す（評価終了）

2. b の値を返す（評価終了）

　どんな結果が返ってくるかはコードを見たほうがわかりやすいかもしれません。次の例は、&& 演算子の左の値と右の値、どちらが返されるかを試しています。

Sample　&& 演算子の動作を正確に理解する 　　　　　　　　　　　　　　　c03/and-operator2.html

```
console.log(false && true);   // false —— 1-2.のケース
console.log(true && false);   // false —— 2.のケース
```

```
console.log(true && true);       // true ── 2.のケース
```

```
// true や false と「見なされる」値を使った場合 ●─────────────── p.67
console.log('' && 'bの文字列'); // '' (&&の左の値) ── 1-2.のケース。空の文字列は false と見なさ
                                                    れる
console.log('aの文字列' && ''); // '' (&&の右の値) ── 2.のケース
console.log('aの文字列' && 'bの文字列'); // 'bの文字列' (&&の右の値) ── 2.のケース
```

　&& 演算子の正確な動作を知っていると、オブジェクトの、あるかどうかわからないプロパティを参照することに応用できます。実際の例は 3-5-5「オプショナルチェーン　～あるかどうかわからないプロパティを参照する」（p.95）で紹介します。

|| 演算子（OR 演算子）

　|| 演算子も && 演算子と同じで、簡単な説明とより正確な説明があります。

　簡単な説明は、条件式が「a || b」のとき、「a と b、どちらか 1 つでも true なら true を、どちらも false のときだけ false を」返します。この動作はつまり、「a または b」という条件式になります。このことから、|| 演算子のよくある使用法の 1 つが、ある数値が「特定の範囲の範囲外にある」ことを調べたいときです。例を見てみましょう。変数 score の値が「5 より小さい、または 10 以上」のとき true を返す条件式を作るなら次のようにします。

Sample || 演算子   c03/or-operator1.html

```
let score = 7;
console.log(score < 5 || score >= 10); // false
```

　より正確な説明をします。|| 演算子は、条件式が「a || b」のとき、次の順序で評価をします。

1. a を評価する

　　1-1. a の値が true、もしくは true と見なされるとき、a の値を返す（評価終了）
　　1-2. そうでない（a の値が false）なら 2. へ

2. b の値を返す（評価終了）

動作がわかりやすいコード例を見てみましょう。

Sample || 演算子の動作を正確に理解する   c03/or-operator2.html

```
console.log(true || true);      // true ── 1-1.のケース
console.log(true || false);     // true ── 1-1.のケース
console.log(false || true);     // true ── 2.のケース
console.log(false || false);    // false ── 2.のケース
```

|| 演算子のこの動作は、先に紹介した条件式を作れるだけでなく、変数への値の代入にも応用できます。

|| 演算子の別の使い方

|| 演算子は、文字列や数値のような「true または false と見なせる値」に使うと、変数への値の代入などに応用できます。たとえば次の例では、定数 email か tel、どちらか値を持っているほうの値を、定数 contact に代入しています。

Sample | || 演算子を変数の代入に使う   c03/or-assign.html

```
const email = 'happy@example.com';
const tel = '';
const contact = email || tel;
console.log(contact); // 'happy@example.com'        先述 1-1. のケース
```

この動作をさらに応用すると、値が代入されていない変数への「デフォルト値の代入」もできます。次のコードでは、変数 memory に値が代入されていないとき（undefined のとき）は、「16」を代入します。

▽ || 演算子をデフォルト値の代入に使う例

```
let memory;
memory = memory || 16;
console.log(memory);   // 16
```

このような、|| 演算子をデフォルト値の代入に使う方法はよく行われていましたが、100％思ったとおりに動くわけではありません。左の値が false と見なされるとき右の値が代入される（先述の 2. のケース）ので、左の値が undefined や null のときだけでなく、「0」や「false」、空の文字列などが代入されていても右の値に書き換えられてしまいます。こうした動作を避け、より正確にデフォルト値の代入をするには、次に紹介する、ES2020 で登場した Null 合体演算子（??）を使います。

Null 合体演算子（??）

Null 合体演算子（??）は、条件式が「a ?? b」のとき、a の値が null または undefined のときだけ、b の値を返します。この動作を利用すれば、変数のデフォルト値を設定するのに使えます。

書式 変数のデフォルト値を設定する

変数a = 変数a ?? デフォルト値;

使用例を見てみましょう。次のコードでは、変数 var1 は宣言だけして値を代入していませんが、変数 var2 には宣言と同時に値を代入してあります。その後、?? 演算子を使った代入をすると、var1 にはデフォルト値が代入され、var2 は最初に代入しておいた値がそのまま保持されます。

Sample　Null 合体演算子（??）　　　　　　　　　　　　　　　　　　c03/null-operator.html

```
let var1;
var1 = var1 ?? 'デフォルト値を代入';  ←──  var1 には値が代入されていないので、?? の右側が代入される

let var2 = '代入済み';
var2 = var2 ?? 'デフォルト値を代入';  ←──  var2 にはすでに代入されているのでそのまま

console.log('var1 = ' + var1); // 'var1 = デフォルト値を代入'
console.log('var2 = ' + var2); // 'var2 = 代入済み'
```

！演算子の使い方

論理否定演算子（!）は、true（と見なされる値）を false に、false（と見なされる値）を true にする演算子です。

書式　！演算子

!値（変数など）

主に if 文などで条件式を作るときに使います。たとえば、変数に値が代入されていないことを確認したいときに使用します。

▼ 変数 something に値が代入されていないときに true になる条件式

```
!something
```

この例では、変数 something に値が代入されていない、つまり undefined であれば false と見なされるので、！演算子によってその否定である true が返ってきます。

≫ ！演算子をブール値への型変換に使う

！演算子は、なんらかの値を明示的にブール値に型変換するときにも使います。！演算子を 2 回続けて使用すれば、たとえば 1 文字以上の文字列（true と見なされる）をブール値 true に変換できます。

```
const string = 'true';  ────●── true と見なされる値
const boolean = !!string;  ──●── 文字列をブール値に型変換
console.log(boolean); // true
```

　１つ目の！で文字列がブール値に型変換されますが、！は否定演算子なので、返ってくる値は true の否定、つまり false になります。それをもう１つの！で否定し、true にしているのです。

　同じようにして false と見なされる値をブール値に変換することもできます。次の例では undefined をブール値 false に型変換しています。

▽ undefined をブール値 false に型変換

```
!!undefined    //false
```

3-5-5 オプショナルチェーン
～あるかどうかわからないプロパティを参照する やや高度な内容 🎓

　オプショナルチェーン（optional chains）は ES2020 で新たに追加された機能で、あるかどうかわからないオブジェクトのプロパティを、エラーを起こさずに参照できます。しかし、どんなときに「あるかどうかわからないプロパティ」を参照する必要があるのでしょう？　それはたとえば、外部サービスから取得した JSON データ（➡ 14-3「JSON」p.520）や、DOM 操作（➡ Chapter 12「HTML の操作」p.399）で書き換えた HTML など、実際に存在するかどうかがそのときの状況によって変わるプロパティや要素を参照するときです。

　以下の定数 screenSize オブジェクトが、外部サービスからダウンロードした JSON データから作成したオブジェクトだとしましょう。

▽ オブジェクトの例

```
const screenSize = {
  desktop: {
    width: 1920,
    height: 1080
  },
  mobile: {
    width: 360,
    height: 800
  }
}
```

このデータから tablet プロパティの width、height プロパティを参照し、それらを変数（定数）w、h にそれぞれ代入したいのですが、ダウンロードしたときの状況によって、tablet プロパティがあったりなかったりするとします。この例には tablet プロパティがなく、存在しないプロパティに直接アクセスしようとすると TypeError が発生してプログラムの動作が止まります。

Sample 存在しないプロパティを参照するとエラーが発生する　　　　　　c03/optional-chains-error.html

```
const w = screenSize.tablet.width;    // TypeError ●────── [ tablet プロパティがない ]
略
```

エラーを回避するには、tablet プロパティがあるかどうかを、width、height プロパティを参照する前に確認する必要があります。いろいろな方法が考えられますが、ここでは && 演算子を使う方法を見てみます。&& 演算子は、左の値が false と見なされるとき左の値を返して評価を終了しますから（p.91）、わざわざ tablet プロパティがあるかどうかを調べなくてもエラーは起きません。

Sample tablet プロパティがあるかどうか確認する　　　　　　　　　　c03/optional-chains-and.html

```
const w = screenSize.tablet && screenSize.tablet.width;  ●──── [ 左側が false と見なせるなら右側
const h = screenSize.tablet && screenSize.tablet.height; ●──── を返す（右側の値は undefined） ]

console.log(w, h);    // undefined undefined エラーは起きない
```

ただ、この方法はコードが長くなりますし、理解しやすいとはいえません。そこでオプショナルチェーン（?.）を使えば、tablet プロパティがあるかどうかを確認せずに、もっとスマートに書けるようになります。オプショナルチェーンは、あるかどうかわからないプロパティの後ろに「?.」をつけます。

Sample オプショナルチェーン（?.）　　　　　　　　　　　　　　　　c03/optional-chains.html

```
const w = screenSize.tablet?.width;  ●──── [ tablet プロパティがないなら
const h = screenSize.tablet?.height;        undefined を返す（エラーに
                                            ならない） ]
console.log(w, h);    // undefined undefined
```

▌3-5-6 ビットシフト演算子　〜 2 進数の掛け算・割り算をする演算子

ビットシフト演算子はビット列（2 進数の数字の並び）を左右にずらす演算を実行します[14]。次表の 3 つの演算子があります。

----

[14] ビットシフト演算、バイナリービット演算など 2 進数の演算自体について本書では詳しく解説しません。興味がある方は国家試験である「IT パスポート試験」の参考書や、コンピューターサイエンスの入門書などを読んでみることをおすすめします。

表　ビットシフト演算子

演算子	使用例	働き、名称
<<	a << b	a のビット列を b 桁分左にシフト。左シフト演算子
>>	a >> b	a のビット列を b 桁分右にシフト。右シフト演算子
>>>	a >>> b	符号なしで a のビット列を b 桁分右にシフト。符号なし右シフト演算子

　ビットシフト演算では、左に 1 桁シフトすると数字が 2 倍に、右に 1 桁シフトすると数字が 1/2 になります。次の例では 6（の 2 進数表現）を左に 2 桁分シフトするので、6 * (2 * 2) = 24 が返ってきます。

▽ 6 の 2 進数表現（110）を 2 桁左にシフト。つまり 4 倍

```
const a = 6;          // 6は2進数表現で0000 0000 0000 0000 0000 0000 0000 0110
console.log(a << 2);  // 24。2進数表現で0000 0000 0000 0000 0000 0000 0001 1000
```

3-5-7　バイナリービット演算子　～ 2 進数の論理演算をする演算子

　バイナリービット演算子は数字を 32 桁のビット列にしてから論理演算をする演算子です。次表の 4 つの演算子があります。

表　バイナリービット演算子

演算子	使用例	働き、名称
&	a & b	a と b のビット列（以下同）の論理積（AND）を演算。AND 演算子。ビット論理積演算子
|	a | b	a と b の論理和（OR）を演算。OR 演算子。ビット論理和演算子
^	a ^ b	a と b の排他的論理和（XOR）を演算。XOR 演算子。ビット排他的論理和演算子
~	~b	a の否定（NOT）演算。NOT 演算子。ビット否定演算子

3-5-8　代入演算子　～変数へ値を代入する演算子

　代入といえば「=」ですね。しかし、代入にはほかの演算子もたくさん定義されています。代入演算子は大きく以下の 4 つのグループに分けられます。

表　単純に代入だけをする演算子

演算子	使用例	働き、名称
=	a = b	b を a に代入。単純代入演算子

表　算術演算をしてから代入する演算子

演算子	使用例	働き、名称
+=	a += b	a＋bをしてからaに代入。加算代入演算子。文字列結合も可
-=	a -= b	a＋bをしてからaに代入。減算代入演算子
*=	a *= b	a×bをしてからaに代入。乗算代入演算子
/=	a /= b	a÷bをしてからaに代入。除算代入演算子
%=	a %= b	a÷bの余りをaに代入。剰余代入演算子
**=	a **= b	aのb乗をaに代入。べき乗代入演算子

表　ビットシフト演算をしてから代入する演算子

演算子	使用例	働き、名称
<<=	a <<= b	aのビット列をbビット分左にシフトしてからaに代入。左シフト代入演算子
>>=	a >>= b	aのビット列をbビット分右にシフトしてからaに代入。右シフト代入演算子
>>>=	a >>>= b	符号なしでaのビット列をbビット分右にシフトしてからaに代入。符号なし右シフト代入演算子

表　論理演算をしてから代入する演算子

演算子	使用例	働き、名称
&=	a &= b	a、bのビット列に対し各ビットのAND演算をしてaに代入。ビット論理積代入演算子
|=	a |= b	a、bのビット列に対し各ビットのOR演算をしてaに代入。ビット論理和代入演算子
^=	a ^= b	a、bのビット列に対し各ビットのXOR演算をしてaに代入。ビット排他的論理和代入演算子
&&=	a &&= b	aの値がtrue（真）と見なされる場合にのみaにbを代入。論理積代入演算子
||=	a ||= b	aの値がfalse（偽）と見なされる場合にのみaにbを代入。論理和代入演算子
??=	a ??= b	aの値がnullまたはundefinedの場合にのみaにbを代入。Null合体代入演算子

　単純代入（=）以外の演算子はどれも、なんらかの演算をしてから左辺の変数にその結果を代入します。

　たとえば「算術演算をしてから代入する演算子」には、四則演算など算術的な計算をして、その結果を代入する演算子が含まれています。代表例として加算代入演算子を見てみましょう。

Sample　加算代入演算子　　　　　　　　　　　　　　　　　　　　　　　　　　　　c03/add.html

```
let num = 5;
num += 1;        ●────────── 変数 num に 1 を足してから代入
console.log(num);        // 6
```

ほかにも、Null 合体代入演算子（??=）は変数などのデフォルト値を設定するのに使えます。次のコード例では、オブジェクト（motionSettings）のプロパティのうち、delay プロパティ、easing プロパティのデフォルト値を設定しています。

| Sample | Null 合体代入演算子（??=） | c03/null-assign.html |

```
const motionSettings = {
  duration: '0.5s',
  easing: 'ease-out'
};

// delay プロパティはないので '2s' が代入される
motionSettings.delay ??= '2s';
// easing プロパティはすでにあるので変更されない
motionSettings.easing ??= 'linear';

console.log(motionSettings.delay);    // '2s'
console.log(motionSettings.easing);   // 'ease-out'
```

▋3-5-9 高度な代入

　より短く簡潔なコードを書くために、JavaScript にはさまざまな代入のテクニックが用意されています。ここで取り上げる方法を知らなくてもコードは書けますが、意外とよく使われるので知っておいたほうがよいでしょう。

複数の変数を 1 行で宣言・代入する

　複数の変数をカンマ（,）で区切り、1 行で宣言することができます[15]。次の例では変数 x、y を設定しています。

▽ 複数の変数を 1 行で宣言する

```
let x, y;
```

宣言と同時に値を代入することもできます。

▽ 複数の変数の宣言・代入を同時に行う

```
const maxScore = 10000, maxLevel = 99;
```

＊ 15　Google JavaScript Style Guide では複数の変数を 1 行で宣言・代入することを禁止しています。本書でも使用しません。

分割代入①　〜配列の各項目を別々の変数に代入

分割代入は、配列やオブジェクトから値を取り出し、別々の変数に代入する手法です。

書式 配列の値を複数の変数（定数）に分割代入

```
const ［変数1, 変数2, …］= 配列;
```

少しだけ注意しておきたいのは、代入に使う変数（または定数）は、代入する前、もしくは代入と同時に宣言しなければならないということです。

例を見てみましょう。配列 arr のインデックス 0 番目と 1 番目の値を、定数 a、b にそれぞれ代入しています。

| Sample | 配列の値を分割代入 | c03/destructing1.html |

```
const arr = ['first', 'second', 'third'];
const [a, b] = arr;
console.log(a);        // 'first'
console.log(b);        // 'second'
```

配列を複数の変数（定数）に分割代入する際は、代入先の変数を角カッコ（[ ]）で囲みます。変数には配列の最初の値から 1 つずつ順に代入され、代入する変数がない要素は無視されます。

- 配列 arr の 0 番目の値（'first'）———— 変数 a に代入される
- 配列 arr の 1 番目の値（'second'）—— 変数 b に代入される
- 配列 arr の 2 番目の値（'third'）———— 無視される（代入されない）

》》変数のデフォルト値を設定して分割代入

代入する変数の数よりも配列の要素数のほうが多い場合、余った配列の要素は代入されず無視されますが、逆の場合、つまり変数の数が配列の要素数よりも多いとき、値が代入されなかった変数は undefined になります。次の例では変数 x、y、z を宣言していますが配列には 2 つしか値がないため、最後の変数 z は undefined になります。

▼ 配列の項目数よりも変数のほうが多い場合、代入される値がない変数は undefined になる

```
let [x, y, z] = [242, 53];
console.log(z);        // undefined
```

変数が undefined になるのを避けるため、デフォルト値を設定しておくことができます。デフォルト値を設定する場合は、次のようにします。

```
const ［変数1 ＝ デフォルト値，変数2 ＝ デフォルト値，…］ ＝ 配列；
```

　次のコードでは定数 x、y、z を宣言し、デフォルト値を設定したうえで分割代入しています。コンソールの出力を見ると、定数 z にはデフォルト値が代入されていることがわかります。

Sample 変数にデフォルト値を設定してから分割代入　　　　　　　　　c03/destructing2.html

```
const [x = 100, y = 50, z = 75] = [320, 240];
console.log(x, y, z); // 320, 240, 75
```

分割代入②　～オブジェクトのプロパティを別々の変数に代入

　配列と同じように、オブジェクトのプロパティを別々の変数（定数）に分割代入することもできます。オブジェクトのプロパティを分割代入するときは、代入するほうの変数を波カッコ（{}）で囲みます。また、配列のときは変数名を自由につけられましたが、オブジェクトを分割代入する際は、代入したいプロパティのプロパティ名を変数名にする必要があります。

　例を見てみましょう。たとえば次の imgData オブジェクトには、id、path、alt と 3 つのプロパティがあります。

▼ オブジェクト imgData

```
const imgData = {
  id: 138,
  path: '/images/item1.jpg',
  alt: '空気清浄機',
};
```

　このうちの id プロパティ、path プロパティの 2 つを変数（定数）に分割代入するなら、変数名はそれぞれ id、path にします。次の例では定数 id、path を宣言し、そこに imgData オブジェクトの同名のプロパティの値を代入しています。

Sample オブジェクトのプロパティの値を分割代入　　　　　　　　　　c03/destructing3.html

```
略
const {id, path} = imgData;
console.log(id);      // 138
console.log(path);    // '/images/item1.jpg'
```

この例では定数の宣言と代入を同時に行いましたが、もし、代入する先が変数で、宣言と代入を同時に行わない場合には注意が必要です。その場合、次の2つのルールを守らなければなりません。

- 代入の行全体を () で囲む
- 代入の1行前の行は必ずセミコロン（;）で終わらせる

例を見てみましょう。変数 alt を宣言し、次の行で imgData オブジェクトの alt プロパティの値を代入します。

▼ オブジェクトのプロパティを宣言済みの変数に分割代入

```
let alt; ●─────────────┤ 必ず ; で終わらせる ├
({alt} = imgData); ●──────────────┤ 行全体を ( ) で囲む ├
```

なぜ代入の行全体を ( ) で囲まなければいけないのでしょう？　それは左辺の {alt} で使用する {} が、オブジェクトではなくブロック[16] だと認識されるからです。それを避けるために ( ) で囲まなくてはならないのです。また ( ) で囲んだ行の前の行を必ずセミコロン（;）で終わらせなければならないのは、もし「;」がないと、今度は alt( ) という関数だと認識されてしまい、正しく動作しない可能性があるからです。

このように、オブジェクトのプロパティを分割代入するときに変数宣言と代入を別の行で行うのは、特殊なルールが多く書き間違う危険があっておすすめしません。**オブジェクトのプロパティを分割代入する際は、原則として宣言と代入を同時に行うようにしましょう。**

分割代入の応用例　〜変数の値を入れ替える

ここまで、配列やオブジェクトから複数の変数に分割代入する例を見てきました。ここで分割代入の応用的な使用法も見てみましょう。分割代入を使用すると、2つの変数の値を簡単に入れ替えることができます。変数 a と変数 b の値を入れ替えるときは次のように書きます。

書式　変数 a、変数 b の値を入れ替える

```
[a, b] = [b, a];
```

変数 a、b ともに配列ではありませんが、左辺、右辺とも {} で囲むのがポイントです。

例を見てみましょう。変数 w、変数 h があって、それぞれ 640、480 が代入されています。この値を入れ替えるには次のようにします。

＊ 16　Note「{} で囲まれる部分は「ブロック」」(p.29)

```
let w = 640;
let h = 480;
[w, h] = [h, w];  ●━━━━━[ w に 640、h に 480 を代入 ]
console.log('w = ' + w);     // 'w = 480'
console.log('h = ' + h);     // 'h = 640'
```

スプレッド構文を使った代入

　スプレッド構文は、配列の要素やオブジェクトのプロパティ 1 つひとつを別個の値として取り出し、別の配列やオブジェクトに代入したり、関数の引数として渡したりする機能です。次の例では、5 つの要素がある配列 arr のうち、1 番目の値を定数 first に、2 番目の値を定数 second に、残りの値を定数 rest に代入します。定数 rest は配列になります。

```
const arr = [1, 2, 3, 4, 5];
const [first, second, ...rest] = arr;
console.log(first);   // 1
console.log(second);  // 2
console.log(rest);    // [3, 4, 5]
```

　コンソールの出力を見るとわかりますが、代入先の定数 rest には、配列 arr のインデックス 2 番目以降の値が 1 つの配列になって代入されます。変数（定数）の前に「...」をつけると、代入しきれなかった残りの値がすべて代入されるのです。このドット（.）を 3 つ続けて書く「...」が、**スプレッド構文**と呼ばれています。

実行結果 コンソールの出力。定数 rest には配列が代入されている

定数 first の値
定数 second の値
定数 rest の値

　上の例のとおり、スプレッド構文を代入に使う際は、分割代入と組み合わせて使用します。

書式 分割代入とスプレッド構文を組み合わせて、配列のデータを定数に代入する

```
const ［変数1，変数2，変数3，...変数4］= 配列；
```

オブジェクトでもスプレッド構文を使えます。オブジェクトの場合は、変数名（定数名）と同じ名前のプロパティが個別の変数に代入され、残ったプロパティがスプレッド構文でまとめて代入されます。次の例では、定数 shop には shop プロパティの値が、スプレッド構文で作られる定数 time には、open プロパティ、close プロパティを持つオブジェクトが代入されます。

Sample スプレッド構文で残りのプロパティを代入　　　　　　　　　　　　　c03/spread-object.html

```
const hours = {
  shop: 'マジックドーナツ',
  open: '10:00',
  close: '19:00',
};
const {shop, ...time} = hours;
console.log(shop);     // 'マジックドーナツ'
console.log(time);     // {open: '10:00', close: '19:00'}
```

書式 分割代入とスプレッド構文を組み合わせて、オブジェクトのプロパティを変数（定数）に代入する。書式の変数 1 ～ 3 は代入したいプロパティの名前にする

```
const {変数1，変数2，変数3，...変数4} = オブジェクト；
```

スプレッド構文で代入できるのは、ほかの変数に代入したあとに残った部分だけです。そのため、分割代入の最初の変数や途中の変数でスプレッド構文を使うことはできません。たとえば次のコードのように、スプレッド構文を最初の変数に使うと SyntaxError（構文エラー）が発生します。

▼ スプレッド構文を最後の変数以外で使うと SyntaxError が発生する

```
const arr = [1, 2, 3];
let [...a, b] = arr;  // SyntaxError
```

スプレッド構文は代入以外にもいろいろな用途に使えます。代表的な使用例を挙げておきますので、興味のある方は参考にしてください。

- 関数に引数を渡す（➡ 5-4「引数を渡す・受け取るさまざまな方法」p.143）
- 配列をコピーする（➡「複数の配列を結合して新しい配列を作る」p.259）

▌3-5-10 演算子の優先順位

　ここまでいろいろな演算子を紹介してきました。実はこれらの演算子には、処理の優先順位があります。ただ、この優先順位は意外と複雑で、細かく挙げるとキリがないので、ここでは重要なポイントだけ確認します。

演算子の優先順位の基本

　次の式、答えはいくつになりますか？

```
2 + 3 * 5
```

　答えは 17 です。一般に演算子は左から処理されます。しかし、「*」は「+」よりも優先的に処理されるので、先ほどの式は次の順番で処理されることになります。

図　処理の順番。赤い演算子が処理をしている

2 + 3 * 5 ➡ 2 + 15 ➡ 17

　これが演算子の優先順位です。つまり、演算子には「より先に処理されるもの」と、「より後に処理されるもの」があり、すべての演算子に優先順位が定められています。

　四則演算（および剰余）の演算子は数学と変わらない優先順位になっているので、次のことがいえます。

　　　* / % は、+ - より優先される

　もし、掛け算（*）や割り算（/）よりも足し算（+）や引き算（-）を優先したいなら、優先したい計算を ( ) でくくります。これも数学と変わりませんね。先ほどの「2 + 3 * 5」で「2 + 3」を優先したいなら次の式のようにします。答えは 25 になります。

```
(2 + 3) * 5 ●────────[ ( ) で囲まれる計算が優先される ]
```

　注意しなければならないのがべき乗演算子（**）です。** は四則演算（および剰余）演算子よりも優先されます。そのため、次の式は「2 の 2 乗の結果に 3 を掛ける」ことになり、答えは 12 になります。

```
3 * 2 ** 2 ●────────[ ** は * より優先される ]
```

　さらに ** は「右結合」といって、右から順番に計算されます。** が連続したとき、右側から優先的に計算されるのです。たとえば次の式は「2 の 3 乗」を計算してから（答えは 8）、「2 の 8 乗」をするので、答えは 256 になります。

```
2 ** 2 ** 3
```

図　** が連続したときの順序

**** 演算子は右結合（右側優先）なので、この順番で計算される**

2 ** 2 ** 3 ➡ 2 ** 8 ➡ 256

左結合（左側優先）ではないので、このようにはならない

✕　2 ** 2 ** 3 ➡ 4 ** 3 ➡ 64

代入演算子、比較演算子の優先順位は低い

　= などの代入演算子は優先順位が低く、右辺の処理を済ませてから左辺の変数などに代入するようになっています。これは感覚的に理解できる動作かもしれません。

▼ 代入演算子は右辺の処理を済ませてから左辺に代入される

```
let result = 10 + 5;    // 変数resultには 15 が代入される
```

図　代入演算子の優先順位は低く、右辺の処理が済んでから代入される

let result = 10 + 5; ➡ let result = 15; ➡ result には 15 が代入される

　単純代入（=）だけでなく、+= や *= などの算術演算代入も優先順位が低くなっています。たとえば次の例であれば、「let result =10 * (1 + 1);」と書いているのと同じになります。

▼ 「*=」などの代入演算子でも同様。処理を済ませてから左辺に代入される

```
let result = 10;
result *= 1 + 1;        // 変数resultには 20 が代入される
```

図　算術演算代入であっても、右辺の処理が済んでから代入される

let result = 10;
result *= 1 + 1; ➡ result *= 2; ➡ result には 20 が代入される

　代入演算子同様、< などの比較演算子、&& などの論理演算子の優先順位も低くなっています。これはつまり、これら演算子の左辺、右辺に計算などの演算がある場合、先にそれを行い、結果が出てから比較や論理演算をする、ということです。

　比較演算子の例を見てみましょう。次の例では、右辺の「1 + 2」が計算されてから、左右が比較されます。その結果、false が返ってきます。

▼ 比較演算子の右辺が処理されてから比較される

```
3 < 1 + 2      // false
```

図　比較演算子は左辺や右辺の処理が済んでから評価される

```
3 < 1 + 2 ➡ 3 < 3 ➡ false
```

　論理演算子も同様で、左辺や右辺の処理が完了してから論理演算されます。次の例では true が返ってきます。

▼ 論理演算子の左辺、右辺の処理が済んでから論理演算される

```
let num = 118;
num >= 100 && num < 200        // true
```

図　論理演算子も左辺や右辺の処理が済んでから評価される

```
let num = 118;
num >= 100 && num < 200 ➡ true && num < 200 ➡ true && true ➡ true
```

　代入演算子、比較演算子、論理演算子の例を見てきましたが、これらは感覚的にも理解できる処理の順番だと思います。もし演算子の優先順位をより詳しく知りたくなったら、次の Web ページを参照してください。

演算子の優先順位
URL https://developer.mozilla.org/ja/docs/Web/JavaScript/Reference/Operators/Operator_precedence

4

制御構造

　プログラムの実行順序には、順次構造、選択構造（条件分岐）、反復構造（繰り返し）という、大きく分けて3つの流れ──制御構造があります。JavaScriptにも実行順序をコントロールするさまざまな構文が定義されています。本章では条件分岐と繰り返しを中心に、高度な処理に欠かせない重要な構文を見ていきます。

4-1　プログラムの基本的な流れには3パターンある

制御構造とは、書かれたコードが実行される"処理の流れ"のことを指します。プログラムは原則としてコードが書かれた順番に上から下へと実行されますが、条件によって処理を切り替えたり、同じことを何度も繰り返したりすることもあります。本章ではプログラムの制御構造とはどういうものか、どうやって処理の流れを切り替えるのかを見ていきます。

　プログラムの処理の流れ（制御構造）には次の3種類があります。

1. 順次構造
2. 条件分岐
3. 繰り返し

　1.の順次構造は、コードが書かれた順に、1行1行処理が完了してから次の行に進む流れです。プログラム処理の3パターンの中で最も基本的な構造といえます。たとえば次のようなコードは典型的な順次構造になっています。

▼ 典型的な順次構造

```
const now = new Date();
alert("いまは" + now + "です。");
```

　1行目で現在の日時を定数 now に代入しています。その処理が完了したら2行目の処理に移り、定数 now の値を利用してダイアログを表示しています。順次構造はごく単純でわかりやすい処理の流れといえます。

　2.の条件分岐は、設定した条件に基づいて、その条件が成り立つときとそうでないときで処理を振り分けます。if 文などがこれにあたります。

　3.の繰り返しは、ある条件が成り立つかぎり、同じ処理を何度も繰り返すことです。for 文などがこれ

にあたります。

　条件分岐、繰り返しともに、条件を設定するのがポイントです。これから条件分岐や繰り返しをするための書き方を見ていきますが、同時に条件の設定方法を知ることも重要です。さまざまな条件の設定方法があるので、それもあわせて見ていきましょう。

▌4-2 条件分岐

条件分岐は、設定した条件を満たすとき（true になるとき）と満たさないとき（false になるとき）で処理を振り分けるプログラミングの手法です。JavaScript には条件分岐を書く方法が 3 通りあります。

　条件分岐の 3 通りの書き方のうち、最も基本的でよく使うのが if 文です。

▌4-2-1 if 文

　if 文は、次の書式にある条件式が true（真、条件を満たす）のときだけ、{} 内の処理が実行されます。

`書式` **if 文**

```
if（条件式）{
    条件式がtrueのときだけ実行される処理
}
```

　条件式が false のときにもなんらかの処理を実行したい場合は、if に続けて else 節（else {〜}）を追加します。

`書式` **if 〜 else**

```
if（条件式A）{
    条件式Aがtrueのときだけ実行される処理
} else {
    条件式Aがfalseのときだけ実行される処理
}
```

　また、else if 節を追加すれば、以下の書式のように「条件式 A が false のときは条件式 B を評価し、それも false の場合は条件式 C を評価し、……」というように、次から次へと条件式を評価する if 文を作ることができます。すべての条件式が false になったときの処理をするために、最後に else 節を追加することもできます。else if 節は処理にあわせていくつでも追加できますし、最後の else 節は必要なければ省略可能です。

書式 if 〜 else if 〜 else

```
if（条件式A）{
    条件式Aがtrueのときだけ実行される処理
} else if（条件式B）{
    条件式Bがtrueのときだけ実行される処理
} else if（条件式C）{
    条件式Cがtrueのときだけ実行される処理
} else {
    条件式Cがfalseのときだけ実行される処理
}
```

条件式 A が false のとき、条件式 B を評価

条件式 B が false のとき、条件式 C を評価

if 文の例

　if 文の例をいくつか見てみます。まずは else がない、最も単純な if 文から。以下の例では、定数 distance の値が 3 ならダイアログを出します。条件式の書き方については後述します。

Sample 単純な if 文　　　　　　　　　　　　　　　　　　　　　　　　　c04/if.html

```
const distance = 3;
if (distance === 3) {
    alert('距離は' + distance + 'kmです。');
}
```

実行結果 if 文の条件式が true ならダイアログが出る

　もちろんこのコードでは常に条件式が true になりダイアログが出ますが、distance に代入する値を変えるとダイアログが出なくなります。試してみてください。

　ちなみに、{} 内の処理が 1 行だけであれば {} を省略することもできます。ただ、省略すれば行数は少なくなりますが、コードが読みやすくなるかといえば必ずしもそうではなく、少しわかりづらいと感じる人も多いはずです。省略するかどうかはよく検討したほうがよいでしょう。

処理が 1 行の場合は { } を省略できる   c04/If-oneline.html

```javascript
const distance = 3;
if (distance === 3) alert('距離は ' + distance + 'kmです。');
```

　次に、if 〜 else 文の例を見てみます。1 行目で 1 以上 6 以下の整数の乱数を定数 random に代入し、その値が 4 より小さいときには「あたり！」と書かれたダイアログを、4 以上のときは「はずれ！」と書かれたダイアログを出します[1]。

if 〜 else   c04/ifelse.html

```javascript
const random = Math.floor(Math.random() * 6) + 1;
if (random < 4) {                                           ← 4 より小さい
  alert('あたり！' + random);
} else {                                                    ← それ以上（4 以上）
  alert('はずれ！' + random);
}
```

　最後に if 〜 else if 〜 else 文の例を見てみましょう。定数 random に 1 以上 90 以下の整数を代入し、その値が 30 以下のとき、60 以下のとき、60 より大きいときで処理を振り分けています。

if 〜 else if 〜 else   c04/elseif.html

```javascript
const random = Math.floor(Math.random() * 90) + 1;
if (random <= 30) {                                         ← 30 以下
  alert('random = ' + random + '。30以下です。');
} else if (random <= 60) {                                  ← （30 以下ではなく）60 以下
  alert('random = ' + random + '。30より大きく、60以下です。');
} else {                                                    ← 60 以下ではない＝ 60 より大きい
  alert('random = ' + random + '。60より大きく、90以下です。');
}
```

実行結果 定数 random の値によってダイアログのテキストが変わる

127.0.0.1:5500 の内容	127.0.0.1:5500 の内容	127.0.0.1:5500 の内容
random = 23。30以下です。	random = 46。30より大きく、60以下です。	random = 86。60より大きく、90以下です。
OK	OK	OK

if(random <= 30) {　が true　　　else if(random <= 60)　が true　　　else

- - - - - - - - - - - -

＊ 1　乱数の出し方については 6-5-2「乱数を発生させる」（p.180）を参照してください。

▌4-2-2 条件式

条件式は if 文のような処理の流れを制御する文の ( ) 内に書く、条件を設定するための短いコードです。この条件式はプログラムの実行中に、そのときの状況にあわせて「true と見なされる値」もしくは「false と見なされる値」を返すようになっています[*2]。条件式には大きく分けて次の 3 パターンがあります。

条件式のパターン

1. 比較演算子を使う条件式
2. 比較演算子と論理演算子を組み合わせる条件式
3. 値そのものが true または false と見なされる、変数や関数・メソッドをそのまま使う条件式

条件式の使用範囲は広く、switch 文や三項演算子を使った if 文以外の条件分岐や、後述する while 文や for 文などで繰り返しの条件を設定するときにも使われます。

比較演算子を使う条件式

条件式の 1 つ目のパターンは、=== やくといった比較演算子を使うものです。「文字列が××」であることを調べたいときや、「〇〇以上」「〇〇より小さい」といった数値の大小を調べるときは比較演算子を用います。

▼ 比較演算子を使った条件式の例

```
if(distance === 3) { ～
if(random < 4) { ～
```

比較演算子と論理演算子を組み合わせる条件式

「変数 a が〇〇、もしくは変数 b が▲▲」であるかどうかを調べたいときや、数値が範囲内に収まっているかどうか（〇〇以上▲▲以下）を調べたいときなど、2 つ以上の条件式を組み合わせて 1 つの条件式を作ることがあります。その場合は、比較演算子と論理演算子を使用します（➡ 3-5-4「論理演算子」p.90）。これが条件式の 2 つ目のパターン、「比較演算子と論理演算子を組み合わせる」です。

次の例では定数 checkCount の値が「3 以上 6 以下」であるかどうかを調べています。

Sample 値の範囲を調べる   c04/condition-and.html

```
const checkCount = 8;
if (checkCount >= 3 && checkCount <= 6) {
  alert('定数checkCountが3以上6以下なので、範囲内です。');
} else {
  alert('定数checkCountが範囲外です。');
}
```

[*2] 「true と見なされる値、false と見なされる値」(p.67)

値そのものが true または false と見なされる変数や関数・メソッドを そのまま使う条件式

最後のパターンは、値そのものが true または false と見なされる変数や関数・メソッドをそのまま使う条件式です。たとえば、1-2「入門 JavaScript プログラミング」（p.14）でも使った confirm( ) メソッドは、出てきたダイアログの［OK］ボタンをクリックすれば true、［キャンセル］ボタンをクリックすれば false が返ってくるメソッドで、比較演算子を必要とせず、そのまま条件式になります。

▽ 値が true または false になる関数を使用した条件式の例

```
let forHere = confirm("店内ご利用ですか？");
if(forHere) {
  tax = 1.1;
}
```

ダイアログのボタンをクリックした結果が
forHere に代入される

𝒩ote 式と文

ここまでとくに説明もなく「条件式」や「if文」という言葉を使ってきました。どちらもプログラムのコードであることは変わらないのに、「式」と呼んでいる部分と、「文」と呼んでいる部分があります。式と文は何が違うのでしょう？

「式」は、なんらかの値を返すコードの部分を指します。条件式であれば true か false を返しますし、足し算や掛け算をするコードも計算の結果を返すので、「式」の一種です。

いっぽう「文」とつくものは、それ自体は値を返さないコードの部分です。if文自体は値を返しませんし、本章の後半で取り上げる繰り返しの while 文や for 文もそれ自体が値を返すわけではないので「文」と呼ばれます。コンソールに文を書いて実行すると undefined と出力されますが、これは値が何も返ってきていないことを示しています。

図　計算式は値が返ってくるので「式」。変数宣言は値が返ってこないので「文」

計算式は「式」。値が返ってきている

変数宣言は「文」。値が返ってこない

▌4-2-3　switch ~ case ~ default 文

switch 文は、変数や配列の要素、オブジェクトのプロパティなどの値を、「○○のとき」「▲▲のとき」「□□のとき」と複数のケースで評価できる構文です。標準的な書式は次のとおりです。

書式　switch 文の標準的な書式。case は必要な数だけ増やせる

```
switch（式）{
  case a:
    「式」が返す値がaだったときの処理
    break;
  case b:
    「式」が返す値がbだったときの処理
    break;
  ～
  default:
    どのcaseにも当てはまらなかったときの処理
}
```

switch に続く ( ) の中には評価したい式を入れ、それぞれの case の後ろには「式」が返す値と等しいかどうかを調べる値を書きます。「式」が返す値が case の後ろに書かれた値と一致したら、その次の行以降、break が出てくるまでのコードが実行されます。もし「式」が返す値がどの case とも一致しないときは default 以降が実行されます。一致しないときになんの処理もしないのであれば default を省略できます。

```
switch ( 式 ) {
    case a : ————————————— ①式の値 === a なら
        —————————————; ②次の行以降の処理を実行
        —————————————;
        break; ————————— ③処理を中止
    case b :
        —————————————;
        break;
    default:                 必要なければ
        —————————————;       省略可
}
```

④switch 文を抜けて次の処理へ

　例を見てみましょう。変数 current に、配列 networkStatus の値のどれかが代入されることを想定しています。switch 文で変数 current の値を調べ、アラートダイアログが出るようになっています。

Sample　switch 文の基本形　　　　　　　　　　　　　　　　　　　　c04/switch.html

```
const networkStatus = ['offline', 'online-wifi', 'online-ethernet'];
let current = networkStatus[0];

switch (current) {
  case networkStatus[0]:
    alert('ネットワーク状況：オフライン');
    break;
  case networkStatus[1]:
    alert('ネットワーク状況：wifiに接続中');
    break;
  case networkStatus[2]:
    alert('ネットワーク状況：Ethernetに接続中');
    break;
  default:
    alert('ネットワーク状況：不明');
}
```

break 文

　break 文は、コードの実行を中止し、switch 文から抜け出します[3]。

　switch 文は、値が一致した case 以降、終了の「}」があるところまですべてのコードを実行しようと

＊3　break は switch 文以外にも、繰り返しの for 文、while 文の中で使うことができます。

116

します。次の case があっても無視して実行を続けるため、そのままでは思ったとおりの動作になりません。そこで、処理を止めたいところ（通常は次の case の手前）に break 文を入れて処理を中断させる必要があるのです。

図 「break」がないと一致した case 以降のコードをすべて実行してしまう

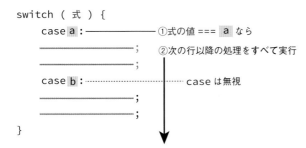

4-2
条件分岐

4
制御構造

> $\mathcal{N}ote$　switch 文は厳密な等価演算子（===）を使った if 文と同じ
>
> すべての switch 文は、厳密な等価演算子（===）を使った条件式の if 文で書き換えることができます。たとえば、先のサンプルコードを if 文で書き換えると次のようになります。
>
> Sample すべての switch 文は if 文で書き換えられる　　　　　　　　c04/switch-if.html
>
> ```
> if (current === networkStatus[0]) {
>   alert('ネットワーク状況：オフライン');
> } else if (current === networkStatus[1]) {
>   alert('ネットワーク状況：wifiに接続中');
> } else if (current === networkStatus[2]) {
>   alert('ネットワーク状況：Ethernetに接続中');
> } else {
>   alert('ネットワーク状況：不明');
> }
> ```

▎4-2-4　三項演算子

三項演算子は、if 文をより短く、1 行で書ける構文です。とくに、条件に応じて変数に代入する値を変えたいときによく使われます。まずは書式を見てみましょう。

書式　三項演算子

（条件式）? trueのときの式 ： falseのときの式;

条件式が true のときに「true のときの式」が実行され、結果の値が返ります。条件式が false のときには「false のときの式」が実行され、結果の値が返ります。

　具体的な例を見てみましょう。次の例では、定数 myPoint の値が 50 以上なら、定数 message に「'ポイントが使えます。'」を代入し、50 より小さければ message に「'50 ポイント以上で使えます。'」を代入します。

Sample 三項演算子 c04/ternary-operator.html

```
const myPoint = 350;
const message = (myPoint >= 50) ? 'ポイントが使えます。' : '50 ポイント以上で使えます。';
alert(message);
```

　この例では定数 myPoint に 350 が代入されているので条件式が true になります。そうすると、「'ポイントが使えます。'」のほうが返ってきて、定数 message に代入されます。試しにコードを編集して定数 myPoint に代入する値を 50 より小さくすると、条件式が false になり、今度は「'50 ポイント以上で使えます。'」のほうが返り、定数に代入されます。

図　三項演算子の動作

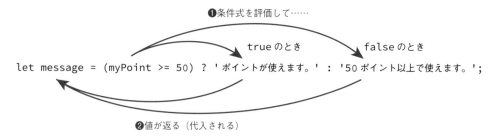

　三項演算子は必ず if 文で書き換えられます。いま紹介したコードを if 文で書き換えてみましょう。

Sample 三項演算子を if 文で書き換えた場合（if 文に書き換えたところのみ抜粋） c04/ternary-if.html

```
let message = '';
if (myPoint >= 50) {
  message = 'ポイントが使えます。';
} else {
  message = '50 ポイント以上で使えます。';
}
```

　なお、条件式は 3 つのパターンに分けられるという話をしましたが[4]、そのうち、値そのものが true

＊4　4-2-2「条件式」(p.113)

または false と見なされる変数や関数・メソッドを三項演算子の条件式に使うときには、条件式を囲む ( ) を省略できます。

書式 値そのものが true または false と見なされる変数や関数・メソッドを条件式に使うときは ( ) を省略可

```
条件式 ？ trueのときの式 ： falseのときの式 ；
```

たとえば次のコードでは定数 isLogin の値を調べて、true のときと false のときとで定数 status に代入する文字列を変えています。条件式に使っている isLogin の値それ自体が true か false なので、( ) で囲む必要がないのです。

Sample ( ) で囲まなくてもよい三項演算子の例   c04/ternary-operator2.html

```
const isLogin = true;
const status = isLogin ? 'ログイン中' : 'ログインしていません'; ●──── 条件式を ( ) で囲んでいない
console.log(status);
```

4-3 繰り返し

繰り返しは、設定した条件を満たすかぎり、何度も同じ処理を繰り返すプログラミングの手法です。JavaScript には複数の繰り返しの書き方があり、用途によって使い分けます。

    プログラミングでは、何度も数字を足したり、同じような HTML タグ（<li> など）をいくつも作ったり、似たような処理を何度も行う場面がたくさんあります。そうした、同じような処理を何度も行うことを繰り返しといい、順次処理、条件分岐と並んで基本的な処理の流れの 1 つです。

    JavaScript には繰り返しを書くための構文が複数用意されていて、ここでは比較的どんな用途にも使える 3 タイプの繰り返し文を紹介します[5]。

JavaScript の主な繰り返し文

1. 条件を決めて繰り返すタイプ ── while 文、do ～ while 文
2. カウンター変数を使用して繰り返すタイプ ── for 文
3. 配列の項目数だけ繰り返すタイプ ── for ～ of 文

----

[5] ここで紹介する 3 タイプ以外に、特定の用途でのみ使える繰り返しがいくつかあります。詳しくは Chapter 8「配列」（p.249）、Chapter 9「オブジェクトと Map、Set」（p.293）を参照してください。

▌4-3-1 条件を決めて繰り返す　～ while 文

設定した条件を満たすときは処理を実行し、満たさなくなったら終了するのが while 文です。最も基本的な繰り返しといえます。

書式　while 文

```
while (条件式) {
    条件式がtrueのときに実行される処理
}
```

while 文ではまず「条件式」が評価され、true なら {} 内の処理が実行されます。処理が終了したら再び条件式が評価され、true なら同じことを繰り返します。false になったら繰り返しを終了し、次の処理に移ります。

次の例では、変数 i を宣言し、はじめに 0 を代入します。そして、変数 i が 9 になるまで、変数 li に <li> タグが書かれた文字列を繰り返し追加します。

Sample　while 文の基本　　　　　　　　　　　　　　　　　　　　c04/while.html

```
let i = 0;
let li = '';
while (i < 10) {
  li += '<li>' + i + '回目の繰り返し</li>';   ❶
  i++;   ❷
}

const element = document.querySelector('#list');
element.innerHTML = li;
```

実行結果　「〇回目の繰り返し」という箇条書きのリストが 10 回表示される

```
JS    while文の基本

• 0回目の繰り返し
• 1回目の繰り返し
• 2回目の繰り返し
• 3回目の繰り返し
• 4回目の繰り返し
• 5回目の繰り返し
• 6回目の繰り返し
• 7回目の繰り返し
• 8回目の繰り返し
• 9回目の繰り返し
```

繰り返し実行される部分の処理を中心に、もう少し詳しく見てみます。最初に while の行を実行するときの変数 i の値は 0 ですから、条件式「i < 10」が true になり、{} 内が実行されます。そして、最初の繰り返しで変数 li には次のような文字列が代入されます❶。

```
<li>0回目の繰り返し</li>
```

変数 li への代入が終わったら、変数 i に 1 足されます❷。ここまでで 1 回目の処理が終了し、再び条件式が評価されます。その繰り返しの過程で、変数 li には次のような文字列が代入されることになります。

```
<li>0回目の繰り返し</li><li>1回目の繰り返し</li><li>2回目の繰り返し</li>……
```

別の例を見てみましょう。今度は confirm( ) メソッドを使用してダイアログを表示させています。表示されるダイアログで［OK］をクリックするかぎり、何度もダイアログが表示されます。

Sample ［OK］をクリックするかぎりダイアログを表示し続ける　　　　　　　c04/while2.html

```
let clicked = confirm('1回目のダイアログ。');
while (clicked) {
    clicked = confirm('[キャンセル]をクリックするまでダイアログが表示されます。');
}
```
1回目のダイアログ

2回目以降のダイアログ

実行結果 ［OK］をクリックするかぎり、何度もダイアログが表示される

1回目

2回目以降

confirm( ) メソッドから返ってきた値を変数 clicked に保存しておき、while 文ではその値が true であればダイアログを出し、一度でも false になったら繰り返しを終了します。

ところでこの例では、最初に出てくるダイアログで［キャンセル］をクリックすると、その後はダイアログが一度も出てきません。つまり、while 文の {} 内の処理が一度も行われないことになります。while 文の場合、はじめに条件式が評価され、その結果が true である場合にかぎって、{} 内の処理が実行されるからです。もし、少なくとも一度は必ず {} 内の処理を実行したい場合は、do ～ while 文を使います。

do 〜 while 文

do 〜 while 文は、{ } 内の処理を実行してから、条件式を評価します。

書式 do 〜 while 文

```
do {
    条件式がtrueのときに実行される処理。一度は必ず実行される
} while(条件式);
```

次の例は、先に while 文で紹介したものとほぼ同じ動作をしますが、1 回目も 2 回目以降も同じダイアログが表示されます。

Sample do 〜 while 文   c04/do-while.html

```
let clicked;
do {
  clicked = confirm('[キャンセル]をクリックするまでダイアログが表示されます。');
} while(clicked);
```

▌4-3-2 カウンター変数を使用して繰り返す　〜 for

while 文同様、for 文も条件を満たすときだけ繰り返し、満たさなくなったら繰り返しを終了します。繰り返すかどうかの条件を設定するところは同じですが、for 文はカウンター変数という、繰り返しの回数をカウントする変数を使うのが特徴です。

書式 for 文

```
for(❶カウンター変数の設定；❷繰り返しの条件；❸1回の繰り返しが終わったあとの処理) {
    繰り返し実行する処理
}
```

❶ではカウンター変数の設定をします。「カウンター変数」と名前がついていますが、実際には通常の変数と変わりません。通常はこの❶のところで、**カウンター変数の宣言と、繰り返しが始まる前の初期値の代入をします。**カウンター変数は for 文内だけで有効なため、一般的には記述量を少なくするために変数名を i など、アルファベット 1 文字程度の短いものにします。

図　❶カウンター変数の設定

```
for(let i = 0；繰り返しの条件；1回の繰り返しが終わったあとの処理) {
```

変数宣言　繰り返す前の初期値を代入

❷には繰り返しの条件を設定する、条件式を記述します。**この条件式が true であれば、{ } 内の処理が実行されます。**通常はカウンター変数の値の上限（または下限）を決めるような条件を設定します。たとえば次図では、カウンター変数の値が 10 より小さければ繰り返しを実行するようにしています。

図　❷繰り返しの条件

```
for(let i = 0;  i < 10;  1回の繰り返しが終わったあとの処理 ) {
```

繰り返しの条件

❸には、{ } 内の処理が終了したあとに実行される処理を記述します。通常はここに、**カウンター変数を変化させる計算式を書きます。**次図では、カウンター変数を 1 増やすようにしています。

カウンター変数は for 文の { } 内で使えるので、処理内容によって増減の方法を変えます。1 回繰り返すたびに 1 減らすこともありますし、1 ずつ増減させるのではなく、2 ずつ増やしたりすることもあります。

図　❸1 回の繰り返しが終わったあとの処理

```
for(let i = 0; i < 10;  i++) {
```

カウンター変数を増減させる

for 文の基本例

for 文の基本的な例を見てみましょう。次の例では 10 回、コンソールにカウンター変数の値を出力します。

Sample　**for 文の基本**　　　　　　　　　　　　　　　　　　　　　　　　c04/for.html

```
for (let i = 0; i < 10; i++) {
    console.log(i + '回目の繰り返し');  ●──── 繰り返しの処理内でカウンター変数を使用
}
```

実行結果　コンソールの出力

要素	コンソール	ソース	ネットワーク	パフォーマンス

top ▼　　フィルタ

```
0回目の繰り返し
1回目の繰り返し
2回目の繰り返し
3回目の繰り返し
4回目の繰り返し
5回目の繰り返し
6回目の繰り返し
7回目の繰り返し
8回目の繰り返し
9回目の繰り返し
>
```

▌4-3-3 繰り返しを中断する、スキップする

while 文、for 文、後述する for ～ of 文などは、途中で繰り返しを中断したり、スキップしたりすることができます。繰り返しを中断するときは switch 文でも紹介した break 文を、処理をスキップして次の繰り返しを開始するときは continue 文を使います。

繰り返しを中断する

次の例では、配列の最初の要素から 1 つずつ足して、その結果が 20 以上になった時点で中断します。

Sample 繰り返しの途中で中断する　　　　　　　　　　　　　　　　　　　　　　　c04/break.html

```
const arr = [3, 5, 18, 35];

let result = 0;
for (let i = 0; i < arr.length; i++) {          配列の長さ分繰り返す
  result += arr[i];                             配列の要素を順に足す

  if (result >= 20) {                           変数 result が 20 以上になったら
    console.log((i + 1) + '回足すと20以上になります。' + result);
    break;                                      繰り返しを中断
  }
  console.log((i + 1) + '回足すと ' + result);
}

console.log('終了');
```

実行結果

```
要素    コンソール    ソース    ネットワーク    パフォーマンス
top ▾    フィルタ
1回足すと 3
2回足すと 8                                    3回繰り返し、4回目の
3回足すと20以上になります。26                    繰り返しの前に中断している
終了
>
```

for 文の繰り返しの条件では、配列 arr の長さ分繰り返すことになっていますが、繰り返しの処理の中にある if 文により、変数 result が 20 以上になったら繰り返しを中断します。配列の要素を 3、5、18 の順に足していくと 26 になるので、繰り返しの 3 回目で処理が止まるのです。

途中の繰り返しをスキップする

break のように繰り返しを完全に中断してしまうのではなく、1 回分の繰り返し処理を途中でスキップし、次の繰り返し処理に移りたいときは continue 文を使います。

for 文と continue を組み合わせた例を紹介します。配列 arr の各要素の値（テキスト）をコンソールに出力しているのですが、値が「は」もしくは「に」のときには処理をスキップしています。

c04/continue.html

Sample continue（for 文で使用）

```
const arr = ['ソースコード', 'は', 'GitHub', 'に', 'あります'];
for (let i = 0; i < arr.length; i++) {
    if (arr[i] === 'は' || arr[i] === 'に') {          arr[i] の値が「は」または「に」のとき
        continue;          処理をスキップ、次の繰り返しへ
    }
    console.log(arr[i]);
}
```

実行結果 「は」「に」は出力されない

```
    要素    コンソール    ソース    ネットワーク    パフォーマンス
    top ▼    フィルタ
ソースコード
GitHub
あります
>
```

while 文でも continue を使えますが、少し注意が必要です。while 文の {} 内でカウンター変数を増減させるような処理を行っている場合、その処理がスキップされないような順序でプログラムを書かなくてはいけません。そうしないと繰り返しが止まらなくなるからです。次図は先ほどの for 文のサンプルの処理を while 文で書き換えた例ですが、カウンター変数の増加がスキップされるため正しく動作しません。

図　カウンター変数の増減がスキップされると繰り返しが正しく動作しなくなる

動作しなくなる例

```
let i = 0;
while(i < arr.length) {
    if(arr[i] === 'は' || arr[i] === 'に') {
        continue;                                      ここから下の処理がスキップ
    }
    console.log(arr[i]);
    i++;
    }
}
```

この行もスキップされる
→カウンター変数が増加せず、
繰り返しが終わらなくなる

125

カウンター変数の増減がスキップされないように修正する方法はいくつか考えられますが、たとえば次のようにします。

continue（while 文で使用）　　　　　　　　　　　　　　　　　　　c04/safe-continue.html

```javascript
const arr = ['ソースコード', 'は', 'GitHub', 'に', 'あります'];
let i = 0;
while (i < arr.length) {
  const word = arr[i];
  i++; ●────────────────── continue 文の前にカウンター変数を増加
  if (word === 'は' || word === 'に') {
    continue;
  }
  console.log(word);
}
```

4-3-4 配列の要素数だけ繰り返す

配列の要素の数だけ処理を繰り返すのは for 文や while 文でもできますが、for 〜 of 文を使うこともできます。for 〜 of 文はカウンター変数を使わない繰り返し文で、コードを短く簡潔に書けます。書式を見てみましょう。

書式 for 〜 of 文

```javascript
for(const 定数 of 配列) {
  繰り返しの処理
}
```

繰り返しが始まると、「配列」の先頭から順番に、値が「定数」に代入されます。{} 内で行われる実際の処理の中で配列の要素を参照したいときは、値を代入した「定数」を参照します。

図　繰り返すたびに配列の要素が定数に代入される

```
配列名を items
定数名を item　として……

                    [1, 3, 5, 7]

for(const item of items) {
    console.log(item);──── 配列の要素を調べるときは定数（item）を参照する
}
```

for 〜 of 文の場合、要素の代入先に使う変数（前図では item）は繰り返すたびに新しく作られると考えてください。そのため、変数の値は再代入される（書き換えられる）ことがなく、定数で宣言しても問題なく動作します。間違って {} 内の処理中に値を書き換えてしまわないためにも、**要素の代入先には変数ではなく定数を使うことをおすすめします。**

それでは例を見てみましょう。配列 todos から要素のテキストを 1 つずつ取り出し、前後に '<li>'、'</li>' をつけて文字列を作成します。そうしてできた文字列を、さらに変数 li に追加します。繰り返しの処理の結果、この変数には次のような文字列が代入されることになります。

▼ 最終的に変数 li に代入される値

```
<li>1. 出欠表をチェック</li><li>2. 材料を購入</li><li>3. ……
```

繰り返しの終了後、変数 li を HTML の <ul id="list"> 〜 </ul> に挿入してページに表示します。

Sample 配列の要素をリストする   c04/for-of.html

```
const todos = ['アルゴリズムの勉強', 'ライブラリを調べる', 'CSVの読み込み方法を改善'];
let li = '';
for(const todo of todos) {
  li += '<li>' + todo + '</li>';
}

const element = document.querySelector('#list');
element.innerHTML = li;
```

実行結果 配列に含まれるテキストがページに表示される

JS | 配列の要素をリストする

- アルゴリズムの勉強
- ライブラリを調べる
- CSVの読み込み方法を改善

関 数

関数とは一連の処理を1つにまとめたもので、多くの場合なんらかの入力を受け取り、決められた処理をして結果を返します。JavaScriptの関数は高機能で用途も多岐にわたり、とても重要な役割を果たします。本章では関数の使い方、作り方、書き方といった基礎的なコーディング手法を説明したのち、引数の扱いや変数の有効範囲（スコープ）など、関数を使いこなすために最低限押さえておきたい知識を解説します。

5-1 関数は一連の処理を1つにまとめたもの

関数とは、特定の処理をするように作られた小さなプログラムで、必要なときに呼び出して使います。関数は全体の大きなプログラムの中に組み込まれた、特定の機能を提供する小さなプログラム、いわば「プログラム内プログラム」です。

　関数は、原則として、呼び出されたときだけ処理を実行します。**呼び出される際に「引数」と呼ばれる変数のようなデータを受け取り（入力）、その入力データをもとにして処理をし、結果を呼び出し元に返す（出力）の**が基本的な動作です。

図　関数を使った処理の基本的な流れ

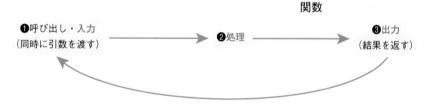

　次図のコードをもとに、より具体的に「❶呼び出し・入力→❷処理→❸出力」の流れを見てみましょう。関数は呼び出されてはじめて処理を開始します。呼び出す際に引数を渡すことができ、関数はその引数を「入力」として、入力された値を加工するような処理を行います。最後に処理の結果を呼び出し元に返し、関数の動作は終了します。

引数が total に代入される

```
関数
function countPoint(total) {
    const point = Math.floor(total * 0.1);————❷処理
    return point;
}
                    ❸出力（結果を返す）

const message = '今回のお買い上げで ' + countPoint(20000) + ' ポイント還元！';
```

❶呼び出し（引数を渡す）

　引数（入力）を受け取り、結果を返す（出力）ことから、関数は呼び出せば何度でも同じ処理をしてくれる、独立したプログラムのような動作をすることになります。同じ処理を何度も書かなくて済むので、効率的なだけでなく、保守性も向上するでしょう。

　また、関数は呼び出しさえすれば同じ処理をしてくれるので、「どんな値を引数として渡し」「どんな値が返ってくるのか」を知ってさえいれば、具体的な処理の中身を詳しく知らなくても使えます。チームでコードを書くときも分担がしやすくなるでしょう。

▋5-1-1　関数の基本的な操作

　関数を利用するためには、**関数を呼び出す方法と、関数自体を作成する方法、この 2 つを理解しておく必要が**あります。

関数の呼び出し

　関数を呼び出すときは、関数名の後ろに ( ) をつけます。関数を呼び出すときに渡す引数は、( ) の中に含めます。たとえば、関数 countPoint( ) を呼び出し、引数として変数 total を渡す場合、コードは次のようになります。

▽ 関数 countPoint( ) を引数つきで呼び出す

```
countPoint(total)
```

書式　関数を呼び出す基本形

　関数名 (引数)

　2 つ以上の引数を渡す場合は、1 つひとつの引数をカンマ（,）で区切って並べます。

書式 関数を呼び出すときに複数の引数を渡す場合

関数名 (引数 , 引数 , …)

逆に、引数を渡す必要がない場合でも ( ) 自体を省略することはできません。

書式 引数を渡す必要がなくても ( ) は省略できない

関数名 ( )

　それでは、すでに定義されている関数を呼び出してみましょう。この例で使用する関数 getComputedStyle( ) は、引数で指定した HTML 要素に適用されている CSS スタイルをすべて取得して返します。

　以下の例では、この関数を使って、HTML 内の class 属性「header」がついている要素の CSS スタイルを取得し、返ってきた値を定数 computedStyle に代入します。その後、結果を見るために定数の値をコンソールに出力します。実際に試してみると、HTML 要素に適用されているすべての、大量の CSS スタイルが返ってくるのでコンソールの表示を見ると爽快です。しかし、ここではあくまで「関数の呼び出し」の方法を理解するのが重要で、さらに「関数を呼び出すと値が返ってくる」ことを実感することが大切です。ちなみにこの関数は Chapter 11 「高度な機能」でも使用します。

Sample 関数の呼び出し（HTML 部分）　　　　　　　　　　　　　c05/call-function.html

```
<body>
  <header class="header">
    <div class="container">
      略
    </div>
  </header>
  略
</body>
```

Sample 関数の呼び出し（JavaScript 部分）　　　　　　　　　　c05/call-function.html

```
const element = document.querySelector('.header');
const computedStyle = getComputedStyle(element);
console.log(computedStyle);
```

> 関数呼び出し。呼び出す際に <header> を引数として渡している

```
CSSStyleDeclaration {0: 'accent-color', 1: 'align-content', 2: 'align-items', 3: 'align-self', 4: 'alignment-baseline', 5: 'animation-delay', 6: 'animation-direction', 7: 'animation-duration', 8: 'animation-fill-mode', 9: 'animation-iteration-count', 10: 'animation-name', 11: 'animation-play-state', 12: 'animation-timing-function', 13: 'app-region', 14: 'appearance', 15: 'backdrop-filter', 16: 'backface-visibility', 17: 'background-attachment', 18: 'background-blend-mode', 19: 'background-clip', 20: 'background-color', 21: 'background-image', 22: 'background-origin', 23: 'background-position', 24: 'background-repeat', 25: 'background-size', 26: 'baseline-shift', 27: 'block-size', 28: 'border-block-end-color', 29: 'border-block-end-style', 30: 'border-block-end-width', 31: 'border-block-start-color', 32: 'border-block-start-style', 33: 'border-block-start-width', 34: 'border-bottom-color', 35: 'border-bottom-left-radius', 36: 'border-bottom-right-radius', 37: 'border-bottom-style', 38: 'border-bottom-width', 39: 'border-collapse', 40: 'border-end-end-radius', 41: 'border-end-start-radius', 42: 'border-image-outset', 43: 'border-image-repeat', 44: 'border-image-slice', 45: 'border-image-source', 46: 'border-image-width', 47: 'border-inline-end-color', 48: 'border-inline-end-style', 49: 'border-inline-end-width', 50: 'border-inline-start-color', 51: 'border-inline-start-style', 52: 'border-inline-start-width', 53: 'border-left-color', 54: 'border-left-style', 55: 'border-left-width', 56: 'border-right-color', 57: 'border-right-style', 58: 'border-right-width', 59: 'border-start-end-radius', 60: 'border-start-start-radius', 61: 'border-top-color', 62: 'border-top-left-radius', 63: 'border-top-right-radius', 64: 'border-top-style', 65: 'border-top-width', 66: 'bottom', 67: 'box-shadow', 68: 'box-sizing', 69: 'break-after', 70: 'break-before', 71: 'break-inside', 72: 'buffered-rendering', 73: 'caption-side', 74: 'caret-color', 75: 'clear', 76: 'clip', 77: 'clip-path', 78: 'clip-rule', 79: 'color', 80: 'color-interpolation', 81: 'color-interpolation-filters', 82: 'color-rendering', 83: 'column-count', 84: 'column-gap', 85: 'column-rule-color', 86: 'column-rule-style', 87: 'column-rule-width', 88: 'column-span', 89: 'column-width', 90: 'contain-intrinsic-block-size', 91: 'contain-intrinsic-height', 92: 'contain-intrinsic-inline-size', 93: 'contain-intrinsic-size', 94: 'contain-intrinsic-width', 95: 'container-name', 96: 'container-type', 97: 'content', 98: 'cursor', 99: 'cx', …}
  0: "accent-color"
  1: "align-content"
```

𝒩ote 関数 getComputedStyle( ) のもう少し有効な使い方 やや高度な内容

今回は、関数の呼び出しの例として関数 getComputedStyle( ) を使用しました。この関数は、引数で指定されたHTML要素に適用されているすべてのCSS プロパティを、オブジェクトで返します（➡ 3-3-1「オブジェクト」p.72）。大量のCSS プロパティが取得されるためそのままでは扱いづらく、実際に使うときは特定のプロパティの値のみを取得します。特定のCSS プロパティの値を取得したいときは次の書式のように、対象のCSS プロパティをクォート (') で囲み、それをさらにブラケット ([ ]) で囲んだものを、getComputedStyle( ) のすぐ後ろにつけます。この書き方はブラケット記法と呼ばれ、オブジェクトのプロパティを参照するときに使います（➡ 9-1-2「プロパティの値を参照する」p.296）。

書式 特定の CSS プロパティの値を取得する

```
getComputedStyle(HTML要素)['CSSプロパティ']
```

たとえば padding プロパティの値を取得するなら、次のようにします。

Sample 関数 getComputedStyle( ) で padding プロパティの値を取得   c05/call-builtin-function.html

```
略
const computedStyle = getComputedStyle(element)['padding'];
console.log(computedStyle);   // 16px 0px
```

関数の宣言・定義

次に、関数の作り方を見てみましょう。「関数を作る」ことを、関数を「宣言する」や「定義する」といいます（宣言と定義は同じ意味で使われます）。JavaScript には関数を定義する方法がいくつかあるのですが、まずは最も基本的な、function キーワードを使う方法を紹介します。

簡単な例を見てみましょう。この関数 power( ) は引数で渡した数字を2乗（渡した数字×渡した数字）にした数を返します。

```
function power(num) {
  return num * num;
}


console.log(power(8));   // 64
```

書式を見てみましょう。

書式 関数の定義

```
function 関数名 ( 引数 , 引数 , … ) {
  処理
  return 値 ;
}
```

function キーワードに続くのが関数名です。関数名は自由につけることができて、使える文字などの
ルールは変数名をつけるときと同じです。決まりがあるわけではありませんが、JavaScript の場合、一
般的に関数名はキャメルケースで命名します（➡ 2-1-2「変数名をつけるときのルール」p.57）。

そして、関数名に続けて ( ) をつけます。引数を受け取る場合はこの ( ) 内に引数名を含めます。もし
2 つ以上の引数を受け取るのであれば、1 つひとつの引数をカンマ（,）で区切って指定します。関数名
同様、引数名も自由につけられます。

続く { } 内には、その関数で行う処理内容を書きます。そして、関数から値を返すには return 行を追
加し、その後ろに返す値を追加します。関数が受け取った引数は、この { } 内でのみ値の参照・書き換え
ができます。

ここまでをまとめると、関数には次の 3 つの機能があります。

関数の機能

1. 関数は呼び出すことができる。関数の処理は、呼び出してはじめて実行される

2. 関数は引数を受け取り、その引数を処理に使うことができる

3. 関数は処理の結果を返すことができる

ただし、引数を受け取らなかったり、返り値を返さなかったりする関数もあります。次に紹介する関数
changeColor ( ) は、HTML 要素の <p id="change"> 〜 </p> の CSS スタイルを変化させ、テキスト色
を赤にします。この関数は引数も受け取らず、返り値も返しません。

Sample 値を返さない関数（HTML 部分）　　　　　　　　　　　　　　　　c05/function-noreturn.html

```
<p id="change">テキストの色が変わります。</p>
```

Sample 値を返さない関数（JavaScript 部分）　　　　　　　　　　　　　c05/function-noreturn.html

```
function changeColor() {
  const element = document.querySelector('#change');
  element.style['color'] = '#ff0000';
}

changeColor();
```

実行結果 テキスト色が変わるが、引数は受け取らず値も返さない

 値を返さない関数

```
テキストの色が変わります。
```

$\mathcal{N}ote$ 　関数の巻き上げ

　プログラムは原則としてソースコードの上から順に実行されます。実際、let や const で作成する変数・定数は、参照するよりも先に宣言しておかなければいけません。そうしないとエラーが発生します（➡「undefinedや null はエラーではない」p.65）。このルールに従うと、関数は呼び出すよりも前に宣言しておかなければならないことになります。

　しかし、function で宣言した関数は、呼び出しのほうが先に書かれていても正しく動作します。なぜなら、**function で宣言した関数はプログラム全体の実行が始まるより先に解析されるので、どこから呼び出されてもその時点ですでに実行可能な状態になっているからです**。まるで関数定義がソースコードの上のほうに引き上げられたような動作をすることから、この動作は関数の巻き上げと呼ばれています[*1]。

図　関数の巻き上げ

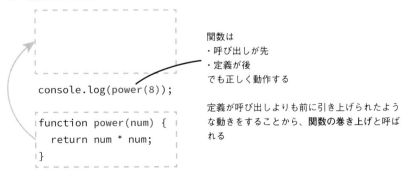

関数は
・呼び出しが先
・定義が後
でも正しく動作する

定義が呼び出しよりも前に引き上げられたような動きをすることから、**関数の巻き上げ**と呼ばれる

134

ただし、この関数の巻き上げは、後述する「関数を変数に代入する」方法や「アロー関数」による関数定義では行われません。つまり、呼び出しより先に定義をしておかないといけない、ということですね。コーディングのルールをシンプルに保つためには、巻き上げられるかどうかにかかわらず、できるだけ関数定義を先にして、呼び出しはあとからする順番で書くようにしておきましょう。

5-2 スコープ

スコープとは、関数や変数などを「参照できる範囲」のことです。JavaScript には 3 種類のスコープがあります。

変数（定数を含む）や関数、そして本書の後半で取り上げるクラスには、参照できる範囲が決まっています。参照できる範囲にある変数は値を取り出したり書き換えたりできますが、範囲外の変数の値は取り出せず、書き換えることもできません。関数を呼び出すこともできません。この、変数や関数の参照できる範囲のことをスコープといいます。

JavaScript には、次の 3 種類のスコープがあります[*2]。

1. ブロックスコープ
2. グローバルスコープ
3. モジュールスコープ

5-2-1 ブロックスコープ

let や const で宣言した変数と、すべての関数は、宣言・定義をした場所を囲む {} 内でのみ参照できます。この、{} 内でのみ参照できる参照範囲のことをブロックスコープといいます。次のコードでは、関数 power() のブロック内で定数 result が宣言されています。この定数は関数 power() の {} 内では参照できますが、その外側からは参照できず、参照しようとするとエラーが発生します。同じく、引数 num も関数のブロック内でのみ使用できます。

▼ ブロックスコープ。ブロックの外側からは変数を参照できない

```
function power(num) {
  const result = num * num;
  return result;
}


console.log(result);  // ReferenceError
```

----

* 1 「巻き上げ」は英語の hoisting（ホイスティング）の訳です。hoisting とは、滑車がついたロープにものをくくりつけて「持ち上げる・つり上げる」動作を意味します。
* 2 実際にはもう 1 種類、関数スコープというものもあります。これは関数ブロック内で var を使って宣言した変数がそのブロック内でのみ参照可能というスコープです。本書では古い変数宣言である var 自体を使用しないので、スコープの種類の中に含めていません。

図　ブロックスコープのイメージ

```
function power(num) {          ── ブロックスコープ
  const result = num * num;
  return result;              ------- スコープ内なので参照できる
}

console.log(result);          ── スコープ外なので参照できずエラーが発生する
console.log(num);             ── 引数も関数のブロック内でのみ参照できる
```

　ブロックスコープは関数に限ったものではありません。たとえば、if 文の { } 内で定義した変数もブロック内でのみ参照でき、ブロック外からは参照できません。

図　if 文であるか while 文であるかに関係なく、{} で囲まれた部分がスコープ

```
if(...) {
    let variable = 'value';                      while(...) {
} else {                         ブロックスコープ      const something = 11;
    let elseVar = 'value';                       }
}
```

※true のときのブロックと else 以降のブロックは異なるブロックであることに注意。この例では変数 varible は else のブロックからは参照できない。

　ここまで、ブロック内で宣言された変数のスコープを見てきました。それでは、あるブロックの中で宣言された変数は、そのブロックの内側にあるブロックから参照できるでしょうか？　具体的には次図のように、関数 setPosition() のブロック内で宣言された変数を、関数内にあるブロック（例では if 文のブロック）の中から参照できるのでしょうか？

図　ブロック①で宣言された変数はブロック②から参照できる？

```
function setPosition(x) {        ── ブロック①（親ブロック）
  const width = 600;
  if(x > 0) {      参照できる？
    x += width;                  ── ブロック②（子ブロック）
  }
  return x;
}
```

　答えは「参照できます」。この例には 2 つのブロック──ブロック①（親ブロック）とブロック②（子ブロック）──があります。この場合、ブロック②はブロック①のスコープ内にあるので、ブロック①で定義した変数・定数はブロック②からも参照できます。

ブロック（親ブロック）の内側のブロック（子ブロック）は、親ブロックの変数を参照できる

```
function setPosition(x) {
    略 ●————————————————————————————————————— コードは先の図と同じ
}

console.log(setPosition(80));  // 680 | 引数の値と親ブロックで宣言した定数widthの値が足されている
```

ここまで見てきたブロックスコープの性質をまとめると、3つのことがいえます。

ブロックスコープの性質

1. 子ブロックで宣言された変数・定数・関数は、親ブロックからは参照できない
2. 親ブロックで宣言された変数・定数・関数は、子ブロックから参照できる
3. if 文の true のときのブロックと else のときのブロックのような、親でも子でもないブロック同士では、変数・定数・関数の参照はできない

5-2-2 グローバルスコープ

グローバルスコープは、どこからでも参照できる最大のスコープです。以下の場所で変数・定数・関数を宣言・定義するとグローバルスコープになり、どこからでも参照できるようになります[3]。なお、こうした、ブロックで囲まれていない場所のことをトップレベルといいます。

変数・定数・関数を宣言・定義するとグローバルスコープになる場所

- type="module" が書かれていない <script> タグの直下（{} に囲まれていない場所）
- 外部 JS ファイルの {} で囲まれていない場所

グローバルスコープの例

```
<script> ●——————————— type="module" がないことに注目
  let hello = 'Hello '; ●————————————————— 変数 hello はグローバルスコープで宣言された変数

  function printHello(name) {
    return hello + name; ●————————————————— 変数 hello はどこからでも参照できる
  }

  console.log(printHello('tanaka'));  // 'Hello tanaka'
</script>
```

- - - - - - - - - - - - -

[3] <script> タグに「type="module"」が書かれているとモジュールスコープになります。

137

Window オブジェクト

　グローバルスコープと関連の深い JavaScript の機能に Window オブジェクトがあります。Window オブジェクトは 1 つのブラウザウィンドウ（またはタブ）に関連するさまざまな情報をプロパティとして持つオブジェクトで、そのプロパティの中には表示されている HTML ドキュメント（正確には HTML を JavaScript で操作できるデータのかたちにした DOM オブジェクト）も含まれます。

図　1 つひとつのタブの情報が Window オブジェクトに含まれている

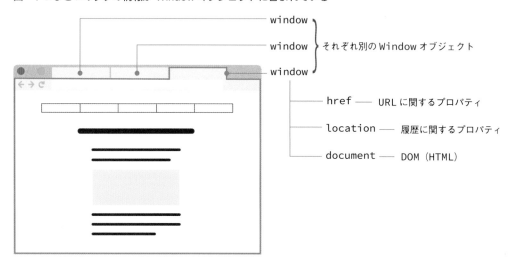

　この Window オブジェクトはグローバルオブジェクトと呼ばれ、コードのどこからでも参照できます。Window オブジェクトには、大きく分けて次の 2 種類のプロパティが登録されています。

1. JavaScript 自身にはじめから組み込まれているメソッドやビルトインオブジェクト[*4]
2. トップレベルで宣言した関数[*5]

　1. のように Window オブジェクトとして登録されている alert( ) のようなメソッドはグローバルスコープに存在することになり、どこからでも呼び出せます。

　2. については少し説明が必要かもしれません。例を見てみましょう。たとえば次のコードのように、トップレベルで関数 test( ) を宣言します。この関数は test( ) とすれば呼び出せますが、window.test( ) としても問題なく呼び出せます。なぜなら、トップレベルで定義した関数は Window オブジェクトのプロパティとして登録されるからです。なお、Window オブジェクトをコード中で参照する場合、1 文字目は小文字の「w」になるので注意してください。

　ちなみに、window の代わりに globalThis というキーワードも使えます。JavaScript プログラムをデスクトップ上で実行する Node.js のグローバルオブジェクトは「global」だったため、同じ言語で書い

＊ 4　3-3「オブジェクト型の特徴」(p.71)
＊ 5　グローバルスコープで let、const で宣言した変数・定数はコードのどこからでも参照できますが、Window オブジェクトのプロパティにはなりません。

たプログラムなのに互換性がありませんでした。そこで、どちらの環境でもグローバルオブジェクトを指すキーワードとして「globalThis」が作られました。現在のブラウザーでは、グローバルオブジェクトを指すキーワードとして、「window」と「globalThis」のどちらも使えるようになっています。

▼ `<script>` 直下で宣言した関数は実は Window オブジェクトのプロパティになっている

```
<script>
  function test() {
    return 'トップレベルで宣言した関数';
  }
  console.log(test());        // トップレベルで宣言した関数
  console.log(window.test()); // トップレベルで宣言した関数
  略
</script>
```

ただ、「window」は省略可能なため、実際のコードではわざわざ window をつける必要はありません。JavaScript の動作として、トップレベルで宣言した関数は Window オブジェクトのプロパティとして登録される、ということだけ理解していれば十分です。

▌5-2-3 モジュールスコープ

モジュール内で宣言した変数や関数は、そのモジュール内でのみ参照できます。このスコープをモジュールスコープといいます。詳しくは 11-1「複数のファイルに分割する　～モジュール化」(p.353) で取り上げます。

5-3 関数定義、別の方法

関数定義の方法は function を使う以外にもあります。ここでは JavaScript の関数の特徴と、別の関数定義の方法を紹介します。

JavaScript の関数はオブジェクト型のデータです（正確には Function オブジェクトと呼ばれるオブジェクト）。そのため、ほかのオブジェクトと同じように、次の 3 つの操作ができます。

関数がオブジェクトだからこそできる 3 つの操作

1. 変数に代入できる
2. 別の関数に引数として渡せる
3. オブジェクトのプロパティとして定義できる（➡ Chapter 9「オブジェクトと Map、Set」p.293）

とくに 1. の「変数に代入できる」という特徴から、これまでに紹介してきたのとは違う方法でも関数を定義することが可能になります。

▌5-3-1 関数を変数（定数）に代入する

関数は変数（定数）に代入できます。この、変数に代入するかたちで定義した関数のことを関数式といいます。関数式の例を見てみましょう。

Sample 関数を変数に代入する   c05/function-expr.html

```
const fullName = function(firstName, lastName) {          定数 fullName に関数を代入している
  return `${firstName} ${lastName}`;
};


console.log(fullName('田中', '健太郎'));        // 田中 健太郎
```

関数式で関数を定義するとき、変数名が関数の名前になります。 この例の場合だと fullName が関数名です。

書式 関数式による関数定義

```
const 関数名 = function(引数) {
  処理
};
```

関数式には 3 つの特徴があります。

関数式の特徴

1. 関数としての機能は、通常の関数宣言で作成する関数とまったく変わらない
2. 呼び出し方も変わらない（関数式では変数名が関数名の代わりになる）
3. 関数式は巻き上げ[6]が起こらないので、呼び出すよりも先に関数式を書いておかないといけない

注意が必要なのは 3. だけです。通常の関数宣言と違って関数式は巻き上げが起こりません。そのため、関数式の定義よりも先に呼び出そうとするとエラーが発生して、プログラムの動作が止まります。

▼ 関数式の定義より先に呼び出すと ReferenceError が発生する

```
console.log(fullName("Mark", "Twain"));        // ReferenceError

const fullName = function(firstName, lastName) {
  return `${firstName} ${lastName}`;
};
```

＊6 Note「関数の巻き上げ」(p.134)

▌5-3-2 アロー関数

関数定義を短く、シンプルに書くために用意されたのが**アロー関数**です。受け取る引数の数が1つだったり、処理に必要な行数が1行だけだとさらに短く書けるのが特徴で、慣れれば通常の関数定義よりもコードが読みやすくなります。

実際のアロー関数を見てみましょう。例として挙げるのは、引数を1つだけ取り、処理も値を返すreturnが1行あるのみのごく単純な関数です。functionを使った関数定義をもとに作った場合から、徐々に省略していくかたちでアロー関数の書式を紹介します。

▽ **アロー関数に書き換える前の元の関数**

```
function plus2(x) {
  return x + 2;
}
```

アロー関数の基本形で書き換えるとこうなります。

▽ **アロー関数：基本形**

```
const plus2 = (x) => { return x + 2 };
```

アロー関数と呼ばれるのは = の右辺、(x) => { return x + 2 } の部分です。**アロー関数自体には関数名をつける機能がないので、関数定義をする場合は必ず、変数（定数）に代入する関数式の書式になります。**

アロー関数の書き方を詳しく見てみましょう。引数を ( ) で囲み、=>（イコールと大なり記号）が続き、実際の処理を { } で囲みます。この「=>」の部分が矢印（arrow）に見えることからアロー関数と呼ばれます。

`書式` **アロー関数の基本形**

(引数 , 引数 , …) => { 処理内容 }

「処理内容」が複数行にわたる場合は改行してかまいません。

`書式` **アロー関数の基本形（複数行の場合）**

(引数 , 引数 , …) => {
　処理内容 ;
}

これがアロー関数の基本形です。ここからさらに省略できます。まず、引数が1つの場合、引数を囲む ( ) が省略できます。ただし、( ) が省略できるのは引数が1つのときだけです。引数が2つ以上、もしくは0個の場合は省略できないので要注意です。

```
x => { return x + 2 }
```

次に、関数の処理が return の 1 行しかない場合は、{ } と return の両方を同時に省略できます。{ } と return のどちらか片方だけを省略することはできません。

▽ アロー関数：処理が return 行しかない場合は { } と return が省略できる

```
x => x + 2
```

𝒩ote 　{ } や return が省略できないとき

処理が複数行にわたるときは { } も return も省略できません。また、そもそも return がない関数の場合は { } を省略できません。

すごくさっぱりしました。これが最も短く書けるアロー関数です。このさっぱり型の書式で関数定義をするなら次のようになります。

▽ 最も短いアロー関数で関数定義をした場合

```
const plus2 = x => x + 2;
```

𝒩ote 　本書では ( ) を省略しない

ここまで説明してきたとおり、アロー関数で引数が 1 つのときは ( ) を省略できますが、本書は Google JavaScript Style Guide に準拠した書式で統一しているため、省略しないことにしています[7]。

アロー関数と、function で定義した関数との違い

アロー関数は、基本的には function で定義した関数と同じように使えますが、違いもあります。まず、「arguments オブジェクトが使えない」ことが挙げられます。arguments は関数に渡された引数が配列のかたちで保存されているオブジェクトで（➡ 「引数の数をチェックする」p.145）、利用したいときはアロー関数ではなく function で定義した通常の関数を使います。

また、アロー関数では this が使えません。this については Note「this」（p.301）で詳しく取り上げます。

----

[7] https://google.github.io/styleguide/jsguide.html#features-functions-arrow-functions

5-4 引数を渡す・受け取るさまざまな方法

関数に引数を渡す、関数が引数を受け取る方法には、いくつかのバリエーションがあります。

5-4-1 引数のデフォルト値を設定する

関数には、引数のデフォルト値、つまり引数を渡さなかったときに代わりに使われる値を設定しておくことができます。次の書式のように、関数定義の引数の後ろに「=デフォルト値」を追加します。

書式 引数のデフォルト値を設定

```
function 関数名 ( 引数 = デフォルト値 , … ) {
  処理内容
}
```

例を見てみましょう。次の例にある関数 setMailTitle( ) は 2 つの引数を受け取ります。1 つは tilte、もう 1 つは isImportant です。この 2 つのうち isImportant のほうにデフォルト値を設定し、引数が渡されなかった場合には false が代入されるようになっています。

Sample 引数のデフォルト値   c05/param-default.html

```
function setMailTitle(title, isImportant = false) {
  let head = '';
  if (isImportant) {
    head = '【重要】';
  }
  return head + title;
}

console.log(setMailTitle('料金改定のお知らせ', true));       // 【重要】料金改定のお知らせ
console.log(setMailTitle('サーバーメンテナンスのお知らせ'));  // サーバーメンテナンスのお知らせ
```

なお、引数のデフォルト値は関数式でもアロー関数でも使用できます。先ほどのコードを関数式やアロー関数で書く例を挙げておきます。

引数のデフォルト値（関数式）

```
const setMailTitle = function(title, isImportant = false) {
```

143

```
const setMailTitle = (title, isImportant = false) => {
```

5-4-2 数を指定しない（可変長な）引数を受け取る

　引数の数をあらかじめ決めない関数を定義することもできます。スプレッド構文（...）[8] を使って次のように引数を設定すると、引数をいくつでも受け取れるようになります。

書式 あらかじめ数を決めないで引数を受け取る

```
function 関数名(...引数名) {
```

　こうした、数を決めないで受け取れる引数のことを**残余引数**といいます。**残余引数として設定した引数には、渡された値が1つの配列にまとめて代入されます。**動作がわかる例を見てみましょう。次の関数 multiParams() には rest という名前の引数が設定されます。その関数 multiParams() を呼び出して複数の引数を渡すと、配列になって rest に代入されていることがわかります。

Sample 残余引数で受け取った引数　　　　　　　　　　　　　　c05/param-rest1.html

```
function multiParams(...rest) {
  console.log(rest);  // [1, 2, 3, 4, 5]
}

multiParams(1, 2, 3, 4, 5);
```

　通常の引数と残余引数を組み合わせることもできます。

書式 通常の引数と残余引数を組み合わせる

```
function 関数名(引数1, 引数2, ...引数3) {
```

　通常の引数と組み合わせる場合、残余引数は最後の引数にする必要があります。複数の引数のうち、最初や途中の引数を残余引数にすることはできません。これはスプレッド構文でのルールと同じですね。
　次の例の関数は、通常の引数を1つ受け取り、残りの引数を残余引数として受け取ります。

----

[8] 「スプレッド構文を使った代入」（p.103）

```
function multiParams2(a, ...args) {
  console.log(a);     // 1
  console.log(args);  // [2, 3, 4, 5]
}

multiParams2(1, 2, 3, 4, 5);
```

5-4-3 渡す引数と受け取る引数の数が合わなかった場合の動作

関数を呼び出すときに渡す引数の数と、呼び出される関数が受け取る引数の数が合わなかった場合、エラーも何も出ません。次の例では、渡す引数が3つ、受け取る引数が2つになっています。この場合、渡した3つ目の引数は無視され、関数自体はエラーなく動作します。

Sample 渡す引数が3つ、受け取る引数が2つの場合　　　　　　　　　c05/number-params1.html

```
function twoParam(a, b) {        受け取る引数が2つ。渡した3つ目の引数は無視される
  console.log(a, b);  // 1 3
}

twoParam(1, 3, 5);
```

渡す引数が受け取る引数よりも少なかった場合も見てみましょう。次の例では引数を2つ渡していますが、関数側は引数を3つ受け取るように作られています。この場合、受け取る側の3つ目の引数 c には何も代入されず undefined になりますが、渡す側と受け取る側の数が合わないことによるエラーは起きません。

Sample 渡す引数が2つ、受け取る引数が3つの場合　　　　　　　　　c05/number-params2.html

```
function threeParam(a, b, c) {        3つ引数があるが渡したのは2つだけ。
  console.log(a, b, c);  // 2 4 undefined   3つ目には何も代入されない
}

threeParam(2, 4);
```

引数の数をチェックする

ここまで見てきたように、JavaScript の関数は渡すほうも受け取るほうも引数の個数には無頓着といえます。ただ、場合によっては引数の数を管理して、決まった数を渡す／受け取るようにしたいこともあります。引数の数を数えるには、2つの方法があります。

1つ目は arguments オブジェクトを使う方法です。arguments オブジェクトは渡された引数を配列のようなかたちで1つに保持するオブジェクトで、関数内の処理（つまり {} の中）で使用することができます。

次の例の関数 makeText() は、2つの引数を受け取り、その引数で「○○は▲▲です。」という文字列を返す単純なものですが、引数が2つ渡されているかどうかを確認しています。渡された引数が多かったり少なかったりしたらエラーを発生させて処理を中断します[9]。

Sample 引数の数を確かめ、正しくない場合はエラーを発生させる　　　　　c05/check-number-params1.html

```javascript
function makeText(a, b) {
  if (arguments.length !== 2) {
    throw new Error('引数の数が不正です。正しくは2です。');
  }
  return a + 'は' + b + 'です。';
}
console.log(makeText('昼の休憩', '12時から'));  // 昼の休憩は12時からです。
console.log(makeText('閉館')); // Error
```

実行結果 コンソールの出力。引数の数が2つでない場合はエラーが発生する

console.log(makeText(' 昼の休憩 ','12 時から '));

console.log(makeText(' 閉館 '));

しかし、arguments オブジェクトはアロー関数では使用できません（p.142）。そこで、引数の数を数えるもう1つの方法も紹介します。こちらは残余引数を使う方法です。上と同じ動作をする関数を、アロー関数と残余引数を使う方法で書き直してみます。

Sample 引数の数を確かめる方法その2　　　　　　　　　　　　　c05/check-number-params2.html

```javascript
const makeText = (a, b, ...rest) => {
  if (a === undefined || b === undefined || rest.length > 0) {
    throw new Error('引数の数が不正です。正しくは2です。');
  }
  return a + 'は' + b + 'です。';
};
```

> a が undefined（代入されていない）、b が undefined、rest の長さが 0 より大きい、このどれかが true なら……

＊9　throw new Error(〜) については 11-6「例外処理（エラー制御）」(p.391) を参照してください。

```
console.log(makeText('昼の休憩', '12時から')); // 昼の休憩は 12 時からです。
console.log(makeText('閉館')); // Error
```

　if 文の条件式に rest.length > 0 を含めることにより、引数が 2 つより多い場合にエラーになるように
しています[10]。ただ、残余引数だけでは引数の数が少ないときに対応できないので、この if 文の条件式
の中で「2 つ引数があるかどうか」も確認しないといけません。それが a === undefined || b ===
undefined の部分です。結果的に条件式が長くなり、読みづらくなってしまうので、引数の数を確認し
たいときはアロー関数の使用は避けたほうがよいかもしれません。

▌5-4-4 オブジェクトの特定のプロパティだけを引数として受け取る

　関数はオブジェクトを引数として受け取ることもできます。たとえば次の例の関数 showStudentInfo( )
はオブジェクトを受け取り、id プロパティと grade プロパティを使用して文字列を作成しています。

Sample　引数にオブジェクトを受け取る　　　　　　　　　　　　　　　　　　c05/param-object1.html

```
const student = {
  id: 231006,
  grade: 1,
  firstname: '花子',
  lastname: '田中',
};

function showStudentInfo(info) {
  const infoText = 'ID: ' + info.id + ' / 学年: ' + info.grade;
  return infoText;
}

const infoElement = document.querySelector('#student-info');
infoElement.textContent = showStudentInfo(student);
```

　もちろんこれで問題なく動作しますが、分割代入[11]を使えば特定のプロパティだけを受け取ることが
できます。

書 式　オブジェクトの特定のプロパティだけを受け取る関数定義

```
function 関数名({プロパティ1, プロパティ2, …}) {
```

----

* 10　意図的にエラーを発生させる方法は 11-6「例外処理（エラー制御）」(p.391) で取り上げます。
* 11　「分割代入②　～オブジェクトのプロパティを別々の変数に代入」(p.101)

引数を {} で囲み、渡されたオブジェクトから受け取りたいプロパティをカンマ（,）で区切って指定します。

先ほどのサンプルを、渡されたオブジェクトの中から id プロパティ、grade プロパティだけを受け取るように書き換えます。**分割代入で受け取ると、関数の処理の中で使うときに「＜オブジェクト名＞. プロパティ名」ではなく、「プロパティ名」だけで参照できるようになる**ため、コードが簡潔になります。

| Sample | 必要なプロパティだけ引数として受け取る（抜粋） | c05/param-object2.html |

```javascript
const student = {
  id: 231006,
  grade: 1,
  略
};

function showStudentInfo({id, grade}) {
  const infoText = 'ID: ' + id + ' / 学年: ' + grade;
  return infoText;
}
略
```

実行結果

```
JS  必要なプロパティだけ引数として受け取る

ID: 231006 / 学年: 1
```

▋ 5-4-5 引数の値を関数内の処理で書き換える際の注意

引数として渡される値が文字列や数値などプリミティブ型だった場合、関数のブロック内で値を書き換えても、元の値が変わることはありません。この動作を値渡しといいます。簡単な例を見てみましょう。次のコードの関数 plusOne() は、渡された引数自体の値を書き換えて、その引数の値を返しています。このような操作をしても、呼び出すときに渡した変数 number の値は変わりません。

▼ 関数内で引数の値を書き換えているが、呼び出すときに渡した変数の値は変化しない

```javascript
function plusOne(num) {
  num += 1;          引数 num に 1 を足す。引数自体の値を書き換えている
  return num;        num を返す
}
```

148

```
let number = 10;                         ← 変数 number に 10 を代入
const result = plusOne(number);          ← plusOne() を呼び出し、結果を定数 result に代入
console.log(result);   // 11
console.log(number);   // 10              ← 関数内で引数の値を書き換えたが、元の変数の値は変わらない
```

　しかし、引数として配列やオブジェクトなどオブジェクト型のデータを渡す場合は注意が必要です。**引数としてオブジェクト型のデータを渡すと、関数が受け取るときにシャローコピーが作られ、「渡す前のデータ」と「引数として受け取り、関数内で使用するデータ」が、実体としては同じデータを参照することになるのです**（➡ 3-3-4「プリミティブ型とオブジェクト型の違い」p.76）。この動作を参照渡しといいます。引数は、値がプリミティブ型だった場合には「値渡し」に、オブジェクト型だった場合には「参照渡し」になるということです。

　引数が参照渡しになる例を見てみましょう。次の例の関数 move() に配列（arr）と数値（qty）を渡すと、渡された配列のすべての要素に数値 qty を足し、結果の配列を返します。

| Sample | 引数が配列のときの注意点 | c05/param-shallow.html |

```
function move(arr, qty) {
  const newArr = arr;                    ← 引数 arr を定数 newArr に代入
  for (let i = 0; i < arr.length; i++) { ← newArr の全要素に引数 qty を足す
    newArr[i] += qty;
  }
  return newArr;                          ← 定数 newArr を返す
}

const position = [336, 112];
const newPosition = move(position, 10);   ← 関数 move() を呼び出して
                                            結果を newPosition に代入
console.log(newPosition);   // [346, 122]
console.log(position);      // [346, 122] ← position まで書き換わってしまう
```

　関数 move() を呼び出すときに配列 position を渡しています。そして、関数の処理の結果は定数 newPosition に代入されます。しかしコンソールの出力を確認してみると、newPosition だけでなく position の値も変わってしまっています。こうなる理由は、**配列を含むオブジェクト型のデータは、引数で渡すときもシャローコピーが作られるからで**、このサンプルでいえば定数 position、引数 arr、関数内の定数 newArr、返り値を代入した定数 newPosition、すべてが実体としては同じデータを参照しているのです。

5-4
引数を渡す・受け取るさまざまな方法

5
関数

コンソールの出力。引数として渡した定数 position の値まで変わっている

━━ newPosition の値（関数の返り値）

━━ position の値（関数を呼び出す前は [336, 112]）

　わざわざ関数を呼び出して処理をしておきながら、引数として渡した元の配列の値まで変わってしまうのは、一般的には望ましい動作ではないはずですね。そこで、引数として配列などオブジェクト型のデータを受け取る関数では、原則として引数の完全なコピー（ディープコピー）を作ってから処理を進めるようにします。

　ディープコピーをするにはスプレッド構文を使います[*12]。先ほどのサンプルを、引数のディープコピーを作るように改良します。

関数で配列を操作するときのより良い方法　　　　　　　　　　　　c05/param-deepcopy.html

```javascript
function move(arr, qty) {
  const newArr = [...arr];    // ディープコピーを作る
  for (let i = 0; i < arr.length; i++) {
    newArr[i] += qty;
  }
  return newArr;
}
略
```

　このようにして配列をディープコピーすれば、引数として渡した元の定数 position の値は変わりません。

引数のディープコピーを作ってから処理をすれば元の値は変わらない

━━ newPosition の値

━━ position の値

　スプレッド構文を使うとなぜディープコピーになるのかについては 8-5-3「配列のコピーの仕組み」（p.277）を参照してください。

＊12 「スプレッド構文を使った代入」（p.103）

5-5 返り値を返す・受け取る

いままでにも何度も return は出てきていますが、細かく見ていくといくつか動作の特徴があります。
return の動作について、ここでもう一度整理しておきます。

　関数から値を返すには return を使います。return には「値を返す」以外にも、いくつかの特徴があります。

return の特徴

- 返り値を返す
- return が実行されると関数の処理が終了する
- 返す値はどんなものでも OK。数値、文字列、配列、オブジェクト、関数などが返せる
- 返せる値は 1 つだけ

▌5-5-1 返り値を返す

return のいちばん重要な機能はなんといっても「関数から値を返す」ことです。ここで改めて書式を確認しておきましょう。

書式 関数から値を返す

```
return 返す値 ;
```

return と「返す値」のあいだで改行してはいけません。値を返せなくなります。
　もし、ソースコードを読みやすくする、長い文字列を返す必要があるなど、なんらかの理由で改行したいときは、返り値を ( ) で囲みます。

書式 return の後ろで改行するときは、返す値全体を ( ) で囲む

```
return (
  返す値
);
```

return が実行されると処理が終了する

return は値を返すと同時に関数の実行を終了します。つまり、return より下に書かれた行は実行されません。

```
function someFunc() {
  略
  return x;
  console.log(x);
}
```

値を返し処理を終了する

この行は実行されない

　関数の処理が終了することを利用して、以下のようなコードにすることがよくあります。次の例に出てくる関数 evaluate( ) は、引数 a が負の数か、0 以上の正数か、それとも数字でないかによって返す値が変わります。

Sample 条件によって返す値を変える   c05/return-stop.html

```
function evaluate(a) {
  if(a < 0) {
    return 'a は負の数です。';
  }
  if(a >= 0) {
    return 'a は 0 以上です。';
  }
  return 'aは数字ではありません。';
}

console.log(evaluate(41));              // 'aは0以上です。'
console.log(evaluate(-81));             // 'aは負の数です。'
console.log(evaluate(6n));              // 'aは0以上です。'
console.log(evaluate('文字列はどう？')); // 'aは数字ではありません。'
```

BigInt も数字

　この関数の場合、たとえば引数が -81 なら「return 'a は負の数です。';」が実行されて、値が返ると同時にそこで処理が止まります。条件が複数ある処理の場合、「if ～ else if ～」と if 文をつなげるよりも、return で関数の実行が止まることを利用したほうが読みやすいコードが書ける場合があります。

引数に -81 が渡された場合

```
function evaluate(a) {
  if(a < 0) { ────────────────true
    return 'a は負の数です。'; ────値を返し、処理を終了
  }
  if(a >= 0) {
    return 'a は 0 以上です。';
  }                              以降の処理は実行されない
  return 'a は数字ではありません。';
}
```

値を返さない return

　return が実行されると処理が終了することを利用して、値を返さない return を作ることもあります。return の後ろに値を何も書かなければ値を返しません（実際には undefined が返ります）。

書式　値を返さない return

```
return;
```

　たとえば、引数として渡された値のデータ型が適合しないなど、このまま関数の実行を続けるとエラーが発生するような場合に、値を返さない return で実行を止めることがあります。

　次の例の関数 square() は、引数として渡された数の 2 乗を返す簡単な処理をしています。しかし、実際に 2 乗する前に、引数として渡された値が Number 型かどうかを調べ、Number 型なら処理を実行するし、Number 型でなければ値を返さずに関数の処理を終了します。

Sample　値を返さない return　　　　　　　　　　　　　　　　　　　　c05/return-novalue.html

```
function square(num) {
  if (typeof num !== 'number') {
    return;
  }
  return num * num;
}

console.log(square('2乗'));   // undefined
console.log(square(2));       // 4
```

```
┌─────────────────────────────────────┐
│ ⬚ 要素  コンソール  ソース  ネットワーク │
│ ▶ ⊘  top ▾  ⊙  フィルタ              │
│   undefined                          │
│   4                                  │
│ >                                    │
└─────────────────────────────────────┘
```

```
console.log(square('2乗'));

function square(num) {
  if(typeof(num) !== 'number') {
    return;                              値を返さず処理を終了
  }
  return num * num;
}
```

console.log(square(2));

返す値はどんなものでも OK

return で返せるのは数値や文字列だけではありません。配列やオブジェクトも返せます。次の例では配列を返しています。

Sample　配列を返す   c05/return-array.html

```
function returnArray(num) {
  return [num, num + 1, num + 2];
}
console.log(returnArray(6));  // [6, 7, 8]
```

関数を返すこともできます。次の例に出てくる関数 returnFunc() は、アラートダイアログを出し、その後、関数を返します。返ってきた関数は定数 newFunc に代入されますが、その時点では実行されません。関数はその次の行で呼び出されてはじめて実行されます。

Sample　関数を返す   c05/return-function.html

```
function returnFunc(msg) {
  alert(msg);
  return function() {
    alert('returnFunc()が実行されないと使えない関数(newFunc())を実行');
  };
}

const newFunc = returnFunc('returnFunc()を実行');
newFunc();
```

154

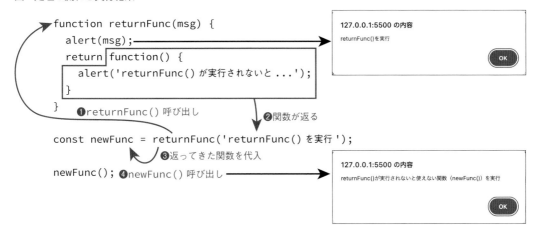

関数を返すのは再帰関数を作るときや、ある関数が実行されてからでないと使えない関数を作りたいときなどです。この例の場合は関数 returnFunc() を実行しないと関数 newFunc() を得られず、実行できないようになっているのです。

関数を返すことは意外と多く、とくに React など現代的なフレームワークを使うときによく見かけます。関数を返す関数や再帰関数については 11-4「関数の高度な性質」(p.371) でより詳しく取り上げます。

返せる値は 1 つだけ

プログラミング言語によっては複数の値を返せるものもありますが、JavaScript では関数から返せる値は 1 つだけです。しかし、複数の値を返したいこともあるでしょう。そういうときは、配列かオブジェクトを使って 1 つの値にまとめて返します。詳しくは次項の「返り値を受け取る」で説明します。

5-5-2 返り値を受け取る

関数を呼び出すと、多くの場合は返り値を受け取ることになります[*13]。返り値を返す関数を呼び出す場合、一般的にはその返り値を変数（定数）に代入することが多いでしょう。先述の例では、次の部分で返り値を定数 newFunc に代入しています。

▼ 返り値を変数または定数に代入する例

```
const newFunc = returnFunc('returnFunc() を実行');
```

もしくは返り値を、別の関数やメソッドの引数にすることもあります。ここまで紹介してきたサンプルのうち結果をコンソールに出力するものは、以下のようなコードを書いていました。これはまさしく、返

[*13] 返り値を返さない関数もたくさんあります。alert() はその代表例です。

り値を別のメソッドの引数にする例です。「関数 ( )」を呼び出し、返り値をそのまま console.log ( ) メソッドの引数に使用している、というわけです。

▽ 関数の返り値をそのまま別の関数（メソッド）の引数にしている例

```
console.log(関数(引数));
```

複数の値を受け取る

「返せる値は 1 つだけ」でも説明しましたが、return で返せる値は 1 つだけです。そこで、関数から複数の値を返したい場合は、配列かオブジェクトで 1 つにまとめます。たとえば、次に紹介する関数 firstAndLast ( ) は、引数として渡された配列の最初と最後の値を返します[14]。

▽ 引数として受け取った配列の最初と最後の値を返す

```
function firstAndLast(arr) {
  const first = arr.at(0);     // 配列の最初の値を代入
  const last = arr.at(-1);     // 配列の最後の値を代入
  return [first, last];        ● ─────────── 2 つの値を配列にまとめて返す
}
```

この関数では配列の「最初の値」と「最後の値」、2 つの値を返したいので、配列にまとめています。この関数を呼び出して値を受け取るのに、もちろん 1 つの変数に代入することもできますが、分割代入を使えば個々の値を別の変数に代入することができます。次の例では関数 firstAndLast ( ) を呼び出し、配列の最初の値を定数 first、2 つ目（最後）の値を定数 last に代入しています。

Sample　関数から複数の値を受け取る　　　　　　　　　　　　c05/return-values.html

```
function firstAndLast(arr) {
  略
}
const array = [1, 8, 9, 12, 7];
const [first, last] = firstAndLast(array);  ● ──── 分割代入で個々の値を別々の定数に代入
console.log(first);   // 1
console.log(last);    // 7
```

- - - - - - - - - - - - -

＊ 14　この関数で使用している at ( ) メソッドについては Chapter 8 「配列」（p.249）で詳しく解説します。

5-6 "呼び出さない"特殊な関数

関数は呼び出したときだけ実行されるのが基本です。しかし、JavaScriptには明示的に呼び出さなくても実行される特殊な関数もあります。とくに「コールバック」と呼ばれる関数は使用頻度も高く、重要です。

JavaScriptには、明示的に呼び出さなくても実行される関数が2つあります。それが**コールバック関数**と、即時実行関数式 (IIFE、Immediately Invoked Function Expression) です。即時実行関数式は現在ではあまり使われなくなりましたが、コールバック関数は各種メソッドを呼び出す際に多用します。

5-6-1 コールバック関数

コールバック関数とは、ある関数もしくはメソッドの引数として渡す関数のことです。コールバック関数は、それを引数として受け取った別の関数の処理の中で呼び出され、実行されます。たとえば、以下の例に出てくる addEventListener() メソッドでは、HTMLドキュメント内の特定の要素（ここでは <button id="btn">）がクリックされ、click イベントが発生したときに、2つ目の引数として渡されたコールバック関数が実行されるようになっています。

Sample　"呼び出さない"特殊な関数　〜コールバック（HTML部分）　　　c05/callback.html

```
<div class="container">
  <p><button id="btn">ボタン</button></p>
</div>
```

Sample　"呼び出さない"特殊な関数　〜コールバック（JavaScript部分）　　　c05/callback.html

```
document.querySelector('#btn').addEventListener('click', (e) => {
  alert('ボタンがクリックされました。');
});
```

実行結果　［ボタン］をクリックするとダイアログが表示される

addEventListener() 内の2つ目の引数、(e) => { 〜 } の部分がコールバック関数です。このコールバック関数により、HTMLページに表示されている［ボタン］をクリックすると、アラートダイアログ

が表示されるようになっています。

コールバック関数は function を使った通常の関数定義でも、サンプルのようにアロー関数でも書くことができます。ただし、現代的なコードではアロー関数を使うことのほうが多く、本書でも原則としてそうしています。なぜアロー関数にするかといえば、1つにはそのほうが短く書けること、もう1つは「コールバック関数内で this の使用を制限する」ことにあります（➡ Note「this」p.301）。

コールバック関数の主な使用例は以下のページで紹介しています。参考にしてみてください。

- 6-5-3「アニメーションに応用する」(p.182)
- 7-9-4「検索・置換したい」(p.244)
- 「ルールを作ってソートする」(p.268)
- 8-7「それぞれの値に関数を実行する」(p.283)

> $\mathcal{N}ote$ **コールバック関数には名前がない**
>
> コールバック関数は明示的に呼び出す必要がないので関数名をつけません。こうした、名前がついていない関数のことを無名関数または匿名関数といいます。

▌5-6-2 即時実行関数式　　　　　　　　　　　　参考情報

即時実行関数式（IIFE）は、呼び出さなくても自動的に実行される関数です。前もってお話ししておくと、現在では即時実行関数式を使う利点がほとんどありません。過去のソースコードを解読するときなどの参考情報として挙げておきます。

まずは即時実行関数式の動作がわかる簡単な例を見てみましょう。次のコードでは関数（関数名のない無名関数）内でコンソールを実行し、同じく関数内で定義した定数 variable を呼び出しています。関数であるにもかかわらず、明示的に呼び出していないのに処理が実行され、コンソールにテキストが表示されます。

Sample 即時実行関数式（IIFE）   c05/iife.html

```
(function(param) {
  const variable = '即時実行関数式';
  console.log(`${variable}は呼び出さなくても実行される。${param}も渡せる。`);
})('引数');
```

実行結果 function(){ ～ } は呼び出さなくても実行され、処理が行われている

```
⚙ ⬚   要素   コンソール   ソース   ネットワーク   パフォーマンス
▶ ⊘  top ▼  👁  フィルタ
     即時実行関数式は呼び出さなくても実行される。引数も渡せる。
  ›
```

書式を確認します。即時実行関数式を作るには、無名関数を ()(); で囲みます。function を使った通常の関数定義でも、アロー関数でも書くことができます。即時実行関数式に引数を渡すこともできます。

書式 即時実行関数式。通常の関数定義を使用した例

```
(function(受ける引数) {
    処理
})(渡す引数);
```

書式 即時実行関数式。アロー関数を使用した例

```
((受ける引数) => {
    処理
})(渡す引数);
```

しかし、呼び出されなくても実行される関数をなぜわざわざ作るのでしょう。理由は 2 つあります。1 つは使用する変数のスコープを限定できること、もう 1 つは非同期処理を実行しやすくできることです。

1 つ目の「使用する変数のスコープを限定できる」は、即時実行関数式を使えば、関数スコープ[*15] である var[*16] で宣言した変数のスコープを狭められる効果があります。

その昔、変数宣言に var しかなかった時代には、変数のスコープを限定するには関数の {} 内で定義する以外に方法がありませんでした。そこで、JavaScript プログラム全体を即時実行関数式の {} 内に記述すれば、そこで宣言された変数は {} の外側からは参照できなくなるので、実行するコードの安全性を高められました。しかし、現在はブロックスコープ[*17] の let や const がありますから、変数のスコープを限定する目的で即時実行関数式を使用する利点はまったくありません。

2 つ目の「非同期処理を実行しやすくできる」は、ここでは例を出しませんが、トップレベル await が使えない ES2022 よりも前の環境で、簡潔なコードを書くために使われていました（➡ **Chapter 14** 「非同期処理」p.513）。しかし現在のブラウザーはトップレベル await に対応しているため、わざわざ即時実行関数式を使う必要はなくなっています。いずれにしても、今後新しく書くコードで使用する機会は多くないと考えてよいでしょう。

---

* 15　5-2 「スコープ」 (p.135) の注 2
* 16　「変数　〜 var」 (p.55)
* 17　5-2-1 「ブロックスコープ」 (p.135)

Chapter

6

数値と計算

JavaScript の数値（Number 型）と日付（Date オブジェクト）の特性と操作方法を取り上げます。表記方法や計算の仕方、計算可能な範囲に収まる数字であるかを調べる方法、文字列と連携する方法など、数値を扱うために必要な機能の数々を解説します。日付の計算手法についても見ていきます。

6-1 数値の特性と Number オブジェクト

JavaScript の数値の特性と、Number オブジェクトを取り上げます。Number オブジェクトは Number 型のデータ、つまり数値を扱うためのオブジェクトで、数値を整数にしたり、データ型を変換するなどの用途で使用します。

　JavaScript の数値は IEEE754 という規格で定められた、倍精度 64 ビット浮動小数点形式という形式に準拠しています。扱える数の大きさは次の範囲で、掛け算や足し算などの計算をした結果がこの範囲内に収まっていれば、その答えが正しいことが保証されます。

$-2^{53}-1$（-9007199254740991）〜 $2^{53}-1$（9007199254740991）

　BigInt 型を使えばこれよりも大きい、または小さい数を表現することもできますが、扱えるのは整数のみで、しかも足し算、引き算、剰余（割り算の余り）、べき乗の計算しかできません（➡ 3-2-5「BigInt 型」p.68）。

> ### 𝒩ote　計算結果は本当に正しい？
>
> 　JavaScript はもちろん 10 進法の数字を扱いますが、内部的には 2 進法で処理をしています。そのため、小数点数を含む計算をすると、10 進で考えると正しいとは思えない答えが出てくることがあります。Web 開発で問題になるような誤差ではないかもしれませんが、こういうことが起こることは知っておいたほうがよいでしょう。
>
> 　0.8 × 7 = 5.6、3.3 ÷ 3 = 1.1 のはずなのに思わぬ誤差が出る
>
> ```
> console.log(0.8 * 7); // 5.6000000000000005
> console.log(3.3 / 3); // 1.0999999999999999
> ```

▌ 6-1-1 数値の書き方と基本操作

数値を表す書き方（リテラル）には数種類あります。

10 進法

まずは標準的な、10 進法での数の書き方を見てみます。ふだん数字を書くときの書き方と同じで、特別なことは何もありません。

▼ 10 進法の数値を表す書き方の例

```
365
-365
3.14
-9.47
```

2 進法、8 進法、16 進法

2 進法、8 進法、16 進法を表す書き方もあります。2 進法では数値の先頭に 0b（数字のゼロと小文字の b）を、8 進法では 0o（数字のゼロと小文字の o）を、16 進法では 0x（数字のゼロと小文字の x）をつけます。

▼ 2 進法、8 進法、16 進法で数値を表す書き方の例

```
0b1110110011   // 2進法
0o1663         // 8進法
0x3b3          // 16進法
```

ここで紹介した 2 進法、8 進法、16 進法の数値をブラウザーのコンソールに入力すると、10 進法の数が返ってきます。ちなみにここで紹介した数は、どれも 10 進法で 947 です。

図　2 進数、8 進数、16 進数をコンソールに入力すると 10 進法の数が返ってくる

E 表記

E 表記は指数表記とも呼ばれ、非常に大きい、または非常に小さい数を表すのによく使われる表記法で

す。たとえば地球から太陽までの平均的な距離は約 1 億 4960 万 km だそうですが[1]、これを E 表記にするとこのような書き方ができます。

▽ 1 億 4960 万（149600000）を指数表記で表す

```
1.496e8
```

このとき、e の前の「1.496」の部分を仮数部、後ろの「8」の部分を指数部といいます。「仮数部」を 10 の「指数部」乗すると、実際の数字になります。

図　E 表記

指数部

1.496e8

仮数部

負の数にするときは先頭に「-」を追加します。ものすごく小さい数値を表すために「10 のマイナス〇乗」にするときは e の後ろに「-」を追加します。

▽ 負の数を表す（仮数部を負の数にする）

```
-1.2345e6      // -1234500
```

▽ 10 のマイナス 6 乗を表す（指数部を負の数にする）

```
1.2345e-6      // 0.0000012345
```

大きな数字を 1000 単位で区切る

大きな金額などを表すときはそのままでは読みづらいので、実社会では 1000 単位で「,」を入れて区切ることがありますね。ES2021 で導入された「数字の区切り文字」機能により、JavaScript でも同じようなことができます。ただし、区切り文字にはカンマでなくアンダースコア（_）を使います。

たとえば 6,000,000 を 3 桁区切りで表すなら、次のようにします。

▽ 6,000,000 を表す

```
6_000_000
```

----

[1] 出典：「太陽 - Wikipedia」https://ja.wikipedia.org/wiki/ 太陽

ちなみに 3 桁で区切る必要はありません。わかりやすくなるかどうかは別にして、日本式の表記（万、億、兆）で 4 桁区切りにしてもかまいません。

▽ 1 億（100000000）を 4 桁区切りで表すこともできる

```
1_0000_0000
```

6-1-2 Number 型に変換する

'168' のような文字列や true、false といったブール値など、数値でないデータ型を Number 型に変換する方法は 4 通りあります。

1. Number() コンストラクター[2] を使う ── 例：Number('168')、Number(true)
2. 先頭に「+」をつける ── 例：+'168'、+true
3. 先頭に「-」をつける ── 例：-'168'（負数になる）
4. parseFloat()、parseInt() メソッドを使う ── 変換できるのは文字列のみ。6-3-2「小数、整数に変換する」（p.169）参照

どの方法を使っても、Number 型に変換できなかった場合は NaN（Not a Number、後述）になります。

▽ Number 型に変換できなかった場合は NaN になる

```
Number('テキストは数値に変換できない')    // NaN
+'テキストは数値に変換できない'            // NaN
```

逆に、Number 型の数値を String 型のデータ（文字列）に変換したいときは、String() コンストラクターか後述の toString() メソッドを使います（➡ 6-4-2「数値を文字列に変換する」p.176）。

▽ String() を使って Number 型を String 型に変換する

```
String(16777215)      // '16777215'
```

6-1-3 「数ではない」を表す特殊な数、NaN

NaN は "Not a Number" の略で、数ではないことを表す値です。文字列を掛けたり割ったりしようとしたときや、数に変換できない値を型変換しようとしたとき、実数にならない計算をしようとしたときなどに出てきます。

----

[2] コンストラクターはオブジェクトのインスタンスを生成する、メソッドの一種です。データ型の変換に使われることもあります。

NaN になる例

```
console.log('モンブラン' * 6);  // NaN ●──────  文字列を掛け算している
console.log(Number('サヴァラン'));      // NaN ●──────
console.log(Math.sqrt(-2));    // NaN ●──────
```

文字列を掛け算している

文字列を数値に型変換している

実数にならない数（ルート-2）を計算している（➡ 6-5「数学的な計算をする Math オブジェクト」p.177）

「こんな計算しないよ」と思うかもしれませんが、よくあるのが、宣言だけして値をまだ代入していない変数で計算しようとしてしまったときです。たとえば次の例では変数 num を宣言していますが、代入する前に計算しようとしたため NaN になります。

Sample 変数に代入する前に計算しようとした   c06/nan.html

```
let num;
console.log(num / 3); // NaN
```

また、NaN はあらゆる値と―― NaN 同士ですら――同じにならないという特徴があり、等価演算子（=== や ==）で比較すると必ず false になります。

NaN を === や == を使って比較すると必ず false になる

```
NaN === NaN    // false
NaN == NaN     // false
```

このように、NaN は別の NaN とも同じにならないことから、「計算の結果が NaN である」ことを、条件式を使って評価することはできません。もし値が NaN であることを調べたいときは、Number オブジェクトに用意された専用のメソッド、Number.isNaN() を使います。詳しくは「NaN かどうかを調べる」（p.169）をご覧ください。

6-2 JavaScriptにとって特別な意味を持つ数値を調べる

Number オブジェクトにはいくつかのプロパティが定義されています。これらのプロパティには扱える最大値、最小値などが定義されていて、JavaScript で数値を扱ううえで特別な意味を持つ数を調べることができます。

6-2-1 Number オブジェクトのプロパティ

Number オブジェクトのプロパティはどれも定数で、値を参照できますが、書き換えることはできません。

プロパティ	説明
Number.EPSILON	1 と、1 より大きい最小の浮動小数点数との差。2^{-52}
Number.MAX_SAFE_INTEGER	安全に扱える整数の最大値
Number.MAX_VALUE	表現可能な最大値
Number.MIN_SAFE_INTEGER	安全に扱える整数の最小値
Number.MIN_VALUE	表現可能な正の最小値。0 に最も近い小数
Number.NaN	数でない数（➡ 6-1-3「『数ではない』を表す特殊な数、NaN」p.164）
Number.NEGATIVE_INFINITY	負の無限大
Number.POSITIVE_INFINITY	正の無限大

※「安全に扱える」とは、計算をしたときの答えが正しいことが保証されている数という意味です。安全に扱える数を超える、または下回ると正しい計算ができなくなります。

これらのプロパティのうち、次表の 3 つにはグローバルプロパティもあります。Number オブジェクトのプロパティもグローバルプロパティも同じ値で、どちらを使ってもかまいません。

表　グローバルプロパティに同じ数値がある Number オブジェクトのプロパティ

グローバル	Number オブジェクト
NaN	Number.NaN
-Infinity	Number.NEGATIVE_INFINITY
Infinity	Number.POSITIVE_INFINITY

Number オブジェクトのプロパティを使う

Number オブジェクトの各プロパティの実際の値を調べたいときは、そのプロパティを参照するだけです。値が大きいものは E 表記で表示されます（➡「E 表記」p.162）。

▼ 表現可能な最大値を調べる。結果は E 表記で表示される

```
console.log(Number.MAX_VALUE); // 1.7976931348623157e+308
```

Number オブジェクトのプロパティを使えば、2 つの数の足し算の結果が Number.MAX_SAFE_INTEGER より大きい、または Number.MIN_SAFE_INTEGER より小さい場合に BigInt 型に変換して計算する関数を作ることもできます。

Sample 足し算の結果が大きすぎるまたは小さすぎるときは BigInt に変換する関数　　　　c06/to-bigint.html

```
const convertBigIntIftooBig = (a, b) => {
  if (a + b > Number.MAX_SAFE_INTEGER ||
      a + b < Number.MIN_SAFE_INTEGER) {
    return BigInt(a) + BigInt(b);
```

> 2 つの引数を足すと安全に扱える整数の最大値（または最小値）を超えるなら……

> BigInt に変換してから足して返す

```
  }
  return a + b; ●━━━━━━━━━━━━━━━━━━━┥ そうでなければ変換せずに足して返す ┝

};


const num1 = 9007199254740981; // Number.MAX_SAFE_INTEGER より 10 小さい数

console.log(convertBigIntIftooBig(num1, 10));        // 9007199254740991
console.log(convertBigIntIftooBig(num1, 11));        // 9007199254740992n
console.log(convertBigIntIftooBig(-num1, -10));      // -9007199254740991
console.log(convertBigIntIftooBig(-num1, -100));     // -9007199254741081n
```

6-3 数値の状態を調べる・変換する

Number オブジェクトには「変数に代入した値が数値かどうか」「数値が計算可能な大きさか」などを調べるためのメソッドが用意されています。

Number オブジェクトに登録されている、数値の状態を調べるメソッドには次表のものがあります。

表 数値の状態を調べるメソッド

メソッド	説明
Number.isFinite(数)	「数」が有限数であれば true、そうでなければ false を返す（「数」が Infinity、-Infinity、NaN でない）。評価するのは Number 型のみ。BigInt 型は常に false を返す
Number.isInteger(数)	「数」が整数であれば true、そうでなければ false を返す。評価するのは Number 型のみ。BigInt 型は常に false を返す
Number.isNaN(数)	「数」が NaN であれば true、そうでなければ false を返す
Number.isSafeInteger(数)	「数」が安全に扱える大きさの整数なら true、そうでなければ false を返す
Number.parseFloat(' 文字列 ')	「文字列」を小数点数に変換する。変換できない文字列の場合は NaN を返す
Number.parseInt(' 文字列 ', 基数)	「文字列」を「基数」の数値として解釈し、整数に変換する。小数の場合は小数点以下を切り捨てる

6-3-1 数値かどうかを調べる

変数や関数に渡された引数が数値であることを確認することはよくあります。ただ、数値といっても数ならなんでもよいのか、整数であるかどうかを確認したいのかなど、調べたいことによって使うメソッドが変わります。

値が Number 型の数値であるかどうかを確認する

値が Number 型の数値で、文字列やそのほかのデータでないことを確認するのであれば typeof を使います。次の例で作成する関数 isNumber() は、引数が Number 型の値であれば true を、そうでなければ（BigInt 型も含めて）false を返します。

数値かどうかを調べる   c06/is-number.html

```
const isNumber = (num) => typeof num === 'number';

console.log(isNumber(116));    // true | Number型の数値
console.log(isNumber(0xff));   // true | 16進数のNumber型
console.log(isNumber(3n));     // false | BigInt型
console.log(isNumber('116'));  // false | String型（文字列）
```

有限数であるかどうかを確認する

　値が有限数―― Number 型で、かつ安全に扱える数のこと。もちろん Infinity、-Infinity、NaN でなく、BigInt 型でもない――かどうかを確認するときは、Number.isFinite( ) を使います。Infinity、-Infinity、NaN も Number 型の数値なので、それらの値も true になる typeof よりも Number.isFinite( ) を使ったほうが多くの場合実用的でしょう。

　次の例で作成する関数 isF( ) は、引数を調べて、有限数であれば true を、そうでなければ false を返します。

Sample 有限数かどうかを調べる   c06/is-finite.html

```
const isF = (num) => Number.isFinite(num);

console.log(isF(365));                         // true  | Number型の整数
console.log(isF(3.14));                        // true  | Number型の小数
console.log(isF(-8));                          // true  | Number型の負数
console.log(isF(Number.MAX_SAFE_INTEGER));     // true  | 安全に扱える最大の整数＝有限数の最大値
console.log(isF(Number.MAX_INTEGER));          // false | 表現可能な最大値は有限数ではない
console.log(isF(Infinity));                    // false | Number型だが有限数でない
console.log(isF('116'));                       // false | String型（文字列）
```

　もし、有限の整数であることを確認するのであれば、Number.isFinite( ) の代わりに Number.isSafeInteger( ) を使います。値が小数だと false が返ってきます。

Sample 有限の整数かどうかを調べる   c06/is-safeint.html

```
const isSafeInt = (num) => Number.isSafeInteger(num);

console.log(isSafeInt(365));                       // true
console.log(isSafeInt(3.14));                      // false | Number型の小数
console.log(isSafeInt(-8));                        // true
console.log(isSafeInt(Number.MAX_SAFE_INTEGER));   // true
console.log(isSafeInt(Number.MAX_INTEGER));        // false
```

```
console.log(isSafeInt(Infinity));                    // false
console.log(isSafeInt('116'));                       // false
```

NaN かどうかを調べる

前述のとおり、NaN はどの NaN とも同じではないため「計算の結果が NaN である」ことを、条件式を使って評価することはできません。たとえば「無限（Infinity）に 0 を掛ける」や「-2 の平方根」を計算した結果はどちらも NaN になりますが、等価演算子（===）を使って NaN と比較しても、常に false が返ってきます。

▼ 計算結果は NaN。しかし === では評価できない

```
Infinity * 0 === NaN; // false
Math.sqrt(-2) === NaN;// false（Math.sqrt()は平方根を返す）
```

そこで、計算結果が NaN であるかどうかを調べるためには Number.isNaN( ) メソッドを使います。

書式 Number.isNaN( ) メソッド

```
Number.isNaN(調べたい値)
```

たとえば先ほど取り上げた例を調べるには、次のようにします。

▼ 計算結果が NaN であるかどうかを調べる

```
Number.isNaN(Infinity * 0);    // true
Number.isNaN(Math.sqrt(-2));   // true
```

▌6-3-2 小数、整数に変換する

Number.parseFloat( ) メソッド、Number.parseInt( ) メソッドは、引数として渡した値を数値（Number 型）に変換して返します。どちらのメソッドも、'418' のような文字列（String 型）を数値に変換するときに使用します。

文字列を小数に変換

Number.parseFloat( ) メソッドを使って文字列を小数に変換するには次のようにします。

書式 Number.parseFloat( ) メソッド

```
Number.parseFloat('文字列')
```

基本的な使い方を見てみましょう。引数には「文字列になっている数字」を渡します。変換できなかった場合は NaN が返ってきます。

▽ Number.parseFloat( ) の基本的な使い方

```
console.log(Number.parseFloat('3.14159'));    // 3.14159
console.log(Number.parseFloat('16'));         // 16
console.log(Number.parseFloat(9.47));         // 9.47 ●     引数が数値でも動作する
console.log(Number.parseFloat('百引く十五'));   // NaN ●
Number.parseFloat(true);                       // NaN ●     変換できない文字列の
                                                           場合は NaN を返す
```

> 引数が数値でも動作する
>
> 変換できない文字列の場合は NaN を返す
>
> 文字列以外は変換できないので NaN を返す

文字列を整数に変換

Number.parseInt( ) メソッドを使って文字列を整数に変換するには、以下の書式のようにします。このメソッドは引数を 2 つ取り、1 つ目には数値に変換したい文字列、2 つ目には変換したい文字列の基数を指定します。そうすることにより、Number.parseInt( ) は 1 つ目の引数の「' 文字列 '」が「基数」の表記で書かれていると解釈して、10 進数に変換して返します。

書式 Number.parseInt( ) メソッド

```
Number.parseInt(' 文字列 ', 基数 )
```

たとえば 10 進数値の文字列 '456' や、16 進数値の文字列 '0x80' を数値に変換するときは次のようにします。

▽ '456' や '0x80' を数値に変換

```
Number.parseInt('456', 10);     // 456
Number.parseInt('0x80', 16);    // 128
```

文字列が小数だった場合、小数点以下は切り捨てられます。

▽ 小数点以下は切り捨てられる

```
Number.parseInt('456.78', 10);  // 456
```

もし、1 つ目の引数の「' 文字列 '」が数値に変換できない場合は NaN が返ってきます。

▽ 数値に変換できない文字列の場合は NaN が返る

```
Number.parseInt(' 二の四乗 ', 10); // NaN
```

ここまで知っていれば基本的な使用法に関しては問題ないでしょう。しかし、Number.parseInt( ) の処理は少し複雑なので、詳しい動作も説明しておきます。

　2 つ目の引数の「基数」には、1 つ目の引数「' 文字列 '」の基数を指定します。つまり、「' 文字列 '」が 10 進数で書かれた数なら 10、2 進数なら 2、16 進数なら 16 を指定します。基数には 2 ～ 36 までの整数を指定でき、また省略することもできます。省略した場合、基本的には「' 文字列 '」が 10 進数であると見なして処理されます。

▽　2 つ目の引数を省略した場合、「' 文字列 '」は 10 進数で書かれていると見なして処理される

```
Number.parseInt('456');        // 456
```

　ただし「' 文字列 '」の先頭に 16 進数を表す 0x または 0X がついている場合だけ、基数を 16、つまり 16 進数だと見なして処理されます。

▽　先頭に 0x または 0X がついている場合は基数を省略しても 16 進数として処理される

```
Number.parseInt('0xff');       // 255
```

　しかし、2 進数を表す 0b、8 進数を表す 0o は認識せず、0 が返ってきます[3]。

▽　0b、0o をつけていると 0 が返ってくる

```
Number.parseInt('0b0100', 2); // 0
Number.parseInt('0b0100');    // 0
Number.parseInt('0o20', 8);   // 0
Number.parseInt('0o20');      // 0
```

　2 進数や 8 進数を正しく変換させるときは 1 つ目の引数に 0b や 0o をつけず、基数を指定します。16 進数であっても先頭に 0x がついていない場合は基数を指定する必要があります。

▽　1 つ目の引数には 0b、0o をつけず、基数を指定する。16 進数も 0x がついていないときは基数が必要

```
Number.parseInt('0100', 2);   // 4
Number.parseInt('20', 8);     // 16
Number.parseInt('ff', 16);    // 255
```

フォームに入力された値を数値に変換する

　フォームに入力された内容は、たとえ Number フィールド（<input type="number">）であっても取

---

[3]　なぜ 0 が返ってくるかというと、Number.parseInt( ) は引数「' 文字列 '」の 1 文字目から数字の部分だけを返すようになっているからです。「' 文字列 '」の 1 文字目が数字でないときは NaN が返ります。

得できる値は文字列になるので、数値として利用する場合は型変換をする必要があります。フォームを操作している人が正しく数字を入力したのかもわからないため、本当に数値に変換できるかどうかも確認しなくてはなりません。そのため、フォームの入力内容を数値に変換するには2段階のステップを踏む必要があります。

1. Number.parseFloat() または Number.parseInt() などを使って数値に変換する
2. 数値に変換できたか確認する。Number.parseFloat() や Number.parseInt() は数値に変換できないときには NaN を返すので、Number.isNaN() を使う

例を見てみましょう。フォームに入力された値の取得方法などは Chapter 12、Chapter 13 で取り上げるので、ここでは関数 stringToNumber() の処理に注目してください。この関数は、ページ上の［チェック］ボタンがクリックされるとフォームの入力内容を受け取り、それを数値（整数）に変換して返します。数値に変換できなかったら null を返します。

フォームに入力された値のデータ型と、返り値のデータ型を確認してみてください。

Sample フォームの入力内容を数値に変換する（HTML 部分）　　　　　　　c06/form-input.html

```
<main>
<div class="container">
  略
  <p><input type="number" id="number" value="0"> <button id="check">チェック</
button></p>
</div>
</main>
```

Sample フォームの入力内容を数値に変換する（JavaScript 部分）　　　　c06/form-input.html

```
const stringToNumber = (value) => {
  console.log(`フォームの入力値のデータ型: ${typeof value}`);
  // 数値に変換
  const parsed = Number.parseInt(value, 10);
  if (Number.isNaN(parsed) !== true) {
    return parsed;
  }
  // 変換できない場合はnullを返す
  return null;
};

document.querySelector('#check').addEventListener('click', () => {
  const value = document.querySelector('#number').value;
  const parsed = stringToNumber(value); ●────────[ フォームに入力された値を渡す ]
  console.log(`関数stringToNumber()からの返り値とデータ型: ${parsed} ${typeof parsed}`);
});
```

実行結果 入力内容と、型変換後のデータ型に注目

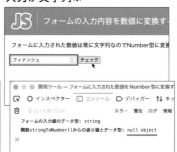

入力が数字　　　　　　　　　　　　　入力が文字列※　　　　　　　　　　空欄

※ Chrome は Number フィールドへの文字列入力を許可していないため Firefox で確認

𝒩ote　数値の状態を調べる・変換するメソッドにはグローバルメソッドもある

Number オブジェクトのメソッドのうち、次表の4つにはグローバルメソッドもあります。グローバルメソッドのほうが古くから定義されていて、過去の JavaScript との互換性を確保するために残されています。

表　同じ機能のグローバルメソッドがある Number オブジェクトのメソッド

グローバルメソッド	Number オブジェクトのメソッド
isFinite( )	Number.isFinite( )
isNaN( )	Number.isNaN( )
parseFloat( )	Number.parseFloat( )
parseInt( )	Number.parseInt( )

これらグローバルメソッドのうち parseFloat( )、parseInt( ) の動作は、Number オブジェクトの同名のメソッドと変わりません。しかし、isFinite( )、isNaN( ) は Number オブジェクトの同名のメソッドとは少し動作が異なります。

グローバルメソッドの isFinite( ) は、( ) 内の引数が数値（Number 型）でなかった場合、数値への型変換を試みてから、有限数であるかどうかを評価します。いっぽう Number.isFinite( ) は型変換しません。そのため、両メソッドは引数によっては評価の結果が変わります。

isFinite( )、Number.isFinite( ) の動作の違い

```
isFinite('81');       // true ●
Number.isFinite('81'); // false ●
```
'81' は文字列なので false

'81' を数値に変換してから評価するので true

isNaN( ) も isFinite( ) 同様、( ) 内の引数が Number 型でない場合、数値への型変換を試みてから NaN であるかどうかを評価します。

```
isNaN('NaN');          // true
isNaN('これは文字列');  // true
```

これに対し Number.isNaN( ) は値を型変換せずに評価します。そのため isNaN( ) では true になっていた 2 つの値はどちらも false になります。型変換しなければどちらも文字列であり、NaN ではない以前に数値ですらないからです。

▽ Number.isNaN( ) は値の型変換をしない

```
Number.isNaN('NaN');          // false
Number.isNaN('これは文字列');  // false
```

これらの結果から、型変換をしない Number オブジェクトのメソッドのほうが、( ) の値をより厳密に評価しているといえます。何か特別な理由がないかぎり、より新しい Number オブジェクトのメソッドを使ったほうがよいでしょう。

6-4 数値の表記法を変換する・文字列に型変換する

Number オブジェクトには数値の表記法を変換するメソッドもあります。たとえば大きな数字を指数表記（E 表記）に変換して表示したいときなどに利用できます。また、表記法は変えずに文字列（String型）に型変換する方法もあります。

6-4-1 数値をさまざまな表記法に変換する

数値の表記法を変換するメソッドには、単純に文字列にするものから、言語に合わせて桁区切りや小数点の記号を切り替えるものまで、全部で 5 種類あります。どのメソッドも返ってくる値が文字列（String型）になるのがポイントです。

表　数値の表記法を変換するメソッド

メソッド	説明
< 数値 >.toExponential( ) < 数値 >.toExponential(小数の桁数)	< 数値 > を指数表記（E 表記）にする。「小数の桁数」には仮数部の小数点以下の桁数を指定（オプション）
< 数値 >.toFixed( ) < 数値 >.toFixed(小数の桁数)	< 数値 > を固定小数点表記にする。「小数の桁数」には小数点以下の桁数を 0 〜 100 の数値で指定（オプション）。指定しなかった場合は桁数 0
< 数値 >.toLocaleString( ) < 数値 >.toLocaleString(' ロケール ')	< 数値 > を「ロケール」で使われる言語の表記にする（オプション）。指定しなかった場合はブラウザーに指定されている言語
< 数値 >.toPrecision( ) < 数値 >.toPrecision(桁数)	< 数値 > を指定された精度（桁数）で表す
< 数値 >.toString( ) < 数値 >.toString(基数)	< 数値 > を文字列にする。「基数」が指定されている場合はその基数に変換した表記を返す（オプション）。指定しなかった場合は10 進数に変換

この一覧表の＜数値＞の部分は、数値を代入した変数の変数名か、Number型に変換した数値にします。＜数値＞部分を数値リテラル（数値そのものの表記）にすることはできず、SyntaxErrorが発生します。

▼ 数値リテラルに直接これらのメソッドを実行することはできない

```
516.toString();    // SyntaxError
```

これらのメソッドの使用例としてtoExponential()の使い方を見てみましょう。変数に代入された数値を指数表記（E表記）にします。

▼ toExponential()で指数表記（E表記）の文字列に変換

```
const bigNum = 107_596_400_000_000;    // 107兆5964億
console.log(bigNum.toExponential());    // '1.075964e+14'
```

()内に引数を含めると、E表記にしたときの小数の桁数を指定できます。たとえば引数を2にすると、E表記にしたときの小数点以下が2桁になるよう四捨五入されます。

▼ E表記にしたときの小数の桁数を指定する

```
console.log(bigNum.toExponential(2));  // '1.08e+14'
```

もう1例、toLocaleString()の使い方も見てみましょう。変数に代入された数値を、指定した言語の表記に変換した文字列を返します。引数には変換後の言語をロケール識別子（後述）で指定しますが、指定しなかった場合はブラウザーに設定された言語に変換されます。

▼ toLocaleString()で言語に合わせた数値の表記にする

```
const number = 9876543.21;
console.log(number.toLocaleString());  // 9,876,543.21 ●──  ブラウザーに設定された
                                                            言語（日本語）
console.log(number.toLocaleString('fr-FR'));   // 9 876 543,21 ●──  フランス語
console.log(number.toLocaleString('de-DE'));   // 9.876.543,21 ●──  ドイツ語
```

𝒩ote ロケールの設定

ロケールとは「言語と地域」のことです。あるコンテンツ――表示するテキストや数字、もしくはWebサイトやアプリ全体――がどんな言語、どんな文化圏向けに書かれたものなのかを示すために使われます。

ロケールを指定するために用いられるen-USやja-JPなどのキーワードをロケール識別子といいます。ロケール識別子はBCP 47という仕様で定められた言語や地域を表す言語サブタグと呼ばれる1以上の文字列を、「-」でつなげて作ります。言語のみを指定するケースと、言語と地域を指定するケースがよく用いられます。

- 言語のみを指定 ── ja（日本語）、en（英語）、ko（韓国語）
- 言語 - 地域を指定 ── ja-JP、en-US（アメリカ英語）、es-ES（スペイン語）

　また、言語、地域のほかに、中国語で簡体字、繁体字を区別する際などに「文字体系」サブタグを使うロケールもあります。

- 言語 - 文字体系 - 地域を指定 ── zh-Hans-CN（簡体字、中国）、zh-Hant-TW（繁体字、台湾）

▌6-4-2 数値（Number 型）を文字列（String 型）に変換する

数値は String() コンストラクターを使えば文字列に変換できますが、Number オブジェクトの toString() メソッドを使っても同じことができます。toString() メソッドの場合は、文字列にすると同時に基数を変換することも可能です。

▼ 数値を文字列に変換する 2 つの方法

```
const num = 1157;
console.log(String(num));      // '1157'
console.log(num.toString());   // '1157'
```

どちらの場合も、10 進法以外の数値は 10 進法の数値に変換された文字列になります。

▼ 10 進法以外で表された数値を文字列に変換すると 10 進法の値になる

```
const bin = 0b1100;            // 2進法で12
console.log(String(bin));      // '12'
console.log(bin.toString());   // '12'
```

toString() メソッドは引数を指定しなければ 10 進法の数値（を表す文字列）を返しますが、引数に変換後の「基数」を指定することにより、たとえば 10 進法の数値を 16 進法の文字列にできます。

書式 数値を○進法の文字列にしたいとき

< 数値 >.toString(基数)

10 進数を 16 進数に変換するなら「基数」を 16 にします。

▼ 10 進数を 16 進数の文字列に変換

```
const num = 255;
num.toString(16);      // 'ff'
```

16 進数を 16 進数のまま文字列にしたいときも、( ) 内の引数に変換後の基数を指定します。

▼ 16 進数を 16 進数のまま文字列に変換

```
const hex = 0xbf;
hex.toString(16);      // 'bf'
```

逆に 16 進数を 10 進数にするには、引数を 10 にするか、省略します。次の例では 16 進数 0xbf を 10 進数に変換しています。

▼ 16 進数を 10 進数の文字列に変換

```
const hex = 0xbf;
hex.toString();        // '191'
```

6-5 数学的な計算をする Math オブジェクト

Math オブジェクトを使うとさまざまな算術演算ができるほか、数学的に意味のある数字を調べることができます。

Math オブジェクトには、円周率など数学的に意味のある数値を保持するプロパティや、三角関数など算術演算を行うためのメソッドが用意されています。計算の対象となるのは Number 型の数値のみで、BigInt 型には使用できません。

表　Math オブジェクトのプロパティ

プロパティ	説明
Math.E	自然対数の底 e の値。約 2.718
Math.LN10	10 の自然対数。約 2.302
Math.LN2	2 の自然対数。約 0.693
Math.LOG10E	10 を底とした e の対数。約 0.434
Math.LOG2E	2 を底とした e の対数。約 1.442
Math.PI	円周率。約 3.141
Math.SQRT1_2	1/2 の平方根。約 0.707
Math.SQRT2	2 の平方根。約 1.414

Math オブジェクトのプロパティの使い方として、たとえば引数として円の半径を渡すと面積を計算してくれる関数を作るとしたら、次のようにします。

177

▼ 半径を渡して円の面積を返す関数

```
function areaOfCircle(r) {
  return Math.PI * r**2;
}
```

　また、Math オブジェクトのメソッドには、乱数を発生させる、最大値・最小値を取得する、絶対値にするなど、計算に関係するさまざまなメソッドが用意されています。

表　Math オブジェクトのメソッド

メソッド	説明
Math.abs(x)	x の絶対値を返す
Math.acos(x)	x のアークコサインをラジアン単位で返す。ただし -1<=x<=1。範囲外では NaN が返る
Math.acosh(x)	x のハイパーボリックアークコサインを返す。x は 1 以上。1 未満なら NaN が返る
Math.asin(x)	x のアークサインをラジアン単位で返す。ただし -1<=x<=1。範囲外では NaN が返る
Math.asinh(x)	x のハイパーボリックアークサインを返す
Math.atan(x)	x のアークタンジェントをラジアン単位で返す
Math.atan2(y, x)	点 (0,0) から点 (x, y) まで引いた直線と x 軸のなす角度をラジアン単位で返す
Math.atanh(x)	x のハイパーボリックアークタンジェントを返す
Math.cbrt(x)	x の立方根を返す
Math.ceil(x)	小数 x を切り上げた整数を返す
Math.clz32(x)	x の 32 ビットバイナリー表現（2 進数）で先頭からの 0 の個数を返す
Math.cos(x)	角度 x のコサインを返す。x はラジアン単位
Math.cosh(x)	x のハイパーボリックコサインを返す
Math.exp(x)	x の自然対数の底 e を返す
Math.expm1(x)	x の自然対数の底 e-1 を返す
Math.floor(x)	x の小数部分を切り捨てた整数を返す
Math.fround(x)	x の 32 ビット単精度浮動小数点数を返す
Math.hypot(a1, a2,…)	1 つ以上の引数を取り、各引数の 2 乗を合計してその平方根を返す。三角形の斜辺の長さなどを高速に算出できる
Math.imul(x, y)	x、y を 32 ビット乗算する
Math.log(x)	x の e を底とした自然対数を返す
Math.log10(x)	x の 10 を底とした常用対数を返す
Math.log1p(x)	1+x の e を底とした自然対数を返す
Math.log2(x)	x の 2 を底とした対数を返す
Math.max(a1, a2,…)	引数のうち最大の数を返す
Math.min(a1, a2,…)	引数のうち最小の数を返す
Math.pow(x, y)	x の y 乗を返す。x**y と同じ
Math.random()	0 以上 1 未満の乱数を返す
Math.round(x)	小数 x を四捨五入した整数を返す

メソッド	説明
Math.sign(x)	x が正の数なら 1、負の数なら -1 を返す
Math.sin(x)	角度 x のサインを返す。x はラジアン単位
Math.sinh(x)	x のハイパーボリックサインを返す
Math.sqrt(x)	x の平方根を返す
Math.tan(x)	角度 x のタンジェントを返す。x はラジアン単位
Math.tanh(x)	x のハイパーボリックタンジェントを返す
Math.trunc(x)	x の小数部を取り除いた整数を返す

6-5-1 小数を整数にする

Math オブジェクトのメソッドの中でもよく使うものの使い方をいくつか見てみます。小数を整数にするケースは多いですが、それに使えるメソッドが 4 種類あります。

- Math.floor(x)
- Math.round(x)
- Math.ceil(x)
- Math.trunc(x)

Math.floor() は小数点以下を切り捨てて整数にします。もう少し正確にいえば引数に指定した数値以下の、最大の整数を返します。とくに負数の場合は注意が必要かもしれません。

Math.floor( ) は指定した数値以下の最大の整数を返す。いわゆる「切り捨て」

```
console.log(Math.floor(3.141592653589793));    // 3
console.log(Math.floor(-10.15));               // -11
```

Math.round() は小数点以下を四捨五入して一番近い整数にします。

Math.round( ) は一番近い整数を返す。いわゆる「丸め」

```
console.log(Math.round(5.4)); // 5
console.log(Math.round(5.6)); // 6
```

Math.ceil() は小数点以下を切り上げて整数にします。Math.floor() と同様、こちらも正確にいえば引数に指定した数値以上の、最小の整数を返します。

Math.ceil( ) は指定した数値以上の最小の整数を返す。いわゆる「切り上げ」

```
console.log(Math.ceil(3.141592653589793));     // 4
console.log(Math.ceil(-9.47));                  // -9
```

Math.trunc( ) は単純に小数点以下の数を削除し、整数部分のみを返します。指定した数値が正数であれば Math.floor( ) と同じ数を返しますが、負数では結果が変わってきます。

▼ Math.trunc( ) は指定した数値の整数部分のみを返す

```
console.log(Math.trunc(3.141592653589793));   // 3
console.log(Math.trunc(-10.15));              // -10
```

▌6-5-2 乱数を発生させる

乱数を発生させたいときは Math.random( ) を使います。このメソッドは 0 以上 1 より小さい乱数を発生させます。引数はありません。

書式 Math.random( ) メソッド

```
Math.random()
```

整数の乱数を取得する

1 以上 n 以下の整数の乱数を発生させるには、次のような式を作ります。

▼ 1 以上 n 以下の乱数を発生させる式（n は整数に置き換える）

```
Math.floor(Math.random() * n) + 1
```

この例では Math.floor( ) メソッドを使用していますが、発生させる乱数が正の整数である場合は Math.trunc( ) でもかまいません。たとえば、定数 dice に 1 以上 6 以下の乱数を代入するなら次のようにします。

Sample 1 以上 6 以下の乱数を発生させる   c06/math-random.html

```
const dice = Math.trunc(Math.random() * 6) + 1;
console.log(dice);
```

最大値、最小値を調べる

Math.max( ) は与えられた引数の中で最大の数、Math.min( ) は与えられた引数の中で最小の数を返します。書式と基本的な使い方は以下のとおりです。Math.max( ) を例に挙げますが、Math.min( ) も書式や使い方は同じです。

書式 Math.max( ) メソッド

```
Math.max(数字, 数字, 数字, …);
```

3 つの数から最大値を調べるには、次のようにします。

▼ 3 つの数の中から最大値を返す

```
console.log(Math.max(267, 887, 762)); // 887
```

引数に 1 つでも数値以外のデータが含まれていると NaN が返るので注意が必要です。

▼ 引数に 1 つでも数値でないものがあると NaN が返る

```
Math.max('イチ', 2, 3);          // NaN
```

Math.max( )、Math.min( ) ともに引数として渡せるのは 2 つ以上の数字だけで、配列を直接渡すことはできません。しかし、スプレッド構文を使えば配列の各要素を 1 つずつ別の引数として渡せます。

▼ スプレッド構文を使って配列の各要素を 1 つひとつ別の引数として渡す

```
const arr = [190, -108, 319];
console.log(Math.max(...arr));// 319
```

配列の要素から最大値と最小値を返す関数を作ってみましょう。作成する関数 minmax( ) は引数に配列を取り、その中から最大値と最小値を選んで配列にして返します。なお、この例で関数に渡す配列 arr は、-5 以上 5 以下の整数 10 個をランダムで生成しています。この配列の作り方は 8-5-4「文字列や関数から配列を作成する」(p.279) で詳しく取り上げます。

Sample 配列の要素から最大値、最小値を取得   c06/math-minmax.html

```
const minmax = (arr) => {
  return [Math.max(...arr), Math.min(...arr)];
};

const arr = Array.from({length: 10},(v, i) => Math.trunc (Math.random() * 11) - 5);
console.log(arr);        // 作成した配列をコンソールに出力
const [max, min] = minmax(arr);
console.log('最大値:' + max);
console.log('最小値:' + min);
```

6-5-3 アニメーションに応用する

 やや高度な内容

三角関数のメソッド、Math.sin( )、Math.cos( ) を使って Web ページ上の HTML 要素をアニメーションさせてみましょう。要素を動かすには CSS を使い、JavaScript でプロパティの値を計算します。このサンプルでは CSS の transform プロパティを使用し、要素の位置（translate）と回転角度（rotate）を制御します。

書式 使用する CSS transform( ) プロパティの書式。この値を JavaScript から出力する

```
transform: translate(x軸方向の位置px, y軸方向の位置px) rotate(回転角度deg);
```

アニメーションで動かす要素は HTML の <div id="animation"> ～ </div> で、CSS の transform プロパティはこの要素に適用します。

Sample Math.sin( )、Math.cos( ) を使って HTML 要素をアニメーション（HTML 部分）c06/math-animation.html

```html
<div class="container">
  <div id="animation"> ●────── アニメーションさせる要素
    <img src="../res/animation.png" alt="">
  </div>
</div>
```

Sample Math.sin( )、Math.cos( ) を使って HTML 要素をアニメーション（CSS 部分）   c06/math-animation.html

```html
<style>
  #animation { ●────── アニメーション前のスタイル。要素を画面の真ん中に配置
    position: fixed;
    top: calc(50% - 126px + 86px);
    left: calc(50% - 80px);
  }
  #animation img {
    width: 160px;
    height: auto;
  }
</style>
```

プログラムの概要を簡単に説明しておきます。ページが読み込まれてからすぐにアニメーションが始まります。そして約 2 秒間、関数 shot( ) が連続的に呼び出されるようになっています。

関数 shot( ) では、アニメーションが始まってからの経過時間と、Math.sin( )、Math.cos( ) の 2 つの三角関数のメソッド、それに円周率を表す Math.PI プロパティを使ってアニメーションさせる要素の座標と回転角度を計算し、その結果を CSS の transform プロパティに適用します。

Sample Math.sin( )、Math.cos( ) を使って HTML 要素をアニメーション（JavaScript 部分）

c06/math-animation.html

```
<script type="module">
  const startAnimation = (duration) => {
    const shot = (timestamp) => {  ●────── アニメーションの1コマを描画する関数
      // 回転角度の計算
      deg += (360 * 3 / duration) * (timestamp - prevstamp);
      // 位置の計算（三角関数）
      const rad = (deg * Math.PI) / 180;  ●────── ラジアンに変換
      const cos = Math.cos(rad) * (duration - timestamp) / 40;  ●────── X 軸方向の移動量
      const sin = Math.sin(rad) * (duration - timestamp) / 10;  ●────── Y 軸方向の移動量
      element.style['transform'] = `
        translate(${cos}px, ${sin}px)
        rotate(${deg}deg)
      `;  ●────── CSS transform プロパティの値を設定

      if (timestamp < duration) {  ●──────
        prevstamp = timestamp;
        requestAnimationFrame(shot);            設定時間に達していないならアニメーションを継続。
      }  ●──────                                 p.185 の Note 参照
    };

    const element = document.querySelector('#animation');
    let deg = 0;  ●────── アニメーションで使う回転角度を保持する変数
    let prevstamp = 0;  ●────── 経過時間を保持する変数
    requestAnimationFrame(shot);  ●────── 初回の関数 shot( ) 呼び出し
  };

  startAnimation(2000);  ●────── ここからスタート。2000 はアニメーションの長さ（設定時間、ミリ秒）
</script>
```

実行結果 動作結果。画像が縦長の楕円形に回転する

計算の部分をもう少し詳しく見てみます。アニメーションが 1 コマ進むごとに、関数 shot( ) が呼び出されます。この関数で、要素（<div id="animation">）を移動・回転させる計算をします。要素には CSS の transform プロパティを適用し、その値の translate(x, y) で移動、rotate(r) で回転させるので、関数 shot( ) が呼び出されるたびに、「x 軸方向、y 軸方向に何 px 移動」し、「r 度回転」させるかを計算します。そこでまず、回転角度を表す変数 deg に、アニメーションが終了するまでに要素が 3 回転するのに必要な、1 コマ分の回転角度を足します。

▼ 時間内に 3 回転することから逆算して 1 コマ分の回転角度を算出。変数 deg に足す

```
deg += (360 * 3 / duration) * (timestamp - prevstamp);
```

値を更新した変数 deg をもとに、x 軸方向の移動量（px）、y 軸方向の移動量（px）をそれぞれ Math.cos( )、Math.sin( ) で計算します。

ただし、その前に角度をラジアンに変換しなければなりません。変数 deg の数値は度数（360°で 1 回転）で計算していますが、三角関数のメソッドにはラジアン単位の数値を渡す必要があるからです。度数をラジアンに変換しているのは次の部分です。

▼ 度数をラジアンに変換

```
const rad = (deg * Math.PI) / 180;
```

度数をラジアンに変換するのは公式があります。三角関数を使うときにはよく使います。

書式 度数をラジアンに変換するときの公式

```
ラジアン = (度数 * Math.PI) / 180
```

ラジアンに変換したら、要素を移動する量を計算します。

▼ 変数 deg のラジアン値（rad）をもとに要素を X 軸（cos）、Y 軸（sin）方向に何 px 移動させるかを計算

```
const cos = Math.cos(rad) * (duration - timestamp) / 40;
const sin = Math.sin(rad) * (duration - timestamp) / 10;
```

これで角度、x 軸方向の移動量、y 軸方向の移動量を算出できました。あとは CSS の transform プロパティに設定するだけです。

▼ 計算結果から CSS の transform プロパティに値を代入

```
element.style['transform'] = `
  translate(${cos}px, ${sin}px)
```

```
    rotate(${deg}deg)
  `;
```

　通常、ページの表示を切り替えたいときは CSS を用意しておき、要素の class 名を変えることで適用
するスタイルを切り換えるケースが多いのですが、今回の例のように、事前に CSS を用意できないこと
もあります。その場合には以下のようにして、CSS プロパティの値を直接書き換えます。今回はこの方
法を使って、<div class="animation"> の transform プロパティを設定したというわけです。

`書式` 要素の CSS プロパティの値を変更する

```
<取得した要素>.style['プロパティ名'] = '値';
```

$\mathcal{N}_{ote}$ requestAnimationFrame( )
- -

　requestAnimationFrame( ) はアニメーション 1 フレーム（コマ）分、ブラウザーに画面のリフレッシュ（再
描画）を要求するグローバルメソッドです。引数には再描画直前に呼び出す関数（コールバック）を指定します。

`書式` requestAnimationFrame( )

```
requestAnimationFrame(呼び出す関数);
```

　requestAnimationFrame( ) が呼び出され、再描画が可能になると、引数として渡したコールバック関数が
実行されます。先ほどのサンプルでは関数 shot を渡しています。
　コールバック関数の役目は、アニメーションするために必要な処理をすることです。どんな処理をしてもかま
いませんが、アニメーションをするので、CSS のプロパティを書き換えるケースが多いでしょう。また、この
コールバック関数には引数として、アニメーションを開始してからの経過時間（ミリ秒）が渡されます。

`書式` コールバック関数の基本形。引数として経過時間（タイムスタンプ）を受け取る。アニメーションの
　　　 1 コマを描画するための処理を書いておく

```
const shot = (timestamp) => {
    アニメーション1コマ分を描画するための処理
};
```

　ここで注意点があります。requestAnimationFrame( ) はコールバック関数を 1 回しか呼び出さないので、
連続的に再描画するには——つまりアニメーションにするためには——何度もこのメソッドを呼び出さないとい
けません。そこで、コールバック関数内でアニメーションを続けるかどうかを決め、続ける場合はもう一度
requestAnimationFrame( ) を呼び出すようにします。サンプルでは shot( ) に引数として渡されたタイムスタ
ンプ（timestamp）＝現在の経過時間と、関数 startAnimation( ) に引数として渡したアニメーションの設定時
間（duration）を比較し、現在の経過時間のほうが小さければ呼び出しています。

```
if (timestamp < duration) {          現在の経過時間が設定時間に達していないなら……
  prevstamp = timestamp;             prevstamp（ここまでに経過した時間）
  requestAnimationFrame(shot);       を現在の経過時間で更新
}                          アニメーションを継続
```

6-6　日付・時刻を扱う Date オブジェクト

Date オブジェクトは日付と時刻を扱うためのオブジェクトです。現在の日時を取得したり、特定の日時を設定したりでき、「何日前」や「何日後」といった計算も可能です。

　Date オブジェクトは協定世界時 (UTC) の 1970 年 1 月 1 日 0 時 0 分からの経過ミリ秒 (1/1000 秒) を基準に計算されます。Date オブジェクトの基本的な使い方から見ていきましょう。

▌6-6-1　Date オブジェクトを作成する

　日付・時刻を扱うときは、まず Date オブジェクトを作ります。現在日時を保持する Date オブジェクトを作成するときは、Date() の () 内に何も書かない、つまり引数を渡さないようにします。
　書式は次のとおりです。

書式　現在日時で新しい Date オブジェクトを作成する

```
new Date()
```

変数（または定数）に代入する場合は、次のようにします。

▽ Date オブジェクトを変数に代入する

```
const date = new Date();
```

作成した変数をコンソールに出力すると、現在日時を表す文字列が表示されます。

▽ Date オブジェクトをコンソールに出力した例（実行した日時によって変わります）

```
Mon Mar 25 2024 16:33:57 GMT+0900 （日本標準時）
```

この文字列は、次のようなフォーマットになっています。

曜日 月 日 年 時：分：秒 時差

new 演算子

new は新しいオブジェクトを作るための演算子です。

Date オブジェクトに限りませんが、あるオブジェクトはそのオブジェクト固有のメソッドとプロパティを持っています。Date オブジェクトにはプロパティはありませんが、日時を参照したり、設定したりするさまざまなメソッドを持っています。**new は、メソッドやプロパティを持っているオブジェクトの" 原型 "からコピーを作成するためのものです。new Date( ) を実行すると原型の Date オブジェクトが持つメソッドやプロパティが丸ごとコピーされ、別の新しいオブジェクトが生成されます。**この生成されたオブジェクトを Date オブジェクトのインスタンスといい、インスタンスを生成することをインスタンス化するといいます。

インスタンスは、そのインスタンス固有のプロパティ値を持つようになります。Date オブジェクトの場合、インスタンスは固有の「日時情報」を保持します。この日時情報はインスタンス化した瞬間のタイムスタンプ[4]を保持し、setDate( ) など各種メソッドを利用してあとから書き換えることも可能です。Date オブジェクトのインスタンスが持っている固有の日時情報は、valueOf( ) メソッドで参照できます。

図　インスタンス化すると原型オブジェクトのコピーが作られる

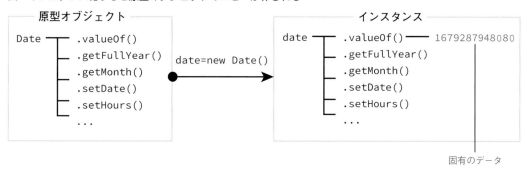

オブジェクトのインスタンスは複数作ることができ、それぞれが固有のプロパティ値を保持します。試しに以下のコードを 1 行ずつコンソールに入力してみてください。定数 d1、d2 ができ、それぞれに valueOf( ) メソッドを実行すると、固有の「日時情報」を保持していることがわかります。

＊4　1970 年 1 月 1 日 0 時 0 分からの経過ミリ秒

```
> const d1 = new Date()
> const d2 = new Date()
> d1.valueOf() // d1 をインスタンス化した瞬間のタイムスタンプが表示される
> d2.valueOf() // d2 をインスタンス化した瞬間のタイムスタンプが表示される
```

▌ 6-6-2 特定の日時の Date オブジェクトを作る

new Date() する際に引数を渡すと、インスタンス化した時点の日時ではなく特定の日時の情報を持ったインスタンスを作ることができます。いくつか書式のバリエーションがあるので見てみましょう。

年月日を指定して作る

特定の日時の Date オブジェクトを作成する基本的な方法は、年月日や時間を指定することです。

書式 年月日を指定する

```
new Date(年, 月, 日, 時, 分, 秒, ミリ秒)
```

最低限必要な引数は最初の 2 つ、年と月だけで、あとは省略可能です。省略した場合、1 日 0 時 0 分 0 秒 0 ミリ秒の日時でインスタンス化されます。なお、**Date オブジェクトでは月を表す数字が 0 から始まり、1 月が 0、12 月が 11 になるので注意が必要です。**

Sample 特定の日時の Date オブジェクトを作る   c06/date-set2030.html

```
const date = new Date(2030, 0);
console.log(future);   // Tue Jan 01 2030 00:00:00 GMT+0900 (日本標準時)
```

ISO 8601 形式の日時を表す文字列で作る

日時を表す文字列でインスタンス化することもできます。その場合は 1 月を 01 とする数字を指定します。

▼ 2019 年 8 月 29 日でインスタンス化する

```
new Date('2019-08-29')
```

時刻も指定するなら次のようにします。

文字列で 2019 年 8 月 29 日 15:00 に設定

```
const date = new Date('2019-08-29T15:00');
console.log(date);    // Thu Aug 29 2019 15:00:00 GMT+0900（日本標準時）
```

　Date( ) に渡す文字列は ISO 8601 拡張フォーマットという規格の形式に沿っている必要があり、次表にある書式が使用できます。

表　Date() に使用できる ISO 8601 拡張フォーマットの書式

書式	意味
YYYY	年
YYYY-MM	年月
YYYY-MM-DD	年月日
YYYY-MM-DDTHH:mm	年月日時分
YYYY-MM-DDTHH:mm:ss	年月日時分秒
YYYY-MM-DDTHH:mm:ss.sss	年月日時分秒ミリ秒
YYYY-MM-DDTHH:mm:ss.sssZ	年月日時分秒ミリ秒時差

　ブラウザーによっては「2019/04/18」など ISO 8601 以外の書式が使えるものもありますが、JavaScript の仕様（ECMA-262）には含まれていません。ブラウザーによって動作が異なる可能性があるため、ISO 8601 形式以外は使わないほうが安全です。

タイムスタンプを使用して作る

　タイムスタンプを使用して Date オブジェクトをインスタンス化することもできます。タイムスタンプの取得方法については「タイムスタンプを取得する」（p.191）で取り上げます。

▼ タイムスタンプで Date オブジェクトをインスタンス化

```
new Date(1676460561116)    // Wed Feb 15 2023 20:29:21 GMT+0900（日本標準時）
```

6-7　日付・時刻を取得する

Date オブジェクトには年月日などを個別に取得する多数のメソッドが用意されています。

　Date オブジェクトの日時を個別に取得するメソッドにはすべて「get***」という名前がついています。どのメソッドも引数を取りません。

表　日付・時刻を取得するメソッド

メソッド	説明
\<Date\>.getFullYear()	\<Date\> オブジェクトから「4 桁の年号」を取得する
\<Date\>.getMonth()	\<Date\> オブジェクトから「月」を、1 月を 0、12 月を 11 とする 0 〜 11 の数字で取得する
\<Date\>.getDate()	\<Date\> オブジェクトから「日」を取得する
\<Date\>.getDay()	\<Date\> オブジェクトから「曜日」を、日曜日を 0、土曜日を 6 とする 0 〜 6 の数字で取得する
\<Date\>.getHours()	\<Date\> オブジェクトから「時」を 24 時間時計で取得する
\<Date\>.getMinutes()	\<Date\> オブジェクトから「分」を取得する
\<Date\>.getSeconds()	\<Date\> オブジェクトから「秒」を取得する
\<Date\>.getMilliseconds()	\<Date\> オブジェクトから「ミリ秒」を取得する
\<Date\>.getTime()	\<Date\> オブジェクトに設定されている日時の 1970 年 1 月 1 日からの経過「ミリ秒」を取得する
\<Date\>.getTimezoneOffset()	プログラムを実行しているコンピューターに設定されている時差を分単位で取得する。\<Date\> オブジェクトの時差でないことに注意
\<Date\>.getUTCFullYear()	\<Date\> オブジェクトの協定世界時に換算した（時差を調整した）「4 桁の年号」を取得する
\<Date\>.getUTCMonth()	\<Date\> オブジェクトの協定世界時に換算した「月」を取得する
\<Date\>.getUTCDate()	\<Date\> オブジェクトの協定世界時に換算した「日」を取得する
\<Date\>.getUTCDay()	\<Date\> オブジェクトの協定世界時に換算した「曜日」を取得する
\<Date\>.getUTCHours()	\<Date\> オブジェクトの協定世界時に換算した「時」を 24 時間時計で取得する
\<Date\>.getUTCMinutes()	\<Date\> オブジェクトの協定世界時に換算した「分」を取得する
\<Date\>.getUTCSeconds()	\<Date\> オブジェクトの協定世界時に換算した「秒」を取得する
\<Date\>.getUTCMilliseconds()	\<Date\> オブジェクトの協定世界時に換算した「ミリ秒」を 24 時間時計で取得する

6-7-1　年、月、日、曜日などを個別に取得する

　生成した Date オブジェクト（インスタンス）から年月日などを個別に取得するメソッドは、どれも数値を返します。その中で、月を取得する getMonth()、曜日を取得する getDay() についてはどんな値が返ってくるのか知っておく必要があります。

年月日を取得する

　年月日を取得する例を見てみましょう。**月は 0 から始まるので、正しい月数を知るためには 1 を足さないといけません。**

Sample　年月日を取得する　　　　　　　　　　　　　　　　　　　　　　　　c06/date-getymd.html

```
const date = new Date();
console.log(date.getFullYear() + '年');
```

```
console.log((date.getMonth() + 1) + '月');      ●━━━━━━━  月数には 1 を足す
console.log(date.getDate() + '日');
```

曜日を取得する

曜日は日曜日を 0、土曜日を 6 とする 0 ～ 6 の整数で取得できます。曜日に変換するには関数を用意しておくとよいでしょう。次の例では曜日を返す関数 getDayString( ) を作成しています。

Sample | 曜日を取得してテキストにする   c06/date-getday.html

```
function getDayString(day) {
  if (day === 0) return '日曜日';
  if (day === 1) return '月曜日';
  if (day === 2) return '火曜日';
  if (day === 3) return '水曜日';
  if (day === 4) return '木曜日';
  if (day === 5) return '金曜日';
  if (day === 6) return '土曜日';
  return '曜日の数字ではありません。';    ●━━━  引数（day）が 0 ～ 6 の数値でないときはメッセージを返す
}

const date = new Date();
const dayStr = getDayString(date.getDay());
console.log(dayStr);
```

タイムスタンプを取得する

タイムスタンプは経過時間などを計算するときに必要で、getTime( ) メソッドで取得します。「new 演算子」（p.187）で紹介した valueOf( ) メソッドでも取得できますが、このメソッドは実際には JavaScript の実行エンジンが内部的な処理のために使用するもので、実際のプログラミングでは getTime( ) メソッドを使ってください。

Sample | タイムスタンプを取得する   c06/date-gettime.html

```
const now = new Date().getTime();
console.log(now);
```

■ 6-8　日付・時刻をセットする

Date オブジェクトには日付・時刻を取得する以外に、設定するためのメソッドも用意されています。

日時を設定するためのメソッドにはすべて「set***」という名前がついています。

表 日付・時刻を設定するメソッド

メソッド	説明
<Date>.setFullYear(年)	<Date> オブジェクトの「4 桁の年号」を設定する
<Date>.setMonth(月)	<Date> オブジェクトの「月」を、1 月を 0、12 月を 11 とする 0 〜 11 の数字で設定する
<Date>.setDate(日)	<Date> オブジェクトの「日」を設定する
<Date>.setHours(時)	<Date> オブジェクトの 24 時間時計の「時」を設定する
<Date>.setMinutes(分)	<Date> オブジェクトの「分」を設定する
<Date>.setSeconds(秒)	<Date> オブジェクトの「秒」を設定する
<Date>.setMilliseconds(ミリ秒)	<Date> オブジェクトの「ミリ秒」を設定する
<Date>.setTime(タイムスタンプ)	<Date> オブジェクトに協定世界時の 1970 年 1 月 1 日からの経過「ミリ秒」（タイムスタンプ）を設定する
<Date>.setUTCFullYear(年)	<Date> オブジェクトに協定世界時の「4 桁の年号」を設定する
<Date>.setUTCMonth(月)	<Date> オブジェクトに協定世界時の「月」を設定する
<Date>.setUTCDate(日)	<Date> オブジェクトに協定世界時の「日」を設定する
<Date>.setUTCHours(時)	<Date> オブジェクトに協定世界時の「時」を設定する
<Date>.setUTCMinutes(分)	<Date> オブジェクトに協定世界時の「分」を設定する
<Date>.setUTCSeconds(秒)	<Date> オブジェクトに協定世界時の「秒」を設定する
<Date>.setUTCMilliseconds(ミリ秒)	<Date> オブジェクトに協定世界時の「ミリ秒」を設定する

6-8-1 相対的な日時を設定する

日時を設定するメソッドは一般に、「○日後」や「○カ月後」など、現在または特定の日からの相対的な日時を設定したいときに使用します。

現在日時から○日後の Date オブジェクトを作成する

現在または特定の日時から、次のメソッドを組み合わせて足し算、引き算をすれば相対的な日時を設定できます。

相対的な日時を算出するのに使うメソッド

- 「○時間後・前」を設定するなら setHours() と getHours()
- 「○日後・前」なら setDate() と getDate()
- 「○カ月後・前」なら setMonth() と getMonth()

たとえば現在日時から 2 時間後の日時を設定するなら、次のようにします。

Sample 現在日時から 2 時間後の日時を設定する　　　　　　　　　　　　c06/date-sethours.html

```
const date = new Date();       // 現在日時でdateオブジェクトを作成
date.setHours(date.getHours() + 2);
console.log(date);
```

過去のある日からさらに28日前の日時を設定するなら、「過去のある日」を設定したDateオブジェクトのインスタンスを作り、それから必要な計算をします。

Sample 2021年7月23日から28日前の日時を設定する　　　　　　　　　c06/date-setolder.html

```
const oldDate = new Date(2021, 6, 23);  // 月は0から始まるので7月は「6」
oldDate.setDate(oldDate.getDate() - 28);
console.log(oldDate); // Fri Jun 25 2021 00:00:00 GMT+0900 （日本標準時）
```

6-9 日付・時刻の計算をする

Dateオブジェクトを使って、「ある日からある日までの経過時間を調べる」など、日時の計算ならではの応用例をいくつか紹介します。

　Dateオブジェクトで日付や時刻の計算をするときには注意しなければならないことがあります。それは、あるDateオブジェクトのインスタンスに対してsetDate()メソッドなどを使って新しい日時を設定すると、そのオブジェクトの日時が変わってしまうことです。つまり、**元の日時の情報がなくなってしまうため、あらかじめオブジェクトのコピーを作ってから計算する必要があるのです。**

𝒩ote　変更可能なオブジェクト

　Dateオブジェクトに限りませんが、あとから値を変更可能なデータのことをミュータブル（mutable）といいます（mutableは「変更できる」という意味です）。JavaScriptの場合、オブジェクト型のデータは基本的にすべてミュータブルです。

　逆に、変更できないデータのことをイミュータブル（immutable）といいます。String型、Number型などプリミティブ型のデータはイミュータブルです。

6-9-1 Dateオブジェクトをコピーする

　Dateオブジェクトも"オブジェクト"なので、Dateオブジェクトを別の変数に代入すると、シャローコピーが作られます。その状態で日付を操作すると、元のDateオブジェクトの日付も変わってしまいます。

　例を見てみましょう。定数date1を作り、2001年1月1日に設定します。そして定数date2を作り、date1を代入します。その後、定数date2の日付を7日後にすると、date1の日付も変わってしまいます。date2がdate1のシャローコピーだからです。

```
const date1 = new Date(2001, 0, 1);
const date2 = date1;

console.log(date1);    // Mon Jan 01 2001 00:00:00 GMT+0900 (日本標準時)
console.log(date2);    // Mon Jan 01 2001 00:00:00 GMT+0900 (日本標準時)
date2.setDate(date2.getDate() + 7);
console.log(date2);    // Mon Jan 08 2001 00:00:00 GMT+0900 (日本標準時)
console.log(date1);    // Mon Jan 08 2001 00:00:00 GMT+0900 (日本標準時)
```

> date1 の日時も変わってしまっている！

　このような動作を回避するためには、Date オブジェクトのディープコピーを作る必要があります。方法は 2 つ、1 つは new Date() で新たな Date オブジェクトを作り、その引数にコピー元の Date オブジェクトのインスタンスを渡す方法です。たとえば次のようにすれば、コピー元の定数 original と、コピー先の定数 copied の 2 つのインスタンスが作れます。

▽ 定数 original をディープコピーして定数 copied を作る

```
const original = new Date(2001, 0, 1);
const copied = new Date(original);
```

　もう 1 つは structuredClone() というグローバルメソッドを使う方法です（➡ 8-5-3「配列のコピーの仕組み」p.277）。同じく定数 original をディープコピーして定数 copied を作ってみます。ディープコピーを作っておけば、どちらかの日時を変更してももう片方には影響しなくなります。

▽ structuredClone() メソッドでディープコピーを作り、変数に代入する

```
const original = new Date(2001, 0, 1);
const copied = structuredClone(original);
```

Sample ディープコピーしたほうの日付を変更してもコピー元は変わらない　　　c06/date-copy.html

```
const date1 = new Date();
const date2 = structuredClone(date1);
date2.setDate(date2.getDate() + 7);
console.log('date1 = ' + date1);    // 実行日時
console.log('date2 = ' + date2);    // 7日後の日時
```

▌ 6-9-2 日数などの経過時間を調べる

　ある日時と別の日時の時間差を調べるには、両方の日時のタイムスタンプを取得し、その差を計算します。次の例では startDate と endDate という 2 つの Date オブジェクトを作り、その差を取って変数 delta に代入しています。

```
const startDate = new Date('2022-04-18T12:18:15');    // 2022/04/18 12:18:15
const endDate = new Date('2022-08-29T06:48:45');      // 2022/08/29 06:48:45
const delta = endDate.getTime() - startDate.getTime();
console.log(delta);    // 11471430000
```

　同じ年の 8 月 29 日 6 時 48 分 45 秒と 4 月 18 日 12 時 18 分 15 秒の差は「11471430000 ミリ秒」であることがわかりました。しかし、ミリ秒がわかってもそれがどのくらいの時間なのかわかりにくいので、秒、分、時、日を計算します。

```
const sec = Math.trunc(delta / 1000) % 60;
const min = Math.trunc(delta / 1000 / 60) % 60;
const hr = Math.trunc(delta / 1000 / 60 / 60) % 24;
const date = Math.trunc(delta / 1000 / 60 / 60 / 24);
console.log(`${date}日${hr}時間${min}分${sec}秒`);    // 132日18時間30分30秒
```

　ミリ秒を表す数字から秒、分などを計算する方法はお決まりのパターンで、経過時間を算出するときによく使います。数式を暗記する必要はありませんが、計算方法を理解しておくとどこかで役に立つことがあるかもしれません。

6-9
日付・時刻の計算をする

6
数値と計算

195

7

文字列の操作

本章では文字列を扱います。文字列を対象にした操作は「新しい文字列を作成する」「文字数や含まれている文字を調べる」「既存の文字列から一部を抽出する」「検索」そして「置換」の、大きく5つに分類できます。こうした操作を、文字列リテラル、String オブジェクト、正規表現（RegExp）オブジェクトを使って行います。

7-1 文字列の特性と String オブジェクト

文字列（String 型のデータ）と、文字列を操作する String オブジェクトの使い方を解説します。文字列は数値と並んでよく使う重要なデータで、操作するための機能も豊富です。String オブジェクトを使うと、文字列を部分的に書き換えたり、特定の条件で分割したり、さまざまな処理が可能になります。

　文字列リテラル（表現方法）は、テキストをシングルクォート（'）またはダブルクォート（"）で囲みます。どちらで囲んでも機能的な違いはありません。

`書 式` 文字列リテラル

```
const str1 = 'シングルクォートでテキストを囲みます。';
const str2 = "ダブルクォートでテキストを囲みます。";
```

　また、テキストをバックティック（`）で囲む方法もあります。こちらはテンプレートリテラルと呼ばれる特殊な文字列になり、文字列の中に変数や式を含められるようになります。「特殊な文字列」といっても通常の文字列と操作の方法自体は変わらず、「'」や「"」で囲んで作成した文字列と同じメソッドが使えますし、結合もできます。テンプレートリテラルの詳しい機能については後述します。

`書 式` テンプレートリテラル

```
const template = `バックティックでテキストを囲むとテンプレートリテラルになります。`;
```

7-1-1 文字列を結合する

「+」または「+=」を使って、2つ以上の文字列を結合して1つの長い文字列にすることができます。

Sample 文字列結合：文字列と文字列   c07/concat-str-str.html

```
console.log('今週後半は' + '晴れる日が多いでしょう。');   // '今週後半は晴れる日が多いでしょう。'
```

▽ 「+=」を使って文字列を結合し、変数 forecast に代入

```
let forecast = '今週後半は';
forecast += '晴れるところが多いでしょう。';
console.log(forecast); // '今週後半は晴れるところが多いでしょう。'
```

「+」や「+=」は、オペランドのうち少なくとも1つが文字列であれば、異なるデータ型が含まれていても自動的に型変換され、文字列として結合します。

Sample 文字列結合：文字列と数値、ブール値、配列   c07/concat-str-otherdata.html

```
// 文字列と数値
const temp = 23;
console.log('今日の気温：' + temp + '℃');        // '今日の気温：23℃'
// 文字列とブール値
console.log('わたしはうそをつきません' + false);   // 'わたしはうそをつきませんfalse'
// 文字列と配列
const arr = [3, 2, 1];
console.log(arr + 'スタート！');                  // '3,2,1スタート！'
```

$\mathcal{N}_{ote}$ +演算子の代わりに使える concat( ) メソッド

文字列連結をするのに concat( ) メソッドも使えます。concat( ) メソッドは次の書式のとおり、<文字列>に、引数として渡す1つ以上の「値」を結合します。+演算子と同じで自動的に型変換して結合するので、「値」は文字列だけでなく数値やブール値などでもかまいません。

書式 concat( ) メソッド。「文字列」に値1、値2、……を結合

```
<文字列>.concat(値1, 値2, …);
```

文字列結合に「+」や「+=」を使うか、それとも concat( ) を使うか、機能的な違いはないのでどちらでもかまいません。基本的にはシンプルに書ける「+」「+=」を使っておけばよいでしょう。

▌7-1-2 文字列の特殊な表現

「キーボードで入力しづらい文字を含めたい」「途中で改行したい」、そんなときに使える文字列の特殊な表現方法を見てみましょう。

エスケープシーケンス

エスケープシーケンスは文字の特殊な表現方法で、キーボードで入力しづらいような文字や、文字として表示されない文字を文字列に含めたいときに使用します。たとえばテキストの先頭にタブを含めたいとしたら、次のようにします。

▼ テキストの先頭にタブを含める

```
console.log('\tインデントします。');     // '    インデントします。'
```

エスケープシーケンスはバックスラッシュ（\）または￥マークで始まる文字のパターンで、次表の8種類あります。

表　エスケープシーケンス

コード（表記法）	説明
\'	シングルクォート。文字列全体がシングルクォートで囲まれているとき、文字列中に出てくる「'」を表現するのに使用
\"	ダブルクォート。文字列全体がダブルクォートで囲まれているとき、文字列中に出てくる「"」を表現するのに使用
\\	バックスラッシュ
\n	改行
\t	タブ
\xXX	ISO 8859-1 の文字を表示。Unicode コード値 U+0000 〜 U+00FF の文字を 2 桁の 16 進数で表せる
\uXXXX	UTF-16 の文字を表示。Unicode コード値 U+0000 〜 U+FFFF の文字を 4 桁の 16 進数で表せる
\u{XXXXXX}	UTF-32 の文字を表示。Unicode コード値 U+0000 〜 U+10FFFF の文字を 1 桁〜 6 桁の 16 進数で表せる。最も多くの文字を表せる

Unicode コード値を使ったエスケープシーケンス

前表の下 3 行、\x や \u で始まるものは、コード値（コードポイントとも呼ばれる）を利用して文字を指定する手法です。JavaScript では Unicode によるコード値を使用します。たとえば「÷」のコード値は「00F7」で、次のどれかを使って表示できます。

- ÷ ── 通常の文字
- \xF7 ── コード値が下 2 桁で収まる文字（00 〜 FF）の表現に使える。Unicode と互換性のある別の文字コード、ISO 8859-1 と同じ番号がついている文字が対象

- \u00F7 ── Unicode の一種である UTF-16 を使い、4 桁で収まる（0000 〜 FFFF）コード値で文字を表現する方法
- \u{F7}、\u{00F7}、\u{0000F7} ── UTF-32 のコード値（00 〜 10FFFF）を使ってすべての文字が表現できる方法。桁数は 1 桁〜 6 桁まで設定可能で、コード値の先頭から続く 0 は省略できる

なお、コード値の部分は大文字・小文字を区別しないので、\xf7 でも \xF7 でもかまいません。ただし、「\x」や「\u」の部分の x や u は必ず小文字にします。

次のコードはエスケープシーケンスを実際に使用した例です。エスケープシーケンスの前後に半角スペースを入れるなどして区切る必要はありません。

`Sample` エスケープシーケンスの使用例　　　　　　　　　　　　　　　　　c07/escape-variations.html

```
console.log('6÷3=2');        // '6÷3=2'
console.log('6\xF73=2');     // '6÷3=2'
console.log('6\u00F73=2');   // '6÷3=2'
console.log('6\u{00F7}3=2'); // '6÷3=2'
```

エスケープシーケンスの 3 つのパターンのうち、最も応用範囲が広いのが \u{XXXXXX} です。Unicode に登録されているすべての文字を指定でき、とくにコード値が 5 桁以上の、使用頻度の低い漢字や絵文字の指定に便利です。

`Sample` エスケープシーケンスで絵文字を挿入する　　　　　　　　　　　　　c07/escape-emoji.html

```
const text = '今日は近くの映画館で2本映画を見た\u{1F600}！';
console.log(text);      // '今日は近くの映画館で2本映画を見た😀！'
```

𝒩ote　Unicode

コンピューターで扱う文字には 1 つひとつに ID 番号（コード値）が振られていて、文字を数値で扱えるようになっています。どの文字にどんなコード値をつけるかを体系的に決め、リストにしているのが文字コードセットです（本書ではこれ以降、文字コードセットのことを短く「文字コード」と呼びます）。

文字コードにはいろいろな種類があり、欧文で使われる半角英数字を中心に集めた ASCII（アスキー）と、それをもとに扱える文字数を増やした ISO 8859[1]、日本語が扱える Shift_JIS などがあります。Unicode もそうした文字コードの一種で、世界中のすべての文字を 1 つの文字コードで扱えるように開発されました。現在世界で使われている主要な文字をカバーしているだけでなく、絵文字や使用者が少ない文字、古代文字にもコード値がついていて、いまでも開発が進められています。Unicode は 16 進数で 000000 〜 10FFFF（10 進数で 0 〜 1114111、21 ビット）の ID 番号を割り当て可能で、最大約 110 万字の文字を登録できる巨大な文字コードセットです。2022 年 9 月にリリースされたバージョン 15 時点で 149,186 字が登録されています[2]。

- - - - - - - - - - - -

[1]　ISO 8859 にはいくつかのバリエーションがあります。中でも ISO 8859-1 が有名です。
[2]　https://www.unicode.org/versions/Unicode15.0.0/

ただ、多くの文字を割り当てられる半面コード値の桁数が大きくなるため、そのまま使うとデータ量が多くなります。そこで、よく使う文字には少ない桁数のコード値を、あまり使わない文字には妥協して桁数の多いコード値をつけて効率化することが考えられました。それが「変換コードセット」です。Unicodeの変換コードセットには3種類、UTF-16、UTF-8、UTF-32があります。これらの変換コードセットのコード値はもともとのUnicodeコード値から計算で求められ、相互に変換できるようになっています。

● UTF-16

16ビット（2バイト、16進数で0x0000〜0xFFFF）の数値ですべてのUnicode文字を扱う変換コードセットです。JavaScriptは内部ではUTF-16で文字データの処理をしています。JavaScriptコード内でUTF-16のコード値を使って文字を表現するときは\uXXXXを使います。

16ビットということは、扱えるコードスペース（文字コードとして使える数の範囲）が65,536字分と、もともとのUnicodeに比べてだいぶ狭くなります。これではすべての文字を収めることができないので、Unicodeコード値が0xFFFFより大きい文字（使用頻度が低い文字や絵文字など）を、サロゲートペア[3]と呼ばれる、2つのコード値を組み合わせて表現する方式を採用しています。

たとえば「吉」という字の場合、常用漢字に登録されている文字では上の横棒のほうが長くなっていますが、下の横棒のほうが長い「吉」という字——通称つちよし——もあります（お昼に某牛丼チェーン店に行くときに看板を見てみてください）。つちよしのUnicodeコード値は0x20BB7で、そのままではUTF-16で表せません。そこで、2つのコード値を連続して使って次のコードのように表します。これがサロゲートペアです。

▼ サロゲートペアの例。つちよしを表す

```
console.log('\uD842\uDFB7');    // '吉'
```

このような事情から、JavaScriptで扱ううえでは、サロゲートペアで表される文字は文字数が違って見えます。「吉」の文字数を調べると「2」になります。

▼ 「吉」の文字数は2?

```
console.log('吉'.length);       // 2
```

文字列の文字数を調べるには「＜文字列＞.length」プロパティを使いますが（➡ 7-3「文字列を調べる」p.208）、このプロパティは実際には「文字の数」ではなくコード値の数を数えるので、サロゲートペアの文字は正しい文字数が返ってきません。もし、サロゲートペアの文字の文字数を数える必要があるなら次のようなコードを書くことになります。詳しくは説明しませんが、文字列を一度配列に変換し、配列の要素数を調べることによって文字数を数えています。

＊3　Surrogate Pair、代用対とも。Surrogate は「代用」という意味です。

▽ サロゲートペアの文字が含まれている文字列の文字数を数える

```
const str = '𠮷のや';            // 3文字
console.log(str.length);          // 4  |  サロゲートペアが含まれているので4になる
console.log([...str].length);  // 3  |  文字列を配列に変換し、配列の要素数を数えているので3に
                                  なる
```

• UTF-8

1バイトから4バイト（00〜FFFFFF）の、可変長の数値をコード値に使う変換コードセットです。HTMLや CSS、JavaScriptのコードは原則としてUTF-8を使って書かれ、ファイルに保存されます。ASCII文字コードと互換性があり、サロゲートペアのようなルールもありませんが、ひらがな・カタカナに3バイト、漢字にも3〜4バイト必要で、とくに日本語を含む東アジアの言語を扱うとデータ量が増える傾向にあります。ファイルはUTF-8で保存されるものの、JavaScriptコードの中でUTF-8を扱う機能は用意されていません。

• UTF-32

Unicodeコード値を変換せずそのまま使う方式です。サロゲートペアを気にする必要がないため、JavaScriptコードでエスケープシーケンスを書くときには \u{XXXXXX} を使うのがおすすめです。

𝒩ote 文字のコード値を調べるには

ある文字のコード値を調べるには、OSの標準機能を使います。

• Windowsの場合

タスクバー右の［IMEオプション］を右クリックする❶とメニューが出てくるので、そこから［IMEパッド］をクリックします❷。開いたIMEパッドで、サイドバーにある［文字一覧］をクリックし❸、コード値を知りたい文字のカテゴリを選ぶと右側に文字の一覧が出てきます。文字にマウスポインターを合わせると各種文字コードが表示されます❹。

図　Windowsで文字のコード値を調べる

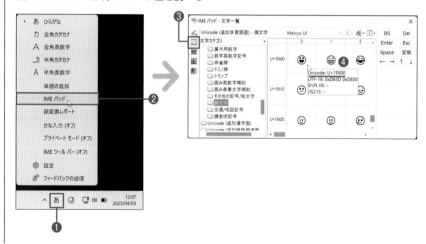

• Mac の場合

ツールバー右の入力選択メニューをクリックし❶、［絵文字と記号を表示］をクリックします❷。文字ビューアが開くので、左のメニューからカテゴリを選択し、調べたい文字をクリックします。右側に文字コードが表示されます❸。

図　Mac で文字のコードポイントを調べる

長い文字列を途中で折り返す

　長いテキストの文字列を作るとき、コードが横に長くなりすぎるのを防ぐために改行して折り返したいときがあります[4]。文字列の途中で改行するには2つの方法があります。1つは文字列連結の + 演算子を使う方法です。

▽ 長い文字列を分割して短い文字列にし、文字列結合（+）で連結する方法

```
const announce1 = '夏期休業中は全席指定、特別ダイヤで運行しています。' +
    '詳しくは本社サイト、もしくは各駅の掲示でご確認ください。';
```

　もう1つは改行したいところにバックスラッシュ（\）を書く方法です。\ の後ろに1文字でも文字があると SyntaxError が発生し、正しく動作しなくなるので注意が必要です。とくに半角スペースやタブといった文字が紛れ込まないように気をつけます。

▽ 改行したいところにバックスラッシュ（\）を入れる

```
const announce2 = '夏期休業中は全席指定、特別ダイヤで運行しています。\
    詳しくは本社サイト、もしくは各駅の掲示でご確認ください。';
```

----

* 4　Google Coding Style Guide では1行が80字を超える場合は改行せよ、としています。4.4 Column limit: 80 - https://google.github.io/styleguide/jsguide.html#formatting-column-limit

この 2 つの方法のうち、一般的には + 演算子を使うほうがわかりやすくて好まれます。Google Coding Style Guide でも、\ ではなく、+ 演算子で改行することを求めています[*5]。

これらの方法を使えばコード上では改行されますが、実際のデータとしては 1 行の長い文字列です。そのため、コンソールに出力するとどちらも 1 行で表示されます。もし実際に文字列を改行したいときはテンプレートリテラル（➡ 7-2「テンプレートリテラル」p.205）を使うか、エスケープシーケンスの \n を使うかします。テンプレートリテラルをおすすめしますが、\n を使って改行する例も紹介しておきます。なお、コードを書く際は、\n の後ろで改行してはいけません。

▽ エスケープシーケンス「\n」を使って実際の文字列を改行する

```
const newLine = '簡単なアンケートにご協力をお願いします。\n今後のイベント運営の参考にさせていただきます。';
console.log(newLine);
```

𝒩ote 文字列を囲む記号はどれがよい？

文字列を囲む 3 つの記号（「'」「"」「`」）のうち、どれを使うのがよいのでしょう？ 絶対的な答えはありませんが、「'」か「"」のどちらか 1 つをメインに使うと決めておいて、ほかの記号はどうしても使わないといけないときだけ使うようにするのがよいでしょう。たとえば「'」をメインにするなら、文字列中に「'」が出てくるときだけ「"」で囲む、というようなルールを決めておきます。囲む記号は変えずにエスケープシーケンスを使う手もなくはないですが、ソースコードが読みづらくなるので一般的には好まれません。

▽ 文字列中にシングルクォートが出てくる場合の対処法

```
const myMsg = "I'm hungry.";   // ダブルクォートで囲む
const myMsg = 'I\'m hungry.';  // エスケープシーケンスを使う。読みづらいので非推奨
```

ちなみに本書が準拠している Google Coding Style Guide では、文字列は原則として「'」で囲むことになっています。そして文字列中に「'」が出てくる場合は、エスケープシーケンスを使わず、「"」にも変えず、バックティック（`）で囲むことを優先的に検討する、というルールになっています[*6]。

▽ 文字列中にシングルクォートが出てくる場合（Google Coding Style Guide の推奨）

```
`I'm hungry.`  // バックティックで囲む（テンプレートリテラルにする）
```

＊5　5.6.3 No line continuations - https://google.github.io/styleguide/jsguide.html#features-strings-no-line-continuations
＊6　5.6.1 Use single quotes - https://google.github.io/styleguide/jsguide.html#features-strings-use-single-quotes

7-2 テンプレートリテラル

テキストをバックティック（`）で囲むテンプレートリテラルは、文字列を表すことに加えて、便利な機能を備えています。

テンプレートリテラルにはさまざまな機能がありますが、とくに次の2つが特徴的です。

- 文字列の途中で改行できる
- 埋め込み式を使える

1つずつ特徴を見ていきます。テンプレートリテラルは、文字列の途中で改行できます。エスケープシーケンスなどの特殊な記号も必要なく、ただ改行するだけです。

▼ テンプレートリテラルでは文字列の途中で改行できる

```
const text = `テンプレートリテラルはES2015で導入されました。
いまでは広く使われています。`;
console.log(text);
```

実行結果 文字列が改行している

$\mathcal{N}ote$ **HTML では改行されないので注意**

文字列データが途中で改行できるといっても、このデータをHTMLに表示したらそのままでは改行されません。改行したい場所に
タグを挿入する必要があります。

もう1つの特徴は、埋め込み式を使えることです。埋め込み式とは、文字列中に変数やなんらかの式を挿入できる機能のことです。埋め込み式を使うには、埋め込みたい部分に ${ 式 } を挿入します。

書式 埋め込み式。「挿入式」には埋め込みたい変数名や式を記述

`${ 挿入式 }`は、${ 挿入式 } を埋め込むことができる。`

＋演算子を使った文字列結合よりもコードが読みやすく、最終的に得られる文字列がイメージしやすくなる効果は大きいといえます。

　例を見てみましょう。＋演算子を使う方法とテンプレートリテラルの埋め込み式を使う方法、2つの方法を使ったときのコードを比較しています。どちらも同じテキストに2つの変数を埋め込んでいますが、多くの人がテンプレートリテラルのほうが読みやすいと感じるのではないでしょうか。

Sample　文字列連結とテンプレートリテラルの違い　　　　　　　　　　　　c07/concat-vs-template.html

```
const minTemp = 9;
const maxTemp = 21;

// 文字列結合
const concat = '最低気温：' + minTemp + '℃ / 最高気温：' + maxTemp + '℃';
console.log('文字列連結 ' + concat);

// テンプレートリテラル
const template = `最低気温：${minTemp}℃ / 最高気温：${maxTemp}℃`;
console.log('テンプレートリテラル ' + template);
```

　変数だけでなく、計算式を埋め込んだり関数・メソッドを呼び出したりすることも可能です。次の例では埋め込み式の中で円の面積を計算させています。

Sample　文字列中に計算式を埋め込む　　　　　　　　　　　　　　　　c07/template-area-of-circle.html

```
const radius = 3;
const result = `半径 ${radius} の円の面積は ${Math.PI * radius**2} です。`;
console.log(result);   // '半径 3 の円の面積は 28.274333882308138 です。'
```

　「改行できる」「式を埋め込める」という特徴があるテンプレートリテラルですが、データ型はString型で、クォートで囲む通常の文字列と同じように扱えます。もちろんStringオブジェクトのメソッドも使えますし、文字列を必要とする変数や引数に利用することも可能です。

▌7-2-1　タグ付きテンプレート

　テンプレートリテラルの文字列のすぐ前に関数名をつけると、埋め込み式が処理されるときにその関数が呼び出されます。テンプレートリテラルの前に関数名がつくものをタグ付きテンプレートといいます。書式は次のとおりです。

タグ付きテンプレート。テンプレートリテラルが処理されるときに「関数名」の関数が呼び出される

　関数名\`テンプレートリテラル\`

タグ付きテンプレートを使うと、テンプレートリテラルに埋め込み式が処理される前に関数を実行でき、動作をカスタマイズできます。

　基本的な動作を確認してみましょう。サンプルでは、タグ付きテンプレートから関数 myTag が呼び出されるようになっています。

タグ付きテンプレートの基本動作　　　　　　　　　　　　　　　c07/tagged-template.html

```javascript
function myTag(strings, age) {
  console.log(strings);      引数として渡される値の確認
  console.log(age);
  age = new Date().getFullYear() - 1995;
  let comment = '';
  if (age < 30 ) comment = 'もうすぐ30歳です。';
  if (age === 30 ) comment = 'やったー！';
  if (age > 30 ) comment = 'これからもよろしくお願いします。';
  return strings[0] + age + strings[1] + comment;      返す値が変数 introduce に代入される
}

const introduce = myTag`わたしはJavaScriptです。1995年に誕生しました。今年で${0}歳、`;
console.log(introduce);
```

呼び出される関数には、引数として次のものが渡されます。

- 1つ目の引数 ── 埋め込み式で分割された、地のテキストがすべて含まれる配列
- 2つ目以降の引数 ── 埋め込み式の結果。埋め込み式が変数だった場合は変数の値、なんらかの処理（式）が埋め込まれていた場合はその処理結果

　関数 myTag に渡される1つ目の引数は、埋め込み式で分割されたテキストが含まれる配列です。サンプルの場合は、「わたしは JavaScript です。〜今年で」と「歳、」という、2つの要素を持つ配列になります。

図　1つ目の引数に渡される配列。地のテキストが分割されて配列の要素になっている

```
const introduce = myTag` わたしは JavaScript です。1995 年に誕生しました。今年で ${0} 歳、`;


          [ ' わたしは JavaScript です。1995 年に誕生しました。今年で ' ,  ' 歳、' ]
```

207

2 つ目以降の引数は埋め込み式の処理結果で、このサンプルの場合は ${0} の 0 が渡されます。

関数 myTag の処理では、現在の西暦から 1995 を引いて JavaScript の年齢を計算し、その結果をもとにテキストを作って返しています[*7]。この返り値がタグ付きテンプレートの処理結果になり、例でいえば定数 introduce に代入されることになります。

タグ付きテンプレートで呼び出される関数ではどんな処理をしてもかまいませんし、どんな値を返してもかまいません。返す値が文字列である必要すらなく、数値、配列、オブジェクトといった別のデータであってもかまいません。

▍ 7-2-2　String.raw

String.raw はタグ付きテンプレートの一種で、テンプレートリテラルに含まれる埋め込み式の処理は実行しますが、\ で始まるエスケープシーケンスは実際の文字に置き換えずそのままにします。たとえば次の例にあるテンプレートリテラルであれば、埋め込み式の ${action} は実行されますが、\u{1F622} は実際の文字（😢）に置換されません。

| Sample | String.raw | c07/template-raw.html |

```
const action = '宿題';
const message = `今日までの${action}が終わらない\u{1F622}`;
console.log(message); // '今日までの宿題が終わらない😢' | 通常のテンプレートリテラル
const rawMsg = String.raw`今日までの${action}が終わらない\u{1F622}`;
console.log(rawMsg); // '今日までの宿題が終わらない\u{1F622}' | String.rawが出力する文字列
```

String.raw は、正規表現パターンを文字列で作るときに有効です。詳しくは 7-7-1「正規表現オブジェクトを作る」（p.223）を参照してください。

7-3　文字列を調べる

String オブジェクトには 1 つのプロパティと多数のメソッドが用意されています。String オブジェクトのプロパティやメソッドのうち、本節では文字列そのものを調べるタイプのものを紹介します。

String オブジェクトのプロパティ、メソッドのうち文字列を調べるタイプには、文字列の長さを調べるもの、「○文字目の文字は何か」を調べるものなどがあります。

表　文字列を調べるプロパティ。String オブジェクトのプロパティはこれ 1 つだけ

プロパティ	説明
< 文字列 >.length	< 文字列 > の長さ（文字数）を調べる

＊7　JavaScript は 1995 年、当時の人気ブラウザー Netscape Navigator 2.0（Mozilla Firefox の前身）にはじめて搭載されました。

メソッド	説明
< 文字列 >.at(インデックス)	< 文字列 > の「インデックス」番目の文字を取り出す
< 文字列 >.charAt(インデックス)	< 文字列 > の「インデックス」番目の文字を取り出す
< 文字列 a>.localeCompare(' 文字列 b') < 文字列 a>.localeCompare(' 文字列 b', ' 言語 ', オプション)	< 文字列 a > と「文字列 b」を比較し、ソートしたときに a が b より先に来るなら -1、同じなら 0、a が b より後なら 1 を返す。「言語」とオプションが指定されている場合はその言語でソートし、-1、0、1 を返す
< 文字列 >.normalize(' 形式 ')	「形式」に基づき < 文字列 > を Unicode 正規化する*8。「形式」に指定できるのは 'NFC'、'NFD'、'NFKC'、'NFKD' のいずれか

▌ 7-3-1　文字列の長さを調べる

文字列の長さ（文字数）を調べたいときは length プロパティを使います。

書式　length プロパティ。< 文字列 > の部分は変数または文字列そのものにする

```
< 文字列 >.length
```

次の例では変数 str に代入された文字列の文字数をコンソールに出力しています。

文字数を調べる

```
const str = ' 今日もまたプログラミングが楽しいな ';
console.log(str.length);        // 17
```

Number 型と違って、String オブジェクトのプロパティやメソッドは直接 String 型のプリミティブ、つまり文字列そのものに適用できます。

文字列に直接プロパティやメソッドを適用できる

```
console.log(' 間食とプログラミングはやめられない '.length);    // 17
```

▌ 7-3-2　〇番目の文字を取り出す

文字列には 1 文字ずつ、0 から始まるインデックス番号がついています。文字列から「〇番目の文字を取り出す」ときや、後述する「△文字目から×文字目までを取り出して新しい文字列を作る」という操作には、ほぼ必ずインデックス番号を使うことになります。

----

* 8　UAX #15: Unicode Normalization Forms - https://www.unicode.org/reports/tr15/
　　　Unicode 正規化 - Wikipedia - https://ja.wikipedia.org/wiki/Unicode 正規化

```
const str = '文字列にはインデックス番号つき';
インデックス  0  1  2  3  4  5  6  7  8  9  10 11 12 13 14
```

文	字	列	に	は	イ	ン	デ	ッ	ク	ス	番	号	つ	き
0	1	2	3	4	5	6	7	8	9	10	11	12	13	14

　そうしたインデックス番号を使った操作のうち「文字列の〇番目の文字を取り出す」には 3 つの方法があります。それぞれ見ていきましょう。

ブラケット（[ ]）

　〇番目の文字を取り出す最も簡単な方法はブラケット（[ ]）を使うことです。ちょうど配列のインデックス〇番目の値を取り出すのと同じようにします。

書式 文字列の〇番目の文字を取り出す

<文字列>[〇]

　たとえば、文字列の 8 文字目（インデックス 7 番目）を取り出すなら次のようにします。

▼ インデックス 7 番目の文字を取り出す

```
const phrase = '画面デザインのアイディアを出す';
const letter = phrase[7];
console.log(letter);  // 'ア'
```

　最後の文字を取り出すのであれば length プロパティを使います。

▼ 「文字列の長さ -1」をインデックス番号として、最後の文字を取り出す

```
const last = phrase[phrase.length -1];
console.log(last);    // 'す'
```

　ちなみに [ ] の中に負の数を入れると undefined になります。もし、文字列の後ろから前に向かって文字を取り出したいときは、後述の at( ) メソッドを使います。

charAt( ) メソッド

　charAt( ) メソッドは、( ) 内のインデックス番号の文字を取り出すメソッドです。古くからあるメソッドですが、同じ文字を取り出すならよりシンプルに書ける [ ] か、より多くの機能を持っている次の at( ) をおすすめします。

書式 charAt( ) メソッド

<文字列>.charAt(インデックス番号)

at( ) メソッド

at( ) は ES2022 で登場した新しいメソッドで、[ ] や charAt( ) と同じく ( ) 内のインデックス番号の文字を取り出します。負の数を指定できるのが特徴で、-1 にすると最後の文字、-2 にすると後ろから2 番目の文字が取得できます。

書式 at( ) メソッド

<文字列>.at(インデックス番号)

実際の動作を確認してみましょう。文字列が代入されている定数 message から、at( ) を使って文字を取り出します。

JavaScript at( ) で文字列から文字を取り出す   c07/string-at.html

```
const message = '遅くなるのは朝ですか夜ですか';
console.log(message.at(6));    // '朝'
console.log(message.at(-1));   // 'か'
console.log(message.at(-4));   // '夜'
```

7-4 正規表現を使わない簡易的な文字列の検索

String オブジェクトには、文字列の中から特定の文字列を検索したり、検索した文字列が始まるインデックス番号などを調べたりするメソッドが用意されています。

本節で紹介するのは、文字列を検索できる比較的手軽なメソッドです。より高度な検索をするとき、もしくは置換したいときには、本章の後半で扱う正規表現を使います。

表 文字列を検索するメソッド

メソッド	説明
<文字列>.startsWith('検索文字列') <文字列>.startsWith('検索文字列', 検索開始位置)	<文字列>が「検索文字列」で始まっているなら true、始まっていなければ false を返す。「検索開始位置」が指定されている場合は、先頭からではなくその位置から検索する
<文字列>.endsWith('検索文字列') <文字列>.endsWith('検索文字列', 検索終了位置)	<文字列>が「検索文字列」で終わっているなら true、終わっていなければ false を返す。「検索終了位置」が指定されている場合は、末尾までではなくその位置まで検索する

メソッド	説明
< 文字列 >.includes(' 検索文字列 ') < 文字列 >.includes(' 検索文字列 ', 検索開始位置)	< 文字列 > に「検索文字列」が含まれているなら true、含まれていなけれ ば false を返す。「検索開始位置」が指定されている場合は、先頭からで はなくその位置から検索する
< 文字列 >.indexOf(' 検索文字列 ') < 文字列 >.indexOf(' 検索文字列 ', 検索開始位置)	< 文字列 > に「検索文字列」が最初に出てくる 1 文字目の位置を返す。見 つからなかったら -1 を返す。「検索開始位置」が指定されている場合は、 先頭からではなくその位置から検索する
< 文字列 >.lastIndexOf(' 検索文字列 ') < 文字列 >.lastIndexOf(' 検索文字列 ', 検索開始位置)	< 文字列 > の末尾から先頭に向かって検索し、「検索文字列」が最初に出 てくる 1 文字目の位置を返す。「検索開始位置」が指定されている場合は、 < 文字列 > のその位置から先頭に向かって検索する
< 文字列 >.split(' 検索文字列 ')	< 文字列 > を「検索文字列」で分割して配列にする

※「検索開始位置」「検索終了位置」は 0 から始まるインデックス番号で指定

　表に挙げたメソッドはどれも、文字列に特定の文字列が含まれるかどうかを調べるのに使います。ただ、動作は少しずつ異なるので詳しく見ていきましょう。

> $\mathcal{N}ote$　「文字列」という表記についてのここだけのルール
>
> 　本節で取り上げるメソッドはどれも、「ある文字列」に「検索する文字列」が含まれているかどうかを調べるものです。ただ、説明中に "文字列" が連続してしまってわかりづらいので、ここでは、元の文字列を「テキスト」、検索する文字列を「検索文字列」と呼ぶことにします。

▌ 7-4-1　文字列に特定の文字列が含まれるかを調べる

　startsWith( )、endsWith( )、includes( ) メソッドは、対象のテキストに検索文字列が含まれていれば true、含まれていなければ false を返します。startsWith( ) はテキストの先頭が検索文字列で始まっているかどうか、endsWith( ) は末尾が終わっているかどうか、includes( ) は位置に関係なく含まれているかどうかを調べます。

特定の文字列で始まっているかどうかを調べる

　3 つのメソッドのうち startsWith( ) の使い方を見てみましょう。次の例では定数 isbn の値が「9784」で始まっているかどうかを調べて、異なるメッセージをコンソールに出力します[*9]。

Sample 「テキスト」が「検索文字列」で始まっているかどうかを調べる　　　　　　　　　　　c07/string-startswith.html

```
const isbn = '9784815601577';
if (isbn.startsWith('9784')) {
  console.log('この書籍は日本で発行されました。'); // コンソールにはこちらが出力される
} else {
```

＊9　ISBN は発行された書籍につく 13 桁の番号で、日本で刊行された場合 9784 で始まります。

```
    console.log('この書籍は日本で発行されていません。');
}
```

2つ目の引数を設定すると、テキストの先頭ではなく途中から検索することができます。この2つ目の引数には、検索を開始する位置をテキストのインデックス番号で指定します。

書式 startsWith( )メソッドで特定の位置から文字を検索する

＜テキスト＞.startsWith('検索文字列', 検索を開始する位置)

▼ startsWith( )で2つ目の引数を使う例。テキスト先頭の「img」を飛ばしてインデックス番号3番目の文字から検索

```
const file = 'img5503.jpg';
console.log(file.startsWith('5503', 3));      // true
```

図 2つ目の引数には先頭から数えて何文字目から検索するかを指定

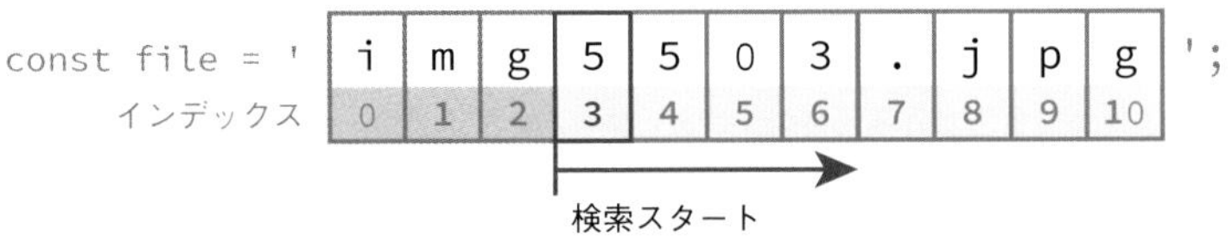

7-4-2 該当する文字列が始まるインデックス番号を調べる

indexOf( )はテキストの中で最初に見つかった位置のインデックス番号を、lastIndexOf( )は最後に見つかった位置のインデックス番号を返します。見つからなかったら-1を返します。2つのメソッドの使用例を見てみましょう。

Sample indexOf( )とlastIndexOf( )でインデックス番号を調べる　　　c07/string-indexof-lastindexof.html

```
const str = '高尾山に電車で行く場合は高尾山口駅で降ります。';
// indexOf()
console.log(str.indexOf('高尾山'));          // 0 | 最初に見つかった位置を返す
console.log(str.indexOf('富士山'));          // -1 | 見つからなかったら-1を返す
// lastIndexOf()
console.log(str.lastIndexOf('高尾山'));       // 12
```

7-5 文字列を整形して新たな文字列を作る

String オブジェクトには文字列を整形するメソッドもたくさん用意されています。ここで取り上げるメソッドには実践的なコーディングで使用する頻度が高いものが多く含まれます。

文字列を整形するタイプのメソッドには、元の文字列の中から部分的に文字列を抜き出すものや、文字列の前後を整形するものがあります。**こうした、文字列を整形するメソッドはどれも、元のテキストは変更せず、処理の結果できた新しい文字列を返すようになっています。**

表　文字列を整形するメソッド

メソッド	説明
< 文字列 >.slice(開始位置 , 終了位置)	< 文字列 > の「開始位置」～「終了位置」の 1 文字前までの文字を取り出して返す。終了位置を省略すると開始位置から最後までを取り出す
< 文字列 >.substring(開始位置 , 終了位置)	< 文字列 > の「開始位置」～「終了位置」の 1 文字前までの文字を取り出して返す。終了位置を省略すると開始位置から最後までを取り出す。slice( ) メソッドとほぼ同じ
< 文字列 >.concat(' 文字列 1', ' 文字列 2', ' 文字列 3', …)	< 文字列 > と引数の文字列をすべて結合して新しい文字列を返す
< 文字列 >.padStart(整形後の文字数 , ' 埋める文字 ')	< 文字列 > の長さが「整形後の文字数」になるよう、文字列の先頭に「埋める文字」を挿入した新しい文字列を返す。いわゆる「桁埋め」
< 文字列 >.padEnd(整形後の文字数 , ' 埋める文字 ')	< 文字列 > の長さが「整形後の文字数」になるよう、文字列の後ろに「埋める文字」を挿入した新しい文字列を返す
< 文字列 >.repeat(回数)	< 文字列 > を「回数」分繰り返した新しい文字列を返す
< 文字列 >.toLocaleLowerCase(' ロケール ')	< 文字列 > を、「ロケール」に照らして小文字に変換した新しい文字列を返す
< 文字列 >.toLocaleUpperCase(' ロケール ')	< 文字列 > を、「ロケール」に照らして大文字に変換した新しい文字列を返す
< 文字列 >.toLowerCase( )	< 文字列 > を小文字にして新しい文字列を返す
< 文字列 >.toUpperCase( )	< 文字列 > を大文字にして新しい文字列を返す
< 文字列 >.toString( )	< 文字列 > を返す
< 文字列 >.trim( )	< 文字列 > の両端から半角スペースや改行などのホワイトスペースを取り除いた新しい文字列を返す
< 文字列 >.trimEnd( )	< 文字列 > の末尾からホワイトスペースを取り除いた新しい文字列を返す
< 文字列 >.trimStart( )	< 文字列 > の先頭からホワイトスペースを取り除いた新しい文字列を返す

𝒩ote　ホワイトスペースとは

ホワイトスペースとは、目には見えない文字のことです。JavaScript では次の文字がホワイトスペースと定義されています[10]。

---

[10]　ECMAScript® 2023 Language Specification - https://tc39.es/ecma262/#sec-white-space
Unicode Utilities: UnicodeSet - https://util.unicode.org/UnicodeJsps/list-unicodeset.jsp?a=[:General_Category=Space_Separator:]

半角スペース／全角スペース／改行／タブ／その他

　その他にはUnicodeコード値で\u00a0、\u1680、\u2000〜\u200a、\u2028、\u2029、\u202f、
\u205f、\ufeffが含まれます。

▌7-5-1　文字列の一部分から新しい文字列を作る

　文字列の一部分を取り出して新しい文字列を作るときは、slice()メソッドを使用します[11]。引数を
2つ取り、1つ目には元のテキストから取り出しを開始する最初の文字の位置を、2つ目には取り出しを
止める文字の位置をインデックス番号で指定します。2つ目の指定には注意が必要で、たとえば6にし
たら、6番目以降は取り出されない、言い換えれば1文字手前の5番目の文字までが取り出されること
になります。

図　slice()の2つの引数と取り出される文字列。2つ目の引数で指定した位置の1文字手前までが取り出される

```
const hours = ' ( 1 0 : 0 0 ～ 2 1 : 0 0 ) ';
インデックス    0 1 2 3 4 5 6 7 8 9 10 11 12

         hours.slice( 1 ,          6 );
```

　次の例では文字列 'rgb(29, 144, 255)' から数字の部分だけを取り出して、定数 colorNum に代入し
ています。

| Sample | slice()の使用例。数字の部分だけを取り出す | c07/string-slice.html |

```
const cssColor = 'rgb(29, 144, 255)';
const colorNum = cssColor.slice(4, 16);
console.log(colorNum);    // '29, 144, 255'
```

　さて、この例では元の文字列のインデックス4番目から15番目まで取り出せばよかったのですが、ど
こまで取り出せばよいのか事前にはわからない場合があります。たとえばこの例ではCSSプロパティの
値の中から数を取り出していますが、「29」の部分が3桁になることもあり得ますし、カンマの後ろに半
角スペースがない場合も考えられます。そうしたケースにも対応できるように、4文字目をスタートとし
て、最後の文字の1文字手前までを取り出すようにしてみましょう。2つの方法があります。1つ目は
length プロパティを使う方法です。

----

[11]　substring()メソッドもほとんど同じ動作をします。しかし、引数に負の数を指定できないなど微妙な違いもあり、本書ではより柔
軟な slice() メソッドを取り上げます。

```
const colorNum = cssColor.slice(4, cssColor.length - 1);
```

図　slice() の 2 つ目の引数を length-1 にする

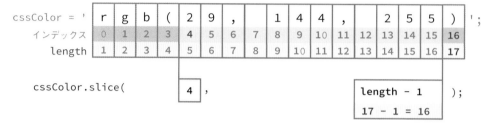

　もう 1 つの方法は引数に負の数を指定することです。-1 にすると、元の文字列の最後の文字の 1 文字手前、-2 にすれば 2 文字手前を指定できます。

図　slice() の 2 つ目の引数を負の数にする

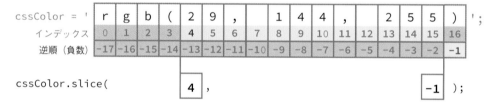

　slice() メソッドの 2 つ目の引数は省略でき、その場合は 1 つ目の引数で指定した位置から最後の文字までを取り出します。たとえば次の例では、2 文字目以降最後までを取り出しています。

▼ 2 文字目以降、最後まで取り出す

```
const cssHex = '#1D90FF';
const hex = cssHex.slice(1);
console.log(hex);        // '1D90FF'
```

　引数が文字列のインデックス範囲外だった場合の動作も説明しておきます。以下にコード例を掲載しますがちょっと複雑なので、インデックス番号がわかる参考図も載せておきます。

```
const cssHex = '   # 1 D 9 0 F F   ';
インデックス          0 1 2 3 4 5 6 7 8 …
逆順（負数）  … -8  -7 -6 -5 -4 -3 -2 -1
cssHex.slice(                    7 , 8 ); // ''         ❶
cssHex.slice(    0 ,              8 ); // '#1D90FF'     ❷
cssHex.slice(-8 ,                8 ); // '#1D90FF'      ❸
```

　１つ目と２つ目の引数がどちらもインデックスの範囲外だった場合❶、空の文字列（''）が返ってきます。

Sample　２つの引数のどちらもインデックス範囲外だった場合、空の文字列（''）が返る

c07/string-slice-outofrange.html

```
const cssHex = '#1D90FF';
console.log(cssHex.slice(7, 8));      // ''
```

１つ目がインデックスの範囲内、２つ目が最後の文字のインデックスよりも大きかった場合❷は、１つ目で指定した位置から最後の文字までを取り出します。また、１つ目が負数でインデックスの範囲外、２つ目が最後の文字のインデックスよりも大きかった場合❸は、文字列の１番目から最後の文字までを取り出します。

Sample　１つ目と２つ目の引数のあいだがインデックス範囲内だった場合は、その範囲の文字列を取り出せる

c07/string-slice-outofrange.html

```
console.log(cssHex.slice(0, 8));      // '#1D90FF'
console.log(cssHex.slice(-8, 8));     // '#1D90FF'
```

▍7-5-2　桁埋めをする

　padStart()、padEnd()は「桁埋め」や「０埋め」と呼ばれる処理をするメソッドです。padStart()は文字列の先頭に指定した文字を追加して文字数を揃え、padEnd()は文字列の末尾に指定した文字を追加して文字数を揃えます。どちらもES2017で導入されました。

　ここではpadStart()を使った例を紹介します。このメソッドは、１つ目の引数で指定した文字数になるまで、２つ目の引数で指定する文字を元の文字列の先頭に追加し、新しい文字列を返します。箇条書きのテキストに番号をつけたり、ファイル名に連番をつけたりする際の、「03」や「015」のような桁揃えのための「0」を追加したいときなどに役立ちます。

<文字列>.padStart(整形後の文字数 , '埋める文字')

　次の例では繰り返しを使って 1 ～ 10 の数字を「0 埋め」して 2 桁に揃えたうえで、「img_xx.jpg」というファイル名のような文字列を作り、配列 files に入れています。

Sample padStart( ) を使って 0 埋めする　　　　　　　　　　　　　　　　　　c07/string-padstart.html

```javascript
const files = [];
for (let i = 1; i <= 10; i++) {
  files.push(`img_${String(i).padStart(2, '0')}.jpg`);
}
console.log(files);
```

実行結果

```
          要素   コンソール   ソース   ネットワーク   パフォーマンス

      top ▼    ●    フィルタ

  ▼ (10) ['img_01.jpg', 'img_02.jpg', 'img_03.jpg', 'img_04.jpg', 'img
  ⓘ
      0: "img_01.jpg"
      1: "img_02.jpg"
      2: "img_03.jpg"
      3: "img_04.jpg"
      4: "img_05.jpg"
      5: "img_06.jpg"
      6: "img_07.jpg"
      7: "img_08.jpg"
      8: "img_09.jpg"
      9: "img_10.jpg"
      length: 10
    ▶ [[Prototype]]: Array(0)
```

▌7-5-3　前後の空白を削除する

　trim( )、trimStart( )、trimEnd( ) は、文字列の前後のホワイトスペースを削除するメソッドです。文字列の前後のホワイトスペースを削除することを「トリムする」といいますが、フォームに入力された内容や、HTML コンテンツのテキスト、ネットワーク経由でダウンロードしたデータなどの整形をするときによく行われる処理です。

　ここで挙げた 3 つのメソッドは、trimStart( ) が文字列の前にあるホワイトスペースのみ、trimEnd( ) が文字列の後ろにあるホワイトスペースのみを削除し、trim( ) は前も後ろも削除します。どれも引数は取りません。3 つのメソッドのいずれも、トリムした新しい文字列を返します。

▼ trim( ) メソッドは先頭や末尾の全角スペースを削除してくれるので便利

```javascript
const trimmed = '　先頭に全角スペースがあるテキスト'.trim();
console.log(trimmed); // '先頭に全角スペースがあるテキスト'
```
先頭のスペースが削除されている

7-6 Unicodeを使って文字を操作する

Unicode のコード値を使って文字を操作するメソッドは 4 つあります。

　文字列を文字そのものではなく Unicode を使って操作するメソッドには、ある文字のコード値を調べるタイプと、コード値から実際の文字を調べるタイプの、大きく分けて 2 種類があります。

表　Unicode を使って文字を操作するメソッド

メソッド	説明
＜文字列＞.charCodeAt(インデックス)	＜文字列＞中の「インデックス」番目の文字の UTF-16 コード値を返す
＜文字列＞.codePointAt(インデックス)	＜文字列＞中の「インデックス」番目の文字の UTF-32 コード値を返す
String.fromCharCode(a, b, c, …)	引数で指定した UTF-16 コード値の文字列を返す
String.fromCodePoint(a, b, c, …)	引数で指定した UTF-32 コード値の文字列を返す

7-6-1　文字のコード値を調べる

　ある文字のコード値を調べるメソッドには、charCodeAt( ) と codePointAt( ) メソッドがあります。このうち charCodeAt( ) は UTF-16 のコード値、codePointAt( ) は UTF-32 のコード値を返します。JavaScript は内部的に文字を UTF-16 で処理しますが、コードを書くうえでは UTF-32 のほうがサロゲートペア[*12]を気にせず楽に扱えるので、原則として codePointAt( ) メソッドを使います。

　codePointAt( ) は、指定したインデックス番号の文字のコード値を返します。たとえば文字列「ゴミはきちんと♻」のインデックス 7 番目（♻）の文字のコード値を調べるなら次のようにします。

▼ インデックス 7 番目（8 文字目）の文字のコード値を調べる

```
'ゴミはきちんと♻'.codePointAt(7)            // 9842
```

　返されるのは 10 進数（数値型）なので、16 進数の値を知りたいときは Number オブジェクトの toString( ) メソッド（p.176）を使って変換します。

▼ 文字コードの 16 進数値を調べる

```
'ゴミはきちんと♻'.codePointAt(7).toString(16)   // '2672'
```

なお、引数に文字数以上の数値や負の数を指定すると undefined が返ってきます。

▼ 文字数以上の数値（この例では最大 7）を指定すると undefined が返る

```
'ゴミはきちんと♻'.codePointAt(8)              // undefined
```

＊12　Note「Unicode」(p.200)

▌7-6-2 コード値から文字を表示する

コード値から実際の文字を表示するには、String.fromCharCode( ) か String.fromCodePoint( ) メソッドを使います。String.fromCharCode( ) は UTF-16 のコード値を、String.fromCodePoint( ) は UTF-32 のコード値を引数に取ります。コード値を調べるメソッド同様、基本的には UTF-32 を扱う String.fromCodePoint ( ) を使用したほうがよいでしょう。

▽ String.fromCodePoint( ) を使って「♠」を表示する例

```
console.log(String.fromCodePoint(9824));        // '♠'
```

引数の指定で注意しなければならないのは、渡すのは 10 進数の値だということです。 16 進数を渡しても正しく動作しないので、16 進数の値しかわからない場合は Number.parseInt( ) メソッドを使って 10 進数に変換する必要があります（➡「文字列を整数に変換」p.170）。

次の例では、16 進数を 10 進数に変換する関数 htd( ) を作り、<p id="icons"> ～ </p> に 4 つのトランプカードのマークを表示します。String.fromCodePoint( ) は引数を 1 つだけでなく、いくつでも取れるようになっています。

`JavaScript` コード値を使って 4 文字表示する   c07/string-fromcodepoint.html

```
const htd = (num) => {// hex to decimal の略
  return Number.parseInt(num, 16);          引数の値を 16 進数値の文字列にして返す
};

const elm = document.querySelector('#icons');
elm.textContent = String.fromCodePoint(
    htd(2660),
    htd(2661),
    htd(2662),                              渡しているのはすべて 10 進数
    htd(2663),
);
```

`実行結果`

JS コード値を使って4文字表示する

♠♡◇♣

$\mathcal{N}ote$　インスタンスメソッド とスタティックメソッド

本節「Unicodeを使って文字を操作する」では、メソッドの手前に文字列や文字列が代入された変数がつくものと、Stringがつくものがありました。

メソッドの手前に文字列や変数がつくもの

- < 文字列 >.charCodeAt()
- < 文字列 >.codePointAt()

メソッドの手前に String がつくもの

- String.fromCharCode()
- String.fromCodePoint()

このうち、メソッドの前に文字列（または文字列が代入された変数など）がつくものは、そのメソッドが操作をする対象がインスタンス――Stringオブジェクトでいえば文字列そのもの――で、たとえばcodePointAt()なら、「対象となる文字列の〇番目の文字」のコード値を返します。こうした、インスタンスに対してなんらかの処理を実行するものをインスタンスメソッド、インスタンスの状態を調べるものをインスタンスプロパティ（Stringオブジェクトでいえばlengthプロパティ）といいます。

▽ インスタンスプロパティ、メソッドの例。プロパティ名やメソッド名の前に文字列が代入された変数（str）がついている

```
const str = '零一二三四五六七';
console.log(str.length);          // 8
console.log(str.codePointAt(7));  // 19971  ●————「七」を表す10進数のコード値
```

いっぽう、Stringオブジェクトには個別のインスタンス（つまり文字列データ）とは関係なく動作するメソッドもあります。たとえばString.fromCodePoint()メソッドは、インスタンスとは関係なく「Unicodeのコード値〇番の文字」を返します。

こうした、個別のインスタンス（文字列）とは直接関係のない操作をするプロパティやメソッドのことをスタティック（静的）プロパティ、スタティックメソッドといいます。インスタンスになったStringオブジェクトではなく、インスタンスの原型になったおおもとのStringオブジェクトが提供する機能のため、メソッドの手前につくオブジェクトもオブジェクト自身の名前（String）になります。

Stringオブジェクトのメソッドやプロパティを、インスタンス／スタティックで分類すると次図のようになります。

図　String オブジェクトのプロパティやメソッドを個別のデータが対象かそうでないかで分類したもの

String オブジェクト	
個別のデータが対象	個別のデータを対象にしない
インスタンスプロパティ ・< 文字列 >.length インスタンスメソッド ・< 文字列 >.slice() ・< 文字列 >.padStart() ・< 文字列 >.codePointAt() など	スタティックメソッド ・String.fromCharCode() ・String.fromCodePoint()

　オブジェクトにインスタンスプロパティ／メソッド、スタティックプロパティ／メソッドがあるのは、なにも
String オブジェクトだけではありません。Number オブジェクトや次章で紹介する Array オブジェクトにもイ
ンスタンスプロパティ／メソッド、スタティックプロパティ／メソッドがあります。逆に Math オブジェクトは
そもそも個別のデータを持たないので、スタティックプロパティ／メソッドしかありません。

図　Number オブジェクト、Math オブジェクトの場合

Number オブジェクト		Math オブジェクト
個別のデータが対象	個別のデータを対象にしない	個別のデータを持たない
インスタンスメソッド ・< 変数 >.toLocaleString() ・< 変数 >.toString() など	スタティックプロパティ ・Number.MAX_SAFE_INTEGER など スタティックメソッド ・Number.isSafeInteger() ・Number.parseInt() など	スタティックプロパティ ・Math.PI など スタティックメソッド ・Math.floor() ・Math.random() など

　まとめると、**インスタンスとは個別のデータを持つオブジェクト**で、**インスタンスプロパティやインスタンスメソッドはその
個別のデータの情報を取得したり、操作したりするために用意された機能**です。それに対して**スタティックプロパティやメ
ソッドは個別のデータとは関係なく、特定のオブジェクトが持っている情報を取得する、あるいは特有の操作をするために用
意された機能**、ということになります。

7-7　正規表現

正規表現は JavaScript にかぎらず多くの言語に実装されている重要な機能の１つで、高度な検索・置換
機能を提供します。**正規表現パターン**と呼ばれる表現手法を使って文字列のパターンを記述し、それをも
とに検索・置換します。

次のような文字列があるとします。

開催日 2019/04/18 10:00 ～ 21:00

この文字列のうち、時刻の部分（10:00 と 21:00）を検索したいとしましょう。これまでに紹介してきた includes() などを使ってもよいですが、正規表現を使えばより柔軟な検索ができます。

正規表現とは、「文字の並びのパターン」を表現する手法です。たとえば時刻の表記パターンは次のように表せます。

数字数字 : 数字数字

文字の並びのパターンを表すことができれば、実際の文字列が「10:00」でも「21:00」でも、あるいはほかの時刻でも探せるようになります。

次の例では正規表現を使って時刻の表記パターンを検索し、ヒットした文字列すべてを定数 matched に代入しています。

Sample 通常の文字列による検索 vs 正規表現の検索　　　　　　　　　　c07/regexp-intro.html

```javascript
const hours = '営業時間 10:00～21:00';

// 通常の文字列による検索
console.log(hours.includes('10:00')); // true
console.log(hours.includes('21:00')); // true
// 正規表現による検索
const re = /\d\d:\d\d/g;
const match = hours.match(re);
console.log(match);    // ['10:00', '21:00']
```

実行結果 通常の文字列による検索と正規表現による検索

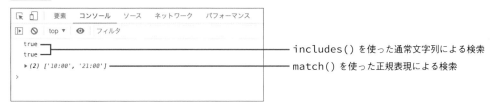

includes() を使った通常文字列による検索
match() を使った正規表現による検索

7-7-1　正規表現オブジェクトを作る

正規表現で文字列を検索する際は、まず正規表現オブジェクトを作成します。前のサンプルでいえば次の部分で正規表現オブジェクトを作り、それを定数 re に代入しています。

```
const re = /\d\d:\d\d/g;
```

「\d\d:\d\d」が正規表現パターンと呼ばれる部分です。正規表現パターン自体の書き方はあとで説明するので、まずは正規表現オブジェクトを作成する書式を確認しましょう。

正規表現オブジェクトは RegExp [13] オブジェクトといい、検索したい文字列の、文字の並びのパターンを設定します。**書式は正規表現パターンを / ～ / で囲み、すぐ後ろにフラグをつけます。正規表現は文字列でないのでクォート（「'」や「"」）では囲みません。**また、フラグは検索の設定をするためのもので、必要なければ省略可能です。上記の例では g フラグがついています。

[書式] 正規表現オブジェクトを作る

/ 正規表現パターン / フラグ

いま紹介した方法で正規表現オブジェクトを作る場合、「/」が、正規表現パターンの始まりと終わりを指します。もし、正規表現パターンの中に「/」が出てくるときは、「/」が正規表現パターンの始まりや終わりであると誤って認識させないように、エスケープする必要があります。そのためには「/」の直前に「\」を書きます。たとえば日付（yyyy/mm/dd）を検索しようと思ったら次のようなパターンを作ることになりますが……

　4 桁の数字 /2 桁の数字 /2 桁の数字

これを正規表現で表すと以下のようになります。途中に出てくる「/」はエスケープしています。

▽ 日付（yyyy/mm/dd）を表す正規表現パターン

```
\d{4}\/\d{2}\/\d{2}
```

RegExp( ) で正規表現オブジェクトを作る

正規表現オブジェクトを作るには、/ ～ / で囲む以外にも別の方法があります。それは RegExp() コンストラクターを使う方法で、書式は次のようになります。

[書式] 正規表現オブジェクトを作る別の方法

```
RegExp('正規表現パターン', 'フラグ');
```

＊13　Regular Expressions の略

この書式では、引数となる「正規表現パターン」も「フラグ」も文字列にします。つまり、/ ～ / では囲まず、' ～ ' または " ～ " で囲むということです。そうすると、日付を表す正規表現は次のようになりそうです。

▽ RegExp( ) コンストラクターを使って正規表現オブジェクトを作る？

```
RegExp('\d{4}\/\d{2}\/\d{2}')
```

しかし、これは正しくありません。RegExp( ) コンストラクターを使う場合は正規表現を文字列として渡すので、パターン中のスラッシュ（/）をエスケープする必要はなくなりますが、その代わり、通常の文字として認識されないためにバックスラッシュ（\）はエスケープしなければなりません。したがって、正しくは次のように書くことになります。

▽ RegExp( ) の場合は「/」をエスケープせず、「\」をエスケープ

```
RegExp('\\d{4}/\\d{2}/\\d{2}')
```

いま見てきたとおり、正規表現パターンを文字列にすると「\」が増えて、ただでさえ読みづらい正規表現パターンがさらに難しくなってしまいます。しかし、この問題は String.raw を使えば改善できます。
String.raw は「\」で始まるエスケープシーケンスを置き換えず、そのままの文字列を返します。文字列中に出てくる「\」をエスケープする必要がなくなるので、たとえば、上記のパターン（\\d{4}/\\d{2}/\\d{2}）は、次のように書けます。

▽ String.raw を使えば「\」をエスケープしないで済む

```
RegExp(String.raw`\d{4}/\d{2}/\d{2}`, 'g')
```

これなら、/ ～ / で囲むときと正規表現パターンが同じになります。それでも、「RegExp」や「String.raw」を書かないといけないので、全体の記述量は増えますが。
正規表現オブジェクトを作るときは、原則として / ～ / で囲む方法を使用し、正規表現パターンを文字列で扱いたいとき、たとえばパターンの一部に変数を埋め込みたいときなど、動的に生成する必要がある場合などにかぎって RegExp( ) と String.raw を組み合わせて使うのがよいでしょう。

7-8 正規表現パターンの書き方

正規表現パターンは、通常の文字列とあらかじめ定義された特殊文字を使って文字の並びのパターンを表すものです。基本の書き方から 1 つずつ身につけていきましょう。

正規表現パターンを知るために、次に挙げる「元のテキスト」からさまざまな文字列を検索する方法を考えてみましょう。

元のテキスト

わたしの Web サイトは「https://studio947.net」です。

最も簡単な正規表現パターンは、特殊文字を使わない、文字列そのものを検索するケースです。たとえば、「Web サイト」という文字列だけを検索するなら次のようにします。

▽ **特殊文字を使わない正規表現**

```
/Webサイト/
```

ここから少しずつ、正規表現の特殊文字を使ってみます。まず、「Web サイト」の「W」が、大文字でも小文字でも検索できるようにします[*14]。なお、正規表現では文字列がパターンに一致することをマッチするといいます。

▽ **「W」でも「w」でもマッチする**

```
/[W|w]ebサイト/
```

[a|b] のとき、a か b にマッチします。

次に、URL の部分にマッチする正規表現パターンを考えてみます。たとえば、「https://」でも「http://」でもマッチするようにするなら次のような正規表現パターンが考えられます。

▽ **「https://」でも「http://」でもマッチする**

```
/https?:\/\//
```

「?」は直前の文字が 0 文字か 1 文字のときにマッチします。ここからさらに、URL 全体にマッチする正規表現パターンを書くとだいぶ複雑になります。

▽ **URL にマッチする（正確には URL のドメインの部分にマッチ）**

```
/https?:\/\/[\w.-]+\.[\w.-]+[\/|\?|#]?/
```

特殊記号の意味は後述しますが、1 文字ずつ分析していくと文字が次のように続くことを示しています。

- http
- s が 0 文字または 1 文字
- ://
- [英数字（_ を含む）、ピリオド（.）、ハイフン（-）のいずれか] が 1 文字以上
- .

----

*14　テキスト全体が大文字・小文字のどちらでもよいとするなら、i フラグをつけることもでも可能です。

226

- [英数字（ _ を含む）、ピリオド（.）、ハイフン（-）のいずれか] が 1 文字以上
- [/、?、# のいずれか] が 0 文字または 1 文字

図　元のテキストにある URL にマッチする正規表現のイメージ

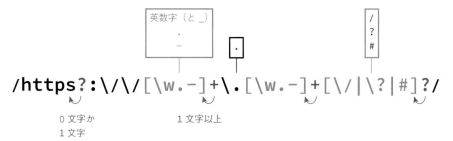

▋ 7-8-1　特殊文字

正規表現で使える記号のことを特殊文字といい、大きく次の 4 種類に分けられます。

- 文字クラスを表す特殊文字
- マッチする場所や条件を指定する特殊文字
- 繰り返す文字の文字数を指定する特殊文字
- マッチした文字列をグループ化する特殊文字

文字クラスを表す特殊文字

「文字クラス」とは半角英数字、数字、ホワイトスペースなど文字のカテゴリーのことです。次表の**特殊文字を使って特定の文字クラスを指定すると、そのクラスに含まれる文字 1 文字にマッチします。**なお、正規表現はデフォルトの設定では大文字・小文字を区別します。

表　文字クラスを表す特殊文字

特殊文字	説明	例
[abc]	[ ] 内で指定した文字にマッチ	正規表現が /[abc]/ なら文字 a、b、c にマッチ
[a-c]	[ ] 内でハイフン（-）を使うと、マッチする文字の範囲を指定できる。ハイフン（-）自体をマッチ文字に含めたいときは、[ ] 内の最初か最後に '-' を書く	正規表現が /[a-zA-Z]/ なら小文字 a 〜 z、大文字 A 〜 Z にマッチ。正規表現が /[az-]/ なら a、z、- にマッチ ▶「8-6=2」の「-」にマッチ ▶「document」にマッチしない
[^abc]	[^] で、^ に続く文字以外にマッチ。[ ] 内で ^ を使うと「否定」の意味がある	正規表現が /[^abc]/ なら a、b、c 以外の文字にマッチ。「box」の「o」にマッチ ▶「abc」にマッチしない
[^a-c]	[^] でも範囲を指定できる	正規表現が /[^a-c]/ なら a、b、c 以外の文字にマッチ
.	改行（\n、\r ほか）を除くすべての文字にマッチ	正規表現が /./ なら「喜」の「喜」にマッチ
\d	半角数字にマッチ	正規表現が /\d/ なら「i18n」の「1」にマッチ

特殊文字	説明	例
\D	半角数字でないすべての文字にマッチ	正規表現が /\D/ なら「0xFFCC00」の「x」にマッチ
\w	半角英数字、アンダースコア（_）にマッチ。é などアクセントつきアルファベットにはマッチしない	正規表現が /\w/ なら「Hello!」の「H」にマッチ
\W	アルファベット、半角数字、アンダースコア（_）以外のすべての文字にマッチ	正規表現が /\W/ なら「Hello!」の「!」にマッチ
\s	ホワイトスペースにマッチ	正規表現が /\s/ なら「お名前　田中薫」の「　」（全角スペース）にマッチ
\S	ホワイトスペース以外のすべての文字にマッチ	正規表現が /\S/ なら「1. Introduction」の「1」にマッチ
\t	タブにマッチ	—
\r	CR（キャリッジリターン、改行の一種）にマッチ	—
\n	LF（ラインフィード、改行の一種）にマッチ	—
\v	垂直タブにマッチ	—
\f	フォームフィード（ページ送り）にマッチ	—
[\b]	バックスペース文字にマッチ	—
\0	NUL 文字にマッチ	—
\cX	キャレット記法で表した制御文字にマッチ	—
\xXX	2 桁の文字コードの文字にマッチ（X は 16 進数）	—
\uXXXX	UTF-16 コード値の文字にマッチ（X は 16 進数）	—
\u{XXXXXX}	UTF-32 コード値の文字にマッチ（X は 16 進数で 2 桁～ 6 桁）。u フラグをセットする必要あり	正規表現が /\u{1F600}/u なら「遊園地に行く😊」の「😊」にマッチ
\	特殊文字を通常の文字として扱う。たとえば \\ とすれば \ にマッチするようになる	正規表現が /*/ なら（* は特殊文字）、「2*3=6」の「*」にマッチ
x|y	x または y にマッチ	正規表現が /windows|linux/ なら「unix and linux」の「linux」にマッチ

マッチする場所や条件を指定する特殊文字

　行頭、行末、欧文での単語の区切り（スペース、カンマ、ピリオドといった文字が入っているところ）などにマッチする場所を限定する特殊文字や、検索文字列を探したうえで、その前後の文字の並びが条件に一致するかどうかを調べる特殊文字があります。

表　マッチする場所や条件を指定する特殊文字

特殊文字	説明	例
^	行頭を指す	正規表現が /^ 予定 / なら「予定が 3 件あります」の「予定」にマッチ ▶「本日の予定はありません」にはマッチしない
$	行末を指す	正規表現が /zip$/ なら「document.zip」の「zip」にはマッチ ▶「document.zip をダウンロード」にはマッチしない

特殊文字	説明	例
\b	単語の区切りを指す。単語の区切りとは、単語を構成するアルファベットと、単語を構成しない文字（行頭、行末、スペース、感嘆符など）とのあいだのこと。欧文を扱うときは多用するが、日本語では機能しないためほとんど使われない	正規表現が /\bR/ なら「What are Regular Expressions?」の「R」にマッチ
\B	単語の区切り以外、つまりアルファベットとアルファベットのあいだなどを指す。\b同様、日本語では機能しない	—
a(?=b)	まずaを探し、その後ろにbがあればaを返す（aにマッチ）	正規表現が /10:00(?=am)/ なら「10:00am」の「10:00」にマッチ ▶「10:00pm」にはマッチしない
a(?!b)	まずaを探し、その後ろにbがなければaを返す（aにマッチ）	正規表現が /1100 円 (?!（税抜）)/ なら「1100 円（税込）」の「1100 円」にマッチ ▶「1100 円（税抜）」にはマッチしない
(?<=b)a	まずaを探し、その手前にbがあればaを返す（aにマッチ）	正規表現が /(?<=【募集中】) 定員 100 名 / なら「【募集中】定員 100 名」の「定員 100 名」にマッチ ▶「【募集終了】定員 100 名」にはマッチしない
(?<!b)a	まずaを探し、その手前にbがなければaを返す（aにマッチ）	正規表現が /(?<!8F) レストラン / なら「12F レストラン」の「レストラン」にマッチ ▶「8F レストラン」にはマッチしない

繰り返す文字の文字数を指定する特殊文字

電話番号や郵便番号など、数字や文字が連続するようなテキストを検索するのに役立つ、「数字が〇桁連続する」や「同じ文字が連続する」ことを表現する特殊文字もあります。

表　繰り返す文字の文字数を指定する特殊文字

特殊文字	説明	例
a*	* の直前の文字 a が 0 回以上繰り返す	正規表現が / 御 * 住所 / なら「御」が 0 回以上でマッチ。「御住所」の「御住所」にマッチ ▶「住所」の「住所」にマッチ
a+	+ の直前の文字 a が 1 回以上繰り返す	正規表現が / 御 + 住所 / なら「御」が 1 回以上でマッチ。「御住所」の「御住所」にマッチ ▶「住所」にマッチしない
a?	? の直前の文字 a が 0 回か 1 回出てくる	正規表現が /199-?9899/ なら「-」が 0 回か 1 回でマッチ。「199-9899」の「199-9899」にマッチ ▶「1999899」の「1999899」にマッチ ▶「199--9899」にマッチしない
a{n}	文字 a の n 回の繰り返しにマッチ。n は整数	正規表現が /id=\w{3}/ ならアルファベット 3 文字でマッチ。「id=box」の「id=box」にマッチ ▶「id="boxes"」にマッチしない
a{n,}	文字 a の n 回以上の繰り返しにマッチ	正規表現が /<\w{2,}>/ ならアルファベット 2 文字以上でマッチ。「 」の「 」にマッチ ▶「<div>」の「<div>」にマッチ ▶「<p>」にマッチしない
a{n,m}	文字 a の n 回以上、m 回以下の繰り返しにマッチ。n は 0 以上の整数、m は n より大きい整数	正規表現が / あと \d{1,2} 日 / なら数字が 1 文字か 2 文字でマッチ。「あと 10 日」の「あと 10 日」にマッチ ▶「あと 3 日」の「あと 3 日」にマッチ ▶「あと 365 日」にマッチしない

特殊文字	説明	例
a*? a+? a?? a{n}? a{n,}? a{n,m}?	*、+、?、{n}、{n,}、{n,m}の後ろに？をつけると、できるだけ短い区間でマッチするようになる	（後述）

　この一覧表で紹介した「*」「+」などはどれも、繰り返す文字の文字数を指定するものです。こうした文字数を指定する特殊文字が使われているとき、**正規表現は条件に一致するかぎりできるだけ長く文字列をマッチ、取得しようとします。**この、正規表現ができるだけ長く文字列をマッチさせようとする性質のことを英語で greedy といい、日本語では「貪欲」「強欲」と訳されています。たとえば次のテキストから、最初のHTMLタグの部分（<ul>）だけを取得したいとしましょう。

```
'<ul><li>牛乳買う</li></ul>'
```

　正規表現パターンを「< で始まり、1文字以上の文字が続き、> で終わる」としてみます。なんとなく <ul> が取得できそうです。

```
/<.+>/
```

　ところがマッチする文字列はこうなります。

```
'<ul><li>牛乳買う</li></ul>'
```

　これは、正規表現ができるだけ長く文字をマッチしようとするからです。「<」も「>」も文字であり、「.+」（改行を除くすべての文字の、1回以上の繰り返し）にマッチするので、このテキストの最初に出てくる「<」と、最後に出てくる「>」のあいだにあるすべての文字がマッチしてしまうのです。
　正規表現の"貪欲な"動作を変更したいときは、直前の文字の繰り返しを表す「*」「+」などの後ろに「?」をつけます。「?」をつけると、条件に一致する文字（ここでは「>」）が出てきたらすぐに取得動作を終了するようになります。正規表現を次のように変更します。

▼ 貪欲でない正規表現に修正

```
/<.+?>/
```

　最初に出てくる「>」で取得動作が終了するので、「<ul>」だけがマッチするようになります。

```
'<ul>'
```

| Sample | ？つき、？なしの動作の違いを確認する | c07/regexp-greedy.html |

```
const str = '<ul><li>牛乳買う</li></ul>';
// ？なし（通常動作）
const greedy = str.match(/<.+>/)[0];  ●────── match( ) は正規表現を実行するメソッド。後述
console.log(`？なし：${greedy}`);       // ？なし：<ul><li>牛乳買う</li></ul>
// ？つき
const nonGreedy = str.match(/<.+?>/)[0];
console.log(`？つき：${nonGreedy}`);     // ？つき：<ul>
```

マッチした文字列をグループ化する特殊文字

正規表現にマッチした文字列の一部をグループ化し、結果を 1 つのまとまりとして記憶しておくための特殊文字です。マッチした文字列の一部を参照したり置換したりするのに役立ちます。

表　マッチした文字列をグループ化する特殊文字

特殊文字	説明	例
(a)	マッチした文字列 a をグループ化。あとで参照できるようにマッチした文字列とは別に保存される。正規表現の中で ( ) は何度でも使える。つまりグループはいくつでも作れる	正規表現が / 郵便番号：(\d{3}-\d{4})/ なら「郵便番号：199-9899」の「郵便番号：199-9899」にマッチ。さらに「199-9899」がグループ化され、保存される
(?<Name>a)	名前つきキャプチャグループ。マッチした a をグループ化、そのグループに Name というプロパティ名をつける	正規表現が / サイズ (?<size>\w+)/ なら「サイズ M」の「サイズ M」にマッチ。さらに「M」がグループ化、保存され、プロパティ名 size で参照できるようになる
(?:a)	マッチした a をグループ化するが、保存はしない	正規表現が /#+ (?:.+)/ なら「# マークダウンでメモを取る」の「# マークダウンでメモを取る」にマッチ。「マークダウンでメモを取る」の部分はグループ化されるが保存はされず、あとで参照できない
\n	n は正の整数。( ) で囲まれた n 番目の文字列を参照する	正規表現が /HTML 入門 (,|\t) 貸出中 \1 佐藤 / なら、\1 の部分は「(,|\t)」でマッチした文字列（カンマかタブのいずれか）にマッチ ▶「HTML 入門 , 貸出中 , 佐藤」の「HTML 入門 , 貸出中 , 佐藤」にマッチ ▶「HTML 入門 貸出中 佐藤」（区切りがタブ）の「HTML 入門 貸出中 佐藤」にマッチ ▶「HTML 入門 貸出中 , 佐藤」（最初の区切りがタブ、次がカンマ）にマッチしない
\k<Name>	\n と同じ役割だが、グループ化された文字列を参照するときに、番号の代わりにプロパティ名を使用する	正規表現が /HTML 入門 (?<sep>,|\t) 貸出中 \k<sep> 佐藤 / なら「HTML 入門 , 貸出中 , 佐藤」の「HTML 入門 , 貸出中 , 佐藤」にマッチ

▊ 7-8-2 フラグ

フラグは正規表現で検索する際のオプションを設定するものです。より高度な検索をするときに使用します。

表　使用できるフラグ

フラグ	説明
d	マッチした文字列のマッチ開始位置とマッチ終了位置 +1 が含まれる配列を生成。検索結果オブジェクトの indices プロパティで参照可能（➡「詳細情報からデータを取り出すには」p.240）。ES2022 で導入
g	マッチした文字列をすべて取り出す（グローバル検索）
i	大文字・小文字を区別しない
m	正規表現は通常 1 行のテキストを検索するが、m オプションをつけると複数行の検索が可能になる
s	`.` で改行にもマッチするようにする
u	正規表現パターンを UTF-32 コード値として扱う。\u{XXXXXX} を利用するとき必須
y	検索開始位置を指定する

フラグやメソッドの使用例はこの後のサンプルでも出てきますが、ここで基本的な使い方だけ簡単に説明しておきます。検索結果がどう変化するのかを見ながら、フラグの指定方法と役割を見ていきましょう。ここでは「JavaScript and Python」というテキストを、正規表現パターン /a/ で検索します。つまり、テキスト中の「a」にマッチします。ここで使用する match( ) は String オブジェクトのメソッドで、正規表現にマッチした文字列が配列で返されます。まずはフラグなしでマッチする文字を確認しましょう。フラグなしだと、テキストの最初に出てくる「a」1 文字（今回の例では 2 文字目の「a」）にマッチします。

Sample　フラグの使い方──/a/ フラグなし　　　　　　　　　　　　　　　　c07/regexp-flag.html

```
const str = 'JavaScript and Python';

// フラグなし /a/
const aNF = str.match(/a/);
console.log(aNF);      // ['a']
```

g フラグをつけると、マッチした文字列をすべて取り出します。テキスト中に a は 3 回出てきて、すべてが配列に追加されます。

Sample　フラグの使い方（続き）──g フラグあり　　　　　　　　　　　　　　c07/regexp-flag.html

```
// gフラグあり /a/g
const aG = str.match(/a/g);
console.log(aG);       // ['a', 'a', 'a']
```

ここで正規表現パターンを /p/g に変えてみましょう。今度はテキスト中のすべての「p」にマッチします。正規表現はデフォルトでは大文字・小文字を区別するので、「JavaScript」の「p」にはマッチしますが、「Python」の「P」にはマッチしません。

Sample　フラグの使い方（続き）——/p/g　　　　　　　c07/regexp-flag.html

```
// gフラグあり・iフラグなし /p/g
const pG = str.match(/p/g);
console.log(pG);      // ['p']
```

　ここで i フラグもつけてみます。i フラグは大文字・小文字を区別しないオプションで、大文字の「P」にもマッチするようになります。

Sample　フラグの使い方（続き）——/p/gi　　　　　　　c07/regexp-flag.html

```
// gフラグあり・iフラグあり /p/gi
const pGI = str.match(/p/gi);
console.log(pGI);      // ['p', 'P']
```

　このように、フラグをつけると正規表現の動作を変えることができます。フラグは複数同時に設定でき、設定する順序は問いません。/p/gi の例でいえば、gi でも ig でも同じように動作します。

7-9　正規表現を使った文字列の検索・置換

実際に正規表現を使った文字列の検索・置換をするには、RegExp オブジェクトや String オブジェクトの関連メソッドを使います。

　検索・置換のメソッドは、正規表現（RegExp）オブジェクトのメソッド、String オブジェクトのメソッドの両方にあります。

表　RegExp オブジェクトのメソッド

メソッド	説明
＜正規表現＞.exec(テキスト)	＜正規表現＞パターンに基づき「テキスト」を検索。処理が複雑なため、より新しい String オブジェクトの＜テキスト＞.matchAll( ) を使うことを推奨
＜正規表現＞.test(テキスト)	「テキスト」内に、＜正規表現＞パターンにマッチする文字列があれば true、なければ false を返す

メソッド	説明
<テキスト>.match(正規表現)	「正規表現」パターンに基づき<テキスト>を検索。gフラグのあり／なしで動作が変わる。RegExpオブジェクトのexec()やtest()に比べて扱いやすい
<テキスト>.matchAll(正規表現)	「正規表現」パターンに基づき<テキスト>を検索、マッチするすべての文字列を配列にして返す。高機能でありながらRegExpオブジェクトのexec()やtest()に比べて扱いやすい
<テキスト>.replace(検索文字列, 置換文字列)	「検索文字列」を「置換文字列」に置換した新しい文字列を返す。「検索文字列」は正規表現でも通常文字列でもよい
<テキスト>.replaceAll(検索文字列, 置換文字列)	「検索文字列」を「置換文字列」に置換した新しい文字列を返す。マッチしたすべての箇所を置換する。「検索文字列」は正規表現でも通常文字列でもよい
<テキスト>.search(正規表現)	<テキスト>内に正規表現パターンにマッチした文字列があれば、最初にマッチした文字のインデックス番号を返す。なければ-1を返す
<テキスト>.split(検索文字列)	「検索文字列」にマッチした文字列で<テキスト>を分割、配列を返す。「検索文字列」は通常文字列でも正規表現でもよい。8-6-1「配列の要素を結合する」(p.282) 参照

▌7-9-1　メソッドとフラグの関係

　検索・置換のメソッドは正規表現のgフラグのあり／なしによって動作が変わるものがあります。各メソッドの特徴とフラグの関係をまとめておきます。

<正規表現>.exec(テキスト)

　「テキスト」の中から<正規表現>にマッチする文字列を探します。gフラグ（マッチする文字列をすべて取り出すオプション）のあり／なしによって動作が変わります。

- gあり ―― マッチするすべての文字列を返す
- gなし ―― テキストのうち、最初にマッチする文字列1つだけを返す
- gフラグがあってもなくても、マッチする文字列がない場合はnullを返す

　exec()メソッドの場合、gフラグありでマッチするすべての文字列を取り出したいときはwhile文で処理を書く必要があり、少々煩雑です。多くの場合、同等の機能を提供し、かつ扱いやすいmatchAll()を使ったほうがよいでしょう。

<正規表現>.test(テキスト)

　「テキスト」中に<正規表現>にマッチする文字列があればtrue、なければfalseを返します。gフラグのあり／なしで動作が変わります。

- gあり ―― マッチするすべての文字列分、trueが含まれる配列を返す
- gなし ―― マッチする文字列が1つでもあればtrue、そうでなければfalseを返す

そもそも「検索する文字列があるかどうか」だけを調べるメソッドを g フラグありで使用する意味はあまりないと考えられるので、基本的には g フラグなしで使用することが多いでしょう。

＜テキスト＞.match（正規表現）

「正規表現」パターンに基づき＜テキスト＞を検索します。g フラグのあり／なしで動作が変わります。

- g あり ── マッチするすべての文字列を配列にして返す。キャプチャグループ（後述）、見つかった場所のインデックス番号などの詳細情報は返さない
- g なし ── マッチする最初の文字列の、マッチした文字列と詳細情報を返す
- g フラグがあってもなくても、マッチする文字列がない場合は null を返す

matchAll( ) に比べて機能は劣るものの、g ありでもなしでも比較的手軽に使えるメソッドです。マッチする最初の文字列の詳しい情報を知りたいとき、あるいは、詳しい情報はいらないけれどもマッチするすべての文字列を取り出したいときに役立ちます。

＜テキスト＞.matchAll（正規表現）

「正規表現」パターンにマッチするすべての文字列と詳細情報を返します。g フラグが必須で、ないと TypeError が発生します。検索機能の中では exec( ) と並んで最も高機能なメソッドで、しかも扱いやすいのが特徴です。

＜テキスト＞.replace（検索文字列, 置換文字列）

検索・置換をするためのメソッドです。g フラグのあり／なしで動作が変わります。

- g あり ── マッチするすべての文字列を「置換文字列」で置き換え、新しい文字列を返す
- g なし ── マッチする最初の文字列のみ「置換文字列」で置き換え、新しい文字列を返す

置換するならすべての文字列を置換することが多いでしょうから、g フラグありで使うことが多くなります。g フラグありの場合の動作は、次の replaceAll( ) と同じです。

＜テキスト＞.replaceAll（検索文字列, 置換文字列）

検索にマッチしたすべての文字列を置換します。動作は replace( ) メソッドを g フラグありで実行するのと同じです。g フラグが必須で、ないと TypeError が発生します。

＜テキスト＞.search（正規表現）

「正規表現」にマッチする最初の文字列のインデックス番号を返します。なければ -1 を返します。g フラグは機能せず、あってもなくても動作は変わりません。

＜テキスト＞.split(文字列または正規表現)

「文字列」または「正規表現」にマッチした部分でテキストを分割し、配列にします。g フラグは機能しません。split( ) メソッドは、配列の join( ) メソッドと組み合わせて簡単な検索／置換に使うことがあります。詳しくは 8-6-1「配列の要素を結合する」(p.282) を参照してください。

▌ 7-9-2 テキストに検索文字列があるかどうかを調べたい

各種メソッドの実際の使用法を説明します。まずは正規表現にマッチする文字列があるかどうかを調べる方法から見ていきましょう。例として、次のテキストを検索対象にします。

元のテキスト

2017 年 03 月 10 日 Web デザイン上級講座、Web サーバーサイド講座を開講します。

このテキストに日付の文字列（yyyy 年 mm 月 dd 日）が含まれるかどうかをテストします。test( ) メソッドを使用します。

| Sample | テキストに検索文字列があるかどうかを調べる 〜 test( ) | c07/regexp-test.html |

```javascript
const str = '2017年03月10日 Webデザイン上級講座、Webサーバーサイド講座を開講します。';

const regExp = /\d{4}年\d{2}月\d{2}日/;
const testResult = regExp.test(str);
console.log(testResult);        // true
```

この例では定数 regExp に正規表現パターンを代入していますが、次の例のように正規表現パターンを変数（定数）に代入せず、いきなり使用してもかまいません。このような、変数に代入せずいきなり正規表現パターンを使用する方法は test( ) 以外のメソッドでも可能です。ただし test( )、exec( ) で g フラグがついている正規表現を使う場合には注意が必要です。注意点については「もう 1 つの検索メソッド、exec( )」(p.242) を参照してください。

▽ 正規表現パターンを変数に代入せずいきなり使用する

```javascript
const testResult = /\d{4}年\d{2}月\d{2}日/.test(str);
```

マッチする文字列があるかどうかを調べるのであれば search( ) メソッドも使えます。search( ) を使えば、単にあるかどうかを調べるだけでなく、見つかった位置のインデックス番号を取得できます。マッチする文字列が見つかれば 0 以上、見つからなければ -1 が返ってくるので、if 文で処理を振り分けるのも難しくありません。

```
const str = '2017年03月10日 Webデザイン上級講座、Webサーバーサイド講座を開講します。';

const testResult = str.search(/\d{4}年\d{2}月\d{2}日/);
if (testResult <= 0) {
  console.log(`文字列がマッチしました。インデックス ${testResult} で見つかります。`);
} else {
  console.log('文字列はマッチしませんでした。');
}
// コンソールの出力：'文字列がマッチしました。インデックス 0 で見つかります。'
```

7-9-3 マッチした文字列を取得したい

　正規表現パターンにマッチした文字列を知りたい場合は、match( )、matchAll( )、exec( ) のいずれか
を使います。これらのメソッドはそれぞれ特徴があり、使い方も少しずつ異なります。

　match( ) は、3 つのメソッドの中では最も手軽に使えるメソッドです。先にも軽く説明しましたが、
正規表現に g フラグがついていればマッチするすべての文字列を、ついていなければ最初にマッチした
ものだけを取得します。

　matchAll( ) は g フラグが必須で、マッチするすべての文字列と、詳細情報が取得できます。

　exec( ) の動作は match( ) と似ていて、g フラグがついていればすべての、ついていなければ最初に
マッチした文字列だけを取得します。

マッチした文字列を調べたいなら match( )

　マッチした文字列を調べるだけなら match( ) メソッドを使うのが手軽です。前項「テキストに検索文
字列があるかどうかを調べたい」と同じ、次のテキストを検索対象にする例を見てみましょう。

元のテキスト

　2017 年 03 月 10 日 Web デザイン上級講座、Web サーバーサイド講座を開講します。

　今回は「Web デザイン上級講座」と「Web サーバーサイド講座」の両方にマッチする正規表現パター
ンを使います。

使用する正規表現パターン

/Web.+?講座/g

　match( ) メソッドは g フラグがついているとき、マッチするすべての文字列を取り出し、配列にして
返します。

```
const str = '2017年03月10日 Webデザイン上級講座、Webサーバーサイド講座を開講します。';
// gフラグあり
const result = str.match(/Web.+?講座/g);
console.log(result);  // ['Webデザイン上級講座', 'Webサーバーサイド講座']
```

　いっぽう g フラグがない場合は、最初にマッチした文字列だけを取得します。その代わり、マッチした位置のインデックス番号をはじめとした検索結果の詳細情報が取得できます。詳細情報については次の matchAll( ) で説明します。

```
const str = '2017年03月10日 Webデザイン上級講座、Webサーバーサイド講座を開講します。';
// gフラグなし
const result = str.match(/Web.+?講座/);
console.log(result);  // ['Webデザイン上級講座', index: 12, …]
```

実行結果　マッチした最初の文字列と詳細情報が返ってくる

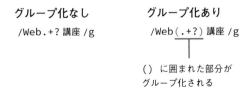

マッチした文字列だけでなく詳細情報がほしいときは matchAll( )

　マッチする文字列すべてを取得し、さらにそれらの詳細な情報も知りたいときは matchAll( ) メソッドを使います。検索対象は先ほどと同じテキストを使いますが、今回は詳細情報の内容を把握するために正規表現パターンの一部を ( ) で囲み、グループ化します。

図　正規表現パターンの一部を () で囲んでグループ化する

グループ化なし

/Web.+? 講座 /g

グループ化あり

/Web(.+?) 講座 /g

( ) に囲まれた部分がグループ化される

Sample　matchAll( ) メソッドを使う

c07/regexp-matchall1.html

```
const str = '2017年03月10日 Webデザイン上級講座、Webサーバーサイド講座を開講します。';

const results = str.matchAll(/Web(.+?)講座/g);
for (const result of results) {
  console.log(result);
}
```

matchAll( ) は、マッチした文字列ごとに、マッチした文字列と詳細情報をまとめた配列（正確には配列風オブジェクト、p.241）を、イテレーター（p.383）と呼ばれるオブジェクトで返します。

実行結果　＊15

1つ目のマッチ
2つ目のマッチ

このように、matchAll( ) メソッドを使えばマッチしたすべての文字列の詳細情報を取得できます。マッチする文字列を知りたいだけなら match( ) メソッドで十分ですが、詳細情報を得るには matchAll( ) メソッドを使います。

𝒩ote　**マッチした文字列の一部を参照できる「グループ」**

　正規表現パターンの一部を ( ) で囲むと、その部分がグループ化され、マッチした文字列全体とは別に、グループ化された部分にマッチした文字列だけを参照できるようになります。matchAll( ) メソッドを使った先の例でいえば、正規表現パターン全体でマッチした文字列が「Webデザイン上級講座」と「Webサーバーサイド講座」、その中で「デザイン上級」と「サーバーサイド」は、グループ化された部分として別に参照することができます。この、( ) で囲まれた部分の正規表現にマッチした文字列のことをキャプチャーグループといいます。

図　マッチした文字列とキャプチャーグループ

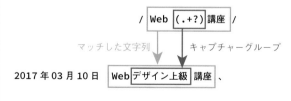

＊15　どのブラウザーでも matchAll( ) の動作は変わりませんが、コンソールに表示される内容が違います。Chrome は取得した情報すべて、Firefox、Safari はマッチした文字列だけを表示します。ここに掲載している画面は Chrome のコンソールです。

> グループ化は主に置換のときに使い、書き換える文字列の一部にキャプチャーグループを挿入するのに役立ちます（➡「置換文字列に置換パターンを使用する」p.245）。

詳細情報からデータを取り出すには

やや高度な内容

matchAll( ) を実行すると、マッチした文字列と詳細情報が含まれる配列風オブジェクトが、イテレーターと呼ばれるオブジェクトで返ってきます。イテレーターは、ごく簡単にいえば配列のように複数のデータを 1 つにまとめたオブジェクトですが、1 つひとつのデータをインデックス番号で参照することができません。その代わりに for 〜 of 文を使って取り出します[16]。

▼ matchAll( ) の返り値から、マッチした文字列と詳細情報が含まれる配列風オブジェクトを取得する

```
const results = str.matchAll(/Web(.+?講座)/g);
for (const result of results) {
  console.log(result);
}
// ['Webデザイン上級講座', 'デザイン上級', index: 12,…] ｜ 1回目の繰り返し
// ['Webサーバーサイド講座', 'サーバーサイド', index: 24,…] ｜ 2回目の繰り返し
```

定数 result にはマッチした文字列 1 つひとつの詳細情報が保存される（この例では 2 つマッチ）

取得した配列風オブジェクトに含まれる詳細情報を確認してみましょう。最初にマッチした文字列の配列風オブジェクトを例に、どんな情報が含まれているかを見てみます。詳細情報には、以下の 5 つのデータが含まれています。

図 取得した詳細情報

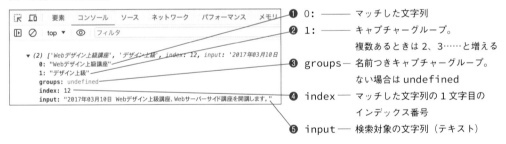

❶ 0: ── マッチした文字列
❷ 1: ── キャプチャーグループ。
　　　　　複数あるときは 2、3……と増える
❸ groups ── 名前つきキャプチャーグループ。
　　　　　　ない場合は undefined
❹ index ── マッチした文字列の 1 文字目の
　　　　　　インデックス番号
❺ input ── 検索対象の文字列（テキスト）

同じコード例を使い、今度は個々の情報を 1 つずつ取り出す方法を見てみます。今回はキャプチャーグループに「title」という名前をつけて名前つきキャプチャーグループ[17]にし、groups プロパティで参照できるようにしています。また、正規表現パターンに d フラグを追加します。d フラグをつけると詳細情報に indices プロパティが追加されます。この indices プロパティには、マッチした文字列と、それぞれのキャプチャーグループの「開始インデックス」、「終了インデックス +1」を要素とした配列が含まれます。

----

* 16　11-5「イテレーターとジェネレーター」(p.383)
* 17　名前がついたキャプチャーグループ（➡表「マッチした文字列をグループ化する特殊文字」p.231）。名前をつけておくと置換の際に $1、$2 などと番号で指定せず、名前で参照できるようになります。

| Sample | 詳細情報に含まれる個々の情報を1つずつコンソールに出力 | c07/regexp-matchall2.html |

```
const results = str.matchAll(/Web(?<title>.+?講座)/gd);
for (const result of results) {
  console.log(result[0]);             // マッチした文字列
  console.log(result[1]);             // キャプチャーグループ
  console.log(result.groups);         // 名前つきキャプチャーグループ
  console.log(result.index);          // マッチした位置のインデックス
  console.log(result.input);          // 検索対象の文字列
  console.log(result.indices[0]);     // マッチした文字列の開始・終了インデックス
  console.log(result.indices[1]);     // キャプチャーグループの開始・終了インデックス
}
```

実行結果

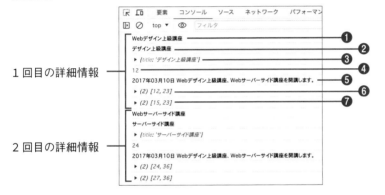

1回目の詳細情報

2回目の詳細情報

❶ result[0] ── マッチした文字列

❷ result[1] ── キャプチャーグループ

❸ result.groups ── 名前つきキャプチャーグループ。個々のキャプチャーグループは
result.groups[' キャプチャーグループ名 '] で取得可能

❹ result.index ── マッチした最初の文字のインデックス

❺ result.input ── 検索対象のテキスト

❻ result.indices[0] ── マッチした文字列（❶）の
[開始インデックス , 終了インデックス +1]

❼ result.indices[1] ── キャプチャーグループ（❷）の
[開始インデックス , 終了インデックス +1]

𝒩ote　取得できるデータの構造

　「matchAll( )で取得できる、マッチした文字列ごとの詳細情報のデータは配列風オブジェクト」だと説明してきましたが、このデータは、マッチした文字列やキャプチャーグループには配列のようにインデックス番号でアクセスし、その他の詳細情報にはオブジェクトのようにプロパティ名で参照する必要があって、不思議な構造をしていますね。配列風オブジェクトとはどんなものなのでしょうか？

配列風オブジェクトは、プロパティ名の少なくとも一部が数字（0以上の整数）になっていて、かつlengthプロパティを持っているオブジェクトです。プロパティ名が数字になっているものには、配列のようにインデックス番号で参照できるようになります。

　配列風オブジェクトは自作することもできるので、作り方を見てみましょう。実際に作ると多少なりとも実態がつかめるかもしれません。

▼ 配列風オブジェクトを作ってみる

```
const arrayLike = {
  0: 10,
  1: 20,            プロパティ名が数字。このプロパティ名が配列のインデックス番号になる
  2: 30,
  description: '配列風オブジェクト',
  length: 3,        length プロパティがある
};
```

　作成したarrayLikeの各プロパティのうち、プロパティ名が数字のデータには配列と同じようにブラケット（[]）を使って参照し、数字でないものにはオブジェクトのプロパティと同じようにプロパティ名で参照します。

▼ 配列風オブジェクトの値を参照する

```
console.log(arrayLike[0]);          // プロパティ名が数字のデータはブラケットで参照
console.log(arrayLike.description);  // 数字以外なら通常どおりプロパティ名で参照
```

　配列風オブジェクトを自分で作る機会は多くありませんが、JavaScriptにはじめから組み込まれている機能には少なからず登場します。とくにDOM操作で使用するオブジェクトには配列風オブジェクトが多く、代表的なものにはNodeListがあります。頭に入れておくといざ遭遇したときに冷静に対処できるかもしれません。

もう1つの検索メソッド、exec( )

　matchAll( ) は ES2020 で導入されましたが、それよりもずっと前からある、同様の機能を提供するメソッドが exec( ) です。比較的扱いやすい matchAll( ) メソッドを使うことをおすすめしますが、exec( ) メソッドも簡単に説明しておきます。exec( ) は、正規表現パターンに g フラグがないときは最初にマッチした文字列のみを返します。

Sample　exec( ) の使用例、g フラグなし　　　　　　　　　　　　　　　　　c07/regexp-exec.html

```
const str = '位置情報はOFF、通知はON';

// gフラグなし
console.log('gフラグなし');
const regNoG = /O\w+/;          // 最初がOで始まる半角で2文字以上の文字列
console.log(regNoG.exec(str)); // ['OFF', ... ] | 取得できるデータはmatchAll( )と同じ配列風
                               オブジェクト
```

gフラグがあるときはマッチするすべての文字列を返します。ただし、exec( )は1回実行するたびにマッチする文字列を1つしか返さないので、すべてを取得するには何度も実行する必要があります。**もうマッチする文字列がなくなったら null が返ってきます。**

| Sample | exec( )の使用例（続き）、gフラグあり　　　　　　　　　　c07/regexp-exec.html

```
// g フラグあり
console.log('g フラグあり');
const reg = /O\w+/g;
console.log(reg.exec(str));    // ['OFF']
console.log(reg.exec(str));    // ['ON']
console.log(reg.exec(str));    // null ●――――――――――― マッチする文字列がなくなった
```

　マッチする文字列の数が事前にわからないときは、マッチしなくなったら null が返るという性質を利用して while 文を使って繰り返します。

| Sample | exec( )の使用例（続き）、while 文で繰り返す　　　　　　c07/regexp-exec.html

```
// g フラグあり、while を使う方法
console.log('while を使う');
const reg2 = /O\w+/g;          // 正規表現オブジェクトは while 文を実行する前に定数に代入
let match = reg2.exec(str);
while (match !== null) {●―――― 変数 match が null になるまで繰り返す
  console.log(match);
  console.log(reg2.lastIndex);●―――― 検索が終了した文字の位置
                                     （次に検索を再開する位置）
  match = reg2.exec(str);●―――― 最初に宣言したのと同じ変数（match）
                                でもう一度 exec( ) を実行
}
```

　while 文を使うときに注意しなければならないのは、あらかじめ正規表現オブジェクトを作っておくこと、言い換えれば正規表現オブジェクトを事前に変数（定数）に代入しておく必要がある、ということです。

　正規表現オブジェクトには lastIndex というプロパティがあり、どこまで検索が終わったかがわかる文字列の位置（インデックス番号）が保存されています。exec( ) は実行されるたびに lastIndex を参照し、その値が指し示す位置から検索を再開します。そして、lastIndex の値がインデックス範囲外になるまで処理を続けます[18]。もし正規表現オブジェクトを変数に代入せず、while 文の条件式の中などに書いてしまうと、繰り返すたびに新たな正規表現オブジェクトが生成され、lastIndex がリセットされてしまうので、検索が先に進まず無限ループに陥ってしまうのです。

＊18　例では lastIndex が 14 になるまで検索します。元の文字数が 14 文字なので、14 はインデックス範囲外です。

▌7-9-4 検索・置換したい

検索・置換をするには replace( ) メソッド、または replaceAll( ) メソッドを使います。この2つのメソッドの使い方はほとんど同じと考えてよいので、ここでは基本的に replace( ) メソッドを中心に、いくつかのサンプルを見ながら検索・置換の方法を見ていくことにします。

通常文字列で検索・置換する

replace( ) メソッドも replaceAll( ) メソッドも、引数を2つ取ります。

書式 replace( )（replaceAll( ) も引数は同じ）

```
<テキスト>.replace(検索文字列, 置換文字列);
```

1つ目の引数「検索文字列」は文字どおり検索する文字列で、通常文字列でも正規表現パターンでもかまいません。通常文字列の場合、replace( ) であれば最初にマッチした文字列のみ、replaceAll( ) であればマッチした文字列すべてを置換します。

次の例では「。」を検索し、それを「です。」に置換しています。テキストには「。」が2回出てきますが、replace( ) メソッドではそのうち最初にマッチした「。」のみが、replaceAll( ) では両方とも置換されます。

Sample 通常文字列で検索・置換　　　　　　　　　　　　c07/regexp-replace-string.html

```
const str = '敷金は家賃1カ月分。礼金は不要。';
// replace() メソッド
const replaced = str.replace('。', 'です。');   ← 最初にマッチした文字列だけ検索・置換
console.log(replaced);          // '敷金は家賃1カ月分です。礼金は不要。'
// replaceAll() メソッド
const replacedAll = str.replaceAll('。', 'です。');   ← すべて検索・置換
console.log(replacedAll);        // '敷金は家賃1カ月分です。礼金は不要です。'
```

正規表現で検索・置換する

検索文字列を正規表現パターンにする場合、replace( ) メソッドでは g フラグがついていない場合は最初にマッチした文字列のみ、g フラグがある場合はマッチしたすべてを置換します。replaceAll( ) メソッドで正規表現パターンを使うなら g フラグは必須です。

次の例ではテキストの「〇〇円／月」を検索し、それを「無料」に置換しています。例では replace( ) メソッドを使っていますが、replaceAll( ) でも書き方、動作は同じです。

```
const str = 'スタンダード 300円／月';

const replaced = str.replace(/\d+円／月/g, '無料');  ●────── 「『1 文字以上の数字』円／月」
console.log(replaced); // 'スタンダード 無料'              にマッチ。「無料」に置換
```

置換文字列に置換パターンを使用する

　検索文字列に使用した正規表現パターンの中でグループ化されている部分があれば、そのグループを置換文字列で再利用することができます。

　例を見てみましょう。次のテキストを検索対象とします。

検索対象のテキスト

　　3.1 大量のデータを処理する

これに対し、正規表現パターンは次のものだとします。

▽ 使用する正規表現パターン

```
/(\d+)\.\d+ (.+)$/g
```

　このパターンにはグループが2つあります。1つは (\d+) で、検索対象のテキストでは「3」がマッチします。もう1つは (.+) で、「大量のデータを処理する」がマッチします。グループにマッチした文字列（キャプチャーグループ）には $1、$2、……と、マッチした順に「$ 番号」がつき、その番号を使って置換の際に参照できます。この $1、$2、……を置換パターンといいます。

　置換パターンを使用した実際のコード例を見てみましょう。

```
const str = '3.1 大量のデータを処理する';

const replaced = str.replace(/(\d+)\.\d+ (.+)$/g, '第$1章 $2');
console.log(replaced); // 第3章 大量のデータを処理する
```

　置換パターンはほかにもあります。グループを再利用する置換パターンほど頻繁に使用することはありませんが、一覧にしておきます。

表　置換パターン特殊文字

パターン	説明
$$	置換文字列に $ を挿入
$&	マッチした文字列全体を挿入
$`	テキストの中でマッチした文字列よりも前にある文字列を挿入
$'	テキストの中でマッチした文字列よりも後ろにある文字列を挿入
$n	グループ化された文字列を挿入。n は 1 以上の整数
$<Name>	名前つきキャプチャーグループを参照。グループに名前をつけておくと （p.231、240）、$1、$2、……の代わりに名前で参照できる

置換時に関数を実行する

　マッチした文字列を置換する際に、関数を実行することもできます。たとえば「1kg」を「1000g」にするとか「2.54cm」を「1 インチ」にするといった数字の単位変換や、条件に応じて置換する文字列を変えるといったことができます。

　置換時に関数を実行したいときは、replace( )、replaceAll( ) メソッドの 2 つ目の引数を関数にします。以下の書式では replaceAll( ) を使用していますが、replace( ) でも同じように使えます。関数は置換する文字列を返すようにします。

書式　置換時に関数を実行する

```
// 無名関数
<テキスト>.replaceAll(検索文字列, function(引数){
    略
    return 置換する文字列;
});


// アロー関数
<テキスト>.replaceAll(検索文字列, (引数) => {
    略
    return 置換する文字列;
});
```

　引数として渡す関数には、以下のようにいくつか引数が渡されます。使わない引数は受け取らなくてもかまいません （➡ 5-4-3「渡す引数と受け取る引数の数が合わなかった場合の動作」p.145）。

書式　関数に渡される引数

```
function(マッチした文字列, グループ1, グループ2, …, インデックス番号, 元のテキスト) {
```

- マッチした文字列 ── 正規表現にマッチした文字列全体
- グループ1、グループ2、… ── 正規表現のグループにマッチしたキャプチャーグループ。グループの数だけ引数が増える
- インデックス番号 ── マッチした文字列の最初の文字のインデックス番号
- テキスト ── 検索対象になった元のテキスト

置換に関数を使う例を見てみましょう。スタンダード、プロフェッショナル、ビジネスの3つの価格を一律2割増しにして置換しています。

c07/regexp-replace-function.html

| Sample | 置換時に関数を実行する |

```
const str = `スタンダード 300円／月
プロフェッショナル 650円／月
ビジネス 1980円／月`;

const replaced = str.replace(
        /(\d+)(円／月)/g,
        (match, gr1, gr2) => Math.floor(Number(gr1) * 1.2) + gr2);

console.log(replaced);
```

「『1文字以上の数字』(円／月)」にマッチ。それぞれグループ化

1つ目のグループ($1)を1.2倍。アロー関数なので書式にあった {} と return は省略

| 実行結果 | 検索にマッチした数値がすべて2割増しになって置換されている |

```
要素   コンソール   ソース   ネットワーク   パフォー
top ▼   ●   フィルタ
スタンダード 360円／月
プロフェッショナル 780円／月
ビジネス 2376円／月
>
```

配 列

JavaScript の配列は「Array（アレイ）オブジェクト」と呼ばれるオブジェクトの一種で、複数の値を１つにまとめて保存・管理するのに便利です。１つひとつの値にインデックス番号がつき、その番号を使って参照や書き換えを行います。繰り返しの処理に優れているが特徴で、個々の値に対する操作、ソート（並べ替え）、条件に合った要素を取り出すなどの処理が可能です。

8-1 複数の値を１つにまとめて管理できる「配列」

配列の性質と基本的な操作を解説します。配列の作成、要素の追加・書き換え・削除、要素１つひとつに対するさまざまな繰り返し処理の方法を見ていきましょう。

　配列は複数の値——要素という——を保存できるオブジェクトです。配列には個別の要素を取り出したり書き換えたりする以外にもたくさんの機能が用意されていて、さまざまな操作が可能です。代表的な操作には次のようなものがあります。

配列でできる主な操作

- 要素を追加する・削除する
- 要素を書き換える
- 要素の数だけ繰り返し、それぞれの値に一律に処理を施す
- 要素を検索する
- フィルターする（条件に一致する要素を取り出す）
- 要素を並べ替える

まずは配列の作成、要素の参照・書き換え・繰り返しといった、基本的な操作方法から確認します。

8-1-1 配列の作り方と基本操作

　新たに配列を作るときは、ブラケット（[ ]）の中に含めたいデータをカンマ区切りで必要な数だけ入れます。次の例では、1、2、3 の３つのデータが含まれる配列を作成します。

新たに配列を作る

```
const arr = [1, 2, 3];
```

データを含めずに空の配列を作ることもできます。

▽ 空の配列を作る

```
const arr = [];
```

配列の要素に配列を含めることもできます。こうした配列のことを多次元配列といい、配列の要素が配列の場合は 2 次元配列、配列の要素が配列で、さらにその要素も配列の場合は 3 次元配列と呼ぶこともあります。

▽ 2 次元配列を作る

```
const arr = [[1, 2], [3, 4], [5, 6]]; ●————————[ 配列の要素が配列 ]
```

個々の要素は数値や配列に限らず、どんなデータ型の値を含めることもできます。また、1 つの配列に入れるデータ型がバラバラでも問題ありません。次の配列 mixed には 3 つの値が含まれていますが、それぞれ文字列、数値、関数と、異なるデータ型が混在しています。

▽ JavaScript の配列には異なるデータ型の値が含まれていても問題ない

```
const mixed = [
  '文字列データ', ●————————[ 文字列 ]
  2, ●————————[ 数値 ]
  function (arg) { ●
    return arg;         [ 関数 ]
  }, ●
];
```

配列に含まれている要素の個数を調べたいときは、length プロパティを使います。ちなみに、**配列に含まれる要素の個数のことを「長さ」といいます。**

▽ 配列の長さを調べる

```
const arr = [1, 2, 3];
console.log(arr.length);        // 3
```

▌ 8-1-2 値を取り出す

配列に含まれるデータには、0 から始まるインデックス番号がついています。値を参照するときは、そのインデックス番号を [] の中に入れます。次の例では、配列 arr の最初の値を参照しています。

```
const arr = [1, 2, 3];
console.log(arr[0]);  // 1
```

配列の最後の値のインデックス番号は「長さ -1」、つまり length - 1 です。最後の値を取得するには次のようにします。

▼ 配列の最後の値を参照する

```
console.log(arr[arr.length - 1]);      // 3
```

at( ) メソッド

配列の値を参照する別の方法もあります。ES2022 で導入された at( ) メソッドは、( ) 内のインデックス番号の値を参照します。

書式 at( ) メソッド

```
<配列>.at( インデックス番号 )
```

at( ) メソッドの特徴は、負の数を指定できることです。負の数を指定すると、-1 が最後の要素、-2 が最後から 1 つ前の要素、……というように、配列を後ろから前に向かって順に参照できるようになります。

Sample at( ) メソッド   c08/array-at.html

```
const arr = ['ファイルを買う', '打ち合わせ日時を設定', 'バックアップディスクを選ぶ'];
console.log(arr.at(-1));        // 'バックアップディスクを選ぶ'
console.log(arr.at(-2));        // '打ち合わせ日時を設定'
```

値を変数に代入する

配列の各要素を別の変数・定数に代入するには、[ ] または at( ) を使います。

▼ 配列の値を変数（定数）に代入する

```
const arr = [1, 2, 3];
const first = arr[0];
console.log(first);   // 1
const second = arr.at(1);
console.log(second);  // 2
```

配列の複数の値を、複数の変数に代入する際は、分割代入もよく使われます。次の例では3つの要素を持つ配列 arr から、インデックス0番目、1番目の値をそれぞれ定数 a、b に代入しています。

▼ 複数の変数（定数）に同時に代入

```
const arr = [1, 2, 3];
const [a, b] = arr;
console.log(a);        // 1
console.log(b);        // 2
```

　分割代入すると、配列の最初の値から代入され、配列の長さよりも変数の数が少ないときは、後ろのほうのデータは代入されずに無視されます。この例でいえば、配列の3番目の値はどこにも代入されません。逆に、もし変数の数が配列の長さよりも多いとき、値が代入されなかった変数は undefined になります。次の例では4つの変数を宣言していますが、配列の長さが3のため、最後の変数 d には何も代入されず undefined になります。

▼ 宣言した変数の数が配列の長さよりも多いとき、余った変数には何も代入されない

```
const arr = [1, 2, 3];
const [a, b, c, d] = arr;
console.log(d);        // undefined
```

▌8-1-3　値を書き換える

　配列に含まれるデータのうち、特定のインデックス番号の値を書き換えるときは [ ] を使います。

書式　特定のインデックス番号の値を書き換える

＜配列＞[インデックス番号] = 書き換える値 ;

　配列もオブジェクトなので、const で宣言した定数に配列を代入していたとしても、中身の要素を書き換えることはできます（➡「オブジェクト型のデータ（値）の特徴」p.79）。

▼ const で宣言した配列でも各要素の書き換えは可能

```
const arr = [1, 2, 3];
arr[1] = 4;
console.log(arr);      // [1, 4, 3];
```

　ちなみに、at( ) メソッドを使って要素の値を書き換えることはできません。ReferenceError が発生します。

```
const arr = [1, 2, 3];
arr.at(0) = 10;        // ReferenceError
```

with( ) メソッド

ES2023 で導入された with( ) メソッドを使って要素の値を書き換えることもできます。**このメソッドは引数で指定するインデックス番号の要素を書き換え、新しい配列を返します。元の配列は変更しません。**

書式 with( ) メソッドで特定のインデックス番号の値を書き換えた新しい配列を作る

```
const 新しい配列 = <対象となる配列>.with( インデックス番号 , 値 );
```

次の例では配列 arr のインデックス 2 番目の値を 100 に書き換え、新たに配列 edited を作成しています。元の配列 arr は変更されません。

Sample　with( ) メソッド   c08/array-with.html

```
const arr = [1, 2, 3, 4, 5];
const edited = arr.with(2, 100);
console.log(edited);  // [1, 2, 100, 4, 5]
console.log(arr);     // [1, 2, 3, 4, 5]
```

> ### 𝒩ote　新しい機能を古いブラウザーでも動くようにするには
>
> with( )はES2023で導入された新しいメソッドなので、少しでも古いバージョンのブラウザーだと動作しない可能性があります。
>
> 新しい機能を使ったコードを古いブラウザーでも動作させるようにするには、ビルドツールやポリフィルを使います。ビルドツールとは、モジュール（➡ 11-1「複数のファイルに分割する　～モジュール化」p.353）に分割されたJSファイルを1枚にまとめたり、古いブラウザーに対応するコードに変換し、互換性のあるファイルを出力するツールです。ビルドツールについては 15-3「ビルドツールを使って開発環境を整える」(p.564) を参照してください。ここでは、ポリフィルについて簡単に説明します。
>
> 本格的なWeb開発ではビルドツールを使うことをおすすめしますが、開発環境を構築する必要があり、それなりに準備に手間がかかります。もっと手軽に古いブラウザーでも動作するようにするには、ポリフィルを使用します。ポリフィルとはブラウザーに機能がないときに代わりの手段で同じことをするプログラムで、core-jsやPolyfill.ioが有名です。
>
> **core-js**
> URL https://github.com/zloirock/core-js
> **Polyfill.io**
> URL https://cdnjs.cloudflare.com/polyfill/

core-jsを使って、最新の機能を使ったコードを古いブラウザーでも動作させる方法を簡単に説明します。HTMLファイル内にある、すべての<script>タグよりも前に、core-jsを読み込む<script>タグを追加します。たとえば、ES2023で導入されたwith( )メソッドを使ったサンプルにcore-jsを読み込ませるには、次のようにします。

| Sample | core-js を HTML ファイルに読み込む | c08/array-with-polyfill.html |

```html
<script src="https://cdn.jsdelivr.net/npm/core-js-bundle/minified.min.js"></script>
<script type="module">
  const arr = [1, 2, 3, 4, 5];
  const edited = arr.with(2, 100);
  略
</script>
```

以下の図は、core-jsを読み込ませたときと読み込ませていないときのコンソールの表示です。Firefox バージョン100（2022年5月3日リリース）で確認しました。Firefox バージョン100はwith( )メソッドに対応していないため通常ならTypeErrorが出ますが、core-jsを読み込ませると正しく動作するようになっているのがわかります。

図　core-js を読み込ませていない状態（左）と読み込ませた状態（右）のコンソール

core-jsなし。エラーが発生

core-jsあり。with( ) メソッドが動作している

ただ、ポリフィルを使ったからといってすべての機能がすべてのブラウザーで動くようになるわけではありません。必ず動作確認をするようにしましょう。なお、動作確認をするために古いブラウザーをインストールしたいときは、Firefoxの以下のWebページからダウンロードできます。古いバージョンのブラウザーを使う際にはいくつか注意しなければならないことがあるので、ページに書かれていることをよく読んでから作業を進めてください。

以前のバージョンの Firefox をインストールするには | Firefox ヘルプ
URL https://support.mozilla.org/ja/kb/install-older-version-of-firefox

▌8-1-4　多次元配列の値を取り出す／書き換える

多次元配列の値を取り出したり書き換えたりするときは、「配列 [0][1]」のようにブラケットを連続させます。たとえば次のコードでは、2 次元配列 arr から値の取り出し／書き換えをしています。

```
const arr = [[1, 2], [3, 4], [5, 6]];
// arrのインデックス1番目の0番目の値を取り出す
console.log(arr[1][0]);        // 3
// at() メソッドを連続しても取り出せる
console.log(arr.at(1).at(0)); // 3
// arrのインデックス2番目の1番目の値を書き換える
arr[2][1] = 'six';
console.log(arr);              // [[1, 2], [3, 4], [5, 'six']]
```

8-1-5 変数が配列かどうかを調べる

　変数に保存されているデータが配列なのかどうかを調べるには、Array.isArray() メソッドを使います。スタティックメソッドなのでオブジェクトの Array はそのままで、() 内に調べたいオブジェクトの変数名を書きます。

書式 Array.isArray() メソッド

Array.isArray(調べたいオブジェクト)

　引数の「調べたいオブジェクト」が配列なら true、そうでないなら false を返します。

▽ Array.isArray() の使用例

```
const arr = [1, 2, 3];
console.log(Array.isArray(arr));   // true

const str = '文字列';
console.log(Array.isArray(str));   // false
```

8-1-6 要素の数だけ繰り返し処理をする

　配列は要素の数だけ繰り返し処理をすることができます。繰り返しに使える文、メソッドは3種類あります[1]。

- for 文（while 文も使用可）
- for ～ of 文
- < 配列 >.forEach() メソッド

----

[1] このほかに for ～ in 文もありますが、列挙されるのが値ではなくインデックスになること、インデックス番号以外のプロパティも繰り返し要素になる可能性があるなど、一般的な繰り返しとは異なる動作をします。配列の繰り返しに使用するのはおすすめしません。

それぞれの繰り返し文、メソッドの特徴と書き方の例を見てみましょう。題材として、次の配列を繰り返し処理するケースを考えます。

▼ 使用する配列

```
const todos = ['キャンセルの電話する', '企画を考える', '修理に出す'];
```

for 文で配列を繰り返し処理する

for 文は繰り返しにカウンター変数を使うことから、インデックス番号が必要な処理を書く場合に適しています。

書式 for 文で配列を繰り返し処理する

```
for (let i = 0; i < 配列.length; i++) {
    処理の内容
    配列の値を参照するときは <配列>[i]
}
```

Sample 配列を繰り返し処理する　〜 for 文　　　　　　　　　　c08/array-repeat.html

```
for (let i = 0; i < todos.length; i++) {
  console.log(`${i + 1}. ${todos[i]}`);
}
// '1. キャンセルの電話する'
// '2. 企画を考える'
// '3. 修理に出す'
```

for 〜 of 文で配列を繰り返し処理する

for 〜 of 文は簡潔に書けるのが最大の利点です。繰り返しにインデックスを使用しないので、インデックス番号が必要なときは向いていません。

書式 for 〜 of 文で配列を繰り返し処理する

```
for (const 定数名 of <配列>) {
    処理の内容
    配列の値を参照するときは「定数」
}
```

```
for (const item of todos) {
  console.log(item); ●
}
// 'キャンセルの電話する'
// '企画を考える'
// '修理に出す'
```

定数 item には配列 todos の要素が最初から順に代入される

forEach( ) メソッドで配列を繰り返し処理する

< 配列 >.forEach( ) は配列のメソッドの 1 つで、コールバック関数を引数に取ります。コールバック関数は配列の要素の数だけ繰り返し呼び出されるようになっていて、具体的な処理の内容はすべてその中に記述します。アロー関数、無名関数、関数呼び出しのどれでも使えますが、関数呼び出しの場合は関数名の後ろの ( ) をつけないようにします。

書式 forEach( ) メソッド

```
// アロー関数
<配列>.forEach((value, index, array) => {
  処理
});

//無名関数
<配列>.forEach(function(value, index, array){
  処理
});

// 関数呼び出し
function 関数名(value, index, array) {
  処理
}
<配列>.forEach(関数名); ●
```

「関数名」には ( ) をつけない

forEach( ) のコールバック関数は引数を 3 つ取ります。1 つ目は「要素の値（value）」で、繰り返すたびに配列の 0 番目から順に値が渡されます。2 つ目は「インデックス番号（index）」、3 つ目は「< 配列 > 自身（array）」です。これらの引数、とくに 2 つ目、3 つ目は使用しないなら受け取らなくてもかまいません。先の for 文と同じく、先頭に番号をつけた文字列を返す例を作ってみます。

```
todos.forEach((v, i) => console.log(`${(i + 1)}. ${v}`));
// '1. キャンセルの電話する'
// '2. 企画を考える'
// '3. 修理に出す'
```

書式も簡潔で、値もインデックスも参照できることから幅広い用途に使えます。ただし、**forEach( ) は処理中に break や continue が使えず、繰り返しを途中でキャンセルしたり飛ばしたりできなくなっています。**そのため forEach( ) を使う場合は、途中で繰り返しを中断できなくてもよいか事前に検討する必要があります。

$\mathcal{N}ote$　**引数名を短く省略するスタイル**

今回の forEach( ) や、後ほど出てくる map( )、filter( ) など処理を繰り返すメソッドには、具体的な処理内容を決めるコールバック関数を渡します。これらのメソッドに渡すコールバック関数は実行時に3つの引数、「値 (value」）、「インデックス番号（index）」、「配列自身（array）」を受け取ります。パターン化されていてどんな引数かすぐにわかるので、コードを書くときは英語の頭文字を取って1つ目の引数名をv、2つ目をiと、省略して短くすることがよくあります（3つ目の引数はそもそも受け取らないケースが多い）。

▌ 8-1-7　配列操作の強力な味方、スプレッド構文

配列では、要素を追加したり、複数の配列を結合したりする操作をよく行います。こうした操作は各種メソッドを使ってできますが、スプレッド構文を使っても可能です。しかも、すでにある配列を変更することなく新しい配列を作れるので、処理の内容によってはスプレッド構文を使ったほうが有利な場合もあります。

配列の末尾または先頭に要素を追加する

配列の末尾に要素を追加するときは、次の書式のようにします。次節で取り上げる push( ) メソッドの代わりになる操作で、追加する値は1つだけでも複数でもかまいません。

書式　配列の末尾に要素を追加する

```
const 配列名 = [...既存の配列, 値1, 値2, ……];
```

次の例では既存の配列 nums に新しい値を2つ追加し、新しい配列 pushed を作成しています。

スプレッド構文で末尾に要素を追加   c08/array-spread-push.html

```
const nums = [1, 2, 3];
const pushed = [...nums, 4, 5];
console.log(pushed);  // [1, 2, 3, 4, 5]
```

同じように、配列の先頭に要素を追加することもできます。同じく次節で取り上げる unshift( ) メソッドの代わりになる操作で、こちらも追加する値はいくつでもかまいません。

書式 配列の先頭に要素を追加する

```
const 配列名 = [値1, 値2, ...既存の配列];
```

次の例では既存の配列 nums に新しい値を 1 つ追加し、新しい配列 unshifted を作成しています。

Sample スプレッド構文で先頭に要素を追加   c08/array-spread-unshift.html

```
const nums = [1, 2, 3, 4, 5];
const unshifted = [0, ...nums];
console.log(unshifted);      // [0, 1, 2, 3, 4, 5]
```

複数の配列を結合して新しい配列を作る

複数の既存の配列を結合して 1 つの配列を作るときは、次の書式のようにします。結合する配列はすべてスプレッド構文にするのがポイントです。

書式 配列を結合する

```
const 配列名 = [...配列1, ...配列2, ...配列3];
```

こちらも例を見てみましょう。配列 arr1 と配列 arr2 を結合し、新しい配列 newArr を作成します。

Sample スプレッド構文で複数の配列を結合   c08/array-spread-concat.html

```
const arr1 = ['a', 'b', 'c'];
const arr2 = ['d', 'e', 'f'];
const newArr = [...arr1, ...arr2];
console.log(newArr);  // ['a', 'b', 'c', 'd', 'e', 'f']
```

8-2 配列に値を追加する・削除する・変更する

ここまで配列の基本的な操作を紹介してきましたが、配列にはほかにもさまざまな機能があります。まず
は配列に要素を追加・削除・部分的に書き換えるメソッドを見てみましょう。

配列の要素の追加・削除・特定の要素の値を書き換えるメソッドには、次表のものが用意されていま
す。

表　配列の内容を変更するメソッド

メソッド	説明
< 配列 >.push(値)	末尾に値を追加し、変更後の配列の長さを返す。< 配列 > 自体を変更する
< 配列 >.pop( )	末尾の値を削除し、削除した値を返す。< 配列 > 自体を変更する
< 配列 >.unshift(値)	先頭に値を追加し、変更後の配列の長さを返す。< 配列 > 自体を変更する
< 配列 >.shift( )	先頭の値を削除し、削除した値を返す。< 配列 > 自体を変更する
< 配列 >.splice(開始 , 削除数) < 配列 >.splice(開始 , 削除数 , 値 1, 値 2,…)	「開始」インデックスから「削除数」分の要素を削除し、削除した要素で構成される配列を返す。「値 1」「値 2」〜が指定されている場合は、「開始」インデックスから「値 1」「値 2」〜を挿入する。< 配列 > 自体を変更する
< 配列 >.toSpliced(開始 , 削除数 , 値 1, 値 2,…)	動作は splice( ) と同じで、「開始」インデックスから「削除数」分の要素を削除し、「値 1」「値 2」〜を追加した新しい配列を返す。元の < 配列 > は変更しない。ES2023 で導入
< 配列 >.copyWithin(コピー先 , 開始 , 終了)	「開始」インデックスから「終了」インデックスの 1 つ手前までを、「コピー先」インデックス以降に、元の配列の長さが変わらない範囲でコピーする。< 配列 > 自体を変更する
< 配列 >.fill(値 , 開始 , 終了)	「開始」インデックスから「終了」インデックスの 1 つ手前までを、「値」に書き換える。< 配列 > 自体を変更する
< 配列 >.with(インデックス , 値)	「インデックス」の要素を「値」で書き換えた、新しい配列を返す。元の < 配列 > は変更しない。ES2023 で導入

8-2-1　一番後ろに要素を追加する・削除する

配列の一番後ろに要素を追加・削除するのは最も基本的な操作で、追加には push( )、削除には pop( )
というメソッドが用意されています。

要素を追加する

配列の一番後ろに要素を追加するには先に紹介したスプレッド構文か、push( ) メソッドを使います。
一度に複数の要素を追加できます。

書式 push( ) メソッド

```
< 配列 >.push( 要素 );
< 配列 >.push( 要素 1, 要素 2, …);
```

次の例では配列 todos に要素を 1 つ追加しています。

c08/array-push.html

| Sample | 配列の一番後ろに要素を追加する　〜 push( )

```
const todos = ['ファイルを買う', '打ち合わせ日時を設定', 'バックアップディスクを選ぶ'];
const newLength = todos.push('Wifiの設定を確認');
console.log(newLength);      // 4
console.log(todos);          // ['ファイルを買う', '打ち合わせ日時を設定', 'バックアップディ
                             スクを選ぶ', 'Wifiの設定を確認']
```

要素を削除する

pop( ) メソッドは配列の一番後ろの値を削除し、削除した値を返します。引数は取りません。次の例では配列 todos の一番後ろの要素を削除します。

c08/array-pop.html

| Sample | 配列の一番後ろの要素を削除する　〜 pop( )

```
const todos = ['ファイルを買う', '打ち合わせ日時を設定', 'バックアップディスクを選ぶ'];
const done = todos.pop();
console.log(done);       // 'バックアップディスクを選ぶ'
console.log(todos);      // ['ファイルを買う', '打ち合わせ日時を設定']
```

もし配列に値がない場合は undefined が返ってきます。エラーにはなりません。

▼ pop( ) を実行しても削除できる要素がない場合、undefined が返る。エラーにはならない

```
const arr = [];       空の配列
arr.pop();    // undefined
```

push( ) メソッド、pop( ) メソッドに共通する特徴があります。それは、対象の配列自体を操作し、変更してしまうということです。こうした、元の配列自体を変更することを「インプレイス（in-place、その場でという意味）」といい、たとえば「push( ) メソッドは配列の末尾に要素をインプレイスで追加する」などといいます。

▎8-2-2　先頭に要素を追加する・削除する

配列の先頭に要素を追加・削除するメソッドもあります。

要素を追加する

配列の先頭に要素を追加するには unshift( ) メソッドを使います。push( ) と同様、要素を追加し、追加後の配列の長さを返します。

unshift( ) メソッド

```
<配列>.unshift(要素);
<配列>.unshift(要素1, 要素2, …);
```

次の例では配列 time の先頭に要素を 1 つ追加しています。

Sample 配列の先頭に要素を追加する　～unshift( )　　　　　　　　c08/array-unshift.html

```
const time = ['11:27', '09:16', '06:59'];
const newLength = time.unshift('14:48');
console.log(newLength);        // 4
console.log(time);             // ['14:48', '11:27', '09:16', '06:59']
```

要素を削除する

配列の先頭の要素を削除するときは shift( ) メソッドを使います。このメソッドは要素を削除し、削除した要素を返します。pop( ) メソッド同様引数は取らず、配列に削除する要素がないときは undefined を返すようになっています。次の例では配列 time の先頭の要素を削除しています。

Sample 配列の先頭の要素を削除する　～shift( )　　　　　　　　c08/array-shift.html

```
const time = ['11:27', '09:16', '06:59'];
const removed = time.shift();
console.log(removed); // '11:27'
console.log(time);       // ['09:16', '06:59']
```

push( )、pop( ) 同様、unshift( ) メソッド、shift( ) メソッドも対象の配列自体をインプレイスで操作します。配列自体は変更せずに要素を追加・削除した新しい配列を作りたいときは、スプレッド構文を使うか、次項の「指定した位置の要素を削除する・挿入する」を使用してください。

▌ 8-2-3 指定した位置の要素を削除する・挿入する

配列の末尾・先頭に限らず、指定した場所に要素を挿入・削除できるのが splice( ) メソッド、toSpliced( ) メソッドです。toSpliced( ) は ES2023 で導入されました。splice とは「くっつける」とか「つなぎ合わせる」という意味で、引数の指定の方法次第で次の 3 つの操作ができます。

- 指定した位置の要素を削除する
- 指定した位置に要素を挿入する
- 指定した位置の要素を削除し、新たな要素を挿入する

splice( ) メソッドは対象となる配列自体をインプレイスで変更し、削除した値を返しますが、toSpliced( ) メソッドは対象の配列を変更せず、新しい配列を返します。まずは書式を見てみましょう。

書式 splice( ) メソッド。書式は toSpliced( ) メソッドも同じ

```
<配列>.splice(削除開始インデックス番号)
<配列>.splice(削除開始インデックス番号, 削除数)
<配列>.splice(削除開始インデックス番号, 削除数, 挿入する値1, 挿入する値2, …)
```

要素を削除する

配列から要素を削除するときは、splice( ) メソッドもしくは toSpliced( ) メソッドに引数を1つまたは2つ指定します。引数を1つだけ指定すると「削除開始インデックス番号」以降のすべての要素を削除します。toSpliced( ) メソッドを使った例を紹介します。

Sample toSpliced( ) の基本的な操作　〜引数を1つ指定　　　　　　c08/array-tospliced.html

```javascript
const arr = ['a', 'b', 'c', 'd', 'e'];

// 引数を1つ指定（削除開始インデックスから後ろをすべて削除）
const param1 = arr.toSpliced(1);
console.log(param1);  // ['a']
```

図　引数が1つの場合。削除開始インデックス番号以降すべてを削除

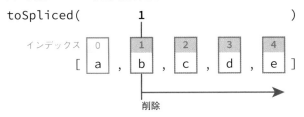

「削除開始インデックス番号」（start とします）を特定の値にすると、次のような動作をします。

- 0（start = 0）—— 配列は空になる
- 配列の長さ以上（start >= length）—— 削除しない
- 負の数（start < 0）—— 配列の一番後ろから逆順に削除

図 1つ目の引数に -2 を指定した場合。後ろから2番目の要素以降を削除

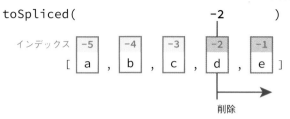

次に引数を2つ、「削除開始インデックス番号」と「削除数」を指定すると、削除開始インデックス番号から削除数分の要素が削除されます。

Sample toSpliced( )の基本的な操作（続き） 〜引数を2つ指定   c08/array-tospliced.html

```
const arr = ['a', 'b', 'c', 'd', 'e'];
略
// 引数を2つ指定（削除する要素の数を指定）
const param2 = arr.toSpliced(1, 2);
console.log(param2);  // ['a', 'd', 'e']
```

図 引数が2つの場合。削除開始インデックスから削除数分の要素を削除

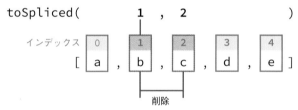

$\mathcal{N}ote$ 引数を工夫すれば pop( ) や shift( ) の代わりにも使える

引数を工夫すれば、toSpliced( )を pop( )や shift( )の代わりに使うこともできます。元の配列を変更せず新しい配列が作られるので、利用価値は高いといえます。

Sample toSpliced( )を pop( )、shift( )の代わりに使う   c08/array-tospliced-pop-shift.html

```
// 元の配列
const arr = ['a', 'b', 'c', 'd', 'e'];

// pop()の代わり（末尾を削除）
const poped = arr.toSpliced(arr.length - 1);
console.log(poped);   // ["a", "b", "c", "d"]
```

```
// shift() の代わり（先頭を削除）
const shifted = arr.toSpliced(0, 1);
console.log(shifted); // ["b", "c", "d", "e"]
```

要素を挿入する

　引数を 3 つ以上指定すると、指定した位置に要素を挿入することができます。要素を挿入するだけで、すでにある要素を削除しない場合は、2 つ目の引数「削除数」を 0 にします。

8-2
配列に値を追加する・削除する・変更する

8
配列

Sample　toSpliced() の基本的な操作（続き）　～引数を 3 つ指定、「削除数」は 0 にする　　　c08/array-tospliced.html

```
const arr = ['a', 'b', 'c', 'd', 'e'];
略
// 引数を3つ指定（削除せず挿入）
const param3 = arr.toSpliced(1, 0, 'f');
console.log(param3);  // ['a', 'f', 'b', 'c', 'd', 'e']
```

図　引数を 3 つ指定。削除数を 0 にすると、すでにある要素は削除されず挿入だけされる

```
toSpliced(        1  ,  0  ,'f'        )
```

インデックス　0　1　2　3　3　4
　　　　　　[a , f , b , c , d , e]

　3 つ目以降の引数はいくつでも渡せるので、複数の要素を挿入できます。

Sample　toSpliced() の基本的な操作（続き）　～複数の要素を挿入　　　　　　c08/array-tospliced.html

```
const arr = ['a', 'b', 'c', 'd', 'e'];
略
// 複数の要素を挿入
const param4 = arr.toSpliced(1, 0, 'f', 'g');
console.log(param4);  // ['a', 'f', 'g', 'b', 'c', 'd', 'e']
```

　3 つ目以降の引数は、残余引数で渡すこともできます。次の例では配列 items を残余引数で渡すことで、配列 arr に複数の値を挿入しています。

toSpliced( ) の基本的な操作（続き）〜挿入する要素を残余引数で指定　　　　　c08/array-tospliced.html

```
const arr = ['a', 'b', 'c', 'd', 'e'];
略
// 挿入する要素を残余引数で指定
const items = [1, 2, 3];
const restParam = arr.toSpliced(2, 0, ...items); ●──[ インデックス 2 番から、削除 0 で items を挿入 ]
console.log(restParam);      // ["a", "b", 1, 2, 3, "c", "d", "e"]
```

要素を削除して挿入する

　要素を削除して同じ場所に新しい要素を挿入する場合は、引数を 3 つ以上指定し、2 つ目の「削除数」を 1 以上にします。次の例では 2 つ削除して 2 つ挿入しているので、最終的な配列の長さは変わりません。

Sample　toSpliced( ) の基本的な操作（続き）〜削除して挿入する　　　　　c08/array-tospliced.html

```
const arr = ['a', 'b', 'c', 'd', 'e'];
略
// 削除して挿入する
const delAndAdd = arr.toSpliced(3, 2, 'x', 'y'); ●──[ インデックス 3 番から、2 つ削除、2 つ挿入 ]
console.log(delAndAdd);        // ['a', 'b', 'c', 'x', 'y']
```

8-3　要素の順序を入れ替える

配列には要素の順序を逆順にするメソッドやソート（並べ替え）するメソッドがあります。

　順序を入れ替えるメソッドは 4 種類あります。

表　順序を入れ替えるメソッド

メソッド	説明
< 配列 >.reverse( )	要素の並びを反転させて、変更後の配列を返す。< 配列 > 自体を変更する
< 配列 >.toReversed( )	要素の並びを反転させた、新しい配列を返す。元の < 配列 > は変更しない。ES2023 で導入
< 配列 >.sort(ソート関数)	要素をソートして、変更後の配列を返す。「ソート関数」がある場合はその関数の処理に従ってソートする。< 配列 > 自体を変更する
< 配列 >.toSorted(ソート関数)	動作は sort( ) と同じだが、元の < 配列 > は変更せず、ソートした新しい配列を返す。ES2023 で導入

8-3-1 要素を逆順に並べる

reverse( ) メソッドは配列の要素を逆順に並べ、対象の配列自体をインプレイスで書き換えます。引数は取りません。

▼ reverse( ) で要素を逆順に並べ替える

```
const months = ['1月', '4月', '5月', '9月'];
months.reverse();
console.log(months);  // ['9月', '5月', '4月', '1月']
```

ES2023 で導入された toReversed( ) メソッドも要素を逆順に並べますが、対象の配列自体は変更せず、並べ替えたあとの新しい配列を返します。

▼ toReversed( ) は元の配列は変更せず、逆順に並べ替えた新しい配列を作る

```
const times = ['11:14', '14:46', '18:06', '21:54'];
const reversed = times.toReversed();
console.log(reversed);// ['21:54', '18:06', '14:46', '11:14']
console.log(times);   // ['11:14', '14:46', '18:06', '21:54'] ●——[元の配列は変更されない]
```

8-3-2 要素をソートする

ソート（並べ替え）に関するメソッド、sort( )、toSorted( ) の動作を説明します。sort( ) は対象の配列自体をインプレイスで変更するのに対し、ES2023 で導入された toSorted( ) はソート後の新しい配列を返し、対象の配列は変更しないという違いがあるものの、ソート自体の機能に違いはありません。そこで、ここでは sort( ) メソッドを例に動作を説明します。

sort( ) メソッドにはソート用の関数を引数として渡すことができますが、渡さなかった場合、要素を文字列に変換し、その文字の UTF-16 コード値を昇順に（数が小さいほうから順に）並べ替えます。次のコードではひらがなをソートしています。

| Sample | ソート関数を使わない基本のソート | c08/array-sort-basic.html

```
const arr = ['さ', 'か', 'な', 'た', 'あ'];
arr.sort();
console.log(arr);     // ['あ', 'か', 'さ', 'た', 'な']
```

ルールを作ってソートする*2

UTF-16コード値でソートすると都合が悪い場合があります。たとえばソートの対象が数値だった場合、小さい順に並ぶとは限りません。

Sample 通常のソートでは「10」が2番目に来てしまう　　　　　　　　　　　　　　　c08/array-sort-function.html

```
const nums = [1, 7, 3, 6, 5, 8, 4, 10, 2, 9];
nums.sort();
console.log(nums);    // [1, 10, 2, 3, 4, 5, 6, 7, 8, 9]
```

数値の大きさでソートしたいときは、ソート関数を引数として渡します。

Sample ソート関数を使用　　　　　　　　　　　　　　　　　　　　　　　　　c08/array-sort-function.html

```
nums.sort((a, b) => a - b);
console.log(nums);    // [1, 2, 3, 4, 5, 6, 7, 8, 9, 10]
```

ソート関数の動作を説明します。引数として受け取るa、bはそれぞれ、配列に含まれる値のうち「比較する1番目の値」「比較する2番目の値」です。JavaScript実行エンジンがどう実装されているかによって渡される具体的な値は変わりますが、実際にプログラムを書くときのイメージとしては、a、bには、「隣りあう2つの値」（今回の配列では、たとえばa=1、b=7）が入っていると考えてかまいません。

そして、ソート関数が返す値によって、aとb、2つの値が入れ替わるかどうかが決まります。具体的には次表にあるように、返す値が「0より小さい」「0」「0より大きい」の3種類でa、bの配列内の順序が入れ替わるようになっているので、ソート関数は必ず数値を返すように作ります。

表　ソート関数が返す値によってa、bの並び順が変わる

返り値（xとする）	ソート順
x < 0（0より小さい）	a, bの順に並べる（順序を変更しない）
x === 0（0）	a, bの順序を変更しない
x > 0（0より大きい）	b, aの順に並べる（順序を入れ替える）

コード例では返り値としてa - bを返していますから、aのほうがbより大きいとき順序が入れ替わり、それ以外はそのままになります。sort()メソッドは比較する値を変えながら、順序の入れ替えが発生しなくなるまでソート関数を繰り返し実行するようになっています。

----

*2 ソートに使用する配列をコンソールで確認すると、ソート前なのにソート後の順序で表示されることがあります。これは「遅延評価」と呼ばれるもので、ブラウザーがJavaScriptプログラムをすべて実行したあとに、コンソールに表示する処理を行うためです。コンソールに［i］アイコンが表示されていたらポインターを重ねてみてください。「この値は最初の展開時に評価されました。その後変更されている可能性があります。」と表示されたら遅延評価が発生しています。ソートにかぎらず、配列やオブジェクトなどをコンソールに表示するときには遅延評価が発生する可能性があります。正しい表示を確認したければ、コンソールが開いた状態で再読込みしてください。

ロケールで並べ替え

　ソート関数を工夫すれば、より高度な並べ替えもできます。3つの山の名前——富士山（ふじさん）、雲取山（くもとりやま）、陣馬山（じんばさん）——が含まれる配列を五十音順でソートしてみます。

Sample ロケールで並べ替え　〜これから並べ替える配列　　　　　　　　　　　c08/array-sort-locale.html

```
const mountains = ['富士山', '雲取山', '陣馬山'];
```

　まず、ソート関数を使わずに並べ替えてみましょう。UTF-16コード値の小さい順に並ぶため、五十音順には並びません。

Sample ロケールで並べ替え（続き）　〜ソート関数がない並べ替え　　　　　c08/array-sort-locale.html

```
mountains.sort();
console.log(mountains);        // ["富士山", "陣馬山", "雲取山"]
```

　五十音順に並べ替えるとしたら、StringオブジェクトのlocaleCompare()というメソッドを使ったソート関数を作成します。

Sample ロケールで並べ替え（続き）　〜ロケールで並べ替え　　　　　　　　c08/array-sort-locale.html

```
mountains.sort((a, b) => a.localeCompare(b, 'ja'));
console.log(mountains);        // ["雲取山", "陣馬山", "富士山"]
```

　localeCompare()は指定した言語（ロケール）に特化した順序で、文字列a、文字列bの並び順を決めてくれるメソッドです。ロケールを'ja'に設定した場合、五十音順で並びます[3]。

書式 localeCompare()メソッド

```
<文字列(a)>.localeCompare(比較する文字列(b), 'ロケール')
```

　このメソッドは<文字列（a）>と「比較する文字列（b）」を、「ロケール」（➡ Note「ロケールの設定」p.175）に設定された順序で比較し、次のルールで数値を返します。

＊3　漢字は原則として音読み。ただし実装依存のためブラウザーによって動作が変わる可能性があります。

- a が b よりも前に来る ── 0 より小さい数（負数）を返す[4]。順序を変更しない
- a と b が同じ文字 ── 0 を返す。順序を変更しない
- b が a よりも前に来る ── 0 より大きい数（正数）を返す。順序を変更する

オブジェクトのプロパティ値で並べ替える

ソート関数は配列の要素が配列やオブジェクトの場合にも有効です。たとえば次のように、それぞれの要素が、山の名前（name）と標高（altitude）、2 つのプロパティが含まれたオブジェクトになっている配列があるとします。

Sample これからソートする配列　　　　　　　　　　　　　　c08/array-sort-props.html

```
const mountains = [
  {name: '富士山', altitude: 3776},
  {name: '雲取山', altitude: 2017},
  {name: '陣馬山', altitude: 855},
];
```

この配列を、標高の低い順に並べることにします。そのためには、ソート関数で各オブジェクトの altitude プロパティの値を比較すればよいでしょう。

Sample オブジェクトのプロパティ値で並べ替える　　　　　　　c08/array-sort-props.html

```
mountains.sort((a, b) => {
  return a.altitude - b.altitude;
});
console.log(mountains);
```

> altitude プロパティ同士を引き算。b.altitude のほうが大きければ入れ替え

> a、b の値は配列 moutains の各要素。つまりオブジェクト

実行結果 標高の低い順に並ぶ

```
      要素   コンソール   ソース   ネットワーク   パフォーマンス
  ▶  ⊘  top ▼  ●  フィルタ
▼ (3) [{…}, {…}, {…}] ⓘ
  ▶ 0: {name: '陣馬山', altitude: 855}
  ▶ 1: {name: '雲取山', altitude: 2017}
  ▶ 2: {name: '富士山', altitude: 3776}
    length: 3
  ▶ [[Prototype]]: Array(0)
  >
```

---

[4] 0 より小さい数を返すことは決まっていますが、それが -1 なのか -2 なのかは実装に依存します。そのため返される数そのものをプログラミングで利用することはできません。「b が a よりも前に来る」ときも同様です。

8-4　要素を検索する

配列の要素を検索するメソッドもあります。それぞれ少しずつ検索の方法が違い、また返す値も異なるので、用途に応じて使い分けます。

要素を検索するメソッドには、大きく分けて 3 種類あります。

- 特定の値の要素を検索するもの
- 条件を満たす要素を検索するもの
- 配列に含まれる要素が条件を満たすかどうかを調べるもの

表　要素の値を検索するメソッド

メソッド	説明
< 配列 >.find(テスト関数)	「テスト関数」の条件を満たす最初の要素の値を返す。条件を満たす値がない場合は undefined を返す
< 配列 >.findIndex(テスト関数)	「テスト関数」の条件を満たす最初の要素のインデックス番号を返す。条件を満たす要素がない場合は -1 を返す
< 配列 >.findLast(テスト関数)	「テスト関数」の条件を満たす最後の要素の値を返す。条件を満たす値がない場合は undefined を返す。ES2023 で導入
< 配列 >.findLastIndex(テスト関数)	「テスト関数」の条件を満たす最後の要素のインデックス番号を返す。条件を満たす要素がない場合は -1 を返す。ES2023 で導入
< 配列 >.includes(値 , 開始インデックス)	< 配列 > の「開始インデックス」以降に「値」と同じ要素があるかどうかを検索し、あれば true、なければ false を返す。開始インデックスは省略可で、省略した場合すべての要素が検索対象
< 配列 >.indexOf(値 , 開始インデックス)	< 配列 > の「開始インデックス」以降に「値」と同じ要素があるかどうかを検索し、最初に見つかった場所のインデックス番号を返す。なければ -1 を返す。開始インデックスは省略可
< 配列 >.lastIndexOf(値 , 開始インデックス)	< 配列 > の「開始インデックス」以降に「値」と同じ要素があるかどうかを検索し、最後に見つかった場所のインデックス番号を返す。なければ -1 を返す。開始インデックスは省略可
< 配列 >.every(テスト関数)	< 配列 > のすべての要素の値が「テスト関数」の条件を満たすなら true、そうでないなら false を返す
< 配列 >.some(テスト関数)	< 配列 > の 1 つ以上の要素の値が「テスト関数」の条件を満たすなら true、そうでないなら false を返す

8-4-1　特定の値の要素を検索する

特定の値の要素があるかどうかを検索できるメソッドは、includes( )、indexOf( )、lastIndexOf( ) の 3 つです。このうち includes( ) メソッドは引数で指定する「値」の要素があれば true、なければ false を返します。

```
const arr = ['御堂筋線', '谷町線', '四つ橋線'];
console.log(arr.includes('御堂筋線'));         // true
console.log(arr.includes('東西線'));           // false
```

indexOf( ) メソッド、lastIndexOf( ) メソッドはどちらも引数で指定する「値」が配列の要素にあるか
どうかを検索します。そして、indexOf( ) は最初に見つかった場所、lastIndexOf( ) は最後に見つかった
場所のインデックス番号を返します。どちらのメソッドも値が見つからなかった場合は -1 を返します。

```
const elements = ['header', 'div', 'div', 'div', 'h1'];
console.log(elements.indexOf('div'));          // 1
console.log(elements.lastIndexOf('div'));      // 3
console.log(elements.indexOf('p'));            // -1
```

▌8-4-2 条件を満たす要素を検索する

find( ) メソッド、findIndex( ) メソッドは、条件を満たす最初の要素を探します。find( ) は条件を満
たす最初の要素の値を返し、findIndex( ) はインデックス番号を返すようになっています。

これらのメソッドの引数には、配列の各要素を評価し、条件を満たせば true、そうでないなら false
を返す関数（テスト関数）を渡します。この関数はアロー関数、無名関数、関数呼び出しのいずれでも動
作しますが、関数呼び出しの場合は関数名の後ろに ( ) をつけないようにします。

書式　find( ) メソッド

```
// アロー関数
<配列>.find((要素) => {
  「要素」が条件を満たすときにtrue を返すような処理
});

// 無名関数
<配列>.find(function(要素) {
  「要素」が条件を満たすときにtrue を返すような処理
});

// 関数呼び出し
function 関数名(要素) {
  「要素」が条件を満たすときにtrue を返すような処理
}
<配列>.find(関数名); ●━━━━━━━━━━━━━━ 「関数名」の後ろに ( )をつけない
```

テスト関数に渡される引数「要素」は＜配列＞の要素で、条件を満たす要素が見つかるまで最初から順に1つずつ、繰り返し渡されます。次の例では、配列 langs の中で5文字以上の要素があるかを調べ、見つかった最初の要素とインデックス番号を出力しています。

c08/array-find.html

`Sample` find( ) メソッド、findIndex( ) メソッド

```javascript
const langs = ['Rust', 'Go', 'Ruby', 'JavaScript', 'Python'];
const evaluate = (a) => a.length >= 5;
// find()
const firstMatch = langs.find(evaluate);
// findIndex()
const firstIndex = langs.findIndex(evaluate);
console.log(`最初に見つかった言語：${firstMatch} インデックス ${firstIndex}`);
// コンソールの出力：最初に見つかった言語：JavaScript インデックス 3
```

> テスト関数。要素の文字数が5以上なら true、そうでなければ false を返す

findLast( ) メソッド、findLastIndex( ) メソッドは、条件を満たす最後の要素を探します。findLast( ) は条件を満たす最後の要素を返し、findLastIndex( ) はインデックス番号を返します。どちらも書式は find( ) メソッド、findIndex( ) メソッドと同じです。

c08/array-findlast.html

`Sample` findLast( ) メソッド、findLastIndex( ) メソッド

```javascript
const langs = ['Rust', 'Go', 'Ruby', 'JavaScript', 'Python'];
const evaluate = (a) => a.length >= 5;
// findLast()
const lastMatch = langs.findLast(evaluate);
// findLastIndex()
const lastIndex = langs.findLastIndex(evaluate);
console.log(`最後に見つかった言語：${lastMatch} インデックス ${lastIndex}`);
// コンソールの出力：最後に見つかった言語：Python インデックス 4
```

8-4-3 配列に含まれる要素が条件を満たすかどうかを調べる

配列のすべての要素が特定の条件を満たすかどうかを調べるには every( ) メソッド、1つでも条件を満たす要素があるかどうかを調べるには some( ) メソッドを使います。どちらも引数として、配列の各要素を評価し、条件を満たせば true、そうでないなら false を返す関数（テスト関数）を渡します。find( ) メソッドなどと同様、引数の関数はアロー関数、無名関数、関数呼び出しのいずれでも動作します。

`書式` every( ) メソッド（アロー関数を使用した場合）

```javascript
＜配列＞.every((要素) => {
  「要素」が条件を満たすときにtrueを返すような処理
});
```

```
<配列>.some((要素) => {
    「要素」が条件を満たすときにtrueを返すような処理
});
```

　例を見てみましょう。5つの要素を持つ配列 stock の数値を評価し、every( ) メソッドではすべてが3890以上かどうかを調べています。また、some( ) メソッドでは3920以上の要素があるかどうかを調べています。

Sample　every( ) メソッド、some( ) メソッド　　　　　　　　　　　　　　　　c08/array-every-some.html

```
const stock = [3937, 3890, 3853, 3890, 3910];
const low = stock.every((item) => item >= 3890);
const high = stock.some((item) => item >= 3920);

console.log(`株価の下限3890以上 ${low}`);        // everyの結果：false
console.log(`株価の目標3920達成 ${high}`);       // someの結果：true
```

8-5　新しい配列を作成する

JavaScript には新しい配列を作る方法がたくさんありますが、ここではその中でも「何もないところから配列を作る」または「元の配列から別の配列を作る」タイプのものを取り上げます。

　次の一覧表にあるのは、新しい配列を作成して返すメソッドです。ただし、entries( )、keys( )、values( ) は実際には配列ではなくイテレーターと呼ばれるオブジェクトを返しますが、役割が似ていることから便宜上ここで紹介します。

表　新しい配列を作成するメソッド

メソッド	説明
Array.from(値) Array.from(値 , 関数)	「値」から配列を作成する。「値」は文字列や配列風オブジェクト（p.242）など。関数はオプションで、ある場合はその関数で「値」を処理して配列を作成する
Array.of(値 , 値 ,…)	1つ以上の「値」をまとめて配列を作成する
< 配列 >.concat(配列 , 配列 ,…)	< 配列 > に1つ以上の「配列」を連結した、新しい配列を作成して返す。元の < 配列 > は変更しない
< 配列 >.slice(開始 , 終了)	< 配列 > の「開始」インデックスから「終了」インデックスの1つ手前までの要素で構成される、新しい配列を作成して返す。元の < 配列 > は変更しない
< 配列 >.toSpliced(開始 , 終了)	8-2-3「指定した位置の要素を削除する・挿入する」（p.262）参照
< 配列 >.flat(展開する深さ)	< 配列 > に含まれる配列（多次元配列）を展開して、1次元浅い配列を新たに作成して返す。元の < 配列 > は変更しない。「展開する深さ」はオプションで、指定すると展開する配列の深さを指定できる

メソッド	説明
< 配列 >.entries( )	< 配列 > の個々の要素のインデックスと値（キー値ペア）をセットにした配列を作り、その配列からなるイテレーターを返す
< 配列 >.keys( )	< 配列 > の要素のインデックスからなるイテレーターを返す
< 配列 >.values( )	< 配列 > の要素の値からなるイテレーターを返す

8-5-1　配列の一部を " スライス " して切り取り、新しい配列を作成する

　slice( ) は、元の配列の一部をコピーして新たな配列を作るメソッドです。引数を 2 つ取り、1 つ目はコピーを開始する要素のインデックス番号、2 つ目にはコピーを終了する要素のインデックス番号を指定します。

書式　slice( ) メソッド

```
< 配列 >.slice( 開始インデックス番号 , 終了インデックス番号 )
```

　コピーされるのは「開始インデックス番号」の要素から、「終了インデックス番号」の 1 つ手前の要素までです。たとえば [1, 2, 3, 4, 5] という配列があって、「終了インデックス番号」を 4 とすると、その要素（ここでは 5）は、コピーに含まれません。コピーされるのはその 1 つ前の要素までです。

　コピーされるのは終了インデックス番号の 1 つ手前の要素まで

```
const nums = [1, 2, 3, 4, 5];
const sliced = nums.slice(1, 4); ●——————  インデックス1番から(4 - 1)番の要素をコピー
console.log(sliced);  // [2, 3, 4]
```

　slice( ) メソッドは引数の設定によって、いろいろな動作をさせることが可能です。
　まず、「終了インデックス番号」には負の数を指定することができます。-1 にすると配列の末尾、-2 にすると配列の末尾から 2 番目の要素を指定でき、この動作を応用すれば pop( ) の代わりをさせることも可能です。

Sample　pop( ) の代わりに slice( ) を使って末尾の要素を削除　　　　　　c08/array-slice-pop.html

```
const nums = [1, 2, 3, 4, 5];
const poped = nums.slice(0, -1);
console.log(poped);  // [1, 2, 3, 4]
console.log(nums);   // [1, 2, 3, 4, 5] ●——  元の配列は変わっていない
```

　「終了インデックス番号」を省略すると、「開始インデックス番号」以降のすべての要素をコピーします。この動作を利用すれば shift( ) メソッドの代わりになります。

shift( ) の代わりに slice( ) を使って先頭の要素を削除　　　　　　　　　　c08/array-slice-shift.html

```
const nums = [1, 2, 3, 4, 5];
const shifted = nums.slice(1);
console.log(shifted); // [2, 3, 4, 5]
```

引数を 1 つも指定しなければ、配列を丸ごとコピーして新しい配列を作れます。

Sample slice( ) で配列を丸ごとコピーする　　　　　　　　　　　　　　　　c08/array-slice-copy.html

```
const nums = [1, 2, 3, 4, 5];
const copy = nums.slice();
console.log(copy);    // [1, 2, 3, 4, 5]
```

▌8-5-2 多次元配列を 1 次元浅くする

　flat( ) は、多次元配列を展開して新しい配列を返すメソッドです。引数で展開する深さを指定することができます。指定しなかった場合の深さは 1、つまり 2 次元配列を 1 次元に、3 次元配列を 2 次元にします。

書式 flat( ) メソッド

　<配列>.flat(深さ)

Sample flat( ) メソッド　〜基本的な使い方　　　　　　　　　　　　　　　　　c08/array-flat.html

```
const d2 = [[1, 2], [3, 4]];
const d2Flat = d2.flat();
console.log(d2Flat);  // [1, 2, 3, 4] ●————————————[ 2 次元配列が 1 次元に ]
```

　引数の「深さ」を指定する必要があるのは、3 次元以上の配列を処理対象にする場合です。たとえば、次のような配列があるとします。

```
const d3 = [1, 2, [3, [4, 5]]]; ●————————————[ 3 は 2 次元、[4, 5] は 3 次元 ]
```

　この配列は 3 次元配列になっています。この配列を完全に展開するには、flat( ) に渡す引数を 2 以上にします。

```
console.log(d3.flat(2));      // [1, 2, 3, 4, 5] ●────── 次元を 2 段階浅くする
```

8-5-3 配列のコピーの仕組み

　ここまで、元の配列から新しい配列を作るメソッドをいくつか見てきました。配列を含むオブジェクト型のデータをコピーするとシャローコピーが作られるため、コピー後にデータを編集する際には注意が必要です（➡「オブジェクト型のデータ（値）の特徴」p.79）。とくに配列のメソッドを使ったコピーは少し複雑なプロセスを踏むため、要素の値によってはいかにもシャローコピーのような動きをしたり、シャローコピーではないような動きをしたり、仕組みを知らないと混乱する動作をします。

別の変数に代入するとき

　配列はオブジェクト型なので、別の変数に代入すると全体がシャローコピーされます。そのため、次のような操作をすると配列のすべての要素がシャローコピーになって、どの値を操作しても元の配列、コピーした配列、両方の値が変わります。別の変数に代入するのはなんの意味もなく、避けるべき操作です。

　別の変数に代入すると配列全体がシャローコピーされる

```
const arr = [10, 'str', ['data1', 'data2']];
const copy = arr;
copy[1] = 4;
console.log(arr[1]);   // 4 ●────── 元の配列も変わってしまう
```

配列のメソッドを使ってコピーして新しい配列を作るとき

　配列のメソッドのうち、元の配列から新しい配列を作るタイプのメソッドやスプレッド構文を使ってコピーするとき、内部的には次のような処理をします。

1. 新しい空の配列が作られる
2. そこに、配列の要素が 1 つずつコピーされる。それぞれのコピーの方法は一般的なコピーの方法と同じで、次のようになる。
   - 値がプリミティブ型（文字列、数値など）ならディープコピー
   - 値がオブジェクト型（オブジェクト、配列など）ならシャローコピー

図　配列がコピーされる際のイメージ図

```
const arr = [10, 'str', ['data1', 'data2']];
const copy = arr.slice();
```

①空の配列を作る

　　copy ＝ 　[ ]

②arr から要素を１つずつコピー

　　　arr ＝ [10, 'str', ['data1', 'data2']]

　　　　　　数値　　文字列　　　配列（オブジェクト）

　　copy ＝ [10, 'str', ['data1', 'data2']]

　　　　　　ディープコピー　　　　シャローコピー

　はじめに空の配列を作るので、新しく作られた配列自体は元の配列とは別のものになります。しかし、個々の要素はデータ型によって、ディープコピーされるものとシャローコピーされるものが混在することになります。これにより、以下のようなことが起こります。

1. コピー側の配列（上図の copy）に push()、pop()、shift()、unshift() を使って要素を追加・削除する操作をしても、元の配列（上図の arr）には影響しない（配列自体は別の配列だから）
2. コピー側の配列の要素のうち、もともとプリミティブ型だった要素の値を変更しても、元の配列には影響しない（ディープコピーだから）
3. コピー側の配列の要素のうち、もともとオブジェクト型だった要素の値を変更すると、元の配列の値も変更される[5]（シャローコピーだから）

　この動作はたいへん混乱します。この複雑な状況を回避するにはまず第一に、コピーした配列をそのあとで操作しないで済むようなプログラムを書くのが基本です。

　しかし、どうしても操作する必要があるときは、グローバルメソッドの structuredClone() を使って配列を丸ごとディープコピーします。structuredClone() は 2022 年ごろ実装された比較的新しいメソッドです。Function（関数）や DOM ノード[6]など一部を除き、配列を含む多くのオブジェクト型データのディープコピーに対応していて、応用範囲は広いといえます。

書式 structuredClone() メソッド

```
structuredClone(オブジェクト型のデータ);
```

＊5　たとえば copy[2][0] = 'data5' のような操作をして、シャローコピーになっている要素の値を書き換えると元の配列も変更されます。
　　しかし、要素を丸ごと書き換えれば元の配列は変更されません。
＊6　HTML 要素を JavaScript で操作可能にしたオブジェクト

```
const org = ['プリミティブ', 1, [2, 2], {type: 'original'}];
const copy = structuredClone(org);
```

　もしくは、JSON オブジェクトを使った方法もあります。配列や一般的なオブジェクトのディープコ
ピーに限定されますが[7]、古くから行われているテクニックのため、ネットなどで公開されているコー
ドではこちらのほうが多く見かけるかもしれません。

▽ JSON オブジェクトを使ってオブジェクトをディープコピーする方法

```
const deepCopy = JSON.parse(JSON.stringify(org));
```

▌8-5-4 文字列や関数から配列を作成する

　Array.from( ) は文字列や配列、または配列風オブジェクトから配列を作成するメソッドです。まず正
式な書式を見てみます。

書式 Array.from( ) メソッド

```
Array.from(文字列・配列・配列風オブジェクト)
Array.from(文字列・配列・配列風オブジェクト，関数)
```

　Array.from( ) メソッドはいろいろな使い方ができます。

文字列から配列を作成

　引数に文字列を渡すと、1 文字ずつを要素にした配列を返してくれます。Array.from( ) はスタティッ
クメソッドなので、オブジェクトを指す Array の部分は常に Array と書きます。

書式 文字列を 1 文字ずつ要素にした配列を作る

```
Array.from('文字列')
```

　次の例では、文字列「'未来は明るい'」をもとに配列を作成しています。

Sample Array.from( ) で文字列を 1 文字ずつ要素にした配列を作る　　　　c08/array-from-string.html

```
const letters = Array.from('未来は明るい');
console.log(letters); // ['未', '来', 'は', '明', 'る', 'い']
```

＊7　Date オブジェクトなどはディープコピーできません。

配列を処理して新しい配列を作成

Array.from() の 2 つ目の引数に関数（コールバック）を渡せば、配列から別の値を持つ新しい配列を作ることができます。次の例では、配列 [1, 2, 3, 4, 5] の各要素を 2 倍した配列を作成しています。

c08/array-from-array.html

Sample 配列の各要素を 2 倍した新しい配列を作成

```
const double = Array.from([1, 2, 3, 4, 5], (value, index) => value * 2);
console.log(double);  // [2, 4, 6, 8, 10]
```

引数として渡すコールバック関数は、1 つ目の配列の要素数分繰り返し実行されます。この関数には 2 つの引数が渡され、1 つ目が配列の値（value）、2 つ目がその値のインデックス番号（index）です。これらの値を利用して、コールバック関数からは新たに作成する配列の値を返すようにします。この例では value を 2 倍にした値を返すようにしています。

コールバック関数を工夫してさまざまな配列を作成

Array.from() を使うと、連続した数値や、発生させた乱数などを要素とする配列を、少ないコード量で生成できます。はじめに、0 から 9 までの、10 個の要素を持った配列を作成してみます。

c08/array-from-arraylike.html

Sample コールバック関数を工夫して配列を作成　〜 0 から 9 まで連続した整数の配列を作成

```
const numbers = Array.from({length: 10}, (v, i) => i);
console.log(numbers); // [0, 1, 2, 3, 4, 5, 6, 7, 8, 9]
```

1 つ目の引数、{length: 10} は要素が 10 個で、length プロパティのみを持つ配列風オブジェクトです（➡ Note「取得できるデータの構造」p.241）。この引数で、すべての要素が undefined の、次のような配列が作られると考えてください。

▽ {length: 10} によって作られる配列のイメージ

```
[undefined, undefined, undefined, …, undefined]
```

2 つ目の引数として渡している関数では、undefined になっている配列の各要素に値をセットしています。関数の機能としては単純で、インデックス番号を返しているだけです。これにより、配列の各要素に 0、1、2、……と、9 までの数字が入ることになります。

書式 連続した数字の配列を作る

```
Array.from({length: 要素数}, (value, index) => {
    なんらかの処理
```

```
    return 処理の結果
})
```

length プロパティしか持たない配列風オブジェクトから配列を作る利点は、コールバックの処理次第でいろいろな配列が作れるところです。たとえば、5 個の乱数（1 以上 10 以下の整数）を持った配列も簡単に作れます。

c08/array-from-arraylike.html

| Sample | コールバック関数を工夫して配列を作成（続き）　〜乱数の配列を作成 |

```
const randNum = Array.from({length: 5}, (v, i) => {
  return Math.floor(Math.random() * 10) + 1;  ●────  乱数で 1 以上 10 以下の整数を返す
});
console.log(randNum); // [7, 7, 10, 3, 3] (例)
```

「0」で桁埋めした値（01、02、…、10）を作ることもできます。

c08/array-from-arraylike.html

| Sample | コールバック関数を工夫して配列を作成（続き）　〜桁埋め数字の配列を作成 |

```
const padNum = Array.from({length: 10}, (v, i) => {
  return String(i + 1).padStart(2, 0);  ●────  インデックス +1（数値）を文字列
});                                              に変換して padStart( ) を実行 (p.217)
console.log(padNum);   // ["01", "02", "03", "04", "05", "06", "07", "08", "09", "10"]
```

8-6 配列から文字列を作る

配列のメソッドには、要素をつなげて 1 つの文字列に変換するものもあります。

　本節で紹介する 3 つのメソッドはどれも、配列の要素のあいだに区切り文字を挟んで結合し、1 つの文字列にして返します。toLocaleString( ) メソッド、toString( ) メソッドの区切り文字は常にカンマ（,）で、join( ) メソッドのみ区切り文字を設定することができます。

表　配列から文字列を作るメソッド

メソッド	説明
< 配列 >.toLocaleString(' ロケール ', オプション)	各要素を「ロケール」と「オプション」で設定される言語フォーマットで整形してから「要素 , 要素」とカンマでつなげて結合、1 つの文字列にして返す
< 配列 >.toString( )	各要素を「要素 , 要素」とカンマでつなげて結合、1 つの文字列にして返す
< 配列 >.join(' 区切り文字 ')	各要素のあいだに「区切り文字」を挟んで結合、1 つの文字列にして返す

▌ 8-6-1　配列の要素を結合する

join( ) は要素のあいだに区切り文字を挟んで結合し、1 つの文字列にするメソッドです。引数として、区切り文字に使う 1 文字以上の文字（列）を設定できます。引数を渡さなければ、区切り文字は初期値のカンマ (,) になります。

書式　join( ) メソッド

```
<配列>.join('区切り文字（列）')
```

たとえば、年月日をそれぞれ別の要素として持っている配列を、区切り文字を「-」にして結合する場合は次のようにします。

▼ 区切り文字を「-」にして結合する

```
const dateArr = [1964, 10, 10];
const dateStr = dateArr.join('-');
console.log(dateStr); // '1964-10-10' ●━━━━━ 区切り文字を「-」にして要素が結合されている
```

join( ) は String オブジェクトの split( ) メソッドと組み合わせて簡易的な検索・置換に用いることがあります。次のコード例では定数 str のテキストを 'X(Twitter)' でいったん分割し、その後区切り文字を 'Instagram' にして結合しています。

Sample　簡易的な検索・置換　　　　　　　　　　　　　　　　　　　　　　　c08/split-join.html

```
const str = 'よかったらX(Twitter)でフォローしてくださいね。';
const replaced = str.split('X(Twitter)').join('Instagram');
console.log(replaced); // よかったらInstagramでフォローしてくださいね。
```

この方法は手軽に検索・置換をする常套手段です。ただ、あくまで簡易的な手段なので、今回の例のように「元のテキストにあることがわかっている単語を、別の単語に置き換える」といった、比較的簡単な処理をしたいときに向いています。

書式　簡易的な検索・置換

```
<テキスト>.split('検索文字列').join('置換文字列')
```

8-7 それぞれの値に関数を実行する

配列のメソッドには、配列の各要素に対して繰り返しコールバック関数を実行するものがたくさんあります。ここではまだ取り上げていない、高度な処理が可能なメソッドを紹介します。

　関数を繰り返し実行して配列の要素を操作するメソッドを紹介します。高度なデータの処理に活用できる優れたメソッドです。

表　関数を繰り返し実行するメソッド

メソッド	説明
< 配列 >.forEach(関数)	< 配列 > の要素数分、「関数」（コールバック）を繰り返し実行する。「forEach( ) メソッドで配列を繰り返し処理する」（p.257）参照
< 配列 >.map(関数)	< 配列 > の各要素に「関数」を適用し、その処理の結果からなる新しい配列を返す
< 配列 >.flatMap(関数)	< 配列 > の各要素に「関数」を適用してできた配列を展開して、1 次元浅い配列を作成する
< 配列 >.filter(テスト関数)	< 配列 > の各要素に「テスト関数」を実行し、条件を満たす要素のみを取り出した新しい配列を返す
< 配列 >.reduce(関数)	< 配列 > の要素を先頭から順に処理し、1 つの値にまとめる。返す値は処理の内容による
< 配列 >.reduceRight(関数)	働きは reduce( ) と同じだが、< 配列 > の要素を後ろから逆順に処理をする

▌ 8-7-1 要素 1 つひとつに対して処理をする

　map( ) メソッドは、配列の要素 1 つひとつに対して関数（コールバック関数）を実行し、その結果からなる新しい配列を返します。引数にする関数はアロー関数、無名関数、関数呼び出しのいずれでもかまいません。

`書式` map( ) メソッド

```
const 新しい配列 = <配列>.map((値, インデックス, 配列) => {
    処理
    return 処理の結果;
});
```

　コールバック関数は、forEach( ) メソッドのときと同じ、3 つの引数を受け取ります（➡「forEach( ) メソッドで配列を繰り返し処理する」p.257）。1 つ目は配列の「値（value）」、2 つ目は値の「インデックス番号（index）」、3 つ目は「< 配列 > 自身（arr）」です。2 つ目、3 つ目の引数は使用しないなら受け取る必要はありません。コールバック関数からは処理の結果を返します。この返り値が、新しい配列の要素になります。

　基本的な動作を確認できる簡単な例を見てみましょう。配列のすべての要素を 2 乗して、新しい配列 result を作成します。

map( ) メソッドの基本形

```
const arr = [1, 2, 3, 4, 5];
const result = arr.map((value) => value**2);
console.log(result);  // [1, 4, 9, 16, 25]
```

> value を 2 乗して返す。引数の
> 2 つ目、3 つ目は受け取らない

少し応用的な例も見てみましょう。次の例では、HTML ページ内に 3 つある <div class="photo"> ～ </div> に含まれる <img> タグの src 属性からパスを取り出し、その値を集めた配列 files を作成します。HTML の操作で使用する document.querySelectorAll( ) メソッドや URL オブジェクトについては 12-2-2「CSS セレクターにマッチするすべての要素を取得」(p.406)、「短いデータを GET で送信」(p.539) を参照してください。

map( ) メソッドを使って画像のパスを配列にする（HTML 部分）

```
<div class="photos">
  <div class="photo">
    <img src="images/austria.jpg" alt="風景1">
  </div>
  <div class="photo">
    <img src="images/switzerland.jpg" alt="風景2">
  </div>
  <div class="photo">
    <img src="images/poland.jpg" alt="風景3">
  </div>
</div>
```

map( ) メソッドを使って画像のパスを配列にする（JavaScript 部分）

```
const images = [...document.querySelectorAll('.photo')];
const files = images.map((value) => {
  const url = new URL(value.firstElementChild.src);
  return url.pathname;
});
console.log(files);
```

> <div class="photo">
> を取得、配列に変換

> <img> の src から URL
> オブジェクト作成

> url のパスの部分だけを返す

実行結果

▌ 8-7-2 条件を満たす要素を抽出する

filter()メソッドは、配列の要素のうち条件を満たすものだけを抽出（フィルター）して新しい配列を作成します。引数にはmap()と同じ、値、インデックス番号、元の配列自身を引数として受け取るコールバック関数を渡します。

書式 filter()メソッド

```
const 新しい配列 = <配列>.filter((値, インデックス番号, 配列) => {
  処理
  return ブール値(trueまたはfalse);
});
```

filter()メソッドのコールバックは、「値（value）」が条件を満たせばtrue、満たさなければfalseを返すような関数にします。**返り値がtrueになる要素は新しい配列に含まれ、falseなら含まれないようになります。**

例を見てみましょう。配列arrの値のうち、3文字以下の文字列のみを抽出して新しい配列resultを作ります。コールバックは渡される値のうち1つ（値、value）だけ受け取っています。

Sample filter()メソッドの基本形　　　　　　　　　　　　　　　c08/array-filter-basic.html

```
const arr = ['山手線', '小田急小田原線', '都電荒川線', '銀座線'];
const result = arr.filter((v) => v.length <= 3);　●────[3文字以下ならtrueを返すコールバック]
console.log(result);  // ['山手線', '銀座線']
```

もう少し複雑なデータを扱う例として、それぞれの要素がオブジェクトになっている配列をフィルター

してみます。各要素のオブジェクトのうち、yield プロパティが 2 より大きく、かつ per プロパティが 15 より小さいデータを抽出します。

| Sample | オブジェクトのプロパティの値でフィルターする | c08/array-filter-object.html |

```
const stock = [
  {name: 'A自動車', price: 1462, yield: 3.42, per: 11.75},
  {name: 'B商事', price: 1473, yield: 4.34, per: 7.12},
  {name: 'Cファッション', price: 32010, yield: 0.78, per: 40.89},
  {name: 'Dシステムズ', price: 4135, yield: 1.69, per: 20.02},
];
const filtered = stock.filter((v) => v.yield > 2 && v.per < 15);
console.log(filtered);
// [
//   {name: "A自動車", price: 1462, yield: 3.42, per: 11.75},
//   {name: "B商事", price: 1473, yield: 4.34, per: 7.12}
// ]
```

> 引数の「v」は配列 stock に含まれる各オブジェクト。その yield、per プロパティを評価している

▌ 8-7-3 配列を 1 つの値にまとめる

要素 1 つひとつに関数を実行する配列のメソッドの中でもとくに強力なのが reduce()（リデュース）です。reduce には「減らす、小さくする」という意味がありますが、このメソッドは配列に含まれる要素を統合して 1 つの値にまとめる働きをします。まずは書式と基本的な動作の仕組みを確認しましょう。

書式 reduce() メソッド

```
const 変数 =<配列>.reduce((前回までの結果, 今回の値) => {
  「前回までの結果」と「今回の値をまとめる処理」
  return 結果;
}, 初期値);
```

reduce() メソッドは引数を 2 つ受け付けます。1 つ目は「関数」で、<配列>の要素数分繰り返し実行されるコールバックです。2 つ目は「初期値」で、こちらは後ほど説明します。「初期値」は設定する場合としない場合があります。

引数として渡すコールバック関数には 2 つの引数が渡されます。1 つ目は「前回までの結果」、2 つ目は「今回の値」です。また、このコールバック関数は処理の「結果」を返すように作ります。

基本的な動作の仕組みを説明します。reduce() メソッドの引数「初期値」が設定されていない場合、最初の繰り返しでは、コールバック関数に渡される引数「前回までの結果」には<配列>のインデックス 0 番目の値が入り、同じく引数「今回の値」にはインデックス 1 番目の値が入ります。

図　最初の繰り返しでコールバック関数に渡される引数の値（初期値がない場合）

　コールバック内では、2つの引数をまとめる処理をして、1つの値を作ります。そして、その値を「結果」として返します。

　2回目以降の繰り返しでは、「前回までの結果」にコールバック関数から返した「結果」が入り、「今回の値」には＜配列＞のインデックス2番目の値が入り、処理をして、結果を返します。以降、配列の最後の要素まで同じ処理を続け、最後に返された「結果」が、変数に代入されます。

図　2回目以降の繰り返し

　「初期値」が設定されている場合は、最初の繰り返しのとき「前回までの結果」に初期値が、「今回の値」にはインデックス0番目の値が入った状態でスタートします。

図　最初の繰り返し（初期値がある場合）

　動作が理解しやすい例を見てみます。配列のすべての値を足して、最後にその結果を返し、変数addAllに代入します。初期値はありません。

reduce( )メソッドの基本形 c08/array-reduce-basic.html

```
const arr = [1, 2, 3, 4, 5];
const addAll = arr.reduce((a, b) => a + b);
console.log(addAll);  // 15
```

毎回の繰り返しで実行されるコールバックが受け取る引数と結果（返り値）は、次のとおりです。

表 繰り返しで実行されるコールバックの引数と返り値

繰返し回数	引数 a	引数 b	返り値
1	1	2	3
2	3	3	6
3	6	4	10
4	10	5	15

次に、同じ配列のデータを使い、初期値がある例を見てみます。この例では初期値として「0」を渡し、偶数の要素だけを足して合計を返すようにしています。

Sample reduce( )メソッドの基本形（続き） ～偶数だけ合計する c08/array-reduce-basic.html

```
const addEven = arr.reduce((a, b) => {
  return (b % 2 === 0) ? a + b : a;   ●────── b が偶数なら a+b、そうでないなら a を返す
}, 0);   ●────── 初期値 0
console.log(addEven); // 6
```

コールバック関数内の処理では 2 つ目の引数「今回の値（b）」が偶数であるかを評価し、偶数であれば a + b を、奇数であれば a を返しています。a の値が偶数であるか奇数であるかは評価していないため、初期値を設定せずにいると最初の繰り返しが「1+2=3」になってしまい、計算が合わなくなります。

新しい配列を返す

reduce( ) は配列の値を足すことができるだけではなく、数字を返すだけでもありません。とにかく値が 1 つにまとまりさえすればよいので、返す値が配列でもオブジェクトでもかまいません。reduce( ) の応用的な使い方を見てみましょう。

ニュースサイトやブログの記事情報のような、次のようなデータがあるとします。

Sample 記事情報のようなデータ c08/array-reduce-tags.html

```
const articles = [
  {
```

```
    title: 'いまから始めるプログラミングガイド決定版',
    published: '2023/11/01',
    tags: ['プログラミング', '入門'],
  },
  {
    title: 'リモートワークのリフレッシュ方法',
    published: '2023/10/20',
    tags: ['働き方', '健康'],
  },
  {
    title: 'reduce()で始める関数型プログラミングの心得',
    published: '2023/10/11',
    tags: ['プログラミング', 'JavaScript'],
  },
];
```

　このデータには記事3本分のタイトル（title）、公開日（published）、記事についているタグ（tags）が含まれていると考えてください。このデータから reduce() を使って、使用されているすべてのタグが含まれる配列を作ります。

| Sample | 使用しているすべてのタグの配列を作る | c08/array-reduce-tags.html |

```
const tags = articles.reduce((previous, current) => {
  const cur = current.tags ?? [];
  return [...previous, ...cur];
}, []);
console.log(tags);
// ['プログラミング', '入門', '働き方', '健康', 'プログラミング', 'JavaScript']
```

配列 article に含まれるオブジェクトの tags プロパティを定数 cur に代入。tags がない場合は空の配列を代入

前回までの結果と cur を結合

初期値は空の配列

　返す値を配列やオブジェクトにする場合は、初期値を空の配列（[]）や空のオブジェクト（{}）にしておくと、コールバック関数の処理が書きやすくなります。もし初期値を設定しないと、1回目の繰り返しのときの1つ目の引数（previous）には元の配列 articles の0番目の要素が入ります。0番目の要素ということはつまりオブジェクトが代入されることになるため、その後の処理がうまくいかなくなるのです。

初期値がない場合の１回目の繰り返し　　　　　　初期値を ［ ］ にすると

```
{
  title: 'いまから〜',
  published: '2023〜',
  tags: ['プログラミング', '入門'],
},
```

```
[ ]
```

```
.reduce((previous, current) => {
  ...
✗ return [...previous, ...cur];
}
```

```
.reduce((previous, current) => {
  ...
○ return [...previous, ...cur];
}
```

異なるオブジェクト間（配列とオブジェクト）では
スプレッド構文ができない！

新しいオブジェクトを返す

　返り値をオブジェクトにすることもできます。前項「新しい配列を返す」のときと同じデータを使い、今度は使われている全タグと、それぞれの出現回数をプロパティ名と値のセットにしたオブジェクトを作成します。

Sample　タグの出現回数をカウントする　　　　　　　　　c08/array-reduce-tags2.html

```
略
const countTags = articles.reduce((previous, current) => {        previousが前回まで、
  const cur = current.tags ?? [];                                 currentが今回の値
  for (const tag of cur) {                    tagsプロパティの要素数分繰り返す
    if (Object.hasOwn(previous, tag)) {
      previous[tag] += 1;                      previousに「tag」プロパティがあれば値を +1
    } else {
      previous[tag] = 1;                       なければ「tag」プロパティを追加、値を 1 に
    }
  }
  return previous;
}, {});                                        初期値は空のオブジェクト
console.log(countTags);  // {プログラミング: 2, 入門: 1, 働き方: 1, 健康: 1, JavaScript:
                              1}*8
```

　コールバック関数内の for 〜 of 文は、引数 current（今回の値）に含まれる tags プロパティの要素

＊8　コンソールの遅延評価（p.268 注 2）でプロパティの順序が違って表示されるかもしれませんが、実際の順序はコメント文のとおりです。

数分繰り返します。この繰り返しの中で、引数 previous（前回までの結果）の中に同名のプロパティが
あれば値を +1 し、なければ同名のプロパティを追加しています。配列 articles には要素が 3 つあるの
でコールバック関数が 3 回繰り返し実行され、その処理の中で for ～ of 文が tags プロパティの要素数
分繰り返されることにより、引数 previous は次表のように変化します。

表　引数 previous の値の変化。赤字は for ～ of 文によって変化した部分

コールバックの 繰り返し回数	for ～ of 文の 繰り返し回数	引数 previous の値
0（繰り返す前）	0	{ }（初期値。空のオブジェクト）
1	1	{ プログラミング : 1}
	2	{ プログラミング : 1, 入門 : 1}
2	1	{ プログラミング : 1, 入門 : 1, 働き方 : 1}
	2	{ プログラミング : 1, 入門 : 1, 働き方 : 1, 健康 : 1}
3	1	{ プログラミング : 2, 入門 : 1, 働き方 : 1, 健康 : 1}
	2	{ プログラミング : 2, 入門 : 1, 働き方 : 1, 健康 : 1, JavaScript: 1}

　なお、途中の if 文の条件式で使っている Object.hasOwn( ) メソッドは、1 つ目の引数で指定する対象
のオブジェクトにプロパティがあるかどうかを調べています。詳しくは 9-3-1「オブジェクトに特定のプ
ロパティがあるか調べる」（p.311）を参照してください。

9

オブジェクトと Map、Set

オブジェクト（Object）は、複数のデータを 1 つにまとめて保存・管理するデータ型です。繰り返しの処理が得意な配列に対して、オブジェクトの場合は、ある対象（たとえば人物）の属性（名前や身長など）を一括で管理するのに適しています。本章ではオブジェクトの操作全般に加え、よりデータ管理に特化した Map や、重複するデータを保存しない配列の一種、Set についても解説します。

9-1 複数のデータを名前つきで管理する「オブジェクト」

オブジェクトは、配列と同じように複数の値を 1 つにまとめて保存できるデータ型です。保存されている値を参照するときはプロパティ名を使うのが特徴です。

オブジェクトも配列も 1 つの変数で複数の値を保存できますが、その値の保持の仕方や参照方法は大きく違います。

配列の場合、すべての値には自動的にインデックス番号が振られ、値を参照するときはそのインデックス番号を使用します。また、繰り返しの処理がしやすいのが特徴です。

それに対してオブジェクトは、複数のプロパティと呼ばれるデータをひとまとめにしたものです。1 つひとつのプロパティは名前（プロパティ名。キーと呼ぶこともある）と値（プロパティ値）がセットになっていて、値を参照するときはそのプロパティ名を使います。値には文字列や数値だけでなく、配列、オブジェクト、関数など、どんなものでも入れることができます。このうち、プロパティ値が関数の場合はとくに「メソッド」と呼ばれます。

図　典型的なオブジェクトの例

オブジェクト（Object）

```
const imgElm = {
    tagName : 'img',
    alt : 'ヒーロー画像',
    src : 'https://studio947.net/image/hero.png',
};
```

プロパティ

プロパティ名
またはキー

値
またはプロパティ値

█ 9-1-1 オブジェクトの書き方

オブジェクトを作るときは、全体を波カッコ（{}）で囲み、その中にプロパティを含めます。プロパティの数に制限はありません。プロパティは「プロパティ名（キー）」と「プロパティ値」を、コロン（:）で区切って並べます。複数のプロパティがある場合は、それぞれのプロパティ値の後ろにカンマ（,）を挿入します。

書 式 オブジェクトリテラル（書き方）

```
const オブジェクト名 = {
  プロパティ名1: 値1,
  プロパティ名2: 値2,
  プロパティ名3: 値3,
};
```

最初に定義するときにプロパティを含めず、空のオブジェクトを作成することもあります。

▽ 最初に空のオブジェクトを作ることもある

```
const object = {};
```

次の例では item オブジェクトを作成しています。このオブジェクトには name、size、price という3つのプロパティが定義されています。

Sample オブジェクトの例   /c09/object-basic.html

```
const item = {
  name: 'リサイクルコットン長袖シャツ',
  size: 'M',
  price: 5980,
};
```

オブジェクトのプロパティ名は、識別子（変数名や関数名と同じもの）、文字列、数値のいずれかを使ってつけることができます。ただし、数値は配列風オブジェクト（p.242）を作るのでないかぎり使用しません。文字列を使えば——つまり、プロパティ名をクォートで囲めば——使用できる文字に制限がなくなり、ハイフン（-）をはじめとする記号も自由につけられます。しかし、JavaScript では慣例的に、オブジェクトのプロパティ名には識別子を使うことが多く、本書でもそうしています。**プロパティ名は特別な理由がないかぎり、識別子でつけることが多いでしょう。識別子でつける際は、変数名や関数名をつけるときと同じ命名ルールに従います**（➡ 2-1-2「変数名をつけるときのルール」p.57）。

$\mathcal{N}_{ote}$ プロパティ名を動的につけることもできる

プロパティ名は、プログラミング的に処理をして動的に作成することもできます。簡単な例を見てみましょう。以下の例では、objオブジェクトに2つのプロパティ、prop1とprop2を追加していますが、これらのプロパティ名は定数propの値とfor文のカウンター変数を結合して動的に作成しています。プログラミング的に作成したプロパティ名を計算プロパティ（Computed Property）といい、設定するときは処理の部分（式）を [ ] で囲みます（ブラケット記法）。逆に値を読み取る・書き換えるときは [ ] で囲んでもドット (.) でつなげてもかまいません（➡ 9-1-2「プロパティの値を参照する」p.296）。

| Sample | 動的に生成したプロパティ名を使う | c09/object-computed-prop.html |

```
const obj = {};
const prop = 'prop';
for (let i = 1; i < 3; i++) {
  obj[prop + i] = i;     ●────────  i はカウンター変数。プロパティ名を作る式は [ ] で囲む
}
console.log(obj.prop1);       // 1
console.log(obj['prop2']);    // 2
```

オブジェクトリテラル（書き方）の細かい注意点を挙げておきます。

プロパティ名と値を区切るコロン（:）の前後に半角スペースを入れて読みやすくすることが多いですが、なくてもかまいません。**一般的にはコロンの後ろに半角スペースを入れることが多く、本書でもその書き方をしています。**

図 「:」の前後には半角スペースを入れてもよい

```
        name:| ' リサイクルコットン長袖シャツ ',
```

最後のプロパティの後ろにはカンマ（,）をつけてもつけなくてもかまいませんが、本書ではつけるように統一しています[*1]。

▽ 最後のプロパティの後ろにカンマがあってもなくてもよい

```
const オブジェクト名 = {
  略
  プロパティ名: 値,
};
```

----

* 1　https://google.github.io/styleguide/jsguide.html#features-object-literals

「{」「}」の前後やプロパティごとに改行して書くことが多いですが、改行しなくてもかまいません。

▽ プロパティごとに改行しなくてもよい*2

```
const オブジェクト名 = {プロパティ名1: 値1, プロパティ名2: 値2, プロパティ名3: 値3};
```

同名の変数をプロパティにする

すでにある変数の値をオブジェクトのプロパティに代入するには、通常の書き方であれば次のようにします。

▽ 変数の値をプロパティに代入する通常の書き方

```
const name = '外付けSSD 2TB';
const price = 26800;
const item1 = {
  name: name,
  price: price,
};
```

しかし、変数名とプロパティ名が同じであれば、次のような省略した書き方も可能です。

Sample　同名の変数をプロパティにする　　　　　　　　　　　　c09/object-add-shorthand.html

```
  略
const item2 = {
  name,
  price,
};
console.log(item2);    // {name: "外付けSSD 2TB", price: 26800}
```

「name: name」や「price: price」と書かなくても変数名だけでプロパティが追加される

▌9-1-2　プロパティの値を参照する

プロパティの値を参照するには2通りの方法があります。item オブジェクトの price プロパティを参照してみます。

Sample　item オブジェクトの price プロパティの値を参照する　　　　　　　/c09/object-read.html

```
const item = {
  name: 'リサイクルコットン長袖シャツ',
  size: 'M',
```

----

*2　たいへん細かい話ですが、オブジェクトを改行せず1行で書くときは、最後のプロパティの後ろに「,」は不要です。
　　https://google.github.io/styleguide/jsguide.html#features-object-literals

```
  price: 5980,
};
console.log(item.price);      // 5980 ●━━━ プロパティの参照方法❶
console.log(item['price']);   // 5980 ●━━━ プロパティの参照方法❷
```

❶と❷のどちらも同じように price プロパティを参照しています。このうち❶の方法は**ドット記法**と呼ばれ、オブジェクト名（<Object>）、ドット（.）、プロパティ名の順に続けて書きます。また❷の方法は**ブラケット記法**といい、オブジェクト名に続けてブラケット（[]）を書き、その中にプロパティ名を文字列で（つまりクォートで囲んで）指定します。

書式 プロパティを参照するドット記法（上）とブラケット記法（下）

```
<Object>.プロパティ名
<Object>['プロパティ名']
```

どちらの方法を使ってもプロパティ値を参照できますが、プロパティ名にハイフン（-）などが含まれていて、クォートで囲まないといけない場合にはブラケット記法を使います。また、ブラケット記法はプロパティ名を文字列で指定するため、文字列操作したり、直接書く代わりに変数を用いたりして、参照するプロパティ名を動的に決められるようになります。

プロパティの値を変数に代入する

プロパティ値を別の変数に代入するときは次のようにします。

書式 プロパティ値を変数に代入

```
const 変数名 = <Object>.プロパティ;
const 変数名 = <Object>['プロパティ'];
```

分割代入を使って、複数のプロパティの値を複数の変数に代入することもできます。その場合は代入先となる複数の変数を {} で囲みます。また、**代入先となる変数の変数名はプロパティ名と同じにする必要があります。**

書式 複数のプロパティ値を複数の変数に代入する（分割代入）。変数名は代入元のプロパティ名と同じにする

```
const {変数名, 変数名} = オブジェクト;
```

▼ 値がオブジェクトの場合で、特定のプロパティの値を取り出す

```
console.log(weather.place.city);          ドット記法
console.log(weather['place']['city']);    ブラケット記法
```

プロパティの値を関数にする（メソッドを作成する）

　プロパティの値を関数にすることもできます。プロパティ値が関数になっているとき、その関数はメソッドと呼ばれます。詳しくはあとで取り上げますが、メソッドを呼び出すときの名前にはプロパティ名が使われます。

書式 プロパティ値を関数（メソッド）にする

```
{
    メソッド名: function(引数) {
        処理
    },
    ほかのプロパティ: 値,
};
```

　メソッド作成時は、functionを省略して次のように書くこともできます。

書式 プロパティ値が関数（メソッド）のときの省略形

```
{
    メソッド名(引数) {
        処理
    },
    ほかのプロパティ: 値,
};
```

　メソッドを作成する2つの書式について、具体的な例を見てみましょう。weatherオブジェクトに、tempプロパティの最大値を返すmax()と最小値を返すmin()メソッドを作成します。例ではmax()メソッドは省略しない書き方、min()メソッドは省略形を使った書き方をしています。

Sample メソッドを作成するときの2つの書式　　　　　　　　c09/object-array-method.html

```
const weather = {
    略
    temp: [16, 14, 14, 22, 25, 26, 21, 20],
    max: function() {          省略しない書き方
```

```
    return Math.max(...this.temp);
  },
  min() {                                           ●──── 省略形
    return Math.min(...this.temp);
  },
};
console.log(weather.max());    // 26
console.log(weather.min());    // 14
```

max()メソッド、min()メソッドともに、処理の中で同じオブジェクト内のtempプロパティを参照しています。同じオブジェクト内のプロパティを参照するには、この例のようにthisを使います。

そして、オブジェクトのプロパティとして登録されたメソッドを呼び出す際は、次のように書きます。

書式 オブジェクトのプロパティに登録されたメソッドを呼び出す

```
<Object>.メソッド(引数)
```

なお、**オブジェクトにメソッドを作成する場合はアロー関数が使えません。thisが使えなくなるからです。** メソッド内でthisが使えないと、そのメソッドを所有するオブジェクトの、ほかのプロパティを参照する手段がなくなるため、今回の例のような処理が書けなくなります。

▼ ✕ メソッド定義にアロー関数は使えない

```
{
  関数名：(引数) => {
    処理
  },
};
```

$\mathcal{N}ote$ **this**

thisは、実行中のオブジェクトを参照するキーワードです。今回のようにオブジェクトのメソッド内で使用すると、そのメソッドを所有しているオブジェクト（例ではweatherオブジェクト）を参照できます。Strictモード（moduleモード含む）で動作するプログラムでは、thisは次の3カ所で使うことができます。

1. **オブジェクトのプロパティ内（＝メソッド内）** ── そのプロパティを所有しているオブジェクトを指す。今回の例はこれに該当
2. **クラス定義** ── クラスを指す（p.327）
3. **イベントハンドラーとして使われるコールバック関数内** ── イベントリスナーが設定されているオブジェクトを指す（p.428）

ただし、アロー関数ではそもそも this が使えないようになっています。上記 1.〜3. の場所であっても、アロー関数内では this が機能せず、常に undefined が返ってくるようになります。

実は、Strict モードでないコードでは、メソッド内だけでなく、グローバル（関数の {} に囲まれていない場所。<script> 直下）やすべての関数内で this が使えていました。しかし、this は「実行中のオブジェクトを参照する」ため、関数やメソッドの呼び出し方によっては参照するオブジェクトが変わる場合があります[*3]。それではプログラムの動作に影響が出るので、Strict モードでは使える場所を上記の 3 カ所に制限した、という経緯があります。

本書では上記 1. や 2. 以外の場所では this を使わないようにしています。3. のイベントハンドラーのコールバック関数内でも使いません。ちなみに本書の this に対するルールは、現在の一般的な JavaScript の書き方として標準的なものです。オブジェクトのメソッド内か、クラス定義以外で this を使うのは避けましょう。

プロパティを削除する

オブジェクトからプロパティを削除する操作は想定されていないため、専用のメソッドはありません。ただ、できないわけではなく、delete 演算子を使えば可能です。

書式 プロパティを削除する

```
delete <Object>.プロパティ;
```

次の例では、address オブジェクトの country プロパティを削除しています。削除後にプロパティを参照すると undefined が返ってきます。

▼ プロパティを削除する

```
const address = {
  postal: '100-2100',
  city: '東京都',
  country: 'Japan',
};

delete address.country;
console.log(address.country); // undefined
```

█ 9-1-4 プロパティの個数分繰り返す

オブジェクトの各プロパティを繰り返し処理するような操作をする機会はあまり多くはありませんが、できないわけではありません。for 〜 of 文と Object.entries() メソッドを組み合わせる方法と、for 〜 in 文を使う方法の、2 種類あります。次のような単純なオブジェクトを題材に、プロパティの個数分繰り返す例を見てみましょう。

＊3　非 Strict モードでの this の動作に興味がある方は、次の Web ページが参考になります。https://ja.javascript.info/object-methods

繰り返しに使うオブジェクト

```
const obj = {
  a: 1,
  b: 2,
  c: 3,
};
```

for ～ of 文

for ～ of 文と、オブジェクトのメソッド Object.entries( ) を組み合わせて繰り返し、プロパティ名と値のセットをコンソールに出力します。

Sample for ～ of 文を使ってプロパティの個数分繰り返す　　　　　　c09/object-forof.html

```
for (const [key, value] of Object.entries(obj)) {
  console.log(`${key} - ${value}`);
}
```

実行結果

```
a - 1
b - 2
c - 3
```

Object.entries( ) は、オブジェクトのプロパティ名と値をセットにした配列を作成するメソッドです。この例では以下のような配列が返ってきます。for ～ of 文で繰り返す際に分割代入を使えば、各配列の1 番目の値を定数 key に、2 番目を定数 value に、別々の定数に代入できます。

Object.entries(obj) で作られる配列

```
[['a', 1], ['b', 2], ['c', 3]]
```

書式を確認しておきます。スタティックメソッドなので Object の部分は常に Object と書き、引数にはオブジェクトを渡します。

```
Object.entries(オブジェクト)
```

for 〜 in 文

次に、for 〜 in 文を使って繰り返す例を見てみます。実行結果は for 〜 of 文のときと同じです。

Sample　for 〜 in 文を使ってプロパティの個数分繰り返す　　　　　　　　　　　　　c09/object-forin.html

```
for (const key in obj) {
  console.log(`${key} - ${obj[key]}`);
}
```

書式 for 〜 in 文

```
for (const 定数 in オブジェクト) {
  処理
}
```

　書式の「定数」には、繰り返すたびに「オブジェクト」のプロパティ名（キー）が代入されます。キーしか代入されないので、処理の中でプロパティ値を使いたいときは、そのキーを使ってオブジェクト自体から参照する必要があります。

書式 for 〜 in 文の処理の中でプロパティ値を参照する方法

```
<Object>[定数]
```

9-2　オブジェクトの編集操作を制限する

オブジェクトは通常の状態では、作成したあともプロパティを追加したり、プロパティ値を書き換えたりできます。しかし、そうした編集操作に制限を加える機能も用意されていて、誤って操作をしたくないオブジェクトを改変から守ることができます。

　オブジェクトに対する編集操作の制限には、プロパティ 1 つひとつに対して行うものと、オブジェクト全体に対して行うものの 2 種類があります。まずは、1 つひとつのプロパティの操作を制限できるメソッドから見てみましょう。

9-2-1 個別のプロパティに対する操作を制限する

プロパティの操作を制限できるメソッドは 2 つあります。

表　プロパティの操作を制限できるメソッド

メソッド	説明
Object.defineProperty(オブジェクト, 'プロパティ', {ディスクリプター});	「オブジェクト」に「プロパティ」を追加する。その際、ディスクリプター（設定情報）を定義することによって編集操作の制限を設定できる
Object.defineProperties(オブジェクト, {'プロパティ 1': {ディスクリプター}, 'プロパティ 2': {ディスクリプター}, … });	Object.defineProperty() と機能は同じだが、複数のプロパティを同時に追加・設定できる

この 2 つのメソッドを使えば、プロパティの追加・変更と同時に、操作制限の設定・変更ができます。プロパティに対してかけられる制限は 3 つあります。

1. 列挙の可／不可 ── for ～ of 文や for ～ in 文でオブジェクトのプロパティを繰り返し参照する（列挙する）際に、列挙可能かどうかを設定できる。列挙を「不可」にした場合、そのプロパティは繰り返しに出てこなくなる
2. 値の書き換え可／不可 ── プロパティ値の書き換えを禁止できる
3. 設定変更可／不可 ── 上記 2 つの設定をあとから変更できるかどうかを設定できる

操作制限がかかったプロパティを作成する

操作制限がかかったプロパティをオブジェクトに追加するには、Object.defineProperty() メソッドを使います。書式は次のとおりです。

書式 Object.defineProperty() メソッド

```
Object.defineProperty(オブジェクト, 'プロパティ名', {ディスクリプター});
```

引数の「オブジェクト」にはプロパティを追加する対象のオブジェクト、「プロパティ名」には追加するプロパティの名前を指定します。「ディスクリプター」には追加するプロパティの値と、各種設定内容をオブジェクトで指定します。ディスクリプターの書式は次のとおりです。

書式 ディスクリプター

```
{
    writable: true または false,      // 値の書き換えの可（true）／不可（false）の設定
    enumerable: true または false,    // 列挙可／不可の設定
    configurable: true または false,  // 値の書き換え、列挙の可／不可の設定をあとで変更でき
                                       るかどうかの設定
```

```
  value: 値,  // プロパティの値
}
```

　ディスクリプターの各プロパティはどれもオプションですが、value プロパティを設定しないと、オブジェクトに追加・変更するプロパティの値は undefined になります。それ以外のデフォルト値はすべて false です。つまり、Object.defineProperty() メソッドを使い、ディスクリプターを設定しないと、次のようなデフォルト値の設定情報が追加され、値を参照できるだけで繰り返しには含まれない、値の書き換えもできないプロパティができあがります。

Object.defineProperty( ) を使って追加したプロパティのデフォルトの設定

1. writable: false ──────── あとから値を書き換えることができない
2. enumerable: false ────── 列挙されない（for 〜 of 文などの繰り返しに含まれない）
3. configurable: false ──── この 3 つの設定をあとから変更できない

　Object.defineProperty() メソッドを使ってプロパティを追加する例を見てみましょう。memberInfo オブジェクトを作成し、3 つのプロパティをさまざまな設定で追加します。

Sample　プロパティの操作権限を設定する　　　　　　　　　　　　c09/object-define-property.html

```
const memberInfo = {};
// id ──書き換え不可、列挙不可、設定変更不可
Object.defineProperty(memberInfo, 'id', {
  writable: false,
  enumerable: false,
  configurable: false,
  value: 268309,
});

// email ──書き換え可、列挙不可、設定変更不可
Object.defineProperty(memberInfo, 'email', {
  writable: true,
  enumerable: false,
  configurable: false,
  value: 'sukeharu@example.jp',
});

// point ──書き換え可、列挙可、設定変更不可
Object.defineProperty(memberInfo, 'point', {
  writable: true,
  enumerable: true,
  configurable: false,
```

```
  value: 0,
});

console.log(memberInfo.id);    // 268309
console.log(memberInfo.email); // sukeharu@example.jp
console.log(memberInfo.point); // 0
```

こうして設定した memberInfo オブジェクトを操作してみます。まず、プロパティが列挙されるかどうかを確認します。enumerable: true が設定されているプロパティ（point）だけが列挙の対象になります。

| Sample | 設定した変更制限について、繰り返しをテスト | c09/object-define-property.html |

```
for (const [key, value] of Object.entries(memberInfo)) {
  console.log(`${key}: ${value}`);      // point プロパティのみ表示される
}
```

次に、プロパティ値を書き換えてみます。point プロパティと email が書き換え可能（writable: true）です。point プロパティを書き換えてみます。

| Sample | 設定した変更制限について、書き換えをテスト① | c09/object-define-property.html |

```
memberInfo.point += 250;
console.log(memberInfo.point); // 250
```

書き換え不可（writable: false）の id プロパティを書き換えようとすると TypeError が発生します[4]。

| Sample | 設定した変更制限について、書き換えをテスト② | c09/object-define-property.html |

```
memberInfo.id = 335124;        // TypeError
```

9-2-2 オブジェクト自体の操作を制限する

ここまで見てきたように、defineProperty() メソッドを使ってプロパティの操作を制限できることがわかりました。しかしオブジェクト自体には制限がかかっていないため、新たなプロパティの追加や既存のプロパティの削除はできてしまいます。そうしたオブジェクト自体への操作を制限するために、次表の3つのメソッドが用意されています。

----

[4] Strict モード時。非 Strict モードでも書き換えはできませんがエラーは発生しません。

表　オブジェクト全体の操作を制限できるメソッド

メソッド	説明
Object.preventExtensions(オブジェクト)	「オブジェクト」に新たなプロパティの追加を禁止する —❶
Object.seal(オブジェクト)	「オブジェクト」に対し、❶に加え、一部のプロパティの設定変更を禁止する
Object.freeze(オブジェクト)	「オブジェクト」に対するすべての編集操作を禁止する

　Object.preventExtensions() → Object.seal() → Object.freeze() の順に、だんだん制限が厳しくなっていきます。具体例とともに見ていきましょう。

プロパティの追加を禁止する　〜 Object.preventExtensions()

　プロパティの追加を禁止し、そのほかの操作 ―― 既存のプロパティの書き換えなど ―― は、defineProperty() で設定したとおりのままにしたいときは、Object.preventExtensions() メソッドを使います。これは**オブジェクトの拡張を禁止する**メソッドで、プロパティを追加しようとすると TypeError が発生します。前項で作成した memberInfo オブジェクトで試してみます。

Sample　プロパティの追加を禁止する　　　　　　　　　　　　c09/object-prevent-extensions.html

```
略
Object.preventExtensions(memberInfo);

// 試しにプロパティを追加してみる
memberInfo.addProp = '新規プロパティ';   // TypeError
```

　しかし、この Object.preventExtensions() メソッドを使っても、依然としてプロパティの削除はできてしまいます。プロパティの追加を禁止するだけでなく、既存のプロパティの削除も禁止するには、Object.seal() もしくは Object.freeze() を使用します。

オブジェクトの操作をすべて禁止するが、
一部のプロパティ値の書き換えは許可する　〜 Object.seal()

　Object.seal() は、オブジェクトに対するすべての編集操作を禁止します。ただし、ディスクリプターで書き換えが許可されている（writable: true が設定されている）プロパティはそのままの状態が維持され、値の書き換えができます。

　次の例では Object.seal() を実行したオブジェクトの書き換えを試みています。書き換えが許可されている memberInfo オブジェクトの point プロパティの値は書き換えられますが、新しいプロパティを追加しようとすると TypeError が発生します。

c09/object-seal.html

| Sample | 書き換え可能プロパティを除き、オブジェクトのすべての操作を禁止する

```
略
Object.seal(memberInfo);

// writable: trueのプロパティの値を書き換えることができる
memberInfo.point += 100;
console.log(memberInfo.point); // 100

memberInfo.newProp = '新規プロパティを追加';        // TypeError
```

すべての操作を禁止する　〜 Object.freeze()

書き換え可能の設定がされているプロパティを例外にせず、すべての操作を禁止したいときは Object.freeze() を使います。書き換え可能だった point プロパティも書き換えられなくなります。

c09/object-freeze.html

| Sample | オブジェクトのすべての操作を禁止する

```
略
Object.freeze(memberInfo);

// writable: trueのプロパティでさえ書き換えられなくなる
memberInfo.point += 100;        // TypeError
```

オブジェクト、プロパティの編集操作の設定まとめ

ここまで見てきたとおり、オブジェクトやプロパティには操作制限がかけられます。制限には何段階もあって複雑ですが、一般には、個別のプロパティに操作制限をかける Object.defineProperty() メソッドと、オブジェクトに対するすべての操作を禁止する Object.freeze() メソッドがよく使われます。オブジェクトやプロパティの操作に制限をかけたいときは、まずはこの 2 つのメソッドの使用を検討すればよいでしょう。

最後に、オブジェクトやプロパティの操作権限を確認するメソッドも紹介しておきます。

表　変更の権限や状態を確認するメソッド

メソッド	説明
Object.getOwnPropertyDescriptor(オブジェクト,'プロパティ')	「オブジェクト」の「プロパティ」のディスクリプターを取得
Object.getOwnPropertyDescriptors(オブジェクト)	「オブジェクト」のすべてのプロパティのディスクリプターを取得
Object.isExtensible(オブジェクト)	「オブジェクト」に新しいプロパティを追加できるかどうかを調べ、true か false を返す
Object.isSealed(オブジェクト)	「オブジェクト」がシールされているかどうかを調べ、true か false を返す

メソッド	説明
Object.isFrozen(オブジェクト)	「オブジェクト」がフリーズされているかどうかを調べ、true か false を返す
< オブジェクト >.propertyIsEnumerable(' プロパティ ')	< オブジェクト > の「プロパティ」が列挙可能かどうかを調べ、true か false を返す

9-3 その他のオブジェクトの操作

これまでにオブジェクトの基本的な操作と、オブジェクトの変更に制限をかけるメソッドを中心に紹介してきました。本節では、それ以外の操作をするメソッドをいくつか紹介します。

本節で紹介するメソッドを役割で分類すると、大きく 3 つあります。

- オブジェクトに特定のプロパティがあるか調べる
- 既存のオブジェクトから新しいオブジェクトを作る
- オブジェクトから配列など別のデータを作成する

表　オブジェクトの操作をするメソッド

メソッド	説明
Object.hasOwn(オブジェクト , ' プロパティ ')	「オブジェクト」に「プロパティ」があるかどうかを調べる。ES2022 で導入
< オブジェクト >.hasOwnProperty(' プロパティ ')	< オブジェクト > に「プロパティ」があるかどうかを調べる。可能なかぎり Object.hasOwn( ) を使う
Object.getPrototypeOf(オブジェクト)	「オブジェクト」のプロトタイプを取得 (➡ Note「プロトタイプ」p.350)
< オブジェクト >.isPrototypeOf(オブジェクト)	< オブジェクト > が「オブジェクト」のプロトタイプチェーンにあるかどうかを調べる
Object.is(値 1, 値 2)	「値 1」が「値 2」と同一であるかどうかを調べる
Object.assign(オブジェクト 1, オブジェクト 2, …)	「オブジェクト 1」に、「オブジェクト 2」以降のオブジェクトをコピー。「オブジェクト 1」自体を変更する
Object.create(オブジェクト)	「オブジェクト」から新しいオブジェクトを作成して返す
Object.fromEntries(配列または Map)	[[' キー 1', 値 1], [' キー 2', 値 2], …] のかたちになっている配列または Map からオブジェクトを作成
Object.entries(オブジェクト)	「オブジェクト」のプロパティ名（キー）と値を [[' キー 1', 値 1], [' キー 2', 値 2], …] というかたちの配列にして返す
Object.keys(オブジェクト)	「オブジェクト」のプロパティ名を配列にして返す
Object.values(オブジェクト)	「オブジェクト」のプロパティ値を配列にして返す
Object.getOwnPropertyNames(オブジェクト)	「オブジェクト」のプロパティ名を配列にして返す。列挙不可に設定されているプロパティ名も含まれる
Object.getOwnPropertySymbols(オブジェクト)	「オブジェクト」のプロパティのうち、プロパティ名が Symbol 型のものだけを配列にして返す

▍9-3-1　オブジェクトに特定のプロパティがあるか調べる

Object.hasOwn()メソッドは、オブジェクトに特定のプロパティがあるか調べ、あればtrue、なければfalseを返します。

書式 Object.hasOwn()メソッド

```
Object.hasOwn(オブジェクト, 'プロパティ')
```

次の例ではvideoオブジェクトに、fileプロパティとpriceプロパティがあるか調べています。

Sample Object.hasOwn() c09/object-hasown.html

```
const video = {
  file: 'js-expert-course.mp4',
  title: '上級JavaScript演習',
};

console.log(Object.hasOwn(video, 'file'));    // true
console.log(Object.hasOwn(video, 'price'));   // false
```

Object.hasOwn()はES2022で導入された比較的新しいメソッドのため、それ以前に書かれたコードでは、まったく同じ機能を持つhasOwnProperty()メソッドを使用しています。書式は違いますが、両者の機能は同じです。

▽ Object.hasOwn()の代わりにhasOwnProperty()を使う

```
console.log(video.hasOwnProperty('file'));    // true
console.log(video.hasOwnProperty('price'));   // false
```

𝒩ote なぜまったく同じ機能のメソッドが新たに作られた？ やや高度な内容

ES2022で導入されたObject.hasOwn()メソッドは、それよりもずっと古くに実装された\<Object\>.hasOwnProperty()の代わりとなるように作られました。実は、hasOwnProperty()には簡単に上書きできてしまうという欠点があり、仮に上書きされてしまっていると思ったとおりの動作をしないのです。そのため上書きできないObject.hasOwn()が新たに導入された、というわけです。

どれだけ簡単に上書きできるか例を示します。hasOwnPropertyプロパティを文字列で上書きしてから実行するとTypeErrorが発生し、「hasOwnPropertyはfunctionでない」というメッセージが出ます。

```
const obj = {a: 1, b: 2};
obj.hasOwnProperty = '書き換えちゃった';

console.log(obj.hasOwnProperty('a')); // TypeError: obj.hasOwnProperty is not a
function
```

▌9-3-2 オブジェクトから配列を作成する

オブジェクトの基本操作の 9-1-4「プロパティの個数分繰り返す」(p.302) でも少し触れましたが、プロパティ名またはプロパティ値だけを集めた配列を作成することができます。

プロパティ名（キー）だけ、値だけの配列を作る

プロパティ名（キー）だけの配列を作るには Object.keys() メソッド、プロパティ値だけの配列を作るには Object.values() メソッドを使います。

Sample キーだけ、値だけの配列を作る　　　　　　　　　　　　　　　c09/object-keys-values.html

```
const wordNumbers = {
  one: 1,
  two: 2,
  three: 3,
  four: 4,
};

const keys = Object.keys(wordNumbers); ●━━━━ プロパティ名（キー）だけの配列を作る
console.log(keys);      // ['one', 'two', 'three', 'four']

const values = Object.values(wordNumbers); ●━━━━ 値だけの配列を作る
console.log(values);  // [1, 2, 3, 4]
```

Object.keys()、Object.values() はオブジェクトのプロパティ数を調べるときに便利です。なぜなら、これらのメソッドが返す値は配列で、配列には length プロパティがあるからです（オブジェクトにはありません）。次の例では、オブジェクト wordNumbers のプロパティ数を調べ、コンソールに出力しています。

Sample プロパティ数を調べる　　　　　　　　　　　　　　　　　　　c09/object-length.html

```
const wordNumbers = {
  one: 1,
```

312

```
  two: 2,
  three: 3,
  four: 4,
};

const propertyLength = Object.keys(wordNumbers).length;
console.log(propertyLength);  // 4
```

キーと値がセットになった配列を作る

オブジェクトを繰り返し処理するときにも使いましたが、Object.entries() メソッドを使うとキーと値がセットになった配列を作ることができます。

▽ Object.entries() メソッド

```
const wordNumbers = {
  one: 1,
  two: 2,
  three: 3,
  four: 4,
};
const entries = Object.entries(wordNumbers);  // [['one', 1], ['two', 2], ['three',
                                              3], ['four', 4]]
```

こうしたオブジェクトのキーや値を配列にするメソッドの応用例として、「英語の曜日や月を日本語、または数字に変換する」「全角アルファベットを半角アルファベットに変換する」など、決まったパターンの文字列を別の文字列に置換するのに利用できます。

次の例では、上記のオブジェクト（wordNumbers）を使って、文字列中の数字の単語を数字に置き換える関数 replaceWords() を作成しています。この関数内で Object.entries() メソッドを使用しています。

Sample 英単語を数字に置き換える（キーを値で置換する）   c09/object-entries.html

```
const replaceWords = (str) => {
  const wordNumbers = {        ← キーが英単語、値が数字。検索／置換に使うこと
    'one': '1',                   を明確にするためキー値ともに文字列にしている
    'two': '2',
    'three': '3',
    'four': '4',
  };
  const entries = Object.entries(wordNumbers);
  for (const [key, value] of entries) {    ← キーを定数 key に、
    str = str.split(key).join(value);         値を定数 value に代入
  }                          ← 8-6-1「配列の要素
                               を結合する」(p.282)
```

```
  return str;
};

const str = 'two is greater than one.';  ●─────────── ┌─────────────────────┐
console.log(replaceWords(str));       // 2 is greater than 1. │ キーと同じところが値に置換 │
                                                              └─────────────────────┘
```

█ 9-4 █ データ管理に適したMapオブジェクト

Mapは、Objectに似たオブジェクトで、1つのMapオブジェクトにキーと値のセットを複数保存できるようになっています。

　Mapは「キー」と「値」のセット（「キー値」ペアという）を複数保存しておけるオブジェクトです。値の保存の仕方はObjectと似ていますが、異なる点もあります。Mapオブジェクトの主な特徴は次のとおりです。

》》要素数を簡単に調べられる

　Mapオブジェクトにはsizeプロパティがあり、要素数を簡単に調べられます。

》》繰り返しの処理に強い

　「各要素の値を順に取り出す」「要素すべてに処理をする」といった、繰り返しの処理が可能です。

》》要素の順序が保証される

　Mapオブジェクトはキー値ペアが登録された順序を記憶していて、繰り返し処理をすると毎回同じ順番で呼び出されます。

Mapの「キー」はどんな値でもよい

　Objectのプロパティ名につけられる名前には制限がありましたが、**Mapオブジェクトのキーには、文字列に限らず、JavaScriptのデータ型ならどんなものでも設定できます。**ただし、識別子——オブジェクトのプロパティ名や変数名をつけるときの、クォートで囲まない名前——はデータ型でないので、Mapオブジェクトのキーにはできません。

　Mapオブジェクトには以下のプロパティとメソッドがあります。

表　Mapオブジェクトのプロパティ

プロパティ	説明
<Map>.size	<Map> の要素数を調べる

メソッド	説明
<Map>.set(キー , 値)	<Map> に「キー」「値」ペアをセットする
<Map>.get(キー)	<Map> の「キー」の値を参照する
<Map>.clear( )	<Map> のすべてのキー値ペアを削除し、undefined を返す。<Map> 自体を変更する
<Map>.delete(キー)	<Map> から「キー」とその値を削除する。「キー」が存在し削除できれば true、存在しなければ false を返す。<Map> 自体を変更する
<Map>.has(キー)	<Map> に「キー」があるかを調べ、あれば true、なければ false を返す
<Map>.forEach(関数)	<Map> のすべての要素を対象に「関数」を実行する
<Map>.entries( )	<Map> に含まれるキーと値を集めたイテレーターを作成する（➡ 11-5「イテレーターとジェネレーター」p.383）
<Map>.keys( )	<Map> に含まれるキーを集めたイテレーターを作成する
<Map>.values( )	<Map> に含まれる値を集めたイテレーターを作成する

▌9-4-1 Map オブジェクトの作成とキー値ペアの追加

Map オブジェクトは、まず new キーワードで空の Map オブジェクトを生成し、そこにキー値ペアをセットしていきます。キー値ペアをセットする方法には set( ) メソッドを使う方法と、new Map( ) の際に引数として配列を渡す方法の 2 種類があります。それぞれ見ていきましょう。

set( ) メソッドでキー値ペアを追加

set( ) メソッドは 2 つの引数を取り、1 つ目にはキー、2 つ目には値を渡します。Map は「キー」にも「値」にも、どんなデータ型でもセットできます。

書式 set( ) メソッド

```
<Map>.set( キー , 値 );
```

実際の使用例を見てみます。map というオブジェクトを作成し、そこに 'file'、'wh'、'alt' という 3 つのキーと値をセットしています。

Sample Map オブジェクトにキー値ペアを追加する　　　　　　　　　　　c09/map-set1.html

```
const map = new Map();
map.set('file', 'images/catsle.jpg');
map.set('wh', [1200, 800]);
map.set('alt', '小田原城天守閣');

console.log(map);
```

コードを実行するとコンソールに map が出力されます。Chrome や Safari では「キー => 値」、Firefox では「キー → 値」という、少し見慣れないかたちで表示されます。

Chrome のコンソール

```
要素  コンソール  ソース  ネットワーク  パフォーマンス  メモリ  アプリケーション

top ▼   フィルタ

▶ Map(3) {'file' => 'images/catsle.jpg', 'wh' => Array(2), 'alt' => '小田原城天守閣'}
>
```

いま取り上げた例では 1 つのキー値ペアをセットするたびに「map.set( )」と書いていましたが、set( ) は連続して実行できるので、Map.set( ).set( )……というふうにも書けます。こうした、メソッドを連続して実行するような書き方をメソッドチェーンと呼びます。

Sample Map.set( )をメソッドチェーンで書いた場合   c09/map-set2.html

```
const map = new Map()
    .set('file', 'images/catsle.jpg')
    .set('wh', [1200, 800])
    .set('alt', '小田原城天守閣');

console.log(map);        // Map {"file" => "images/catsle.jpg", "wh" => [1200, 800],……}
```

配列を使って追加

Map オブジェクトにキー値ペアをセットする別の方法は、new Map( ) の引数に配列を渡すことです。渡す配列は次の書式のように、[' キー ', 値] 配列を複数含む配列にします。

書 式 new Map( )に渡す引数の配列

[[キー1，値1]，[キー2，値2]，[キー3，値3]，…]

前項と同じキー値ペアを持つの Map オブジェクトを配列から作成するには、次のようにします。

Sample 配列から Map オブジェクトを作成   c09/map-set3.html

```
const map = new Map([
  ['file', 'images/catsle.jpg'],
  ['wh', [1200, 800]],
```

```
  ['alt', '小田原城天守閣'],
]);

console.log(map);        // Map {"file" => "images/catsle.jpg", "wh" => [1200, 800],……}
```

9-4-2 値を取り出す

Map オブジェクトの値を取り出すときは、get( ) メソッドを使用します。

書式 get( ) メソッド

```
<Map>.get( キー )
```

Map オブジェクトから値を取り出してみます。配列の各要素を取り出す場合は get(キー)[インデックス] とします。

Sample Map オブジェクトから値を取り出す   c09/map-get.html

```
const map = new Map([
  ['file', 'images/catsle.jpg'],
  ['wh', [1200, 800]],
  ['alt', '小田原城天守閣'],
]);

console.log(map.get('file')); // images/catsle.jpg
console.log(map.get('wh')[0]);// 1200
console.log(map.get('alt'));  // 小田原城天守閣
```

9-4-3 要素の個数を調べる

Map オブジェクトには size プロパティがあり、Object と違って要素の個数を調べるのが簡単です。前項の例と同じ Map オブジェクトの size プロパティを調べると 3 が返ってきます。

▽ size プロパティで Map オブジェクトの要素数を調べる

```
console.log(map.size); // 3
```

9-4-4 キー値ペアを削除する

Map オブジェクトではキー値ペアを削除したり、全要素を一括で削除したりできます。まず、キー値ペアを 1 つ削除するには delete( ) メソッドを使用します。引数には削除したいキーを渡します。
```
```

delete( ) メソッド

```
<Map>.delete(キー)
```

delete( ) メソッドを実行すると、<Map> オブジェクトに「キー」が存在し削除できれば true、存在しなければ false が返ってきます。

例を見てみましょう。次の例でも前項までと同じデータを使い、'wh' キーを削除します。

Sample   delete( ) メソッドでキー値ペアを削除   c09/map-delete.html

```
略
const deleted = map.delete('wh');
console.log(deleted);  // true  ●──────── 'wh' が存在し、削除できたので true が返る
console.log(map);      // {'file' => 'images/catsle.jpg', 'alt' => '小田原城天守閣'}
```

全要素を一括で削除するには clear( ) メソッドを使います。このメソッドに引数はなく、返り値もありません。

Sample   clear( ) メソッドで全要素を一括で削除   c09/map-clear.html

```
略
map.clear();
console.log(map); // Map(0) {size: 0}  ●── size が 0。すべてのキー値ペアが削除されていることがわかる
```

なお、delete( ) メソッドも clear( ) メソッドも、対象の Map オブジェクト自体を変更します。

9-4-5 キー値ペアの個数分繰り返す

Map オブジェクトの要素の個数分繰り返し処理をする方法は 2 通り、1 つは for ～ of 文、もう 1 つは forEach( ) メソッドを使います。for ～ of 文を使う例から見てみましょう。繰り返しの際に分割代入を使えば、キーと値を別々の変数（定数）に代入できます。

Sample   Map オブジェクトの繰り返し　～ for ～ of 文   c09/map-forof.html

```
const map = new Map([['鮪', 'マグロ'], ['鰈', 'カレイ'], ['鰊', 'ニシン']]);
for (const [key, value] of map) {
  console.log(`${key}は${value}と読みます。`);
}
```

```
🔍 🔲    要素   コンソール   ソース   ネットワーク   パフォーマンス
▶ ⊘   top ▼   👁   フィルタ
  鮪はマグロと読みます。
  鰈はカレイと読みます。
  鰊はニシンと読みます。
>
```

Map オブジェクトの forEach( ) メソッドの使い方は、配列の forEach( ) メソッドとほぼ同じです（➡
「forEach( ) メソッドで配列を繰り返し処理する」p.257）。引数にコールバック関数を取り、そのコール
バック関数には、繰り返すたび 3 つの引数── 1 つ目は「値（value）」、2 つ目は「キー名（key）」、
3 つ目は対象の「<Map オブジェクト > 自身（Map）」──が渡されます。不要な引数は受け取らなくて
もかまいません。

Sample   Map オブジェクトの繰り返し　〜 forEach( )   c09/map-foreach.html

```
const map = new Map([['鶯', 'ウグイス'], ['雉', 'キジ'], ['鶫', 'ツグミ']]);
map.forEach((value, key) => {
  console.log(`${key}は${value}と読みます。`);
});
```

```
🔍 🔲    要素   コンソール   ソース   ネットワーク   パフォーマンス
▶ ⊘   top ▼   👁   フィルタ
  鶯はウグイスと読みます。
  雉はキジと読みます。
  鶫はツグミと読みます。
>
```

9-4-6 Map から Object、Object から Map に変換

Map オブジェクトや Object のメソッドを使えば、相互に変換ができます。

Map から Object に変換する

Map オブジェクトから Object に変換するときは、まず Map オブジェクトをイテレーターに変換し、
そのイテレーターから Object を作成する、という手順を踏みます。この操作を実現するために、Map
オブジェクトの entries( ) メソッドと、Object の fromEntries( ) スタティックメソッドを使用します。
このうち Map オブジェクトの entries( ) メソッドは、Map オブジェクトのキー値ペアからイテレーター
を作成します（➡ 11-5「イテレーターとジェネレーター」p.383）。このメソッドは引数を取りません。

書式 entries( ) メソッド

```
<Map>.entries()
```

また、Object.fromEntries( ) は、引数として渡されたイテレーターまたは配列からオブジェクトを作成するメソッドです。

書式 Object.fromEntries( ) メソッド

```
Object.fromEntries(イテレーターまたは配列)
```

イテレーターの操作方法を知らなくても、変換自体はできます。実際に Map から Object に変換する例を見てみましょう。処理自体は 1 行で完結します。

Sample　Map から Object に変換　　　　　　　　　　　　　　　　　　　c09/map-to-object.html

```
const map = new Map([
  ['line', '銀座線'],
  ['start', '渋谷'],
  ['end', '浅草'],
]);

const object = Object.fromEntries(map.entries());
console.log(object);　// {line: '銀座線', start: '渋谷', end: '浅草'}
```

Object から Map に変換する

今度は、Object から Map オブジェクトに変換するパターンを見てみましょう。この場合は Object から配列を作成し、その配列を使って Map オブジェクトを作ります。Object を配列に変換するときは、Object.entries( ) メソッドを使います（➡「キーと値がセットになった配列を作る」p.313）。こちらも処理は 1 行で完結します。

Sample　Object から Map に変換　　　　　　　　　　　　　　　　　　　c09/object-to-map.html

```
const subway = {
  'line': '丸ノ内線',
  'start': '池袋',
  'end': '荻窪',
};

const map = new Map(Object.entries(subway));
```

320

```
console.log(map);    // Map(3) {'line' => '丸ノ内線', 'start' => '池袋', 'end' => '荻窪
'}
```

9-5 重複する値を持たない Set オブジェクト

Set オブジェクトは複数の値を 1 つにまとめて保持・管理できるオブジェクトですが、Map オブジェクトと違ってキーに相当するものを持たず、配列のようなインデックス番号もありません。重複する値を持たないという特徴があります。

Set オブジェクトは配列のように値だけを複数保持できるオブジェクトで、最大の特徴は**重複する値を持たない**ことです。Set オブジェクトのプロパティやメソッドには Map オブジェクトとほぼ同じものが実装されていて、オブジェクトの生成、値のセット・取り出し、Object オブジェクトへの変換などの操作が同じ感覚で行えるようになっています。Set オブジェクトに用意されているプロパティ、メソッドを表にまとめました。

表　Set オブジェクトのプロパティ

プロパティ	説明
\<Set>.size	\<Set> の要素数を調べる

表　Set オブジェクトのメソッド

メソッド	説明
\<Set>.add(値)	\<Set> に「値」を追加する
\<Set>.clear( )	\<Set> からすべての値を削除する。\<Set> 自体を変更する
\<Set>.delete(値)	\<Set> から「値」を削除する。「値」が存在し削除できれば true、存在しなければ false を返す。\<Set> 自体を変更する
\<Set>.has(値)	\<Set> に「値」があるかどうかを調べ、あれば true、なければ false を返す
\<Set>.forEach(関数)	\<Set> のすべての値を対象に「関数」を実行する
\<Set>.values( )	\<Set> に含まれる値を集めたイテレーターを作成する（➡ 11-5「イテレーターとジェネレーター」p.383）
\<Set>.keys( )	\<Set>.values( ) とまったく同じ動作をする
\<Set>.entries( )	\<Set> に含まれる値から [値 , 値] というかたちのイテレーターを作成する

9-5-1 Set オブジェクトの作成と値の追加

Set オブジェクトの操作は Map オブジェクトの操作とほとんど同じです。Set オブジェクトを作成するときは new キーワードで空の Set オブジェクトを生成し、そこに値をセットしていきます。値をセットする方法には add( ) メソッドを使う方法と、new Set( ) の際に引数として配列を渡す方法の 2 通りがあります。add( ) メソッドを使う場合は、次の例のようにします。値はどんなものでもかまいません。

```
const set = new Set()
    .add(1)
    .add(2)
    .add(3);

console.log(set);      // Set(3) {1, 2, 3}
```

Map オブジェクトの set( ) 同様、Set オブジェクト
の add( ) もメソッドチェーンができる（p.316）

new Set( ) の引数として配列を渡し、値を追加する例も見てみましょう。Set オブジェクトにはキー
がないので、Map オブジェクトのときよりも単純な配列を渡します。

▼ new Set( ) のときの引数として値を渡す

```
const set = new Set([1, 2, 3]);
```

もちろん、あとから値を追加することも可能です。しかし Set オブジェクトの場合、すでにあるもの
と同じ値を追加することはできません。重複した値を追加しようとしてもエラーなどは発生せず、ただ追
加されないだけです。

```
const set = new Set()
    .add(1)
    .add(2)
    .add(3);
略
set.add(1);
console.log(set);      // Set(3) {1, 2, 3} | エラーは発生せず、値が追加されないだけ
```

重複している値（1）を追加しようとしている

▌ 9-5-2　値があるかどうかを調べる

Set オブジェクトにはキーもインデックス番号もなく、そうしたものを使って値を取り出すことはできません。でき
るのは「値があるかどうかを調べる」ことだけで、そのためには has( ) メソッドを使います。has( ) メソッドは引
数で指定した値があれば true、なければ false を返します。

書式　has( ) メソッド

```
<Set>.has(値)
```

次の例では、Set オブジェクトの lines に「銀座線」「千代田線」があるかどうかを調べています。

```
const lines = new Set([
  '銀座線',
  '丸ノ内線',
  '日比谷線',
  '東西線',
]);

console.log(lines.has('銀座線'));       // true
console.log(lines.has('千代田線'));     // false
```

9-5-3 要素の個数を調べる

Set オブジェクトにも、Map オブジェクト同じく size プロパティがあって、要素の個数を簡単に調べられます。前項の Set オブジェクト（lines）の size プロパティを使うと要素数である 4 が返ってきます。

size プロパティで Set オブジェクトの要素数を調べる

```
console.log(lines.size);       // 4
```

9-5-4 値を削除する

Set オブジェクトから値を 1 つ削除するには delete( ) メソッド、すべて削除する場合は clear( ) メソッドを使います。この 2 つの削除操作も Map オブジェクトと同じ方法でできるようになっています。

書式 delete( ) メソッド

```
<Set>.delete(値)
```

delete( ) メソッドを実行すると、<Set> オブジェクトに「値」が存在し削除できれば true、存在しなければ false が返ってきます。

例を見てみます。次の例でも前項までと同じデータを使い、「東西線」を削除します。

```
略
const deleted = lines.delete('東西線');
console.log(deleted); // true
console.log(lines);    // Set(3) {'銀座線', '丸ノ内線', '日比谷線'}
```

clear( ) メソッドを使えばすべての値を一括で削除できます。

Sample clear( ) メソッドで全要素を一括で削除   c09/set-clear.html

```
略
lines.clear();
console.log(lines);    // Set(0) {size: 0}
```

9-5-5 値の個数だけ繰り返し処理をする

Set オブジェクトも Map オブジェクト同様、繰り返し処理ができます（➡ 9-4-5「キー値ペアの個数分繰り返す」p.318）。繰り返しには for 〜 of 文と forEach( ) メソッドが使える点も同じです。

しかし、Set オブジェクトには Map オブジェクトでいう「キー」に相当するものがありません。そのため、forEach( ) メソッドに渡すコールバック関数が受け取る引数は、1 つ目が要素の「値」、2 つ目も「値」、3 つ目が「Set オブジェクト自身」になっています。配列、Map オブジェクト、Set オブジェクトで forEach( ) メソッドの使い勝手を同じにするため、コールバック関数も引数を 3 つ取るようになっていますが、Set オブジェクトでは 1 つ目と 2 つ目の引数に、常に同じ値が渡されるのです。

次の例では、forEach( ) メソッドのコールバック関数に渡される 1 つ目と 2 つ目の引数が同じ値であることを確認しています。

Sample Set オブジェクトの forEach( ) メソッド   c09/set-foreach.html

```
const set = new Set(['銀座線', '丸ノ内線', '日比谷線', '東西線']);
set.forEach((v, i) => {
  console.log(v === i); // 引数の1つ目と2つ目の値は同じだから常にtrue
});
```

9-5-6 値が重複しない配列を作る

Set オブジェクトを使えば、配列の中から重複する値を簡単に取り除けます。対象となる配列から Set オブジェクトを作成し、その Set オブジェクトを配列に変換し直せば完了です。次の例では、order という配列から重複した値を取り除き、新しい配列 unique を作成しています。

Sample 配列から重複した値を取り除く   c09/set-array.html

```
const order = ['ケーキ', 'コーヒー', 'アイスティー', 'コーヒー', 'ドーナツ'];
const unique = [...new Set(order)];●━━━━━━━━━━━━❶
console.log(unique);  // ['ケーキ', 'コーヒー', 'アイスティー', 'ドーナツ']
```

❶の処理は見慣れないかもしれませんので、順を追って確認しましょう。

まず、new Set( ) で、配列 order を引数にして Set オブジェクトを作ります。この時点で重複する値が取り除かれます。次に、スプレッド構文で、作成した Set オブジェクトの値を要素にした配列を作成し、定数に代入します。これで、重複する値を取り除いた配列 unique ができあがります。

　配列の機能だけで同じ処理をしようとするとけっこう手間がかかります。知っているといつか役に立つ日が来るかもしれませんね。

クラス

> クラスは、あらかじめ決めておいた特定のプロパティやメソッドを持つオブジェクトを生成するための「設計図」です。クラスの構文は ES2015 で導入、ES2022 で機能強化され、より安全なコードをシンプルに書くための環境が整いました。本章ではクラスを利用したオブジェクトの設計・利用方法を解説します。

10-1 クラスとオブジェクト

同じプロパティとメソッドを持つ、複数のオブジェクトを作成したいときに役立つのがクラス（class）です。本節ではどんなときにクラスが役に立つのか、例を交えて見ていきます。

たとえば Date オブジェクトは、「new Date( )」を実行してインスタンスを生成します。インスタンスはいくつでも生成でき、インスタンスごとに異なる日時を保持できますが、持っているプロパティやメソッドは同じです。同じプロパティやメソッドを持つオブジェクト（＝インスタンス）が複数必要になる場面で、元となるオブジェクトを作るのに役立つのがクラス（class）です。

10-1-1 クラスが必要な理由

同じプロパティとメソッドを持つ、複数のオブジェクトが必要な状況を考えてみます。仮に、ラーメン屋さんで受けた注文を保存しておくようなオブジェクトを作ることにしましょう。ベースの味、盛り、トッピングを保存しておく 3 つのプロパティと、盛りを設定するメソッド、注文を確認（コンソールに出力）できるメソッドを持つオブジェクト、ramenOrder を作成します。

Sample　1 つの注文を表すオブジェクト　　　　　　　　　　　　　　　　　c10/object-sample.html

```
const ramenOrder = {
  base: 'さっぱり',          ベースの味、盛り、トッピングを代入できるプロパティ
  mori: 1,
  toppings: ['味玉', 'チャーシュー'],
  // 盛りを設定
  setMori(mori) {            注文内容（ふつうか大盛りか）から麺の量を計算するメソッド
    if (mori === 'ふつう') this.mori = 1;
    if (mori === '大盛り') this.mori = 1.5;
```

```
  },
  // オーダーを確認
  checkOrder() { ●────────[注文内容をコンソールに出力するメソッド]
    console.log(`味: ${this.base}
トッピング: ${this.toppings}
盛り: ${this.mori}
    `);
  },
};


ramenOrder.setMori('大盛り');
ramenOrder.checkOrder();
```

　このオブジェクトのプロパティに値を代入すれば、受けた注文を保存しておくことはできそうです。ただ、このオブジェクトでは1つの注文しか保存できません。2つ以上の注文を保存しておくには、同じプロパティやメソッドを持った、複数のオブジェクトが必要になります。そんなときに役立つのがクラス（class）です。クラスがあると、同じプロパティとメソッドを持ったインスタンスを、必要なだけ生成できるようになります。

10-2 クラスとはどんなもの？

クラスは「オブジェクトの設計図」です。クラスにフィールド（プロパティ）やメソッドを定義しておくと、「new <クラス名>( )」を実行して、同じプロパティとメソッドを持つオブジェクト（インスタンス）を作れるようになります。

　クラスを作っておくと、同じプロパティやメソッドを持ったオブジェクトをいくつでも作ることができます。このオブジェクトを"作る"操作を「生成する」または「インスタンス化する」といいます。インスタンス（instance）には日本語で「実体」という意味があり、クラスという「設計図」から、オブジェクトを「実体化する」、つまりプロパティの値を取り出したり、書き換えたり、メソッドを呼び出したりと、実際に使える状態にすることを指します。

図　クラスとオブジェクトの関係。クラスからnewすると新たなインスタンス（オブジェクト）が作られる

クラス

```
class MyClass {
  フィールド1 = 1
  フィールド2 = 2
  メソッドA
}
```

myClass = new MyClass() ────→

インスタンス（オブジェクト）

```
myClass = {
  プロパティ1: 1,
  プロパティ2: 2,
  メソッドA() { ... },
};
```

328

クラスでは、オブジェクトでいうプロパティのことを**フィールド**と呼びます。また、オブジェクトではプロパティとメソッドをまとめて（つまり、オブジェクトの構成要素のことも）プロパティと呼んでいますが、クラスではこの構成要素のことを**メンバー**といいます。オブジェクトとクラスでは同じものを指すのに呼び方が異なるため、少し注意が必要です。

図　オブジェクトとクラスの構成要素

```
class MyClass {
  ┌─────────────┐
  │ フィールド1 = 1 │────── フィールド（オブジェクトでいうプロパティ）
  │ フィールド2 = 2 │
  ├─────────────┤
  │ メソッドA      │────── メソッド（オブジェクトでも同じ）
  └─────────────┘
}                 ────── 両方合わせてメンバー（オブジェクトでいうプロパティ）
```

▌10-2-1 class を使ったオブジェクトの基本形

オブジェクトの設計図となるクラスを作るには、まず class 宣言をします。

書式　class 宣言

```
class <クラス名> {
    オブジェクトの設計図をここに書く
}
```

class に続けて <クラス名>、さらに {} を書きます。これが class 宣言の基本形です。<クラス名> は自由につけることができ、使用できる文字は変数や関数の命名ルールと同じです（➡ 2-1-2「変数名をつけるときのルール」p.57）。正式なルールがあるわけではないのですが、慣例的にクラス名はキャメルケースで、ただし 1 文字目を大文字にします。

<クラス名> に続く {} 内にはフィールドやメソッド、それからコンストラクター（constructor）を追加します。**コンストラクターとはオブジェクトをインスタンス化するときに最初に 1 回だけ必ず実行される関数で、インスタンス化するオブジェクトの初期設定をするのに使います。**

class の {} 内にフィールド、メソッド、コンストラクターを含めると次の書式のようになります。正式なルールはありませんが、クラスの {} 内は、**フィールド→コンストラクター→メソッド**の順で記述するのが一般的です。フィールド、メソッドは必要なだけ追加できます。コンストラクターは 1 つだけです。

```
class <クラス名> {
  // fields
  フィールド1;
  // constructor
  constructor(引数) {
    インスタンス化する際の初期化処理
  }
  // methods
  メソッド1() {
    メソッドの処理
  }
  ...
}
```

作成したクラスをインスタンス化する際には、「new」を使って次のようにします。

書式 class からオブジェクトをインスタンス化する

```
new <クラス名>(引数);
```

「引数」にはコンストラクターに渡す値を入れます。「引数」の値はオブジェクトの初期値を設定するのに使いますが、これについてはあとで詳しく取り上げます（➡ 10-3-2「コンストラクターを作る」p.333）。

10-3 classにさまざまな機能を組み込む

クラスはオブジェクトの設計図で、インスタンス化したときに含まれるプロパティやメソッドを定義しておきます。本節では基本的な操作方法から始めて、各メンバーにアクセスできる範囲の設定や継承など、徐々に高度なトピックを取り上げます。

クラスに追加できるフィールド、メソッド、コンストラクターの基本的な書式と、実際の使い方を見てみましょう。

▌10-3-1 クラスを作成し、フィールドを追加する

フィールドは、オブジェクトでいうプロパティのことです。クラスではフィールド名だけを宣言することもできますし、同時に初期値を代入しておくこともできます。書式を見てみましょう。フィールドを宣言する場合は、クラス宣言の {} の直下に記述します。

```
class <クラス名> {
  フィールド名;
  フィールド名 = 値;
}
```

　本章の最初に紹介したラーメン屋さんの注文データを保存するオブジェクトを、クラスを使って作成する方法を見てみましょう。クラス名を RamenOrder とし、そこに 3 つのフィールド、base、mori、toppings を追加します。このうち mori には 1、toppings には空の配列（[ ]）を代入して初期値を設定します。

```
class RamenOrder {
  // fields
  base;                    初期値なし
  mori = 1;
  toppings = [];           初期値あり
}
```

　なお、class の {} の直下でフィールドの初期値を設定するこの方法は ES2022 で導入されました。それより前のバージョンではフィールドの初期値をコンストラクター内で設定する必要がありました。詳しくは後述の 10-3-2「コンストラクターを作る」（p.333）を参照してください。

インスタンス化する

　フィールドを追加した RamenOrder クラスをインスタンス化してみます。次の例では order1 というオブジェクトを作成し、コンソールに出力しています。

```
class RamenOrder {
  // fields
  base;
  mori = 1;
  toppings = [];
}

const order1 = new RamenOrder();    RamenOrder クラスをインスタンス化して order1 に代入
console.log(order1);
```

コンソールを確認すると、プロパティが 3 つ含まれたオブジェクトが作られているのがわかります。さらに、これらプロパティのうち mori には 1、toppings には空の配列が入り、base は undefined になっていることも確認できます。

実行結果

```
要素   コンソール   ソース   ネットワーク   パフォーマンス   メモリ   アプリケーション

top ▼   👁   フィルタ

▶ RamenOrder {base: undefined, mori: 1, toppings: Array(0)}
>
```

インスタンス化したオブジェクトには、クラスで定義したフィールドやメソッドがプロパティやメソッドとして登録されます。それぞれのプロパティの値を参照したり、メソッドを呼び出したりする方法は通常のオブジェクトと変わりません。

書式 インスタンスのプロパティ（クラスのフィールド）の値を読み出す

　<インスタンス名>.プロパティ

たとえば、インスタンス order1 の mori プロパティの値をコンソールに出力するなら次のようにします。

▼ インスタンスのプロパティの値を取り出す

```
console.log(order1.mori);     // 1
```

インスタンス化するときに 1 つだけ注意点があります。関数と違ってクラスは巻き上げられないため[1]、インスタンス化するより前にクラス定義をしておく必要があるのです。class 宣言がインスタンス化より後ろにあると ReferenceError[2] が発生します。ソースコードのわかりやすさを考えても、class 宣言は原則としてソースコードの一番上に書きます。

▼ ✗ class 宣言の前にインスタンス化することはできない

```
const myClass = new MyClass(); // ReferenceError

class MyClass {
略
}
```

＊1　Note「関数の巻き上げ」(p.134)
＊2　参照エラー。クラス、変数、関数などが参照できないことを示すエラー

332

▍10-3-2 コンストラクターを作る

コンストラクターは、クラスからオブジェクトをインスタンス化するときに最初に1回だけ実行される関数で、ここでオブジェクトの初期化処理を行います。コンストラクターでは主に次の処理をします。

- インスタンス化する際に渡された引数を使って、フィールドの値を設定する
- 継承している親クラスがある場合は、その親クラスのコンストラクターを呼び出す（後述）
- フィールドの初期値を代入する（ES2022よりも前の方法。現在は不要）

書式 コンストラクター

```
class <クラス名> {
    略
    constructor(引数) {
        初期化処理
    }
}
```

初期化処理をする必要がない場合はコンストラクターを省略できます。また、コンストラクターは値を返さないので、{}内でreturnを使ってはいけません。

例を見てみましょう。RamenOrderクラスにコンストラクターを追加し、引数として渡された値をbaseフィールド（インスタンスのbaseプロパティ）に代入します。インスタンス化する側のコードも少し編集し、クラスに引数を渡すようにします。

Sample コンストラクターを作る　　　　　　　　　　　　　　　　　　　c10/class3-constructor.html

```
class RamenOrder {
    // fields
    base;
    mori = 1;
    toppings = [];
    // constructor
    constructor(base) {     コンストラクターは引数を受け取り、this.baseフィールドに代入。ここでは
        this.base = base;   インスタンス名をorder1にしているので、order1.baseで参照できるようになる
    }
    // methods
}

const order1 = new RamenOrder('こってり');     インスタンス化する際に引数を渡す
console.log(order1.base);  // こってり | コンストラクターでbaseの値を設定できている
```

コンストラクター内の this.base は、このクラスのメンバー（base フィールド）を指しています。**this は class 内で使用するとそのクラス自身を指します。**クラス内でフィールドを参照したり、メソッドを呼び出したりするときには this をつけることになります。

ES2022 よりも前の、フィールドの初期設定の方法

class の {} の直下でフィールドの初期値を設定する方法は ES2022 ではじめて導入されました。それ以前のバージョンではコンストラクター外でフィールドの初期値を設定できず、すべてコンストラクター内で行っていました。ES2022 より前の書き方を参考例として紹介しておきます。

Sample フィールドの初期値の設定　〜ES2022 よりも前の方法　　　　　　c10/class3-constructor-es2015.html

```
class RamenOrder {
  // constructor
  constructor(base) {
    this.base = base;
    this.mori; ●────[ フィールドを宣言する場所が分散しないように、初期値を設定しなくてもコンストラクター内で宣言 ]
    this.toppings = [];
  }
  // methods
}
```

▌10-3-3 メソッドを追加する・呼び出す

クラスにメソッドを追加します。書式は以下のとおりで、必要であればメソッドの ( ) 内に引数を追加することもできます。**function キーワードは使いません。また、関数式やアロー関数も使えません。**

書式 メソッドを追加する

```
class <クラス名> {
  略
  メソッド名 ( 引数 ) {
    処理内容
  }
}
```

クラス RamenOrder にメソッドを 3 つ、setMori( )、addToppings( )、checkOrder( ) を追加します。このうち setMori( ) メソッドは mori フィールドに値を代入するために使うメソッドで、引数として ' ふつう ' を渡したら 1 を、' 大盛り ' を渡したら 1.5 を返します。

```
class RamenOrder {
  略
  // methods
  setMori(mori) {        ●──── 引数の値によって 1 か 1.5 を返す
    if (mori === 'ふつう') return 1;
    if (mori === '大盛り') return 1.5;
  }
                         ┌─ 引数で渡された要素（複数可）を、toppings
  addToppings(...args) { ●── フィールド（プロパティ）に追加する
    this.toppings = [...this.toppings, ...args];    ●── スプレッド構文で this.toppings
  }                                                      に引数で渡された値を追加
  checkOrder() {        ●──── 各フィールド（プロパティ）から文字列を作成し、コンソールに出力
    const orderStr = `味: ${this.base}
トッピング: ${this.toppings}
盛り: ${this.mori}`;
    console.log(orderStr);
  }
}
```

クラス内からメソッドを呼び出す

メソッドはクラス内から呼び出すこともできますし、クラス外（インスタンス化したオブジェクト）から呼び出すこともできます。まずはクラス内から呼び出す方法から確認します。

メソッドは、クラスのコンストラクターやほかのメソッドから呼び出せます。呼び出し方は次の書式のように、this をつけます。

書式 クラス内のメソッドを呼び出す

```
this.メソッド名(引数);
```

例として、いま追加した 3 つのメソッドのうち setMori() をコンストラクターから呼び出してみます。このメソッドを使うために、インスタンス化する際の引数を 1 つ増やしてコンストラクターに渡します。

Sample クラス内からメソッドを呼び出す

```
class RamenOrder {
  略
  // constructor
  constructor(base, mori) {        ●──── 受け取る引数を 1 つ増やす
    this.base = base;
    this.mori = this.setMori(mori);    ●──── setMori() を呼び出して mori フィールドに代入
```

```
    }
  略
}

const order1 = new RamenOrder('こってり', '大盛り');  ●━[ 渡す引数を1つ増やす ]
console.log(order1);   // {base: 'こってり', mori: 1.5, toppings: []} ●
```

> mori プロパティが1.5になっていて、メソッドが実行されたことがわかる

クラス外（インスタンス）からメソッドを呼び出す

クラスのメソッドをインスタンスから呼び出すときは、次のようにオブジェクト名（インスタンス名）を指定します。通常のオブジェクトのメソッドを呼び出すときと同じです。

書式 クラス外（インスタンス）からメソッドを呼び出す

```
<オブジェクト名>.メソッド名(引数);
```

追加したメソッドのうち addToppings()、checkOrder() の2つをインスタンスから呼び出してみます。addToppings() は引数として渡したトッピングを toppings プロパティに追加し、checkOrder() はオブジェクトに保存されているデータから文字列を作成し、コンソールに出力します。

Sample クラス外（インスタンス）からメソッドを呼び出す   c10/class4-method3.html

```
  略
const order1 = new RamenOrder('こってり', '大盛り');
order1.addToppings('ネギ', 'チャーシュー');
order1.checkOrder();
```

実行結果 checkOrder() から出力された文字列がコンソールに表示される

```
┌─────────────────────────────────────────────────────┐
│ ☐ ▢    要素  コンソール  ソース  ネットワーク  パフォーマンス │
├─────────────────────────────────────────────────────┤
│ ▷ ⊘  top ▼  ◎  フィルタ                               │
│                                                     │
│  味: こってり                                         │
│  トッピング: ネギ,チャーシュー                          │
│  盛り: 1.5                                           │
│ >                                                    │
└─────────────────────────────────────────────────────┘
```

▌10-3-4 パブリックとプライベート

クラスのフィールドやメソッド、後述するアクセサーを含むすべてのメンバーは、基本的に**パブリックメンバー**になります。**パブリックメンバーとはクラス内だけでなく外部からも参照や利用ができるメンバー**のことで、フィールド（プロパティ）であればインスタンスから値を読み出したり書き換えたり、メソッドであれば呼び出すことができるようになっています。

図 パブリックメンバー。クラス内からもインスタンス化したオブジェクトからも参照できる

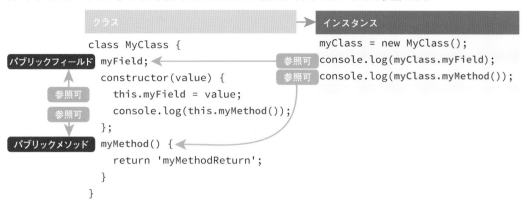

しかし、保存するデータの内容や機能によっては、クラス内では利用できるけれども、インスタンスからは利用できないフィールドやメソッドを作りたいことがあります。そうした、クラス内でのみ利用できるメンバーのことを**プライベートメンバー**といいます。

図 プライベートメンバー。クラス内からは参照できるが、インスタンス化したオブジェクトからは参照できない

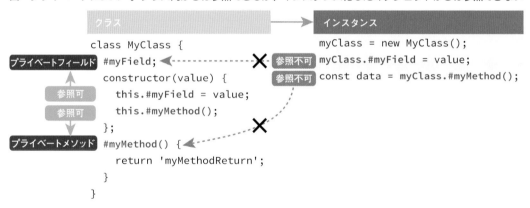

メンバーをプライベートにする機能は ES2022 ではじめて導入されました[*3]。フィールドやメソッドをプライベートにするには、1 文字目が「#」のフィールド名やメソッド名をつけます。メソッドをプライベート化する書式は次のとおりです。

書式 プライベートメソッド

```
#メソッド名() {
  処理内容
}
```

----

*3 ES2022 よりも前のバージョンではプライベートメンバーを作る方法はありません。

フィールドの場合も 1 文字目が「#」の名前をつけます。プライベートフィールドを宣言できるのは class の { } の直下のみで、コンストラクター内ではできません。

書式 プライベートフィールド

```
class <クラス名> {
  #フィールド名;                // 宣言だけして初期値は代入しない場合
  #フィールド名 = 初期値;        // 宣言と同時に初期値を代入する場合
}
```

プライベートメンバーを利用する

プライベートメンバーのフィールド名・メソッド名の 1 文字目は「#」にします。その「#」も含めてフィールド名・メソッド名なります。したがって、**クラス内からプライベートメンバーを参照・利用するときも、フィールド名やメソッド名の先頭に「#」がつきます。**

書式 プライベートメンバーを利用する方法

```
// プライベートフィールドの値を取り出す・書き換える
this.#フィールド名;              // 値を取り出す
this.#フィールド名 = 値;         // 値を書き換える
// プライベートメソッドを呼び出す
this.#メソッド名(引数);
```

プライベートメンバーを作成し、参照・利用する具体的な方法を見てみましょう。例として、RamenOrder クラスの base フィールドをプライベートにします。

Sample プライベートフィールド

c10/class5-private.html

```
class RamenOrder {
  // fields
  #base;                        ← プライベートフィールド宣言
  略
  // constructor
  constructor(base, mori) {
    this.#base = base;          ← プライベートフィールドに値を代入。同一クラス内なので参照できる
  略
  }
  // methods
  略
  checkOrder() {
    const orderStr = `味: ${this.#base}   ← #base フィールドを取り出す
```

```
トッピング: ${this.toppings}
盛り: ${this.mori}`;
    console.log(orderStr);
  }
}
略
```

プライベートメンバーはインスタンスからは利用できません。試しに RamenOrder クラスをインスタンス化したオブジェクトに対し、< インスタンス名 >.#base として値を取り出そうとすると SyntaxError が発生して、プログラムの動作が止まります。

c10/class5-private.html

Sample インスタンスからプライベートフィールドは参照できない

```
略
const order1 = new RamenOrder('こってり', '大盛り');
order1.addToppings('ネギ', 'チャーシュー');
order1.checkOrder();
console.log(order1.#base);       // SyntaxError ●━━━━ インスタンス（クラス外）からは参照できない
```

▌10-3-5 アクセサーを追加する

アクセサーは、クラスの特定のフィールドの値を取り出したり書き換えたりするときに呼び出される特殊なメソッドです。アクセサーの中でも、フィールドの値を取り出すものをゲッター（getter）、書き換えるものをセッター（setter）といいます。

フィールドはオブジェクトでいうプロパティなので、直接参照して値の取り出し、書き換えができます。しかし、アクセサーを使えば単に値を参照するだけでなく、それ以外の処理を組み込むことができます。とくに次のような場合によく使われます。

アクセサーの主な利用場面

- 値を取り出すときや書き換えるときに別の処理を追加したい場合
- インスタンス化したオブジェクトから参照する「プロパティ名」と、クラス内で定義する「フィールド名」をそれぞれ別の名前にしたい場合
- プライベートフィールドをインスタンスから取り出し／書き換えできるようにしたい場合。たとえば、値を取り出すことはできるが書き換えられない読み出し専用（リードオンリー）のフィールドを作りたいときなど
- フィールドに代入できる値になんらかの制限を設けたい場合。たとえば、代入しようとする値を事前にチェックしたり、加工したりする処理を組み込みたいときなど

ゲッター（getter）を作る

フィールドの値を取り出すために作るのがゲッター（getter）です。先頭に get をつけ、続けてゲッター名を書き、最後に ( ) を追加します。引数を渡してはいけません。また、処理の中では必ずフィールドの値を返すようにします。

ゲッター（getter）

```
get ゲッター名 ( ) {
    // 値を返す以外の処理があればここに追加
    return this.参照するフィールド ;
}
```

「ゲッター名」はほかのメンバーの名前（フィールド名、メソッド名）とは違う名前にします。まったく違う名前にしてもかまいませんが、一般的には、プライベートメンバーのゲッターを作る場合は、先頭の「#」を取ったものをゲッター名とします。また、パブリックメンバーの場合はメンバー名の先頭か末尾にアンダースコア（_）をつけるようにし、ゲッター名とセッター名（後述）にはアンダースコアを除いた名前をつけます。

表 フィールド名とゲッター名の一般的なつけ方

パブリック／プライベート	フィールド名	ゲッター／セッター名
プライベートメンバー	#base	base
パブリックメンバー	_base または base_	base

実際の使用例を見てみます。クラス RamenOrder のメンバーである #base フィールドのゲッター base を作成します。

Sample ゲッター（getter）を追加する   c10/class6-getter.html

```
class RamenOrder {
    // fields
    #base;
    mori = 1;
    toppings = [];
    略
    // getter / setter
    get base() {
        return this.#base;
    }
}
```

> ゲッター名を base に。パブリックのゲッターを作ればプライベートフィールドの値を参照できる

```
const order1 = new RamenOrder('こってり');
order1.addToppings('ネギ', 'チャーシュー');
order1.checkOrder();
// base プロパティを確認する
console.log(order1.base);        // こってり ●━━━━ ゲッターを使用するときは名前の後ろに ( ) をつけない
```

　ゲッターを使って値を取り出すときは、order1.base のようにゲッター名だけ書いて ( ) はつけません。**ゲッターはメソッドとして機能するのではなく、プロパティの代わりとして機能します。**

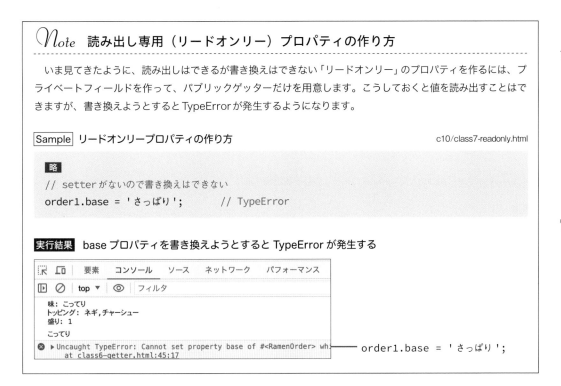

> ### 𝒩ote　読み出し専用（リードオンリー）プロパティの作り方
>
> 　いま見てきたように、読み出しはできるが書き換えはできない「リードオンリー」のプロパティを作るには、プライベートフィールドを作って、パブリックゲッターだけを用意します。こうしておくと値を読み出すことはできますが、書き換えようとすると TypeError が発生するようになります。
>
> | Sample | リードオンリープロパティの作り方 |　　　　　　　c10/class7-readonly.html
>
> > 略
> ```
> // setter がないので書き換えはできない
> order1.base = 'さっぱり';          // TypeError
> ```
>
> | 実行結果 | base プロパティを書き換えようとすると TypeError が発生する
>
> ```
> 要素  コンソール  ソース  ネットワーク  パフォーマンス
> top ▼    フィルタ
> 味: こってり
> トッピング: ネギ,チャーシュー
> 盛り: 1
> こってり
> ✕ ▶ Uncaught TypeError: Cannot set property base of #<RamenOrder> wh ━━━ order1.base = 'さっぱり';
>      at class6-getter.html:45:17
> ```

フィールドを書き換えるセッター（setter）

　フィールドの値を書き換えるセッター（setter）の書式を見てみましょう。先頭に set をつけ、続けてセッター名を書き、最後に ( ) を追加します。引数は 1 つだけ渡し、処理の中では値を返さず、フィールドの値を直接書き換えるようにします。一般的に、同じフィールドにゲッターとセッターを作る場合、ゲッター名とセッター名は同じにします。

| 書式 | セッター（setter）

```
set セッター名 (引数) {
  this.書き換えるフィールド = 引数;
}
```

ゲッターを追加したときと同じように、#base フィールドにセッター base を追加するなら、次のような
コードを追加します。

Sample セッター（setter）を追加する　　　　　　　　　　　　　　　　　c10/class8-setter.html

```
class RamenOrder {
  略
  // getter / setter
  get base() {
    return this.#base;
  }
  set base(taste) {
    this.#base = taste;
  }
}
```

セッターがあればプライベートフィールドの値も書き換えられるようになります。

Sample セッター（setter）で base プロパティの値を書き換える　　　　　　c10/class8-setter.html

```
略
const order1 = new RamenOrder('こってり', '大盛り');
// 書き換える前のorder1を表示
order1.checkOrder();
// setter経由で書き換える
order1.base = 'さっぱり';
order1.checkOrder();
```

実行結果 セッターがあることでインスタンスからプライベートフィールドを書き換えられる

ただ、せっかくプライベートメンバーとして登録したフィールドにゲッターもセッターも作るのは、結
局パブリックフィールドと同じ機能を持つことになります。プログラミング言語によってはコードの安全

性を考えてパブリックゲッター／セッターを作ることを推奨するものもありますが、JavaScript の場合は一般的に重要とは考えられていません。ゲッター／セッターを作る際はよく検討したほうがよいでしょう[4]。

▌10-3-6 スタティック（静的）メンバーの作成

スタティックメンバーとは、オブジェクトをインスタンス化しなくても直接参照・利用できるフィールドやメソッドのことです（➡ Note「インスタンスメソッドとスタティックメソッド」p.221）。

インスタンスはそれぞれに固有のプロパティ値を保持します。RamenOrder クラスでいえば #base、mori、toppings プロパティにはインスタンスごとに異なる値を保存できます。これに対してスタティックメンバーは、そうしたインスタンスが持っている固有のデータに影響しない操作を提供するために用意します。固有のデータに影響しない操作のため、結果的にスタティックフィールドの値は変わりませんし、スタティックメソッドは引数が同じなら常に同じ結果を返します。

表　インスタンスメンバーとスタティックメンバーの特徴

	インスタンスメンバー	スタティックメンバー
インスタンス化	必要	不要
プロパティは	インスタンスごとに固有のデータを保持できる	常に同じ値を返す。事実上の定数として機能する
メソッドは	インスタンスごとに固有のデータを操作するために使用	インスタンス化しなくてもできる操作をする。インスタンス変数を必要としない操作をする
返ってくる値は	呼び出すたびに変わる可能性がある	インスタンス変数を必要としない操作のため、何度呼び出しても変わらない

スタティックメンバーを作る書式を確認しましょう。スタティックフィールド、スタティックメソッドを用意するときには、フィールド名やメソッド名の前に static をつけます。スタティックフィールドを作成する場合は、一般には宣言と同時に値を代入するケースがほとんどです。

書式 スタティックフィールドを作成する

```
static フィールド名 = 値;        // スタティックフィールドを宣言し、値を代入するケース
static フィールド名;            // スタティックフィールドを宣言するだけのケース
```

書式 スタティックメソッドを作成する

```
static メソッド名(引数) {
    処理内容
}
```

----

[4] Google Style Guide では、ゲッター／セッターは理由がないかぎり作らないこと、としています。
https://google.github.io/styleguide/jsguide.html#features-classes-getters-and-setters

ゲッター、セッターもスタティックにできます。

書式 スタティックメンバーのゲッター、セッターを作成する

```
// スタティックゲッター
static get ゲッター名() {
  return this.参照するフィールド;
}
// スタティックセッター
static set セッター名(引数) {
  this.書き換えるフィールド = 引数;
}
```

スタティックメンバーをプライベートにすることもできます。方法はパブリックメンバーのときと同じで、フィールド名、メソッド名の1文字目を「#」にします。

書式 スタティックメンバーをプライベートにする

```
// スタティック・プライベートフィールド
static #フィールド名 = 値;        // スタティックフィールドを宣言し、値を代入するケース
static #フィールド名;

// スタティック・プライベートメソッド
static #メソッド名(引数) {
  処理内容
}

// スタティック・プライベートゲッター、セッター
static get #ゲッター名() {
  return this.参照するフィールド;
}
static set #セッター名(引数) {
  this.書き換えるフィールド = 引数;
}
```

スタティックメンバーを利用する方法を見てみましょう。クラス外から利用するときは、クラス名を使って次のようにします。

書式 クラス外からスタティックメンバーを利用する

```
<クラス名>.フィールド名
```

```
<クラス名>.メソッド名()
```

クラス内から自身のスタティックメンバーを利用するときは、自身のクラス名でも this でもかまいません。

書式 クラス内から自身のスタティックメンバーを利用する

```
<クラス名>.フィールド名
<クラス名>.メソッド名()

// this を使うことも可能
this.フィールド名
this.メソッド名()
```

インスタンス化する前に引数をチェックする仕組みを作る

それでは実際にスタティックメンバーを作ってみましょう。RamenOrder クラスには base フィールドがあり、ここにはラーメンの「味」を登録することになっています。しかし、どんな味でも作れるわけではないので注文時に制限を設けることにします。スタティックフィールド、スタティックメソッドをそれぞれ 1 つずつ作成し、RamenOrder クラスをインスタンス化する前に注文が適正かどうかをチェックする仕組みを作ります。

作成するスタティックメンバーのうちの 1 つが #menus フィールドです。このフィールドには選べるメニューの品目を配列で登録しておきます。もう 1 つが isInMenu() メソッドで、インスタンス化する際、つまり new RamenOrder() を実行する際に引数をチェックし、注文の「味」が #menus にあるかどうかを調べて、あれば true、なければ false を返すようにします。これら 2 つのスタティックメンバーを使用して、注文できる「味」であればインスタンス化し、そうでなければインスタンス化せず、コンソールに「○○味はメニューにありません」と出力するようにします。

Sample スタティックフィールド、スタティックメソッド　　　　　　c10/class9-static.html

```
class RamenOrder {
  // fields
  static #menus = ['こってり', 'さっぱり'];
  #base;
  mori = 1;
  toppings = [];
  // constructor
  constructor(base, mori) {
    略
  }
  // methods
  static isInMenu(menu) {
```

```
      return this.#menus.includes(menu);    •─────── スタティックフィールド参照。
    }                                                 RamenOrder.#menus.includes(menu) でも可
    略
}

// インスタンス化する前に引数をチェックし、
// 注文できる内容かどうかを確認する
const orderMenu = 'さっぱり';
let order1;
if (RamenOrder.isInMenu(orderMenu)) {    •─────── 引数で渡そうとしている orderMenu がメニュー
  order1 = new RamenOrder(orderMenu);             にあるか、インスタンス化する前に確認
  order1.addToppings('ネギ', 'チャーシュー');
  order1.checkOrder();
} else {
  console.log(`${orderMenu} はメニューにありません。`);  •─── ない場合はコンソールに出力
}
```

定数 orderMenu に代入された値——RamenOrder をインスタンス化するときの引数——が #menus フィールドの配列に含まれていないときはコンソールに次図のように表示されます。

図　引数の値がメニューにない場合

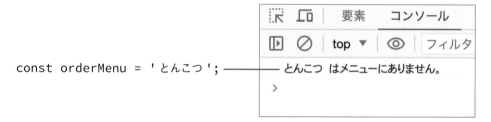

const orderMenu = 'とんこつ';

いっぽう、#menus フィールドにある場合にはいままでどおり注文内容が表示されます。

図　引数の値がメニューにある場合

const orderMenu = 'さっぱり';

▌10-3-7 クラスの継承

　クラスには継承という概念があり、あるクラスのフィールドやメソッド、コンストラクターを引き継いだ、別の新しいクラスを作ることができます。元になるクラスを**親クラス**または**スーパークラス**、親クラスを継承した新しいクラスを**子クラス**または**サブクラス**といいます。継承した子クラスは自身のフィールド、メソッドを利用できるだけでなく、親クラスのフィールド、メソッドも利用できます。

図　継承の仕組み。継承した子クラスは親クラスのメンバーを利用できる

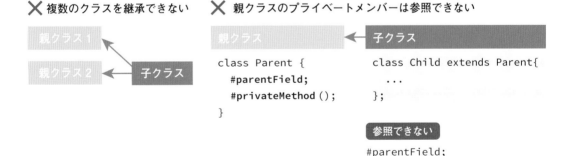

　子クラスは単一の親クラスを継承することができます。2つ以上の親クラスを継承することはできません。また、**継承されるのはパブリックメンバーだけで、親クラスのプライベートメンバーは子クラスからは参照できません。**

図　継承できないこと

✖ 複数のクラスを継承できない　　✖ 親クラスのプライベートメンバーは参照できない

親クラス1 ←
親クラス2 ← 子クラス

親クラス ← 子クラス

```
class Parent {
  #parentField;
  #privateMethod();
}
```

```
class Child extends Parent{
  ...
};
```

参照できない
```
#parentField;
#privateMethod();
```

継承の基本形

　クラスを継承するには、子クラスで「どのクラスを継承するか」を指定し、継承する親クラスのコンストラクターを呼び出します。書式は次のとおりで、「class <クラス名>」の後ろに「extends <継承する親クラス>」を追加し、constructor()の{}内からsuper()を呼び出します。

親クラスを継承する子クラス

```
class <クラス名> extends <継承する親クラス> {
  constructor(引数) {
    super(引数);
  }
}
```

たとえば Parent クラスを継承して Child クラスを作るとしたら、Child クラスのコードは次のようになります。

▼ Parent クラスを継承した Child クラスを作る

```
class Child extends Parent {    ①
  constructor() {
    super();    ②
  }
}
```

①の部分で、どのクラスを継承するかを指定しています。例では Child クラスが Parent クラスを継承しています。②の部分、コンストラクター内に書かれた super() は、親クラスのコンストラクターを呼び出します。親クラスのコンストラクターが引数を要求する場合は、super() の () 内に追加します。

図 親クラスのコンストラクターが引数を要求する場合は super() から渡す

親クラス
```
class Parent {
  constructor(param)
    ...
  }
}
```

子クラス
```
class Child extends Parent {
  constructor(param)
    super(param);
    ...
  }
}
```

インスタンス化　`const child = new Child(param);`

継承の実際の使用例

それでは実際の使用例を見てみましょう。RamenOrder クラスを継承して TsukemenOrder クラスを作成します。TsukemenOrder クラスは RamenOrder と 3 つの点で異なります。

1. atsumori フィールドがある ── TsukemenOrder クラスには、RamenOrder クラスにはなかった atsumori フィールドを追加する
2. #menus フィールドの値が変わる ── #menus フィールドの配列に含まれる値が RamenOrder クラスと TsukemenOrder クラスとで異なる
3. checkOrder() メソッドで出力するテキストの内容が変わる ── RamenOrder クラスでは 3 行のテキストを出力していたが、TsukemenOrder クラスでは「あつもり」行を追加し 4 行にする

Sample クラスの継承　　　　　　　　　　　　　　　　　　　　　　c10/class10-extends.html

```
class RamenOrder {
  略
}

class TsukemenOrder extends RamenOrder {
  // fields
  static #menus = ['つけめん'];
  atsumori = false;
  // constructor
  constructor(base, mori, atsumori) {
    super(base, mori);                          ← 親クラスのコンストラクターを呼び
    this.atsumori = atsumori ?? this.atsumori;     出す。引数 base、mori を渡す
  }                                            ← 引数 atsumori が undefined でなければ this.
  // methods                                      atsumori に代入。?? は Null 合体演算子
  checkOrder() {
    const orderStr = `味: ${this.base}
トッピング: ${this.toppings}
盛り: ${this.mori}
あつもり: ${this.atsumori}`;
    console.log(orderStr);
  }
}

const order1 = new RamenOrder('こってり');     ← いままでの（親クラス）のインスタンス作成
order1.addToppings('チャーシュー', '味玉');
order1.checkOrder();

const order2 = new TsukemenOrder('つけめん', '大盛り', true);  ← 子クラスのインスタンス作成
order2.checkOrder();
```

349

コンソールの出力を確認すると2件の注文が表示されています。上はRamenOrderクラスのインスタンス（order1）から出力されたもの、下はTsukemenOrderクラスのインスタンス（order2）から出力されたものです。

実行結果

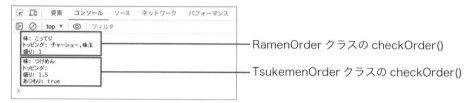

RamenOrderクラスのcheckOrder()

TsukemenOrderクラスのcheckOrder()

子クラスは親クラスのパブリックメンバーをそのまま使うことができ、独自のフィールドやメソッドを自由に追加することもできます。この例ではatsumoriフィールドを追加しました。ただし、親クラスのプライベートメンバーは子クラスからアクセスできません。この例でいえばRamenOrderクラスの#baseフィールドはTsukemenOrderクラスからは直接利用できません。しかし、パブリックのゲッター、セッターがあるため、子クラスからでも値の取り出し／書き換えができるようになっています。

もう1点、クラスを継承したときの特有の動作があります。それが**オーバーライド**です。**子クラスと親クラスに同じ名前のメンバーがある場合、子クラスのメンバーが優先され、ちょうどフィールドやメソッドを上書きしたような動作をします。**例ではcheckOrder()メソッドがそれにあたります。

図　オーバーライド。同名のメンバーがある場合は子クラスが優先される

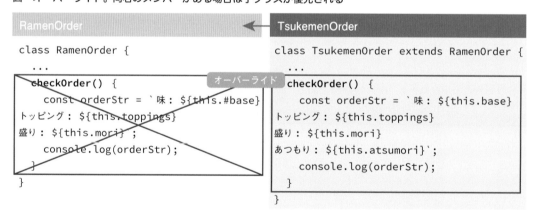

 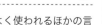
　JavaScriptは**プロトタイプ継承**という仕組みで、オブジェクトを生成・継承します。よく使われるほかの言語（C++、Javaなど）の「クラスベース」と呼ばれる仕組みとは動作や考え方がかなり異なるため、開発者に混乱をもたらす原因となってきました。JavaScriptにclass構文が導入され、プロトタイプを意識しなくてもコード

が書けるようになった現在では必須の知識とはいえませんが、ごく簡単にプロトタイプ継承がどういうものか説明します。

　JavaScriptのほぼすべてのオブジェクトが、prototypeプロパティを持っています[*5]。このprototypeプロパティには、ほかのオブジェクトに継承するメソッドが含まれています。あるオブジェクトがメソッドを呼び出す（実行する）際、そのオブジェクト自身が持っていなければ親オブジェクトのprototypeプロパティに同名のメソッドがあるか探し、それでもなければさらに親オブジェクトのprototypeプロパティに同名のメソッドがあるか探し……　という具合に、親オブジェクトのprototypeをたどってメソッドを探します。この、親オブジェクトのprototypeをたどってメソッドを探すことを**プロトタイプチェーン**といい、プロトタイプ継承の基本的な動作の仕組みを作っています。

　簡単な例を見てみます。次の例ではparentオブジェクトを継承してchildオブジェクトを生成しています。method()メソッドは親オブジェクトのprototype（プロパティ名 __proto__ でアクセス可能）に含まれているため、プロトタイプチェーンをたどってchildオブジェクトからも呼び出すことができます。

Sample　プロトタイプ継承の簡単な例

```
const parent = {          親オブジェクト
  num: 1,
  __proto__: {
    method() {
      return this.num;
    },
  },
};

const child = Object.create(parent);
child.num += 10;

console.log(parent.method()); // 1
console.log(child.method());  // 11
```

> parent を継承して child 作成。class 構文を使わない生成方法の 1 つ。この時点では child に num プロパティは存在せず、parent.num を参照している

> この時点で child に num プロパティ追加。parent.num とは異なる値を保持できるようになる

> this.num が parent.num を参照している

> プロトタイプチェーンをたどってメソッド実行。this.num が child.num を参照している

　prototypeに含まれるメソッドは子オブジェクトから呼び出せるだけでなく、親オブジェクトが呼び出したのか、子オブジェクトが呼び出したのかによって、thisが指すオブジェクトも変わります。parent.method()とするとき、メソッド内のthisはparentオブジェクトを指します。しかし、child.method()とすると、thisはchildオブジェクトを指します。そのおかげでparentオブジェクトから呼び出されたときはparent.numを、childオブジェクトから呼び出されたときはchild.numを参照でき、オブジェクトごとに独自のプロパティ値を持てるようになるのです。

　これが簡単なプロトタイプ継承の仕組みです。クラスベースとは異なる特徴が数多くあり、たとえば、prototypeプロパティが、実際には単なる「オブジェクト」であることから、インスタンス生成後もメソッドを追加・変更できる点もその1つです。また、例は示しませんが、メソッドだけを集めたオブジェクトを作っておき、そのオブジェクトを各オブジェクトの __proto__ プロパティに代入すれば、親子関係に関係なくメソッドを

- - - - - - - - - - - - -

[*5]　prototypeプロパティを持たないオブジェクトとしてnullがあります。nullはプリミティブ型ですが、同時に、値も何も持っていないオブジェクトでもあります。またnull以外にも、prototypeプロパティを持たないオブジェクトを自作することも可能です。

共有できてしまいます。柔軟といえば柔軟ですがあまりにも自由度が高すぎて開発者の支持を得られず、長年、JavaScriptではオブジェクトの生成・継承の仕組みを使ったプログラミング（オブジェクト指向プログラミング）はあまり普及しませんでした。ES2015でclass構文が導入され、JavaScriptでもだいぶオブジェクト指向プログラミングが行われるようになりましたが、実は、JavaScriptが「クラスベース」になったわけではありません。あくまで「クラスベース」に見せかけた構文を用意しただけで[6]、内部的にはいまでもプロトタイプベースでオブジェクトの生成・継承が行われています。

　プロトタイプ継承についてより詳しく知りたい方は次のWebページが参考になるでしょう。

継承とプロトタイプチェーン - JavaScript | MDN
URL https://developer.mozilla.org/ja/docs/Web/JavaScript/Inheritance_and_the_prototype_chain

---

*6　こうした、実際の機能は変わらないが、別の書き方をするために用意された構文を「シンタックスシュガー」（糖衣構文）といいます。

高度な機能

本章ではハイレベルな開発に欠かせない、高度な機能の数々を取り上げます。プログラムをモジュールに分割して読み込むインポート／エクスポート、再帰関数、高階関数、クロージャと呼ばれる関数の高度な機能と使い方、for ～ of 文に対応したオブジェクトを作るための基礎となるイテレーターとジェネレーター、それにエラー処理の方法、4 つのトピックについて詳しく見ていきます。

11-1 複数のファイルに分割する　～モジュール化

JavaScript プログラムは、機能ごとに複数のファイルに分割して管理することができます。ファイルに分割された 1 つひとつのプログラムを**モジュール**といい、エクスポート／インポート機能を使えばあるモジュールから別のモジュールを読み込んで利用できます。

　プログラムの規模が大きく複雑になればなるほど、コードも長くなります。1 つのファイルで長いコードを書くのは全体を見通しづらく、どこに何が書かれているのかだんだんわからなくなってきて、作業が大変になります。また、ほかの人が作ったライブラリーを使うことができれば、自分でコードを書かなくても機能を拡張することができます。

　モジュール化はコードを適度なサイズに分割したり、ライブラリーを活用するための解決策で、機能ごとにプログラムを分割し、複数のファイルに分けて管理する手法です。複数のファイルに分けたプログラムを 1 つのプログラムとして動作させるために重要なのが、エクスポート／インポート機能です。

　エクスポート／インポートの大まかな仕組みを把握しましょう。エクスポートは「書き出す」、インポートは「読み込む」という意味です。複数に分かれたプログラムファイルは、書き出すエクスポート側のファイル、読み込むインポート側のファイルの、大きく 2 種類に分けられます。

図　分割されたファイルは、エクスポートする側とインポートする側、大きく 2 種類に分けられる

インポートする側　　　　エクスポートする側

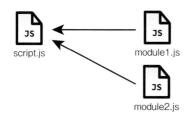

エクスポートする側のファイルでは、定数や変数、関数、クラスを、1つずつエクスポートします。この、エクスポートされた関数やクラスなどのことを**モジュール**といいます。

インポートする側のファイルでは、**エクスポートされたモジュールを1つずつ指定してインポート**し、プログラム内で利用します。

図 エクスポートとインポート

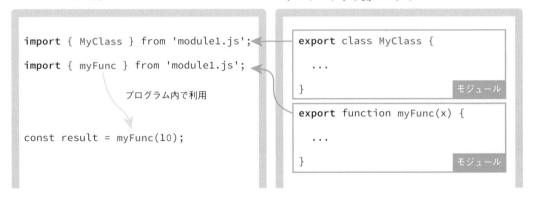

▌11-1-1 モジュールの特徴と注意点

モジュールには、次のような特徴があります。

モジュールの特徴

1. エクスポートできるのはトップレベルからのみ
2. インポートされたモジュールは、インポート側では変更できない
3. ローカル環境ではエクスポートされたモジュールをインポートできない
4. エクスポートファイル、インポートファイルとも Strict モードで動作する（➡「古い書き方をエラーにする「Strict モード」」p.44）
5. モジュール内で宣言・定義した変数や関数は、そのモジュール内でのみ参照できる（モジュールスコープ）

このうちの 1.、2.、3. をもう少し詳しく説明します。

1. エクスポートできるのはトップレベルからのみ

エクスポートする変数や関数は、エクスポートモジュールが書かれたファイルの、関数ブロックやクラスブロックに囲まれていない部分に書かれている必要があります。

図　トップレベルの変数、関数はエクスポートできる。トップレベルにないものはエクスポートできない

| トップレベルからはエクスポート可 | トップレベルでない場所からはエクスポート不可 |

```
○  export const expVar = 'エクスポート';     function topLevel() {
○  export function expFunc() {            ✕  export const innerVar = 'エクスポート';
      // ...                             ✕  export function innerFunc() {
   }                                           ...
○  export const anotherFunc = () => {         }
      // ...                                }
   };
```

> 関数ブロック内にあるので
> エクスポートできない

2. インポートされたモジュールは、インポート側では変更できない

　インポートされたモジュールは、インポートした側のプログラムからは変更できません。たとえ let で宣言した変数であっても、インポートした側で値を書き換えることはできないので注意が必要です。ただし、オブジェクト型のデータの値（オブジェクトのプロパティ、配列の要素）の書き換えは可能です。

図　インポートしたモジュールは変更できない

```
import {number, array} from './module.js';
```
→ 変数 number、配列 array をインポート

```
   // インポートしたモジュールの値を変更
✕  number += 10;    // 変数の値は変更できない
○  array[0] = 100;  // 通常の配列と同じく、配列の要素は書き換えられる
```

3. ローカル環境では動作しない

　モジュールのエクスポート／インポートは、URL が「file:///」で始まるローカル環境では動作しません。プログラム開発時はローカル Web サーバーなどを起動する必要があります。

　これから実際のエクスポート、インポートの方法を見ていきます。JavaScript のエクスポート／インポートは多機能なうえにさまざまな書き方が用意されていて、少々複雑です。本書ではほぼすべての機能と書き方を取り上げますが、その中には重要ではじめから知っておいたほうがよいものと、そうでないものがあります。「やや高度な内容」と書かれているところは、必要になったら読み返すようにすればよいでしょう。

11-2　エクスポート

プログラムをモジュール化する——つまり、別の JavaScript ファイルからインポートできる変数、関数、クラスを作るためには、まずエクスポートする必要があります。

別のファイルからインポートして使える変数（定数含む）、関数、クラスを作るには、**1 つひとつ個別に**
エクスポートしておく必要があります。エクスポートには大きく分けて 2 種類あります。この 2 種類の区別は
JavaScript のエクスポート／インポートを理解するうえで重要です。

- 名前つきエクスポート
- デフォルトエクスポート

この 2 つのエクスポートは、どちらも変数や関数をエクスポートすることに変わりはありませんが、
インポートの方法が少しずつ変わります。それぞれの書き方と特性を見てみましょう。

▌11-2-1 名前つきエクスポート

名前つきエクスポートとは、変数名、関数名、クラス名をモジュール名としてエクスポートする方法です。あとで
詳しく説明しますが、名前つきでエクスポートされたモジュールを別のファイルから利用する際は、名前
を指定してインポートします。多くのモジュールは名前つきでエクスポートされるので、いちばん基本の
エクスポート方法といえます。
　名前つきエクスポートには 2 種類の書式があります。1 つは let、const、function などの前に「export」
をつける方法（export 宣言）、もう 1 つは export 文を追加する方法です。この 2 つは書き方が違うだけ
で機能は同じです。

export 宣言によるエクスポート

　let、const、function、class の前に「export」をつけてエクスポートすることを export 宣言とい
います。**この方法でエクスポートすると定数名や関数名がそのままモジュール名になり、インポートするときはその**
モジュール名を指定します。関数をエクスポートする場合、それが function を使用した通常の関数でも、
定数に代入する関数式でも、アロー関数でも、どれでもかまいません。

`書 式` **名前つきエクスポート。宣言・定義と同時にエクスポートもする方法**

```
// 定数・変数
export let 変数名;
export const 定数名 = 値;

// 関数
export function 関数名() {
  処理内容
}
export const 関数名 = function() {
  処理内容
};
export const 関数名 = () => { 処理内容 };
```

```
// クラス
export class <クラス名> {
  処理内容
}
```

コード例を見てみましょう。次の例では関数 myFunc、定数 myVar をエクスポートしています。

Sample 名前つきエクスポートの例　　　　　　　　　　　　　　　　　c11/named-export1/exporter.js

```
export function myFunc() {                    // myFunc をエクスポート
  return 'myFunc() が呼び出されました。';
}
export const myVar = 'これがmyVarの値です。';      // myVar をエクスポート
```

export 文によるエクスポート

　変数・定数、関数などの宣言・定義とエクスポートを切り離して記述したいときは、export 文を追加します。書式は次のとおりで、export に続く {} の中にはエクスポートしたいモジュールの名前（変数・定数名や関数名、クラス名）をカンマで区切って入れます。

書式　export 文

```
export {モジュール名1, モジュール名2, …}
```

　export 文は変数や関数の定義より前に書いても後ろに書いても動作しますが、一般的には後ろに書きます。次の例では関数 myFunc、定数 myVar をエクスポートしています。

Sample export 文を使った名前つきエクスポートの例　　　　　　　　　c11/named-export2/exporter.js

```
function myFunc() {
  return 'myFunc() が呼び出されました。';
}
const myVar = 'これがmyVarの値です。';
export {myFunc, myVar};          // myFunc、myVar をエクスポート
```

エクスポート名を変更する　　　　　　　　　　　　　　やや高度な内容

　export 文を使えば、変数名、関数名とは異なるモジュール名をつけてエクスポートすることもできます。大量のモジュールをエクスポートする必要があるときやプログラムの開発中に関数名が変わったときなど、なんらかの理由で変数名、関数名とモジュール名を変えたいときに使用します。使用頻度はそれほど高くないかもしれません。書式は次のとおりです。

11-2
エクスポート

11
高度な機能

357

```
export {元の変数名/関数名/クラス名 as エクスポート名};
```

なお、名前を変更するモジュールと変更しないモジュールを同時にエクスポートすることもできます。次の例では、関数 myFunc のエクスポート名を callMe に、定数 myVar はそのままの名前でエクスポートしています。

Sample エクスポート名を変更する   c11/export-as/exporter.js

```
function myFunc() {
  return 'callMe() が呼び出されました。';
}
const myVar = 'これがmyVarの値です。';
export {myFunc as callMe, myVar};
```
→ myFunc のエクスポート名を callMe に変更

▌11-2-2 デフォルトエクスポート

デフォルトエクスポートはモジュールに名前をつけないでエクスポートする方法です。インポート側で好きな名前をつけられる（つけた名前が変数名や関数名として機能する）ので、"モジュールを利用する側" のプログラム開発の自由度を高められるという利点があります。

ただし、**デフォルトエクスポートができるのは 1 ファイルにつき最大で 1 つのモジュールまでです**。デフォルトエクスポートが 1 つもないのは問題になりませんが、複数あるとエラーになります。

名前つきエクスポート同様、export 宣言による方法と export 文を追加する方法の 2 種類があります。今回はまず、export 文から見てみましょう。

export 文によるデフォルトエクスポート

デフォルトエクスポートをするときの export 文の書式は以下のとおりで、export に続けて default と書きます。モジュール名は {} で囲まずに 1 つだけ指定します。デフォルトエクスポートモジュールは 1 ファイルにつき 1 つしかないので、{} でまとめる必要がないのです。

書 式 export 文を使ったデフォルトエクスポート

```
export default エクスポートする変数名/関数名/クラス名;
```

例を見てみましょう。引数として半径の大きさを渡すと円の面積を計算して返す関数、areaOfCircle() をデフォルトエクスポートしています。

export 文を使ったデフォルトエクスポートの例

```
function areaOfCircle(radius) {
  if (radius > 0) {
    return Math.PI * radius ** 2;
  }
}
export default areaOfCircle;   // areaOfCircleをデフォルトエクスポート
```

デフォルトと名前つきを一括でエクスポートする　　　やや高度な内容

　export 文を使ってデフォルトエクスポートと名前つきエクスポートをまとめてエクスポートしたいときは、export default ではなく、export 文と as default キーワードを使って次のような 1 行を書きます。

書式　デフォルトエクスポートと名前つきエクスポートを一括でエクスポートする

export {エクスポートする変数名／関数名／クラス名 as default, モジュール名1, モジュール名2, …}

　as default がついているモジュールがデフォルトエクスポートになります。通常のデフォルトエクスポートと違い、複数のモジュールをエクスポートするので {} で囲むのを忘れないようにするのがポイントです。

export 宣言によるデフォルトエクスポート

　export 宣言でデフォルトエクスポートする場合は、function や class の前に「export default」をつけます。関数名、クラス名はついていてもいなくてもかまいません。

書式　export 宣言を使ったデフォルトエクスポート

```
// 関数
export default function () {      ┤関数名はなくても OK
  処理内容
}
export default function 関数名() {
  処理内容
}
// クラス
export default class {           ┤クラス名はなくても OK
  処理内容
}
```

```
export default class <クラス名> {
    処理内容
}
```

　変数、定数をデフォルトエクスポートする場合は注意が必要です。let や const がついていたり、変数名がついていたりすると export 宣言を使ったデフォルトエクスポートができません。しかし、値や式はデフォルトエクスポートできます。つまり、変数（定数）宣言の右辺だけ、export 宣言によるデフォルトエクスポートができるのです。

▼ 式をデフォルトエクスポートする例

```
export default 16 / 4;
```

　この場合、計算結果の 4 がエクスポートされ、インポート時に結果が変数として読み込まれます。なお、export 文を使えば変数や定数をデフォルトエクスポートできるので、素直に export 文を使うのがよいでしょう。

　デフォルトエクスポートの実際の使用例を見てみましょう。無名のクラスをデフォルトエクスポートします。

Sample　export 宣言を使ったデフォルトエクスポートの例　　　　　c11/default-export2/exporter.js

```
// 学生データのクラス
// 専攻、学年、名前を保存可能
export default class { // 無名クラスをデフォルトエクスポート
  major;
  grade;
  firstName = '';
  lastName = '';
  constructor(firstName, lastName) {
    this.firstName = firstName;
    this.lastName = lastName;
  }
  get fullName() {
    return `${this.firstName} ${this.lastName}`;
  }
}
```

11-2-3 モジュールを集約、再エクスポート

　export ～ from を使えば、一度モジュールをインポートして、再度エクスポートすることができます。たとえば、child1.js、child2.js という 2 つのファイルに、それぞれエクスポートモジュール m1、

m2 があるとします。このとき、2 つのファイルにあるモジュールをいったん exporter.js にインポート
し、そこから再度エクスポートすれば、複数のファイルに存在するモジュールを集約でき、importer.js
でインポートする際のコードを単純化できます。

図　モジュールの集約。インポートを単純化できる

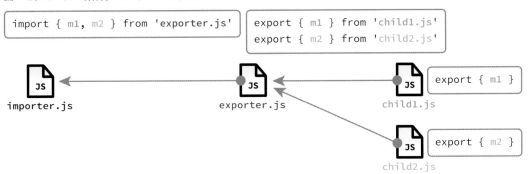

export 〜 from の書式は次のとおりです。

書式 再エクスポート

```
export {モジュール名1, モジュール名2, …} from 'JS ファイルのパス';
```

簡単な例を紹介します。先ほどの図と同じファイル構成で、child1.js の定数 m1a、m1b と child2.js
の定数 m2a、m2b をエクスポートし、いったん exporter.js にインポートして、そこから再エクスポー
トします。

Sample　child1 からエクスポート　　　　　　　　　　　　　　　　c11/re-export/child1.js

```
export const m1a = 'm1a';  定数 m1a、m1b をエクスポート
export const m1b = 'm1b';
```

Sample　child2 からエクスポート　　　　　　　　　　　　　　　　c11/re-export/child2.js

```
export const m2a = 'm2a';  定数 m2a、m2b をエクスポート
export const m2b = 'm2b';
```

Sample　exporter にインポートして再エクスポート　　　　　　　　c11/re-export/exporter.js

```
export {m1a, m1b} from './child1.js'; // m1a, m1bを再エクスポート
export {m2a, m2b} from './child2.js'; // m2a, m2bを再エクスポート
```

モジュールを集約しておけば、1つのファイル（exporter.js）からすべてのモジュールをインポートでき、コードが読みやすくなります。詳しいインポートの方法やファイルパスの指定方法については次節で解説します。

c11/re-export/importer.js

Sample importer でインポート

```
import {m1a, m1b, m2a, m2b} from './exporter.js'; ●——[ exporter.js に集約した4つの定数をインポート ]
console.log(m1a);
console.log(m1b);
console.log(m2a);
console.log(m2b);
```

実行結果 動作を確認するには「c11/re-export.html」を開く

```
要素    コンソール    ソース    ネットワーク    パフォーマンス

top ▼    フィルタ

    m1a
    m1b
    m2a
    m2b
>
```

すべてのモジュールを再エクスポートするワイルドカード

再エクスポートではワイルドカード（*）が使えます。ワイルドカードとはいちいち名前を指定せずにすべてのモジュールをエクスポートする指示で、たとえば先のサンプル export.js の1行目の

```
export {m1a, m1b} from './child1.js';
```

は、ワイルドカードを使って次のように書き換えられます。「*」は { } で囲まないことに注意が必要です。

▽ ワイルドカードですべてのモジュールを再エクスポート

```
export * from './child1.js';
```

デフォルトエクスポートを再エクスポートするには

デフォルトエクスポートを再エクスポートする場合は、as default キーワードを使って次のようにします。

```
export {モジュール名 as default} from 'JSファイルのパス';
```

11-3 インポート

エクスポートされたモジュールは、別のファイルからインポートして使用します。本節ではさまざまなインポートの方法を紹介します。

　エクスポートされたモジュールは、別のファイルから一度インポートすれば通常の定数、関数、クラスと同じように使えます。エクスポートには大きく分けて名前つきエクスポートとデフォルトエクスポートがありましたが、インポートも「名前つきモジュールをインポートする」のか、「デフォルトモジュールをインポートする」のかによって書き方が変わります。

11-3-1 名前つきモジュールをインポートする

　モジュールをインポートするときには import 文を使います。名前つきでエクスポートされたモジュール（名前つきモジュール）をインポートする際の書式は以下のとおりで、必ず {} で囲むのがポイントです。export 同様、import にもさまざまな書式のバリエーションがありますが、この書き方が最も基本的なパターンです。

書式 名前つきモジュールをインポート

```
import {モジュール1, モジュール2, …} from 'JSファイルのパス';
```

　from の後ろにはモジュールが書かれている JavaScript ファイル（以降、JS ファイル）を指定します。絶対パスでも相対パスでもかまいません。**相対パスの場合は、インポートする JS ファイルからのパスを指定します。また、相対パスは必ず「./」で始めます。** import 文はプログラムコードの前に書いても後ろに書いても——プログラムコードの中でモジュールを使う前でも後でも——正しく動作しますが、コードのわかりやすさを考えて一般的にはコードの一番始めに書きます。

> $\mathcal{N}ote$　**拡張子をつける？つけない？**
>
> --
>
> 　ネット上にあるサンプルコードには、インポートのパスに拡張子 (.js) をつけていないものを見かけます。これは Node.js を使った開発のときに使うソフトウェアが、拡張子を自動的に補完してくれるからです。JavaScript の本来の機能ではないので、独自に作成した JS ファイルの拡張子は省略できません。

例を見てみましょう。次の例で importer.js は、exporter.js にある名前つきモジュールの myFunc と myVar をインポートしています。動作を確認するには「c11/named-import.html」を開きます。

Sample エクスポート側ファイル　　　　　　　　　　　　　　　　　　　　c11/named-import/exporter.js

```
export function myFunc() {                                    ┌─────────────────┐
  return 'myFunc() が呼び出されました。';                      │ myFunc をエクスポート │
}                                                            └─────────────────┘
export const myVar = 'これがmyVarの値です。';                  ┌─────────────────┐
                                                            │ myVar をエクスポート  │
                                                            └─────────────────┘
```

名前つきモジュールをインポートした側のプログラムで使用するときは、ついている名前――この例でいえば myFunc や myVar――を使用します。

Sample インポート側ファイル　　　　　　　　　　　　　　　　　　　　c11/named-import/importer.js

```
import {myFunc, myVar} from './exporter.js';                  ┌──────────────────────┐
                                                            │ myFunc、myVar をインポート │
                                                            └──────────────────────┘
console.log(myFunc()); // ''myFunc() が呼び出されました。'      ┌──────────────────────┐
console.log(myVar);    // 'これがmyVarの値です。'              │ インポートしたモジュールは  │
                                                            │ ついている名前で使用する   │
                                                            └──────────────────────┘
```

HTML には「インポート側ファイル」のみを読み込めば動作します。

Sample インポート側ファイル（inporter.js）を HTML に読み込む　　　　　c11/named-import.html

```
<head>
   略
  <script type="module" src="named-import/importer.js"></script>
</head>
```

名前を変えてインポートする　　　　　　　　　　　　　　　　　　やや高度な内容

モジュールの名前は、同じ名前のモジュールを別々のファイルからインポートすることはできず、インポートする側のプログラムファイル内の変数名や関数名、クラス名などとも名前が重複できません[1]。異なるモジュールや変数などに同じ名前がついていることを名前衝突といい、この問題を回避するために、名前つきモジュールであっても名前を変えてインポートできる手段が用意されています。名前を変えるには as キーワードを使います。

----

[1]　名前が重複すると SyntaxError が発生します。

```
import {元のモジュール名 as 変更後のモジュール名} from 'JSファイルのパス';
```

すべての名前つきモジュールを一括でインポートする

　モジュール名を指定せず、ワイルドカード（*）を使って同じエクスポート側ファイル内のすべての名前つきモジュールを一括でインポートすることができます。注意しておきたいのは、「*」を使ってインポートできるのは名前つきモジュールだけで、デフォルトモジュールはインポートされないことです。

　書式は次のとおりです。

書式 すべての名前つきモジュールを一括インポート

```
import * as ネームスペース from 'JSファイルのパス';
```

　書式上のポイントが2つあります。1つは、エクスポートするときもインポートするときも、名前つきモジュールはいつも {} で囲んでいましたが、「*」は {} で囲みません。もう1つは、as キーワードに続けて「ネームスペース（namespace）」を指定する必要がある、ということです[*2]。

　ネームスペースは名前の衝突を防ぐために、モジュールに「オブジェクト名」のようなものをつけると考えてください。一括でインポートすると個別にモジュール名を変えられないことから、その代わりに固有の、ネームスペースと呼ばれる名前をつけて名前衝突を防ぎます。「*」でインポートしたモジュールはすべて、そのネームスペースのプロパティのようにアクセスします。

書式 「*」でインポートしたモジュールを使用する方法

```
ネームスペース.モジュール名        // モジュールが変数・定数の場合
ネームスペース.モジュール名()      // モジュールが関数の場合
```

　「*」を使ったインポートの例を見てみましょう。エクスポート側のファイル（exporter.js）には3つの関数、circle()、triangle()、square() があり、これらを一括でインポートします。インポートする際のネームスペースは「area」にしています。

Sample エクスポート側ファイル

`c11/import-all/exporter.js`

```
// 円の面積
export function circle(radius) {
  if (radius > 0) {
```

＊2　ネームスペースは日本語では「名前空間」と呼ばれることもあります。

```
    return Math.PI * radius ** 2;
  }
}

// 三角形の面積
export function triangle(base, height) {
  if (base > 0 && height > 0) {
    return base * height / 2;
  }
};

// 四角形の面積
export function square(base, height) {
  if (base > 0 && height > 0) {
    return base * height;
  }
}
```

Sample インポート側ファイル   c11/import-all/importer.js

```
import * as area from './exporter.js';  ●── exporter.js にあるすべての名前つきモジュールをインポート

const radius = 5;
console.log(`半径 ${radius} の面積は：${area.circle(radius)}`);
let b = 4;
let h = 3;
console.log(`底辺 ${b}、高さ ${h} の三角形の面積は：${area.triangle(b, h)}`);
b = 6;
h = 4;
console.log(`底辺 ${b}、高さ ${h} の四角形の面積は：${area.square(b, h)}`);
```

実行結果 動作確認には「c11/import-all.html」を開く

要素	コンソール	ソース	ネットワーク	パフォーマンス

top ▼ | フィルタ

半径 5 の面積は: 78.53981633974483
底辺 4、高さ 3 の三角形の面積は: 6
底辺 6、高さ 4 の四角形の面積は: 24
>

▌11-3-2 デフォルトモジュールをインポートする

デフォルトモジュールをインポートするときの書式は次のとおりです。

書式 デフォルトモジュールをインポートする

```
import モジュール名 from 'JSファイルのパス';
```

デフォルトモジュールにはインポート時に名前をつけないといけないので、importに続いて「モジュール名」を指定します。モジュール名は自由につけることができますが、{ }で囲まないのがポイントです。

次の例では、exporter.jsにあるデフォルトモジュールareaOfCircleをgetAreaという名前でインポートしています。

Sample エクスポート側ファイル　　　　　　　　　　　　　　　　　　　c11/default-import/exporter.js

```
function areaOfCircle(radius) {
  if (radius > 0) {
    return Math.PI * radius ** 2;
  }
}
export default areaOfCircle; ●──────── areaOfCircle をデフォルトエクスポート
```

Sample インポート側ファイル　　　　　　　　　　　　　　　　　　　c11/default-import/importer.js

```
import getArea from './exporter.js'; ●──── デフォルトモジュールをインポート。
                                          getArea という名前をつける

console.log(getArea(4));     // 50.26548245743669
```

実行結果 動作確認には「c11/default-import.html」を開く

```
⊡ ⌃⊡   要素  コンソール  ソース  ネットワーク  パフォーマンス
⊞ ⊘  top ▼  ◉  フィルタ
  50.26548245743669
>
```

デフォルト・名前つきモジュールを同時にインポートする　　　やや高度な内容 🎓

同じエクスポート側ファイルからデフォルトモジュールと名前つきモジュールをインポートする場合、コードの読みやすさの観点から2行に分けることをおすすめしますが、1行で両方とも同時にインポー

トすることもできます。書式が2通りあります。1つは、デフォルトモジュールと名前つきモジュールのすべてを {} で囲む方法です。

> **書式** デフォルトモジュールと名前つきモジュールを同時にインポート①

```
import {デフォルトモジュール名 , 名前つきモジュール , …} from 'JSファイルのパス';
```

もう1つは、デフォルトモジュールは {} で囲まず、名前つきモジュールだけを囲む方法です。どちらの方法であっても、最初にデフォルトモジュールを指定します。

> **書式** デフォルトモジュールと名前つきモジュールを同時にインポート②

```
import デフォルトモジュール名 , {名前つきモジュール , …} from 'JSファイルのパス';
```

> 𝒩ote **名前つきモジュールは { } あり、デフォルトモジュールは { } なし**
>
> エクスポートのときもインポートのときも、名前つきモジュールは {} で囲み、デフォルトモジュールは囲みません。この原則を知っていると、export でも import でも書き方に迷うことが少なくなります。
>
> しかし、名前つきモジュールとデフォルトモジュールを一度にエクスポート、インポートしようとすると、{} がつくときとつかないときが出てきます。混乱を防ぐためにも一括インポートは避けて、少々長くなっても2行に分けることをおすすめします。

ワイルドカードで名前つきモジュールを一括インポート、さらにデフォルトモジュールも

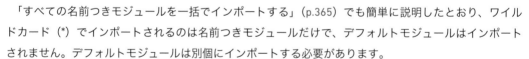

「すべての名前つきモジュールを一括でインポートする」（p.365）でも簡単に説明したとおり、ワイルドカード（*）でインポートされるのは名前つきモジュールだけで、デフォルトモジュールはインポートされません。デフォルトモジュールは別個にインポートする必要があります。

名前つきとデフォルトを2行に分けてインポートすればよいのですが、1行にまとめたい場合は以下のように書きます。この際、デフォルトモジュールを必ず先に書きます。また、{} で囲まないことにも注意が必要です。

> **書式** 名前つきモジュールを一括で、デフォルトモジュールも同時にインポートする

```
import デフォルトモジュール名 , * as ネームスペース from 'JSファイルのパス';
```

▌11-3-3 動的インポート

ここまで、いろいろなインポートの方法を紹介してきました。これらはすべて静的インポート（スタティックインポート）と呼ばれる方法で、実際のコードが実行される前に、必要なモジュールをすべてイ

ンポートします。それにより、名前の衝突がある場合や、インポートし忘れたモジュールがあるかどうか
を実行前に調べてエラーを出せるので、より確実で安全なコードを書くことができます。モジュールをイ
ンポートするときは原則として静的インポートを使うべきです。しかし、モジュールが必要になったとき
だけインポートする機能も用意されています。この方法を**動的インポート**（ダイナミックインポート）と
いい、プログラム実行時に、実際にモジュールが必要になったときにインポートします。動的インポート
は極力使用を避けるべきですが、次のようなケースに当てはまる場合は検討してもよいかもしれません。

- インポートするモジュールの数が多い、もしくはサイズが大きいなどの理由で、読み込みに時間がか
  かったりメモリーの使用量が大きくなっている場合
- 読み込むモジュール名やデフォルトモジュールにつける名前を動的に生成する必要がある場合

動的インポートをする場合は import( ) メソッドを使います。このメソッドは Promise オブジェクト
を返すので、書式は以下のようになります。Promise オブジェクト、また後述の async / await につい
ては Chapter 14「非同期処理」（p.513）を参照してください。

`書式` import( ) メソッド　〜 then( ) を使う場合

```
import('JS ファイルのパス ')
  .then( モジュール名 ) {
    モジュールが読み込まれた後の処理
  }
  .catch(error => {
    モジュールが読み込まれなかったときの処理
  });
```

async / await を使って次のようにも書けます。

`書式` import( ) メソッド　〜 async / await を使う場合

```
async function 関数名( ) {
  const モジュール名 = await import('JS ファイルのパス ');
}
```

import( ) メソッドが実行されると「JS ファイルのパス」にあるすべての名前つきモジュールがイン
ポートされます。デフォルトモジュールはインポートされません。ちょうどワイルドカード（*）を使っ
たときと同じ動作になり、書式にある「モジュール名」はネームスペースとして機能します。

動的インポートを使った例を紹介します。ページにあるボタンをクリックするとモジュールが読み込ま
れ、ランダムでそのボタンの色が変わります。読み込むモジュールは「c11/dynamic-import/exporter.
js」にある makeColor( ) で、この関数は呼び出されるとランダムで色の値を返すようになっています。
モジュールの動的インポートには async / await を使用しています。

```javascript
const makeColor = () => {
  function ramdomColor() {
    return Math.floor(Math.random() * 256);
  }

  return [ramdomColor(), ramdomColor(), ramdomColor()];
};
export {makeColor};
```

0 ～ 255 の乱数を 3 つ発生させて、配列にして返す

関数 makeColor を名前つきエクスポート

```javascript
document.querySelector('#btn').addEventListener('click', async (e) => {
  const module = await import('./exporter.js');
  const [r, g, b] = module.makeColor();
  e.target.style['border-color'] = `rgba(${r}, ${g}, ${b}, 0.1)`;
  e.target.style['background-color'] = `rgba(${r}, ${g}, ${b}, 0.4)`;
  e.target.style['color'] = `rgb(${r}, ${g}, ${b})`;
});
```

exporter.js のモジュールをインポート。ネームスペースは module

```html
略
<main>
  <div class="container">
    <div id="btn-wrapper">
      <div id="btn" class="big-btn">CLICK Me!</div>
    </div>
  </div>
</main>
略
```

このボタンをクリックすると exporter.js がインポートされ、makeColor() が実行される

実行結果 クリックするたびにボタンの色が変わる

11-4 関数の高度な性質

関数は Chapter 5 で取り上げましたが、そこで紹介した以外にもさまざまな性質を持っています。本節では関数の高度な利用方法として、「再帰」「高階関数」「クロージャ」を解説します。高度な手法を使った関数の中には、実は知らず知らずのうちに利用しているものもあります。

JavaScript の記事を検索していて、「JavaScript の関数は**第一級オブジェクト**である」などと説明しているのを見かけたことがあるかもしれません[3]。これは**関数がオブジェクト**であり、文字列や配列、オブジェクトといったほかのデータと同じように扱える、ということを意味しています。関数がオブジェクトであることで、次のようなことができます。

1. 関数がデータ（＝値）として扱えるため、変数（定数）に代入できる

2. 関数の引数として、関数を渡すことができる

3. 関数の返り値として、関数を返すことができる

JavaScript の関数はこうした特性を持つため、より柔軟なプログラミングが可能になります。本節では、関数の使い方の幅を広げる「再帰」と、第一級オブジェクトである特性を生かした 2 つのプログラミング手法、「高階関数」「クロージャ」を取り上げます。

11-4-1 再帰

「再帰」とは、関数内でその関数自身を呼び出すプログラミング手法です。自分自身を呼び出す関数のことを再帰関数といい、同じ処理が呼び出されることから for 文、while 文を使った繰り返しと同じような動作をします。

再帰の動作がわかる典型的な例を見てみましょう。次の例では 1 つの引数を受け取る関数 sum を作成し、0 から渡された引数までの整数を足した合計を計算します。

Sample 再帰関数の典型例　　　　　　　　　　　　　　　　　　　　　　　　c11/function-recursive.html

```
function sum(n) {
  if (n === 0) {
    return 0;
  }
  return n + sum(n - 1);
}

console.log(sum(5));  // 15
```

❶

❷❸

この関数 sum() は引数として渡された数 (n) が 0 でないかぎり、n に sum(n - 1) を足して返しています。呼び出した直後の最初の処理では、5 + sum(4) を返します。値を返すときに、再び sum(4) が呼び

＊3 「第一級関数」と呼ぶ場合もあります。

出され、4 + sum(3) を返し……と、n が 0 になるまで繰り返します。n が 0 になったら 0 を返し、もう sum( ) を呼び出さないので、処理が終了します。繰り返す処理は、次図のように進みます。

図　返り値と処理の流れ

```
5 + sum(4)
  5 + 4 + sum(3)
    5 + 4 + 3 + sum(2)
      5 + 4 + 3 + 2 + sum(1)
        5 + 4 + 3 + 2 + 1 + sum(0)
          5 + 4 + 3 + 2 + 1 + 0 ──── 最終的にはこの式を計算する
= 15
```

　再帰関数には 3 つの要素が含まれています。自分で再帰関数を作るときも、この 3 つの要素を考えながら組み立てます。

- 再帰の終了条件（コードの❶の部分）── 処理が完了したときの状態を考え、その状態を表す条件文を作る。例では引数が 0 になったときを終了条件としている。終了条件がないと再帰が終わらず、無限ループになってしまう
- 再帰の終了に向けて 1 段階処理を進める（❷の部分）── 例では引数と、引数より 1 少ない数を足して処理を 1 段階進めている。引数が 1 減ることにより、再帰の終了条件に 1 段階近づく
- 自分自身を呼び出す（❸の部分）── 例では、「引数より 1 少ない数」を引数にして、もう一度自分自身を呼び出している

\<body> 内の HTML タグをリストする

　再帰の例をもう 1 つ見てみましょう。指定した HTML 要素（タグ）に含まれるすべてのタグをリストする walkTree( ) という関数を作成します。この関数は、引数で指定する要素をルート（いちばんの親要素）にして、そこに含まれるすべての子要素を再帰的に取得します。

Sample　指定した要素（ここでは \<body>）内のタグをすべてリストする　　　c11/function-walk.html

```
function walkTree(node) {
  if (node === null) {           ❶
    return;                      ❸
  }
  for (let i = 0; i < node.children.length; i++) {   ❷
    console.log(node.children[i]);    // 取得した要素をコンソールに出力
    walkTree(node.children[i]);
  }
}
```

```
const body = document.body;    // <body> を取得
walkTree(body);
```

実行結果

```
┌─────────────────────────────────────────────────────┐
│  ☲ ☐   要素  コンソール  ソース  ネットワーク  パフォーマンス  メモリ  │
│  ▣ ⊘  top ▼  ◉  フィルタ                              │
│  ▶ <header class="header"> … </header>                │
│  ▶ <div class="container"> … </div>                   │
│  ▶ <div class="flcon"> … </div>  flex                 │
│  ▶ <div class="logo"> … </div>                        │
│  ▶ <a href="../index.html"> … </a>                    │
│    <img src="../res/logo.svg" alt="JavaScript" width="60">│
│  ▶ <div class="title"> … </div>                       │
│    <h1><body>内のタグをすべてリストする</h1>                │
│  ▶ <main> … </main>                                   │
│  ▶ <div class="container"> … </div>                   │
│    <p>コンソールを開いて確認します。</p>                    │
│  ▶ <script> … </script>  ────────────── Note 参照      │
│  >                                                    │
└─────────────────────────────────────────────────────┘
```

Note 参照

> $\mathcal{N}_{ote}$ **VSCode で実行すると <script> が追加される**
> --
>
>   このサンプルを「Live Server」拡張機能をインストールしたVSCodeで実行すると、最後の要素に、HTML
> ドキュメントには存在しない<script>タグが表示されます。これはローカルWebサーバーを動作させるために
> 自動で挿入される要素で、サンプルの動作そのものに影響はありませんので無視してください。

　関数 walkTree( ) の構造を見てみましょう。終了条件は❶の部分ですが、これはあとで説明します。
コードの動作を理解しやすいよう、この HTML ドキュメントの <body> 内の構造を確認します。

ⵛ　<body> 内の HTML 構造（簡略化しています）

```
<body>
  <header>
    <div>
      <div>
        <div>
          <a href=" 略 ">
            <img src=" 略 ">
          </a>
        </div>
        <div>
          <h1> 略 </h1>
        </div>
      </div>
    </div>
```

```
    </header>
    <main>
      <div>
        <p> 略 </p>
      </div>
    </main>
  </body>
```

　JavaScript のコードに戻ります。終了条件に該当しない場合、つまり引数 node が null でない場合は、繰り返しの for 文が実行されます（❷）。この for 文では引数 node のすべての直接の子要素（孫要素は含まない）を取得して、その要素数分繰り返します。子要素を取得しているのが node.children プロパティで、引数 node の子要素を配列にして返します。たとえば最初に walkTree( ) を呼び出したとき、引数 node には <body> が代入されていて、node.children で取得できる、<body> の子要素が含まれる配列は次のようになります。

▼ walkTree( ) を初めて呼び出したときに node.children で取得できる配列のイメージ

```
[<header>, <main>] ●━━━━━❹
```

　繰り返しの { ～ } 内で、node.children の i 番目の要素を引数にして、再び walkTree( ) を呼び出します。たとえば最初の繰り返し（i = 0）のとき、引数 node は <header> になり（❹）、node.children の配列が次のようになります。

▼ walkTree（<header>）のときの node.children で取得できる配列のイメージ

```
[<div>]
```

　この <div> が引数 node に代入され、再び walkTree( ) が呼び出され……と、どんどん walkTree( ) が呼び出され、<img> まで到達します。<img> に子要素はなく、呼び出す walkTree( ) に渡す引数が null になります。すると、関数 walkTree( ) の終了条件（❶）に合致するので、「return;」を実行します（❸）。この「return;」は返り値がないので何も返さず、それでも return 文であることには違いないので、walkTree( ) の実行が終了します。

　ここまで来てようやく、最初に呼び出された walkTree( ) で実行した for 文の 1 回目の繰り返しが終わります。カウンター変数 i が 1 になって 2 回目の繰り返しが始まり、今度は <main> を引数にして（❹）、再び walkTree( ) が呼び出され……という順番で処理が進みます。

　このように、walkTree( ) は引数の子要素、そのまた子要素、というように、要素がなくなるまで子要素をたどって探索します。この方法は「深さ優先探索」と呼ばれるアルゴリズム（プログラムの処理手順のこと）で、HTML 要素だけでなく、フォルダーに含まれるフォルダー／ファイルをリストするなど、階層構造になっているデータを探索する手法の 1 つとして知られています。

```
            <body>
          ╱        ╲
❶<header>         ❼<main>
    │               │
❷<div>           ❽<div>
    │               │
❸<div>           ❾<p>
    │
❹<div>
    │
❺<a>
    │
❻<img>
```

▎11-4-2 高階関数

高階関数とは、引数に関数を取る、もしくは関数を返す、関数やメソッドのことです。**コールバック**とはそうした関数やメソッドに、引数として渡す関数のことを指します。

引数に関数を取る関数・メソッド

JavaScript には、引数に関数を取る関数・メソッドがたくさん定義されています。代表的なのが配列の forEach( )、sort( )、map( )、filter( )、reduce( ) メソッドで、それ以外にも HTML 要素にイベントを設定する addEventListener( ) メソッド、アニメーションの処理を設定する requestAnimationFrame( ) メソッドなどがあります。こうした高階関数は、引数として渡す関数によって実際に行う処理の内容を変えられるという特徴があります。

基本的な例として、グローバルメソッドの setTimeout( ) の動作を見てみましょう。このメソッドは引数で指定するミリ秒後に、同じく引数として渡すコールバックを実行するものです。書式の「処理の内容」の部分で実行する処理の内容によって、経過時間後に行われる具体的な処理を自由に作ることができます。

書 式 setTimeout( ) メソッド

```
function コールバック (引数1，引数2，…) {
  処理の内容
}

setTimeout(コールバック，ミリ秒，コールバックに渡す引数1，引数2,…);
```

高階関数の例として、setTimeout( ) を利用したカウントダウンタイマーを作成してみます。最初の setTimeout( ) 呼び出しの際にコールバックに渡す引数の数字（例では 9）からカウントダウンし、その数字をページ上に表示します。

c11/higher-order-settimeout.html

`Sample` カウントダウンタイマー（HTML 部分）

```
略
<div class="container">
  <div class="block">
    <span id="counter"></span>●────── ここにカウントダウンの数字が表示される
  </div>
</div>
略
```

c11/higher-order-settimeout.html

`Sample` カウントダウンタイマー（JavaScript 部分）

```
const callback = (counter) => {
  document.querySelector('#counter').textContent = counter;
  if (counter > 0) {
    setTimeout(callback, 1000, counter - 1);●──── counter を 1 つ減らして setTimeout( )
  }                                                を再帰的に呼び出し
};
setTimeout(callback, 1000, 9);●──── 最初の setTimeout( ) 呼び出し。引数 counter に 9 が渡される
```

実行結果

\<body\> 内の HTML タグをリストし、処理を別の関数に任せる

続いて、高階関数を自作する例を見てみましょう。11-4-1「再帰」（p.371）で紹介した walkTree( ) を改造し、要素を取得したときの処理を別の関数に任せるようにします。そうすることで、取得した各要素に対する処理を自在に作れるようになります。

改造は難しくありません。walkTree( ) の引数を 2 つにして、コールバック関数を受け取れるようにします。そして、for 文の {～} 内にある console.log( ) を削除し、代わりにコールバックを呼び出します。

例ではコールバックとして関数 getElement( ) を作成します。この関数では取得した要素のタグ名と、class 属性がある場合はそのクラス名をコンソールに出力します。コールバックで使用している tagName や classList は、HTML 要素の情報を取得するプロパティです。詳しくは、Chapter 12「HTML の操作」（p.399）を参照してください。

```
function walkTree(node, callback) {          要素とコールバック関数を受け取る
  if (node === null) {
    return;
  }
  for (let i = 0; i < node.children.length; i++) {
    callback(node.children[i]);          コールバックを呼び出す。インデックス
    walkTree(node.children[i], callback);   i 番目の要素を渡す
  }
}


// コールバック
function getElement(elm) {          引数として要素を受け取る
  if (elm.classList.length > 0) {
    console.log(`${elm.tagName}.${elm.classList}`);   クラス名があるときはタグ名とクラス名を出力
  } else {
    console.log(`${elm.tagName}`);   クラス名がないときはタグ名のみを出力
  }
}


const body = document.body;     // <body> を取得
walkTree(body, getElement);
```

実行結果

```
要素    コンソール    ソース    ネットワーク    パフォーマンス
top ▼       フィルタ
HEADER.header
DIV.container
DIV.flcon
DIV.logo
A
IMG
DIV.title
H1
MAIN
DIV.container
P
SCRIPT
>
```

関数を返す関数

　関数を返す関数は、その名のとおり return で関数を返します。まずは簡単な例を見てみましょう。次の例では、関数 init( ) を呼び出すと関数が返ってきます。返ってくる関数は、init( ) 内で作られた配列 proverbs の中からランダムで要素を選んで返すようになっていて、呼び出すたびに違うことわざをしゃべってくれます。

377

```
function init() {
  const proverbs = [
    '犬も歩けば棒に当たる',
    'かわいい子には旅をさせよ',
    '馬の耳に念仏',
  ];

  return function() {
    const rand = Math.floor(Math.random() * proverbs.length);
    return proverbs[rand];          proverbs からランダムで要素を 1 つ選んで返す
  };
};

const saying = init();           定数 saying に返り値の関数を代入
console.log(saying());
console.log(saying());           saying()（代入された関数）を実行
console.log(saying());
```

実行結果 実行結果の例。テキストはランダムで出力しているので毎回異なる

| 要素 | コンソール | ソース | ネットワーク | パフォーマンス |

```
▷ ⊘ | top ▼ | 👁 | フィルタ
  馬の耳に念仏
  犬も歩けば棒に当たる
  かわいい子には旅をさせよ
>
```

　関数を返す関数を作る目的は、おおよそ 3 つあります。1 つ目は今回の例のように、処理の順序を制限したい場合です。

　返される関数を使うには、当然ながらまずは元の関数を呼び出さないといけません。例でいえば、saying()（元は無名関数）を使うためにはまず init() を呼び出す必要があるわけです。init() では配列を定義していて、saying() ではその配列を使用した処理をしているため、この順番で呼び出さないと機能しません。このように、関数を返す関数によって、処理の順序を制限することができます。

　2 つ目は関数 (init()) の中に関数（無名関数）を作ることにより、外側からは参照も変更もできない変数・定数——ちょうどクラスのプライベート変数と同じ役割を果たす変数——を定義できるようになります。この例では定数 proverbs がそれで、この定数は関数 init() の外側からは参照できず、間違って書き換えられることもないため、保存されている値の安全性を保つことができるのです。この特徴は 11-4-3「クロージャ」のところでさらに詳しく説明します。

最後の3つ目は次に紹介するケースで、言ってみれば「関数のテンプレート」となる関数を作りたいときです。プログラムの処理によっては、扱う値が少し違うだけで機能自体はほとんど同じ関数を複数作らなくてはならないときがあります。そんなとき、関数を返す関数が威力を発揮します。

「関数のテンプレート」となる関数を作る

　これから紹介する例ではページにボタンを2つ配置し、いっぽうをクリックするとフォントサイズを大きく（具体的には1.1倍）、もういっぽうをクリックすると小さく（0.9倍）できるようにします。

図　完成予想図

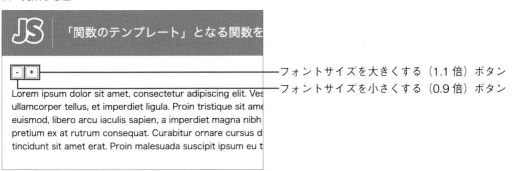

フォントサイズを大きくする（1.1倍）ボタン
フォントサイズを小さくする（0.9倍）ボタン

　作成する関数 fontSizeChanger() は引数を2つ取り、1つ目には変更したフォントサイズを適用する要素、2つ目には現在のフォントサイズから大きくしたり小さくしたりする倍率を渡します。そして、ボタンがクリックされたときの処理をする関数を返します。

Sample 「関数のテンプレート」となる関数を作る（HTML部分）　　　　　　　c11/higher-order-setstyle.html

```html
略
<div>
  <button id="small">-</button>
  <button id="big">+</button>
</div>
<article id="content">
  <p>Lorem ipsum dolor sit amet, …… eu tristique.</p>
</article>
略
```

Sample 「関数のテンプレート」となる関数を作る（JavaScript部分）　　　　　c11/higher-order-setstyle.html

```javascript
function fontSizeChanger(selector, rate) {
  return function() {                          ［関数を返す］
    const element = document.querySelector(selector);
    // 現在のフォントサイズを取得、代入
```

```
    const currentSize = Number(
        getComputedStyle(element)['font-size'].match(/[\d.]+/)[0]);  ①
    // 引数rateにもとづいて新しいフォントサイズをセット、ただし9px以上
    const size = Math.max(currentSize * rate, 9);
    document.querySelector(selector).style['font-size'] = `${size}px`;
  };
}

const setSmaller = fontSizeChanger('#content', 0.9);      返り値の関数を
const setLarger = fontSizeChanger('#content', 1.1);       setSmaller に代入
                                                          返り値の関数を
                                                          setLarger に代入

document.querySelector('#small').addEventListener('click', setSmaller);
document.querySelector('#big').addEventListener('click', setLarger);
```

実行結果　[+] ボタンをクリックするとフォントサイズが大きくなり、[-] ボタンをクリックすると小さくなる

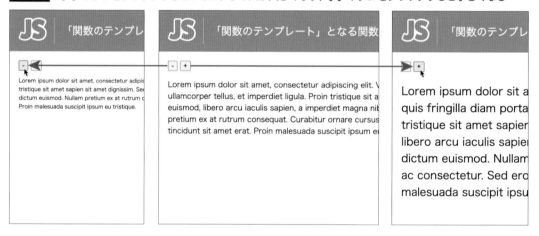

　返す関数の中で使用した getComputedStyle( ) は、指定した要素（ここでは <article id="content">）
に適用されているすべての CSS スタイルをオブジェクトの型式で取得します（➡ 5-1-1「関数の基本的
な操作」p.130）。そのオブジェクトの中の font-size プロパティを調べれば、現在のフォントサイズを
「16px」など単位 px の文字列として取得できます。①の部分ではフォントサイズを取得し、正規表現を
使って数字の部分だけを取り出して定数 currentSize に代入しています。あとは定数 currentSize と引
数 rate を掛けて新たなフォントサイズを計算し、要素に適用し直します。

　返す関数は、次項で説明するクロージャの性質により、fontSizeChanger( ) 関数を呼び出したときに渡
される引数を参照し続けられます。そのため、定数 setSmaller に代入された関数は、
fontSizeChanger( ) に渡された引数――「フォントサイズを変更する要素」と「0.9」――を、定数
setLarger に代入された関数は同じく引数として渡された要素と「1.1」をそれぞれ参照し、適切にフォン
トサイズを変えられるようになるのです。

　[+] ボタンと [-] ボタンをクリックしたときに実行する処理は、フォントサイズを変更する倍率が違

うだけで機能は同じです。ほとんど同じ機能の関数を複数作る場合、関数を返す関数を作っておけば同じような処理を二度書かなくて済み、バグも減らせます。高階関数の有効な使用例の 1 つといえるでしょう。

11-4-3 クロージャ

クロージャとは、関数のスコープ（変数を参照できる範囲）のことです（➡ 5-2「スコープ」p.135）。具体的には、ある関数（ここでは子関数と呼びます）を囲む関数（親関数と呼びます）がある場合、子関数は自身の {} 内で宣言した変数だけでなく、親関数で宣言された変数も参照できるようになっています（実際には親関数の外側も参照できますが、話を単純にするためにここでは議論をしません）。この、子関数から見た変数の参照可能範囲を**クロージャ**といい、この特性を生かしたプログラミングテクニックがあります。

図　クロージャの基本構造。親関数の変数を子関数から参照している

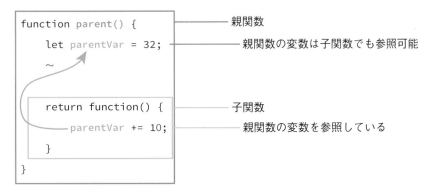

図の変数 parentVar は親関数 parent() の {} 内で宣言されていて、親関数の処理の結果返される子関数（無名関数）はその変数を参照していることに注目してください。

通常、関数は処理が終わったらそこで宣言した変数も含めて破棄され、参照できなくなります。しかし子関数から親関数の変数を参照していると、子関数が破棄されないかぎり親関数も、親関数で宣言した変数も破棄されず、変数の値を保持し続けられます。しかも、関数内で宣言した変数は関数の外側からは参照できないため、ちょうどクラスのプライベートメンバーのようなスコープを持った変数になります。

基本的な例を見てみましょう。この例では関数 createCounter()（親関数）を呼び出すと、無名関数が返ってきます。この無名関数が子関数で、親関数で宣言した変数 count に 1 足して、その値を返します。

Sample クロージャの基本的な例　　　　　　　　　　　　　　　　　　　　　　　c11/closure-basic1.html

```
function createCounter(initial) {
  let count = initial - 1;
  return () => {
    return ++count;
  };
}
```

```
const counter1 = createCounter(1);        createCounter( ) を実行、返ってきた関数を定数 counter1 に代入。
console.log(counter1());        // 1 | 0 + 1 = 1    引数に 1 を渡しているので、返り値 count は 0 からスタート
console.log(counter1());        // 2 | 1 + 1 = 2
console.log(counter1());        // 3 | 2 + 1 = 3
```

　親関数から返ってきた無名関数を定数 counter1 に代入し（**この時点で子関数は破棄されなくなり、子関数が参照している、親関数で宣言・定義した変数も、親関数自体も破棄されなくなります**）、その後 counter1( ) を連続して呼び出すと、値が 1 ずつ増えます。これは親関数の変数の値が保持され続けていることを示しています。

　しかも、子関数は親関数から返されるたびに、自分自身のクロージャ（たびたび言いますが、変数の参照可能範囲のことです）を持ちます。そのため、上記のコードに続けて counter2 を作って同じようにコンソールに出力すると、counter1 と counter2 が別々に動作することがわかります。これは 1 つひとつの子関数が自分自身のクロージャを持ち、その参照可能範囲にある変数が互いに独立していることを示しています。

|Sample| クロージャの子関数は独立して動作できる　　　　　　　　　　　　　　　　c11/closure-basic2.html

```
略
const counter1 = createCounter(1);
console.log(counter1());        // 1
console.log(counter1());        // 2
console.log(counter1());        // 3

const counter2 = createCounter(10);        引数に 10 を渡しているので、返り値 count は 9 からスタート
console.log(counter2());        // 10
console.log(counter2());        // 11
console.log(counter2());        // 12
```

|実行結果| counter1 と counter2 が別々に動作している

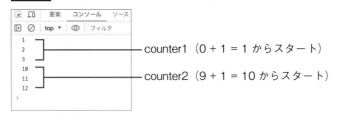

このように、クロージャの性質を使うと変数を関数内に閉じ込めておくことができ、関数外から参照や変更ができなくなります。これがクロージャの利点です。

　もしクロージャを使わずに同じような機能を作ろうと思ったら、変数を関数の外側で宣言しなければな

らなくなり（そうしないと値の保存ができない）、外部から参照できてしまいます。より安全なプログラムにするためにクロージャは有益です。

▽ クロージャを使わないと変数が外部から参照できてしまう

```
let count = 0; ●─────────── 関数の外側で変数を宣言している
function createCounter() {
  return ++count;
}

console.log(createCounter()); // 1
console.log(createCounter()); // 2
count = 100; ●─────────── 関数の外側で変数を宣言しているため、外部から書き換えができてしまう
console.log(createCounter()); // 101
```

ただし、ES2022 からはクラスにプライベートフィールドが定義できるようになったため、クラスを作ればクロージャと同じことができます。実際にプログラムを書くときには、どちらが理解しやすく、より効率的なコードになるかを考えて選択するとよいでしょう。

$\mathcal{N}ote$ 関数に ( ) をつけるとき、つけないとき

「関数の高度な性質」、難しいですね。わからなくても、すぐに理解できる必要はありません。とくに再帰関数や高階関数は「慣れ」の部分も大きいので、いろいろなソースコードを見て、考えていたら、そのうちわかるようになるはずです。

難しかったので少し休憩しましょう。ここまでいろいろな場面で関数に触れてきましたが、「( ) がつくときとつかないときがあるけど、この違いは何？」と思った方がいらっしゃるかもしれません。これは「その場で実行するか／しないか」の違いです。

関数名の後ろに ( ) がつくとき、その関数はその場で呼び出され、実行されます。

関数名の後ろに ( ) がつかないとき、その関数は「値（オブジェクト）」として扱われます。単なる「値」なので、その時点では実行されません。コールバックとして渡す関数はしかるべきタイミングで実行してくれればよく、渡したときに実行される必要はないから、( ) をつけないのです。

11-5 イテレーターとジェネレーター　　やや高度な内容

イテレーター[4] とジェネレーターはどちらもコレクション[5] に、値を次から次へと繰り返し取得する機能を追加するための仕組みです。値の個数が膨大なときや、繰り返しながらその都度値を生成するデータを扱う場合に役立ちます。

＊ 4　iterate は「繰り返す」という意味です。
＊ 5　複数の値を保持できるオブジェクトのこと。コレクションの代表例は配列、Object、Map、Set で、イテレーター、ジェネレーターもコレクションの一種です。

本節では「繰り返し」という言葉を、正確にはイテレーション（反復）と呼ばれる値の取得方法に限定して使用します。イテレーションとは、配列のインデックス番号やオブジェクトのプロパティ名のような、値についている「名前」を使って参照するのではなく、コレクションから「次のデータ」「また次のデータ」というように、要素の位置を具体的に指定せず、順番に値を取り出せる機能を指します。これまでに見たことのある機能でいえば、for 〜 of 文を使った、配列などからの値の取り出しは本節でいう「繰り返し」にあたります。それ以外の繰り返し、たとえば単純な for 文や while 文（どちらも配列から値を取り出すのにインデックス番号が必要）、for 〜 in 文（オブジェクトから直接取り出せるのはプロパティ名のみで、値は取り出せない）で値を取り出すのは、本節でいう繰り返しにはあたりません。

コレクションを「繰り返し可能」にするためには、これから紹介する 2 種類の実装ルールのどちらか、または両方に準拠する必要があります。その実装ルールは、1 つはイテレータープロトコルと呼ばれるもの、もう 1 つは反復可能プロトコルと呼ばれています。

実装ルールとは「繰り返し値を取り出せるデータを作るにはこんなコードを書く」という、プログラミング上のルールのことです。このプログラミングルールを知っていればどんなデータでも繰り返し可能にできます。

繰り返しの実装ルールのうち「イテレータープロトコル」は、next( ) メソッドが実装され、それを呼び出すことで次の値を取得できるオブジェクトを作るためのルールです。for 〜 of 文は使えません。その代わり、整数や奇数・偶数などを半永久的に取得し続けるなど、終了の制限がないデータを作ることが可能になります。

いっぽうの「反復可能プロトコル」は、for 〜 of 文で繰り返し値を取得できるデータを作る、プログラミング上の仕組みです。連続的に値を取得できるのが特徴で、代表的なものには配列、Map オブジェクト、Set オブジェクトがあります。

▌11-5-1 イテレーターの作成

実装ルールのうちの 1 つ、イテレータープロトコルを実装したオブジェクトがどういうものか見てみましょう。ルールはただ 1 つ、next( ) メソッドが実装されたオブジェクトを作ることです。next( ) メソッドを呼び出すと、value と done、2 つのプロパティを持つオブジェクトを返すようにします。

▼ next( ) メソッドが返すオブジェクト。イテレーターを自作するときは nexl( ) がこのようなオブジェクトを返すように作る

```
{value: 繰り返しで得られる値 , done: true または false}
```

next( ) メソッドが返すオブジェクトは、value プロパティに値が入ります。done プロパティには「繰り返しが終了した」かどうか、言い換えれば「次の値が取得できるかどうか」がわかるブール値を入れます。done プロパティが false のとき次の値が取得でき、true の場合はそこで繰り返しが終了します。イテレーターを自作する場合は、このルールに従った value プロパティ、done プロパティを返すように作らなくてはならないということです。

このルールだけでは何をしたらよいのかわからないかもしれません。実際の例を見てみましょう。例ではイテレーターを返す関数 rangeIterator( ) を作ります。この関数は次の 3 つの引数を取ります。

- start —— 繰り返しで得られる最初の数
- end —— 繰り返しの終了値。step が正のとき、得られる値は end より小さい数になる。step が負のとき、得られる値は end より大きい数になる
- step —— ステップ。次に得られる値は「現在の数 + ステップ」

Sample 取得できる値の範囲を決めるイテレーター　　　　　　　　　　　c11/iterator-basic1.html

```
function rangeIterator(start❶, end❷, step❸) {
  let nextValue = start;

  const iterator = {●──────────────── next()メソッドを持ったiteratorオブジェクトを作成
    next() {
      let result;
      if ((step > 0 && nextValue < end)||(step < 0 && end < nextValue)) {
        result = {value: nextValue, done: false};
        nextValue += step;
        return result;●──────────── next()は value、done プロパティを持った
      }                              オブジェクトを返す
      return {value: undefined, done: true};●
    },
  };
  return iterator;●─────────────────── iterator オブジェクトを返す
}
```

引数❶の start には最初の数を、引数❷の end には繰り返しが終了する数を指定します。引数❸はステップ数で、次に取得する値を、現在取得できている値よりどれだけ大きくするか（または小さくするか）を指定します。

この関数の使い方を見てみます。まずは値を1つだけ取り出します。

Sample 取得できる値の範囲を決めるイテレーター（続き）　　　　　　　c11/iterator-basic1.html

```
const it = rangeIterator(0, 10, 2);
let result = it.next();
console.log(result);  // {value: 0, done: false}
```

関数 rangeIterator() を呼び出すと iterator オブジェクトが返ってきます。iterator オブジェクトには next() メソッドが実装されていて、next() メソッドを呼び出すと、value プロパティと done プロパティを持つオブジェクトが返ってきます。next() の部分のコードを見ると、変数 nextValue の値が引数❷ end で指定した範囲に収まっているかぎり、value プロパティに nextValue、done プロパティに false を代入したオブジェクトを作り、返しています。それと同時に、nextValue に引数❸ step を足し、次に next() が呼び出されたときに返す値を作っています。

11-5
イテレーターとジェネレーター

11
高度な機能

385

▼ 関数 rangeIterator( ) で、次の値を作っている部分

```
next() {
  let result;
  if ((step > 0 && nextValue < end)||(step < 0 && end < nextValue)) {
      result = {value: nextValue, done: false};●────現在の nextValue の値で返すオブジェクトを作成
      nextValue += step;●────────────────次に呼び出されたときのために nextValue の値を更新
      return result;
  }
  return {value: nextValue, done: true};●────nextValue の値が範囲外になったら done を true にして返す
},
```

Sample next( ) を呼び出すたびに値が更新される   c11/iterator-basic2.html

```
略
const it = rangeIterator(0, 10, 2);
console.log(it.next());        // {value: 0, done: false}
console.log(it.next().value); // 2 | 返ってくるオブジェクトのvalue プロパティのみ取得
console.log(it.next().value); // 4
console.log(it.next().value); // 6
console.log(it.next().value); // 8
console.log(it.next().value); // undefined
```

　このコードのように、イテレーターは連続した値を繰り返し取得できますが、繰り返し文を使わないため、断続的に値を取得できる——値の取得を途中で中断して、あとで再開するようなこともできる——という特徴があります。また、繰り返し文を使わなくてもよいことから無限ループに陥る心配がなく、延々と続く値の並びを作ることも可能です。rangeIterator( ) の引数を変えて試してみると、イテレーターの動作をより深く理解できるようになるでしょう。たとえば、2 つ目の引数を Infinity や Number.MAX_POSITIVE_INFINITY などにすれば、半永久的に数値を取り出せるイテレーターにもできます。

▌11-5-2 イテレーターを反復可能にする

　前項で紹介したイテレーターの例は、next( ) メソッドを呼び出せば値を次々に取り出せますが、for ～ of 文を使って繰り返すことができません。

Sample イテレーターは for ～ of 文を使って値を取り出すことができない   c11/iterator-basic3.html

```
略
const it = rangeIterator(0, 20, 3);
for (const item of it) {        // TypeError
  console.log(item.value);
}
```

「イテラブル（反復可能）でない」という TypeError が返ってくる

　for 〜 of 文を使えるようにするには、イテレーターを「反復可能プロトコル」に対応させる必要があります。そのためには、next( ) メソッドを返すオブジェクトに、さらに [Symbol.iterator]( ) メソッドを追加し、そのメソッドから this を返す必要があります。話だけ聞くと難解に聞こえますが簡単です。どんなイテレーターを反復可能プロトコルに対応するときも、次のコードの色文字部分をそっくりそのまま追加します。

Sample イテレーターを反復可能にして、for 〜 of 文を使えるようにする　　　　　c11/iterator-iterable.html

```
function rangeIterator(start, end, step = 1) {
  略
  const iterator = {
    next() {
      略
    },
    [Symbol.iterator]() {
      return this;
    },
  };
  略
}
```

この部分を追加

　[Symbol.iterator]( ) メソッドを実装しさえすれば、for 〜 of 文を使って値を取り出せるようになります。next( ) メソッドも呼び出さず、value プロパティや done プロパティも使わずに値が取り出せるようになります。

Sample for 〜 of 文が使えるようになっている　　　　　c11/iterator-iterable.html

```
const it = rangeIterator(0, 10, 2);
for (const item of it) {
  console.log(item);
}
```

▌11-5-3 ジェネレーター

前項のイテレーターのソースコードは少し複雑というか、どんな動作をするのかわかりづらくて難しいと感じたかもしれません。イテレーターをよりシンプルに書けるようにしたのがジェネレーターです。function* という、function の後ろに「*」がついた関数（ジェネレーター関数）を使い、その処理の中で値を作ります。そして、yield 文で、作った値を返します[6]。yield 文は return と同じように値を返しますが、return と違ってコードの実行が止まらず、次の値を返せるようになっています。

書式 ジェネレーターの基本形。ジェネレーター関数の中で値を作り、yield 文で返す

```
function* 関数名() {
  値を作る処理
  yield 値;
}
```

11-5-1「イテレーターの作成」（p.384）で取り上げた例をジェネレーターを使って書き換えてみます。ただしコードを単純化するために、引数 start、end、step はどれも正の数のときだけ正しく動作するようにしています。

Sample　「取得できる値の範囲を決めるイテレーター」をジェネレーターで書き換える　　c11/generator-basic1.html

```
function* rangeGenerator(start, end, step) {
  for (let i = start; i < end; i += step) {
```

＊6　yield は「生成する、作る」という意味。繰り返しの値を生成することを指します。

```
    yield i;
  }
}

const it = rangeGenerator(0, 10, 2);
console.log(it.next());        // {value: 0, done: false}
console.log(it.next().value); // 2
console.log(it.next().value); // 4
console.log(it.next().value); // 6
console.log(it.next().value); // 8
console.log(it.next().value); // undefined
```

実行結果

イテレーターの場合は next( ) メソッドを実装し、value と done プロパティを持つオブジェクトを返すコードを書かなければなりませんでしたが、ジェネレーターでは、通常の for 文を使い、その中で値を作って、yield で返すだけです。next( ) メソッドを実装する必要がなくなり、コードはだいぶシンプルになります。

そのいっぽうで値を取得するところは変わっていません。next( ) メソッドを呼び出すと、value プロパティ、done プロパティを持ったオブジェクトが返ってきます。しかし、ジェネレーターを使えば [Symbol.iterator]( ) を実装する必要がなく、そのまま反復可能プロトコルにも対応します。つまり、for 〜 of 文が使えるのです。実際に for 〜 of 文を使って値を取得する例も紹介しておきます。

Sample for 〜 of 文を使って値を取得   c11/generator-basic2.html

```
略
const it = rangeGenerator(0, 10, 2);
for (const item of it) {
  console.log(item);
}
```

繰り返し日付を取得する

ここまでイテレーター、ジェネレーターの基本的な使い方を見てきました。出力したのはどれも数値でしたが、数値でないものを返すこともできます。ここでは、指定した日数の間隔で繰り返し日時を返すジェネレーターを作ってみます。Date オブジェクトはタイムスタンプから新しい日時を作成できるので、比較的簡単にイテレーター／ジェネレーターを作ることができます。

作成するジェネレーター関数 dateGenerator() は、繰り返しの開始日時と日数の間隔の、2つの引数を取ります。例ではコードを実行した当日から 7 日おきの日付を取得できるような、引数を渡しています。

`Sample` 日時を出力するジェネレーター　　　　　　　　　　　　　　　　　　　　　c11/generator-date.html

```
function* dateGenerator(startDate = new Date(), step = 1) {
  const start = startDate.getTime();  ●——[ 日時のタイムスタンプを代入 ]
  const ms = 1000 * 60 * 60 * 24 * step;
  for (let i = start; ; i += ms) {  ●——[ いくらでも値を取得できるので終了条件は設定していない ]
    yield new Date(i);
  }
}

const it = dateGenerator(new Date(), 7);
console.log(it.next().value);
console.log(it.next().value);
console.log(it.next().value);
console.log(it.next().value);
console.log(it.next().value);
console.log(it.next().value);
```

`実行結果`

```
要素    コンソール    ソース    ネットワーク    パフォーマンス

top ▼    ◎    フィルタ

  Thu Apr 04 2024 13:04:45 GMT+0900 (日本標準時)
  Thu Apr 11 2024 13:04:45 GMT+0900 (日本標準時)
  Thu Apr 18 2024 13:04:45 GMT+0900 (日本標準時)
  Thu Apr 25 2024 13:04:45 GMT+0900 (日本標準時)
  Thu May 02 2024 13:04:45 GMT+0900 (日本標準時)
  Thu May 09 2024 13:04:45 GMT+0900 (日本標準時)
>
```

2つ目の引数（step）に負の数を指定すれば、開始日時よりも古い日付を取得することもできます。終了条件がないのでいくらでも日時を取得できるかわりに、for ～ of 文を使うと無限ループに陥るので注意が必要です。

11-6 例外処理（エラー制御）

プログラムはエラーなく、途中で処理が止まってしまわないように作るのが基本ですが、それでもエラーが発生してしまう処理もあります。エラーにうまく対処するために、ここでは代表的なエラーの種類と、仮にエラーが発生しても全体の実行を止めたくないときに行う**例外処理**の方法を解説します。

プログラムのエラーとは「動作上の不具合」のことで、プログラムの実行自体は止まらないけれども意図したとおりの結果が出ないものと、プログラムの実行が止まってしまうもの、大きく分けて2種類あります。このうち実行が止まってしまうものを**例外**（exception）といいます。これまでに出てきたSyntaxErrorやTypeErrorは「例外」の部類に入ります。

図 エラーと例外

メソッド名を書き間違えたり、存在しない関数名を指定したりするとReferenceError（参照エラー）が発生します。これはメソッドや関数、変数などが見つからない、という意味の「例外」です。

▼ ReferenceErrorの例。メソッド名を書き間違えた

```
alerl("hello");
// ReferenceError: Can't find variable: alerl
```

構文を書き間違えるとSyntaxError（構文エラー）が発生します。

▼ SyntaxErrorの例。三項演算子を書こうとして「?」の代わりに「!」を入力してしまった

```
(true) ! some: any;  ← 三項演算子を書こうとして?の代わりに!を入力してしまった
// SyntaxError: Unexpected token '!'. Parse error.
```

こうして、プログラムの処理が継続できない間違いがあると、例外が発生して処理が止まり、コンソールにエラー名やエラー内容を示すメッセージが表示されます。

ReferenceError

```
要素  コンソール  ソース  ネットワーク  パフォーマンス
top ▾  フィルタ
> alerl("hello");
⊗ ▶ Uncaught ReferenceError: alerl is not defined
     at <anonymous>:1:1
>
```

SyntaxError

```
要素  コンソール  ソース  ネットワーク  パフォーマンス
top ▾  フィルタ
> (true) ! some: any;
⊗ Uncaught SyntaxError: Unexpected token '!'
```

▌11-6-1 エラーの例

　JavaScript 本体に組み込まれている、例外が発生する主なエラーには次のものがあります。この中でもよく遭遇する重要なエラーが ReferenceError、SyntaxError、TypeError の 3 つです。

表　JavaScript の主なエラー

エラー	説明
ReferenceError	参照エラー。未宣言の変数・定数、未定義の関数を呼び出したときに発生
SyntaxError	構文エラー。構文上の誤りがあるときに発生
TypeError	データ型エラー。変数や引数に不正なデータ型の値を渡したとき（数値が必要なのに文字列を渡した、など）に発生
URIError	URL をエンコードする encodeURI( )、デコードする decodeURI( ) に不正な（解析不能な）引数を渡したときに発生
AggregateError	複合エラー。複数のエラーが組み合わさったエラーを表す。Promise.any( ) メソッドなどで発生
RangeError	範囲エラー。主に、取れる引数の範囲が決まっているメソッドに不正な値を渡したときに発生。Number オブジェクトの toPrecision( )、toExponential( ) などで発生
EvalError	eval( ) 関数の実行エラー。現在の JavaScript エンジンはこの例外を発生させない。過去の互換性のために残されている

　これらのエラーはすべて Error オブジェクトと呼ばれるオブジェクトで、いくつかのプロパティがあります。

表　Error オブジェクトのプロパティ

プロパティ	説明
<Error オブジェクト >.name	エラー名
<Error オブジェクト >.message	エラーメッセージ
<Error オブジェクト >.cause	エラーが発生する原因となったおおもとのエラー

エラーが起きる可能性のある処理をケアする

　プログラムの実行中に例外が発生すると処理がそこで止まりますが、場合によっては中断せずに続行したいときもあります。そうした例外が発生することが考えられる場合は、try ～ catch ～ finally 文を用いて、エラーが起きてもコード全体の実行が停止しないようにできます。書式は次のとおりです。

書式 try ～ catch ～ finally 文

```
try {
    例外が発生するかもしれない処理
} catch (err) {
    try ブロックで例外が発生したときの処理
} finally {
    例外が発生してもしなくても行う処理
}
```

この書式の中で、try {～} ブロックは必須、それに加えて catch {～} または finally {～} ブロックの両方またはどちらか 1 つが必要です。一般的には try ～ catch を書き、finally を省略するケースが多いでしょう。また、例外が発生して catch {～} が実行されるとき、引数として発生したエラーのエラーオブジェクト（先の表「JavaScript の主なエラー」にあるエラーのどれか）が渡されます。

try ～ catch ～ finally 文の動作がわかる例を見てみましょう。次のサンプルでは、1/2 の確率でエラーが起きる関数 gamble() を呼び出し、エラーがなければダイアログを出し、コンソールには「エラーなし」と出力します。エラーが起きた場合はエラー内容をコンソールに出力します。エラーが起きても起きなくても setTimeout() を実行して、5 秒後に再び gamble() を呼び出します。

Sample　try ～ catch ～ finally の利用例　　　　　　　　　　　　　　c11/try-catch-finally.html

```
function gamble() {
  try {
    if (Math.random() > 0.5) {
      alert('エラーは発生せずダイアログが開けました。');
      console.log('エラーなし');
    } else {
      alerl('エラー発生！');  ← メソッドを書き間違えている（alert を alerl に）ため ReferenceError
    }                            が発生する（メソッドが見つからない）
  } catch (err) {
    console.log(err);
  } finally {
    setTimeout(() => {
      gamble();
    }, 5000);
  }
}

gamble();
```

エラーが発生しなかったときはダイアログが表示され、エラーが発生したときはコンソールにエラー内容が表示される

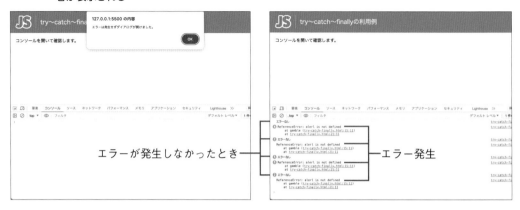

エラーが発生しなかったとき ――― エラー発生

▌11-6-2 独自の例外（エラー）を"投げる"

11-6-1「エラーの例」（p.392）では JavaScript に組み込まれているエラーを紹介しましたが、独自の Error オブジェクトを作って例外を発生させることもできます。次の書式の「エラーメッセージ」の部分に含めるテキストがそのオブジェクトの message プロパティになり、例外が発生したとき、コンソールに出力されます。

書式 独自の Error オブジェクトを作る

```
new Error('エラーメッセージ')
```

Error オブジェクトを作っただけではエラーは発生しません。実際にエラーを発生させるには throw 文を書きます。Error オブジェクトを作り、同時にエラーを"投げる"には次のようにします[7]。

書式 エラーを"投げる"

```
throw new Error('エラーメッセージ');
```

多くの場合、Error オブジェクトを作ると同時に投げる、この方法を使います。しかし、Error オブジェクトのほかのプロパティも設定する必要があるときや同じ Error オブジェクトを複数回使用したいときは、いったん変数・定数に代入してから、しかるべきタイミングで投げることもできます。

書式 Error オブジェクトを定数に代入する。message プロパティだけでなく name プロパティも設定する

```
const <Errorオブジェクト名> = new Error('メッセージ');
```

＊7　プログラミング用語ではエラーを発生させることを「エラーを投げる」または「例外を投げる」といいます。

```
<Errorオブジェクト名>.name = 'エラー名';

throw <Errorオブジェクト>;
```

独自のエラーを投げる例を紹介します。

HTML要素を取得するdocument.getElementById()メソッドやdocument.querySelector()メソッドは、id名やCSSセレクターに適合する要素を1つだけ取得しようとしますが、見つからない場合はnullが返ってきます。また、複数の要素を取得するdocument.querySelectorAll()メソッドを使って1つも要素が取得できなかった場合、空の配列（[]）が返ってきます[8]。どちらの場合も例外は発生しないので、意図的にエラーを発生させたいときには独自のエラーを投げる必要があります。

次の例では、id名がcontentの要素を取得しようとして見つからず、独自のErrorオブジェクトを投げます。HTML部分は省略しますが、適合する要素はありません。

| Sample | 独自エラーを"投げる"   c11/error-throw.html

```
const content = document.querySelector('#content'); ●——— 適合する要素がなくて取得できない

if (!content) {
  const err = new Error('要素が見つかりません。'); ●——— Errorオブジェクトを生成、定数に代入
  err.name = 'DOMSearchError'; ●——— name プロパティを設定
  throw err;   // DOMSearchError: 要素が見つかりません。 ●——— エラーを投げる
}
```

| 実行結果 | Error.name と Error.message を設定しているとコンソールにはこの図のように表示される

DOMSearchError: 要素が見つかりません。
err.name   err.message

▌11-6-3 独自のエラーに発生原因となったエラー情報を追加する

独自のErrorオブジェクトが作れると、プログラムの状況に応じて的確なエラーが出せるようになって便利です。しかし、どこでどんなエラーを出すかうまく設計しておかないと、「エラーが出ているのに何が原因なのかわからない」という事態に陥りやすくなります。

エラーが起きていることがわかっているのに原因がよくわからない、簡単な例を見てみましょう。次の例では、関数randomFail()の実行でエラーが発生すると独自エラーが投げられます。乱数を発生させ、1/2の確率で関数fake()かlie()かどちらかを実行させようとしています。しかし、どちらの関数も実装し忘れていて、必ずエラーが出る状態です。

----

[8]　正確にはNodeListオブジェクト。HTML要素を取得する各種メソッドやNodeListについてはChapter 12を参照してください。

コンソールの表示を見ると、関数 randomFail( ) の実行でエラーが起きているのかはわかりますが、条件文が悪いのか、そこから呼び出している関数の呼び出しでエラーが起きているのか、詳しいことまではわかりません。

| Sample | 関数の処理でエラーが発生したら独自エラーを投げる | c11/error-cause1.html |

```javascript
function randomFail() {
  try {
    if (Math.random() > 0.5) {
      fake();
    } else {
      lie();
    }
  } catch (err) {
    console.log(new Error('randomFail()でエラーが起きました。'));
  }
}


randomFail();
```

| 実行結果 | randomFail() でエラーが起こっているのはわかるが原因まではわからない

$\mathcal{N}_{ote}$ **なぜ throw せず console.log( ) でエラーを表示しているの？**

エラーが発生してもプログラムの実行を止めないためです。throw 文をってエラーを "投げて" しまうと、実際にエラーが発生して実行が止まるので、代わりに console.log( ) を使ってエラーを "表示する" だけにしています。プログラムの実行を止めたくないときによく用いられる手法です。

独自エラーを作ったおかげで randomFail( ) の実行中にエラーが起きていることはわかりますが、なぜエラーになったのか原因がわかりません。独自 Error オブジェクトの弱点の 1 つが「エラーの詳しい情報を覆い隠してしまう」ことで、せっかくエラーを出しているのに、原因を突き止めるのがかえって難しくなってしまうケースが少なくないのです。

この弱点を解消する手段の 1 つとして、Error オブジェクトに新しく作られたのが cause プロパティです。ES2022 で導入されました。

　cause プロパティは「エラーが発生した元の原因」を表します。とはいっても独自 Error オブジェクトの cause プロパティには値が何も入っていないので、開発者が自分で代入する必要があります。何を代入してもよいのですが、一般的には try 〜 catch の catch ブロックで渡される引数（Error オブジェクト）をそのまま入れます。

`書式` **典型的な cause プロパティの値の代入①（catch ブロックのみ掲載）**

```
} catch (err) {
  const エラー名 = new Error('エラーメッセージ');
  <エラー名>.cause = err;
}
```

　もしくは、Error オブジェクトをインスタンス化するときの 2 つ目の引数として渡す方法もあります。

`書式` **典型的な cause プロパティの値の代入②（エラーオブジェクト生成部分のみ掲載）**

```
const エラー名 = new Error('エラーメッセージ', {cause: err});
```

　先ほど紹介したサンプルを改造して、customError に cause プロパティを追加します。

`Sample` **Error.cause**　　　　　　　　　　　　　　　　　　　　c11/error-cause2.html

```
function randomFail() {
  try {
    略
  } catch (err) {
    const customError = new Error('randomFail()でエラーが起きました。');
    customError.cause = err; ●──── cause プロパティに、catch に渡された Error オブジェクト（err）を代入
    console.log(customError, customError.cause);
  }
}


randomFail();
```

実行結果 cause プロパティが出力された部分。ブラウザによってかなり表示が変わる

Chrome   Firefox

　ブラウザーによってエラーの表示がかなり変わりますが、cause プロパティがあれば、「ReferenceError
が発生」していて、「関数 fake( ) または関数 lie( ) の呼び出しに失敗」していることはわかります。独自
Error オブジェクトであってもおおもとのエラー情報を確認しやすくなり、不具合の原因を突き止めやす
くなるでしょう。

12

HTMLの操作

JavaScriptといえば「DOM操作」。HTMLを書き換え、再読み込みをせずページの内容を更新するテクニックは、ブラウザーで動作するJavaScriptの中心的な機能といえます。本章ではDOM操作の典型的なパターンに沿って、要素の取得、書き換え、イベントの設定に関連するさまざまな機能を見ていきます。

12-1 HTMLを書き換える「DOM操作」

ブラウザーで動作するJavaScriptには、HTML要素を操作してWebページの内容を書き換える、DOM操作と呼ばれる機能が備わっています。DOM操作にはある程度決まった定型的なパターンがあり、処理の流れを把握しているとコードが書きやすくなります。まずはDOM操作とは何か、どんなことができるのかを見ていきましょう。

　HTMLドキュメントに含まれる要素、属性、コンテンツなど[*1]を、単なる文字列ではなくオブジェクトとして扱う仕組みをDOM（Document Object Model）といいます。JavaScriptはHTMLドキュメント全体をDocumentオブジェクト、HTMLドキュメントの中に含まれる要素1つひとつをElementオブジェクト、要素の属性やコンテンツをElementオブジェクトのプロパティとして扱います。要素をオブジェクトとして扱うことで、属性やコンテンツを値として取り出したり、書き換えたり、オブジェクトが持っているメソッドを利用して要素全体を追加・削除・移動するなどの操作が可能になります。

　こうした機能を利用して、HTMLドキュメントや要素をプログラミングで操作することをDOM操作といいます。DOM操作を通じてHTMLドキュメントを書き換えると、それに合わせてブラウザーに表示されているページも再読み込みすることなく瞬時に書き換わるため、ダイナミックで動きのあるWebサイト、Webサービスを作ることができます。

＊1　HTMLでは開始タグと終了タグに囲まれた部分を「コンテンツ」、タグとコンテンツをまとめて「要素」と呼びます。

図　JavaScript は HTML ドキュメントや含まれる要素をオブジェクトとして扱う

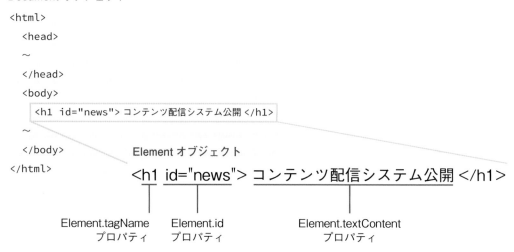

Document オブジェクト

```
<html>
  <head>
  ～
  </head>
  <body>
    <h1 id="news"> コンテンツ配信システム公開 </h1>
  ～
  </body>
</html>
```

Element オブジェクト

<h1 id="news"> コンテンツ配信システム公開 </h1>

Element.tagName
プロパティ

Element.id
プロパティ

Element.textContent
プロパティ

▍12-1-1　DOM 操作の基本パターンと作れるものの例

要素をオブジェクトとして扱うことで、次に挙げる 4 つのようなことが可能になります。

1. 要素を追加・削除・入れ替える

　要素を追加・削除、または部分的に入れ替えることによって、ページに表示される内容を書き換えることができます。要素を 1 行だけ追加・削除することはもちろん、まとまった量の HTML を入れ替えることもできるため、表示されるコンテンツやレイアウトをガラッと変えることも可能です。通常の Web サイトはもとより Web アプリケーションのような複雑な画面構成のページを書き換えることにも使われています。

図　要素を追加する例。箇条書きの項目を増やす

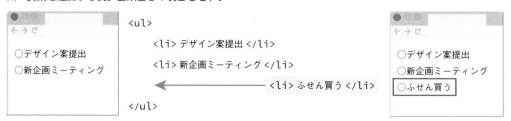

```
<ul>
    <li> デザイン案提出 </li>
    <li> 新企画ミーティング </li>
    <li> ふせん買う </li>
</ul>
```

2. 要素のコンテンツを書き換える

　要素のコンテンツ、つまりタグに囲まれている部分を書き換えることで、表示されるテキストを変えることができます。要素そのものは入れ替えないためページの内容やレイアウトが大きく変わることはありませんが、計算結果を表示したり、フォームに入力された内容をもとにテキストを書き換えたり、利用者の操作に応じて表示される内容を書き換えるようなことができます。

図　要素のコンテンツを書き換える例。表示されるテキストを変える

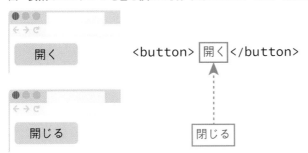

3. 要素の属性を操作する

　特定の要素の属性を変更して、ページの動作を変えたり、表示を変えたりすることができます。たとえば `<img>` の src 属性を書き換えれば画像を入れ替えることができ、class 属性を書き換えれば適用する CSS を切り替えられます。とくに class 属性の書き換えはよく使われるテクニックで、ページのデザインやレイアウトを変えられるだけでなく、CSS の transition プロパティと組み合わせればアニメーションも可能で、少ないコード量で大きな変化をもたらすことができます。

図　属性を操作する例。class 属性を変更すると適用される CSS が変わる

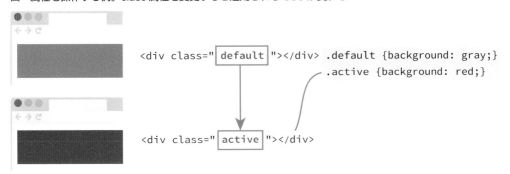

4. HTML を書き換えない特殊な操作

　ここで挙げた 1. ～ 3. の処理はなんらかのかたちで要素を書き換える操作をしますが、ページのスクロール位置を操作するなど、HTML 自体を変更しないで表示を変えるケースもあります。詳しくは 12-7「その他の DOM 操作」（p.470）で取り上げます。

▌12-1-2　典型的な処理の流れ

　要素を書き換える DOM 操作のプログラミングはある程度パターン化されていて、多くの場合、次の 4 つの処理が必要になります。

1. DOM 操作の開始タイミングをセットする
2. 操作対象となる要素を取得する

3. 書き換える要素やコンテンツを用意する

4. 2. を 3. で書き換える、または 2. に 3. を挿入する

それぞれの処理をもう少し詳しく見ていきましょう。

1. DOM 操作の開始タイミングをセットする

あるページが表示されてから別のページに移るまでには、さまざまなイベントが発生します。DOM 操作は一般的に、特定のイベントが発生することにあらかじめ待機しておいて、そのイベントが発生したときに処理を開始します。代表的なイベントには、次のようなものがあります。

代表的なイベント

- ページが読み込まれた
- ページを見ている利用者が、ページをスクロールした
- ページを見ている利用者が、ボタンなどの要素をクリックした・タップした
- ページを見ている利用者の操作によって、マウスポインターがある要素の上に乗った／外れた
- ページを見ている利用者が、フォームに入力した、チェックボックスにチェックをつけた／外した

こうしたイベントは、たとえばボタンをクリックしたときには「クリックしたボタン要素」に発生しますし、「ページが読み込まれた」ときには HTML ドキュメントに発生します。どんなイベントも、Element オブジェクトや Document オブジェクトなどのオブジェクトに発生するため、イベントに待機するには、**イベントが発生するオブジェクトを取得**し、そこに**イベントリスナーを設定**します。イベントリスナーを設定するには addEventListener( ) というメソッドを使います。

この一連の処理をする具体的なコードは次図のようになります。詳しくはあとで説明するので、このコードをなんとなくでも覚えておいてください。

図　DOM 操作の開始タイミングをセットするコード例

2. 操作対象となる要素を取得する

イベントリスナーは、待機しているイベントが発生したときにコールバック関数を実行します。このコールバック関数の中で HTML を書き換える処理を行うのですが、まずは、操作をする対象、つまり書き換えの対象となる要素を取得する必要があります。たとえば、ボタンをクリックしたら <ul id="list"> の子要素に <li> を挿入したい場合は、操作の対象として <ul id="list"> を取得します。

3. 書き換える要素やコンテンツを用意する

2. で操作の対象となる要素を取得したら、書き換えるコンテンツを用意します。用意するコンテンツにはいくつかのパターンがあります。

① 取得した要素の属性を書き換えたいなら、書き換える属性の属性値を用意する。たとえば `<img>` の src 属性を書き換えるなら画像のパス、class 属性を書き換えるならクラス名を用意する
② 取得した要素のテキストコンテンツを書き換えたいなら、そのテキストを用意する
③ 取得した要素そのものを入れ替えるなら、入れ替える新しい要素を用意する。取得した要素に子要素を挿入するときは、挿入する子要素を用意する

4. 2. を 3. で書き換える（または 2. に 3. を挿入する）

2. と 3. が用意できたら、実際の書き換え処理を行います。たとえばテキストコンテンツを書き換えるときは、2. で取得した要素の textContent プロパティに、用意しておいたテキストを代入します。また、2. で取得した要素を入れ替えたり、子要素に新たな要素を挿入したりする場合は、insertAdjacentHTML() をはじめとするさまざまなメソッドを使用します。なお、ここで紹介した 1. 〜 4. の手順のうち、1. は必ず最初に行いますが、2. 〜 4. は順序が入れ替わることもあります。

図　2. 〜 4. の処理をする例

```
document.querySelector('#btn') .addEventListener( 'click' , () => {
    const list = document.querySelector('#list');————2. 操作対象となる要素を取得
    const newList = `<li>挿入する新しい要素</li>`;————3. 書き換える要素を用意する
    list.inseartAdjacentHTML('beforeend', newList);————4. 2. に 3. を挿入する
} );
```

1. 〜 4. の処理の流れに沿った、基本的な DOM 操作を見てみましょう。ページのボタンをクリックすると、クリックした時間が書かれたリストが追加されます。

Sample　DOM 操作の基本例　　　　　　　　　　　　　　　　　　c12/dom-operation-basic.html

```
const btn = document.querySelector('#btn');              1. DOM操作の開始タイミングをセット、
btn.addEventListener('click', () => {                       ボタンにクリックイベント設定
    const date = new Date();
    const hour = String(date.getHours()).padStart(2, '0');
    const min = String(date.getMinutes()).padStart(2, '0');  3. 挿入するコンテンツ、
    const sec = String(date.getSeconds()).padStart(2, '0');     要素を用意
    const newLine = `<li>${hour}:${min}:${sec} クリック</li>`;
    const container = document.querySelector('#log');       2. 操作の対象となる
    container.insertAdjacentHTML('afterbegin', newLine);       要素を取得する
});                                                         4. 2. に 3. を挿入
```

```
JS    DOM操作の基本例

[ログを記録]
  • 19:17:17 クリック
  • 19:17:07 クリック
  • 19:17:00 クリック
  • 19:16:47 クリック
  • 19:16:36 クリック
  • 19:16:35 クリック
  • 19:16:16 クリック
  • 19:16:09 クリック
  • 19:16:03 クリック
```

12-2 要素を取得する

イベントリスナーを設定するときや操作対象となる要素を設定するときに、HTML ドキュメント内から特定の要素を取得する方法を見てみましょう。DOM 操作の中でもとくに使用頻度が高く、重要なテクニックです。

　要素を取得するためのメソッドはたくさん用意されていますが、よく使われるものが 3 つあります。なかでも querySelector( ) と querySelectorAll( ) は汎用的に使える重要メソッドで、CSS セレクターが書ければほとんどどんな要素でも取得できます。この 2 つのメソッド以外に、id 属性で要素を取得する getElementById( ) メソッドもよく使われます。

表　よく使う要素取得メソッド

メソッド	説明
document.getElementById('id')	id 属性が「id」の要素を取得する
document.querySelector('CSS セレクター ')	「CSS セレクター」にマッチする、最初の要素を 1 つ取得する
document.querySelectorAll('CSS セレクター ')	「CSS セレクター」にマッチする要素をすべて取得する

12-2-1　CSS セレクターで要素を 1 つだけ取得
　　　　～ document.querySelector( )

　querySelector( ) メソッドは、( ) 内で指定した CSS セレクターにマッチ（適合）する要素を 1 つだけ取得し、Element オブジェクトを返します。マッチする要素が複数あった場合、最初にマッチした要素が取得されます。逆にマッチする要素がない場合には null が返ってきます。

　使用例を見てみましょう。セレクター「.todo」にマッチする要素を取得し、コンソールに出力します。

Sample document.querySelector( ) の使用例（HTML 部分）

```
<ul id="list">
  <li class="todo">Web サイトのデザイン案を確認</li>
  <li class="todo">メンバーのプルリクエストを確認</li>
  <li class="todo">使用していない機材を整理</li>
</ul>
```

Sample document.querySelector( ) の使用例（JavaScript 部分）

```
const todo = document.querySelector('.todo');
console.log(todo);    // <li class="todo">Web サイトのデザイン案を確認</li>
```

実行結果 選択された要素の HTML ソースがコンソールに表示される

コンソールに出力された要素にマウスポインターを重ねると、ページ上での表示も確認できる。すべての主要ブラウザーが対応

CSS セレクターを書くだけでどんな要素でも取得でき、使いやすくてとても便利なメソッドです。ただし、::before、::after 擬似要素が含まれるセレクターは使用できず、要素が取得できないため null が返ってきます[2]。擬似要素が取得できないのは次の querySelectorAll( ) メソッドでも同様です。

Sample ::before、::after 擬似要素が含まれるセレクターは使用できない

```
const todo = document.querySelector('.todo::before');
console.log(todo);    // null | 擬似要素は取得できない
```

- - - - - - - - - - - - -

[2] 擬似要素は HTML の仕様上、本当の要素ではないと見なされるため取得できません。
https://www.w3.org/TR/selectors-api/#grammar

> **Note** CSS セレクターを詳しく知りたいなら
>
> ----
>
> 　CSSセレクターをもっと詳しく知りたい方はHTML/CSS関係のテキストを読むことをおすすめします。次のページも参考になります。
>
> **CSS セレクター - ウェブ開発を学ぶ | MDN**
> `URL` https://developer.mozilla.org/ja/docs/Learn/CSS/Building_blocks/Selectors
> **Selectors Level 3 - W3C Recommendation 06 November 2018（英語）**
> `URL` https://www.w3.org/TR/selectors-3/

▌12-2-2 CSS セレクターにマッチするすべての要素を取得 ～ document.querySelectorAll( )

　querySelectorAll( ) メソッドは、( ) 内で指定した CSS セレクターにマッチするすべての要素を取得し、配列に似た NodeList オブジェクトを返します[3]。次の例では class 属性が「todo」の要素をすべて取得しています。

| Sample | document.querySelectorAll( ) の使用例（HTML 部分） | c12/select-queryselectorall.html |

```html
<ul id="list">
  <li class="todo">Webサイトのデザイン案を確認</li>
  <li class="todo">メンバーのプルリクエストを確認</li>
  <li class="todo">使用していない機材を整理</li>
</ul>
```

| Sample | document.querySelectorAll( ) の使用例（JavaScript 部分） | c12/select-queryselectorall.html |

```javascript
const todo = document.querySelectorAll('.todo');
console.log(todo);     // NodeList(3) [li.todo, li.todo, li.todo]
```

----

* 3　取得できる要素がなかった場合は空の NodeList（[ ]）が返ってきます。12-2-6「要素が取得できなかった場合の対処方法」（p.418）も参照してください。

NodeList を操作する

　NodeList とは、複数のノード（➡ Note「Node オブジェクトと Element オブジェクト」p.412）を
1 つにまとめた配列風オブジェクトです[*4]。配列のようではありますが配列そのものではないため、
Array オブジェクトと同じメソッドを使えるわけではありませんが、for ～ of 文で繰り返し処理するこ
とはできます。たとえばいま紹介したサンプルで取得した要素のコンテンツを取り出すには、次のように
します。

| Sample | for ～ of 文を使って NodeList のデータを繰り返し操作する | c12/select-nodelist-forof.html |

```javascript
const todos = document.querySelectorAll('.todo');
for (const todo of todos) {
  const str = todo.textContent;   ●────────────── 要素のテキストコンテンツを取得
  console.log(str);
}
```

　NodeList オブジェクトは forEach( ) メソッドも使えます[*5]。

| Sample | forEach( ) メソッドを使って NodeList のデータを繰り返し操作する | c12/select-nodelist-foreach.html |

```javascript
document.querySelectorAll('.todo').forEach((v, i) => {   ●── コールバックの引数 v、i は
  const str = `${i + 1}. ${v.textContent}`;                  value、index の略
  console.log(str);
});
```

- - - - - - - - - - - - -
＊4　配列風オブジェクトについては Note「取得できるデータの構造」（p.241）を参照してください。
＊5　「forEach( ) メソッドで配列を繰り返し処理する」（p.257）

for～of 文

forEach( ) メソッド

12-2-3 id 属性で要素を取得する ～ document.getElementById( )

getElementById( ) メソッドは、引数に指定した id 名の要素を取得し、Element オブジェクトを返します。同じ id 名の要素は HTML ドキュメント内に 1 つしか作れないため、このメソッドで取得できる要素は 1 つだけです。仮に同じ id 名の要素が複数あった場合は、最初の要素を取得します。また、指定した id 名の要素がない場合には null が返ってきます。

次の例では id 名が「banner-box」の要素を取得し、コンソールに出力しています。querySelector( ) メソッドと違い、引数にはセレクターではなく実際の id 名を入れておくのがポイントです。つまり、id 名の前に「#」はつけません。

Sample documdent.getElementById( ) メソッドの使用例（HTML 部分）　　　　　c12/select-byid.html

```html
<div id="banner-box">
  <div><img src="../res/car1.jpg"></div>
  <div><img src="../res/car2.jpg"></div>
  <div><img src="../res/car3.jpg"></div>
</div>
```

Sample documdent.getElementById( ) メソッドの使用例（JavaScript 部分）　　　　c12/select-byid.html

```javascript
const bannerBox = document.getElementById('banner-box');
console.log(bannerBox);          // <div id="banner-box">…</div>
```

実行結果

▌12-2-4 document オブジェクトで特定の要素を取得する

特定の要素を取得するには、次表に挙げる document オブジェクトのプロパティを使用することもできます。

表 特定の要素を取得するプロパティ

プロパティ	取得できる要素
document.documentElement	\<html>
document.scrollingElement	\<html>
document.head	\<head>
document.scripts	\<script>。複数ある場合はすべて
document.body	\<body>
document.forms	\<form>。複数ある場合はすべて。\<form> に id 属性がついている場合は document.forms['id'] として特定のフォームを取得できる
document.images	\<img>。複数ある場合はすべて
document.links	\<a> または \<area>。複数ある場合はすべて

プロパティ名が複数形になっているものは、該当する要素をすべて取得します。たとえば document.links ならページ内のすべての \<a>、\<area> を取得します。次の例では select-links.html 内に 4 つある \<a> をすべて取得します。

Sample document.links（HTML 部分）　　　　　　　　　　　　　　c12/select-links.html

```
<header class="header">
    略
        <div class="logo"><a href="../index.html"><img src="../res/logo.svg"
alt="JavaScript" width="60"></a></div>
```

409

```
略
</header>
<main>
  <div class="container">
    <p><a href="https://developer.mozilla.org/ja/">MDN Web Docs</a></p>
    <p><a href="https://caniuse.com/">Can I use...</a></p>
     <p><a href="https://google.github.io/styleguide/jsguide.html">Google JavaScript
Style Guide</a></p>
略
```

Sample **document.links（JavaScript 部分）**　　　　　　　　　　c12/select-links.html

```
const links = document.links;
console.log(links);   // HTMLCollection(4) [a, a, a, a]
```

　p.409 の表で紹介した document オブジェクトのプロパティのうち複数の要素を取得するものは、HTMLCollection という配列風オブジェクトを返します。querySelectorAll( ) メソッドなどで返される NodeList オブジェクトとは異なり forEach( ) メソッドに対応していないため、繰り返し処理をする場合は for ～ of 文を使用します。次の例では上記のコードに続けて for ～ of 文を追加し、取得した要素をコンソールに出力しています。

Sample **document.links（JavaScript 部分、続き）**　　　　　　　c12/select-links.html

```
略
for (const link of links) {
  console.log(link);
}
```

実行結果

| 要素 | コンソール | ソース | ネットワーク | パフォーマンス | メモリ | アプリケーション | セキュリティ |

```
▶ HTMLCollection(4) [a, a, a, a]
▶ <a href="../index.html"> ⋯ </a>
  <a href="https://developer.mozilla.org/ja/">MDN Web Docs</a>
  <a href="https://caniuse.com/">Can I use...</a>
  <a href="https://google.github.io/styleguide/jsguide.html">Google JavaScript Style Guide</a>
```

▌12-2-5 ある要素を基準に相対的な位置で要素を取得する

トラバースまたはトラバーサルと呼ばれる、ある要素を基準に親要素、子要素、兄弟要素といった相対的な位置関係にある別の要素を取得する手法もあります。Node オブジェクト、Element オブジェクトに、相対的な位置で要素を取得するためのプロパティやメソッドが用意されています。

表　ある要素を基準に相対的な位置にある要素を取得するプロパティ

プロパティ	説明
Node オブジェクトのプロパティ	
< ノード >.parentElement	< ノード > の親要素を取得
< ノード >.parentNode	< ノード > の親ノードを取得。要素のみを取得対象とするには < ノード >.parentElement を使用
< ノード >.childNodes	< ノード > の直接の子ノードをすべて取得。要素のみを取得対象とするには < 要素 >.children を使用
< ノード >.firstChild	< ノード > の最初の子ノードを取得。要素のみを取得対象とするには < 要素 >.firstElementChild を使用
< ノード >.lastChild	< ノード > の最後の子ノードを取得。要素のみを取得対象とするには < 要素 >.lastElementChild を使用
< ノード >.nextSibling	< ノード > の弟ノードを取得。要素のみを取得対象とするには < 要素 >.nextElementSibling を使用
< ノード >.previousSibling	< ノード > の兄ノードを取得。要素のみを取得対象とするには < 要素 >.previousElementSibling を使用
Element オブジェクトのプロパティ	
< 要素 >.children	< 要素 > の直接の子要素（孫要素は含まない）をすべて取得
< 要素 >.firstElementChild	< 要素 > の最初の子要素を取得
< 要素 >.lastElementChild	< 要素 > の最後の子要素を取得
< 要素 >.nextElementSibling	< 要素 > の次の要素（弟要素）を取得
< 要素 >.previousElementSibling	< 要素 > の前の要素（兄要素）を取得

CSS セレクターを利用してより複雑な要素取得ができる Element オブジェクトのメソッドもあります。

表　CSS セレクターを使う、トラバーサルに関係の深いメソッド

書式	説明
< 要素 >.closest('CSS セレクター ')	< 要素 > から 1 階層ずつ親要素をたどり、「CSS セレクター」に最初にマッチする要素を取得
< 要素 >.matches('CSS セレクター ')	< 要素 > が「CSS セレクター」にマッチすれば true、しなければ false を返す
< 要素 >.querySelector('CSS セレクター ')	< 要素 > の子要素のうち、「CSS セレクター」にマッチする最初の要素を 1 つ取得する
< 要素 >.querySelectorAll('CSS セレクター ')	< 要素 > の子要素のうち、「CSS セレクター」にマッチする要素をすべて取得し、NodeList を返す

本項 12-2-5 で紹介したプロパティやメソッドには Node オブジェクトのものと Element オブジェクトのものが交ざっています。この 2 つのオブジェクトの違いはなんでしょう？

Node（ノード）とは HTML ドキュメントを構成する最小単位、言い換えればこれ以上分解できない部品のことを指します。ノードは全部で 9 種類ありますが、その中でも次の 6 つは多くの HTML ドキュメントに含まれます[6]。

- Element Node（要素ノード）── <div> や <h1> など、HTML タグとそのコンテンツ
- Attribute Node（属性ノード）── class や href など、タグについている属性
- Text Node（テキストノード）── HTML ドキュメントのテキスト部分。要素のテキストコンテンツだけでなく、タグ間の改行や半角スペース、タブも含まれる
- Comment Node（コメントノード）── コメント。<!-- --> に囲まれた部分
- Document Node（ドキュメントノード）── HTML ドキュメント全体
- Document Type Node（ドキュメントタイプノード）── DOCTYPE 宣言。<!DOCTYPE html>

Node オブジェクトは、これらのノードすべてを扱えるように作られたオブジェクトです。そのため、Node オブジェクトのプロパティを使うと、要素ノードだけでなくテキストノードなどほかのノードも取得してしまいます。

たとえば次のような HTML ドキュメントがあるときに、<div id="target"> の子要素を、Node オブジェクトの childNodes プロパティを使って取得してみましょう。

Sample　<div id="target"> の子要素を Node.childNodes で取得（テスト対象の HTML）　　　c12/node-vs-element1.html

```
<div id="target">
  <p>p要素のテキスト</p>
</div>
```

Sample　<div id="target"> の子要素を Node.childNodes で取得　　　c12/node-vs-element1.html

```
const elm = document.getElementById('target');
// Node.childNodes を使って子ノードを取得
console.log(elm.childNodes);
```

＊6　https://dom.spec.whatwg.org/#ref-for-dom-node-nodetype ①

NodeオブジェクトのchildNodesプロパティは要素ノードもテキストノードも取得するので、<div id="target">の子ノードは3つになります。この例の場合、NodeListの0番目と2番目はテキストノードで、それはHTMLドキュメントに含まれる改行やインデントのスペースを指しています。

図 <div id="target"> の子ノードとして取得している3つのノード

```
....<div id="target"> ↵ ──── Text Node（0: text）
                          ──── Element Node（1: p）
........<p>p 要素のテキスト </p> ↵ ── Text Node（2: text）
....</div>
```

※（ ）内はコンソールの表示

いっぽう、Element（エレメント）オブジェクトは要素ノードと属性ノードだけを扱います。そのため、Elementオブジェクトの各種プロパティはタグとタグのあいだの改行、タブ、半角スペースといったテキストノードは無視します。先ほどのHTMLでElementオブジェクトのchildrenプロパティを使えば<p>〜</p>だけを取得できます。

Sample <div id="target"> の子要素を Element.children で取得　　　c12/node-vs-element2.html

```
// Element.children（<要素>.children）を使って子要素を取得
console.log(elm.children);
```

実行結果 子要素として <p> だけ取得できる

NodeオブジェクトとElementオブジェクトの動作の違いからもわかるとおり、DOM操作の観点から見ればElementオブジェクトのプロパティのほうが便利です。**トラバーサルでは基本的にElementオブジェクトのメソッドやプロパティを使いましょう。Nodeオブジェクトは、Elementオブジェクトには同じ機能がない、親要素を取得するNode.parentElement以外は不要と考えてかまいません**（➡「親要素を取得する」p.415）。

子要素を取得する

相対的な位置関係で要素を取得する具体的な方法を見ていきます。まずは最もよく使うであろう、ある要素の子要素を取得するケースです。< 要素 >.children プロパティを使います。

次の例では親要素として id 属性「banner-box」の要素を取得し、その子要素を取得しています。

`Sample` 子要素を取得する（HTML 部分）　　　　　　　　　　　　　c12/traverse-children.html

```html
<div id="banner-box">
  <div><img src="../res/car1.jpg" alt=""></div>
  <div><img src="../res/car2.jpg" alt=""></div>
  <div><img src="../res/car3.jpg" alt=""></div>
</div>
```

`Sample` 子要素を取得する（JavaScript 部分）　　　　　　　　　　c12/traverse-children.html

```javascript
const bannerBox = document.getElementById('banner-box');
const banners = bannerBox.children;
console.log(banners); // HTMLCollection(3) [div, div, div]
```

< 要素 >.children は HTMLCollection オブジェクトを返します（p.410）。

最初の子要素、または最後の子要素を取得する

ある要素に複数の子要素がある場合に、最初、もしくは最後に出てくる子要素だけを取得することができます。< 要素 >.firstElementChild プロパティ、< 要素 >.lastElementChild プロパティを使用します。

`Sample` 最初の子要素、最後の子要素を取得する　　　　　　　　　c12/traverse-first-last.html

```javascript
const bannerBox = document.getElementById('banner-box');
// 最初の子要素
const firstBanner = bannerBox.firstElementChild;
console.log(firstBanner);      // <div><img src="../res/car1.jpg" alt=""></div>

// 最後の子要素
const lastBanner = bannerBox.lastElementChild;
console.log(lastBanner);       // <div><img src="../res/car3.jpg" alt=""></div>
```

親要素を取得する

親要素を取得するには<ノード>.parentElement プロパティを使用します（先の Note でも説明しましたが、Node オブジェクトの中で唯一覚えておくべきプロパティです！）。次の例は、ボタン（<button id="btn">）をクリックすると、コンソールにその親要素を出力します。

c12/traverse-parent.html

`Sample` 親要素を取得する（HTML 部分）

```
<div id="books">
  <p>恐竜研究の最前線！ AIで解き明かす恐竜の生態 <button id="btn">試し読み</button></p>
</div>
```

`Sample` 親要素を取得する（JavaScript 部分）

c12/traverse-parent.html

```javascript
document.querySelector('#btn').addEventListener('click', (e) => {
  const btn = e.target;        // クリックした要素（<button id="btn">）
  console.log(btn.parentElement);
});
```

`実行結果` 親要素の <p> が取得できる

| | 要素 | コンソール | ソース | ネットワーク | パフォーマンス |

```
▼ <p>
    "恐竜研究の最前線！ AIで解き明かす恐竜の生態 "
    <button id="btn">試し読み</button>
  </p>
>
```

parentElement プロパティは要素を 1 つ取得して Element オブジェクトを返します。Element オブジェクトを返すことから、ドット（.）でつなげて連続して使用でき、「親要素の親要素」を取得することもできます[7]。

▼ 親要素の親要素を取得する例

```javascript
console.log(btn.parentElement.parentElement); // <div id="books">
```

----

* 7　ちなみに children プロパティは連続して使用できません。なぜなら同プロパティは Element オブジェクトではなく HTMLCollection オブジェクトを返すからです。「子要素の子要素」を取得したいときは繰り返しを使うなどの処理が必要になります。

兄弟要素を取得する

　兄弟要素は、ある要素と同階層にある、別の要素のことです。要素の 1 つ前の要素（兄要素）を取得するには < 要素 >.previousElementSibling プロパティを、次に出てくる要素（弟要素）を取得するには < 要素 >.nextElementSibling プロパティを使用します。どちらも Element オブジェクトを返し、該当する要素がなければ null を返します。

　例を見てみましょう。<div id="breadcrumb"> 〜 </div> の中に <span> が 4 つ並んでいる HTML を題材にします。

Sample 兄要素、弟要素を取得する（HTML 部分）　　　　　　　c12/traverse-siblings.html

```html
<div id="breadcrumb">
  <span><a href="/">ホーム</a></span> /
  <span><a href="learn/">プログラミング言語を学ぶ</a></span> /
  <span><a href="js/">JavaScript</a></span> /
  <span><a href="js/reference/">リファレンス</a></span>
</div>
```

　最初の <span> を取得し、その次の要素（弟要素）を取得してコンソールに出力してみます。

Sample 最初の <span> の弟要素を取得する（JavaScript 部分）　　　　c12/traverse-siblings.html

```javascript
const home = document.querySelector('#breadcrumb').firstElementChild;
const nextPath = home.nextElementSibling;
console.log(nextPath); // <span><a href="learn/">プログラミング言語を学ぶ</a></span>
```

　最後の <span> を取得し、その 1 つ前の要素（兄要素）を取得するなら次のようにします。

Sample 最後の <span> の兄要素を取得する（JavaScript 部分）　　　　c12/traverse-siblings.html

```javascript
const lastPath = document.querySelector('#breadcrumb').lastElementChild;
const prevPath = lastPath.previousElementSibling;
console.log(prevPath); // <span><a href="js/">JavaScript</a></span>
```

子要素を CSS セレクターで取得する

　ここまで、ある要素を基準に相対的な位置で要素を取得する方法を紹介してきましたが、ある要素に対して querySelector()、querySelectorAll() を使うこともできます。ある要素の子要素を CSS セレクターで取得できるのです。

```
<要素>.querySelector('CSS セレクター')
<要素>.querySelectorAll('CSS セレクター')
```

次の例では <p id="target-parent"> ～ </p> に含まれる <mark> のみを取得し、コンソールに出力します。id 属性がつかない <p> 内の <mark> は選択されないことに注目です。最初に取得した要素から、CSS セレクターに適合する子要素だけを取得できていることがわかります。知っていると意外と便利に使えます。

Sample 取得した要素の子要素を CSS セレクターで選択する（HTML 部分）　　c12/traverse-selector.html

```
<div class="container">
  <p id="target-parent"><mark>querySelector()</mark>、<mark>querySelectorAll()</mark>
メソッドは取得した<要素>に対して使うこともできます。<要素>に対して使うと、<mark> 要素の子要素だけを、
CSS セレクターで選択することができます</mark>。</p>
  <p>この段落の&lt;mark&gt; は<mark> 選択されません</mark>。</p>
</div>
```

Sample 取得した要素の子要素を CSS セレクターで選択する（JavaScript 部分）　　c12/traverse-selector.html

```
const targetParent = document.querySelector('#target-parent');
const marks = targetParent.querySelectorAll('mark');
for (const mark of marks) {
  console.log(mark);
}
```

> <p id="target-parent"> の子要素の <mark> を取得

実行結果 <p id="target-parent"> 内の <mark> のみ選択。<p> 内の <mark> は選択されない

417

▌12-2-6 要素が取得できなかった場合の対処方法

CSS にマッチする要素がなかったり、該当する id 名の要素がなかったりして要素が取得できない場合があります。要素が取得できなかった場合の対処法も確認しておきましょう。

要素を 1 つ取得するメソッドやプロパティの場合

querySelector( )、getElementById( ) や firstElementChild、parentElement など要素を 1 つ取得するメソッドやプロパティで該当する要素がなかった場合は、null が返ってきます。

▼ id 名が「text」の要素がなかった場合、どちらも null が返ってくる

```
document.querySelector('#text');        // null
document.getElementById('text');        // null
```

null が返ってくる特性を利用して、要素がないときにだけなんらかの処理をすることができます。次の例では id 名が「text」の要素を探して、ない場合は <div id="container"> 〜 </div> の中に <p id="text"> 段落テキストを追加 </p> を挿入します。挿入に使うメソッドについては 12-6-1「新しい要素を特定の場所に挿入する」(p.459) で詳しく説明しますが、ここでは要素がないときの対処方法に注目してください。

`Sample` 要素が取得できなかった場合の対処① (HTML 部分)　　　　　　c12/select-noelement1.html

```
<div id="container" class="container">

</div>
```

`Sample` 要素が取得できなかった場合の対処① (JavaScript 部分)　　　c12/select-noelement1.html

```
const paragraph = document.querySelector('#text');
if (!paragraph) {              要素がなければ null が返る。null は false と見なされることを利用
  document.querySelector('#container').insertAdjacentHTML(
      'beforeend',                                            要素を挿入
      '<p>段落テキストを追加</p>');
}
```

`実行結果`　<p> が挿入される

418

複数の要素を取得するメソッドやプロパティの場合

　querySelectorAll() や children など、複数の要素を取得するメソッドやプロパティで要素が取得できなかった場合、空の配列（[ ]）が返ってきます。もう少し正確にいえば、querySelectorAll() メソッドで取得できる要素は NodeList オブジェクト、children などのプロパティで取得できる要素は HTMLCollection オブジェクトで返ってきて、どちらも取得できる要素がなかった場合は null ではなく空の配列風オブジェクトが返ってくる、ということです。

▽ id 名が「#list」の要素に該当する子要素がなかった場合、どちらも [ ] が返る

```
document.querySelectorAll('#list > li');      // NodeList []
document.querySelector('#list').children;     // HTMLColllection []
```

　複数の要素を取得するメソッド・プロパティで要素が取得できたかどうかを確認するには、返ってきた値の length プロパティを調べるか、親要素の childElementCount プロパティを使用します。childElementCount プロパティは、取得した要素に含まれる子要素の数を返します。

`書式` 取得した要素に含まれる子要素の数を調べる

```
document.querySelector('親要素を取得するセレクター').childElementCount
```

　例を見てみましょう。<ul id="list"> を取得して子要素があるかどうかを調べ、なければ <li> を 1 つ追加します。

`Sample` 要素が取得できなかった場合の対処② （HTML 部分）　　　　　　c12/select-noelement2.html

```
<ul id="list"></ul>
```

`Sample` 要素が取得できなかった場合の対処② （JavaScript 部分）　　　　c12/select-noelement2.html

```
const listContainer = document.querySelector('#list');
if (!listContainer.childElementCount) {
  listContainer.insertAdjacentHTML('beforeend', '<li>要素がなかったのでリストを追加</li>');
}
```

`実行結果` <li> が挿入される

```
JS  要素が取得できなかった場合の対処②

・要素がなかったのでリストを追加
```

DOM 操作は多くの場合、イベントの発生をきっかけに処理を始めるようにします。そのためには、発生するイベントにあらかじめ待機しておく必要があります。

　Web ページが読み込まれてから次のページに行くまでのあいだには、さまざまなイベントが発生します。そうしたイベントの中には DOM 操作のときによく使うものと、それ以外の処理——たとえば外部ネットワークからデータをダウンロードしたり、アップロードしたりするときによく使うものなどがあります。ここでは、主に DOM 操作のときに使用するイベントを中心に見ていきます。

　DOM 操作と関連の深いイベントには、クリックやフォームへの入力など、ページを見ている人が操作した結果として特定の HTML 要素（Element オブジェクト）に発生するものと、ブラウザーウィンドウ（Window オブジェクト＝グローバルオブジェクト）や HTML ドキュメント（Document オブジェクト）に発生するものがあります。主なイベントを見てみましょう。

表　HTML 要素に発生する主なイベント

発生するオブジェクト	イベント	イベントが発生するタイミング
Element（要素）	animationstart	CSS アニメーションが開始した
Element（要素）	animationiteration	CSS アニメーションの繰り返しが開始した
Element（要素）	animationend	CSS アニメーションが終了した
Element（要素）	transitionstart	CSS トランジションが開始した
Element（要素）	transitionrun	CSS トランジションが開始し、遅延（delay）を待っている状態
Element（要素）	transitionend	CSS トランジションが終了した
Element（要素）	focus	要素にフォーカスが当たった
Element（要素）	blur	要素のフォーカスが外れた
Element（要素）	click	要素がクリックされた
Element（要素）	dblclick	要素がダブルクリックされた
Element（要素）	mousedown	要素上でマウスボタンが押し下げられた
Element（要素）	mouseup	要素上でマウスボタンが押し上げられた
Element（要素）	mouseenter	ポインターが要素内に入った。バブリングしないため処理速度が速い（➡ Note「イベントプロパゲーション」p.430）
Element（要素）	mouseleave	ポインターが要素から外れた。バブリングしないため処理速度が速い
Element（要素）	mousemove	ポインターが移動した
Element（要素）	mouseover	ポインターが要素内に入った。バブリングし、動作が重くなることがあるので mouseenter を使ったほうがよい
Element（要素）	mouseout	ポインターが要素から外れた。バブリングし、動作が重くなることがあるので mouseleave を使ったほうがよい
Element（要素）	wheel	マウスホイールが操作された
Element（要素）	scroll	要素がスクロールしている
Element（要素）	scrollend	要素のスクロールが完了した

発生するオブジェクト	イベント	イベントが発生するタイミング
document	DOMContentLoaded	ページの HTML が読み込まれ（CSS や画像は含まない）解析まで終了した
window	load	HTML だけでなく CSS や画像も含めてページのコンテンツが完全に読み込まれた
window	resize	ウィンドウがリサイズされた
document	scroll	ページがスクロールしている
document	scrollend	ページのスクロールが完了した
window	beforeunload	ページから次のページに遷移する直前
document	keydown	キーボードのキーが押し下げられた
document	keyup	キーボードのキーが押し上げられた

12-3-1　addEventListener( ) メソッド

発生するイベントに待機するには、**addEventListener( ) メソッドを用いて、待機したいイベントが発生する**
オブジェクトにイベントリスナーを設定します。このメソッドは本書でもすでに何度か登場していますが、改め
て書式を確認しましょう。なお、本書ではここ以降、発生するであろうイベントに待機することを「イベ
ントリスナーを設定する」、または単に「イベントを設定する」と呼ぶことにします。

書式　addEventListener( ) メソッド

<イベントが発生するオブジェクト>.addEventListener('イベント名', コールバック関数, {オプション});

<イベントが発生するオブジェクト> が HTML 要素であれば、事前にその要素を取得しておく必要が
ありますし、発生するオブジェクトが Window オブジェクトや Document オブジェクトの場合は、適切
なオブジェクトを指定します。

「イベント名」のイベントが発生すると「コールバック関数」が呼び出され、実行されます。イベント
リスナーに設定するコールバック関数は、**イベントハンドラー**と呼ぶこともあります。「オプション」は
イベントの動作をカスタマイズするのに使われ、必要なければ省略できます。オプションについては後述
します。

コールバック関数（イベントリスナー）に話を戻します。「コールバック関数」には関数名を ( ) なしで
指定するか、無名関数を書きます。コールバック関数内では this の使用を避けるため（➡ Note「this」
p.301）、関数式で書く場合も無名関数で書く場合も、どちらもアロー関数で定義するのがよいでしょう。

```
const 関数名 = (引数) => {
  処理
};


<オブジェクト>.addEventListener('イベント名', 関数名);
```

書 式 無名関数を引数に直接書く

```
<オブジェクト>.addEventListener('イベント名', (引数名) => {
  処理
});
```

　コールバック関数には Event オブジェクトという、イベントが発生したときの情報が含まれるオブジェクトが引数として渡されます。Event オブジェクトに含まれる情報は発生したイベントにもよりますが、たとえば click イベントの場合は、addEventListener() を設定した要素、クリックされた要素、クリックされたときのポインターの座標、などが含まれます。こうした情報を処理の中で使用する場合は、アロー関数の () の中に「引数名」を入れます。

書 式 コールバック関数に渡される Event オブジェクトを使用するなら引数名（この例では e）を追加

```
<オブジェクト>.addEventListener('イベント名', (e) => {
  処理
});
```

> $\mathcal{N}$ote **イベントハンドラー属性**
>
> 　要素に発生するイベントに待機する方法として、addEventListener() メソッドの代わりにイベントハンドラー属性を使うこともできます。イベントハンドラー属性は各イベントの先頭に「on」がついた属性で、HTML 要素に直接追加します。たとえば<button>をクリックイベントに待機させるなら次のようにします。
>
> **書 式** イベントハンドラー属性
>
> ```
> <button onclick="呼び出す関数();">button</button>
> ```
>
> 　サンプルも掲載しておきます。ページ上の［クリックイベント］ボタンをクリックするとダイアログが開きます。

Sample イベントハンドラー属性の例（HTML 部分）

```html
<div class="container">
  <p><button id="btn" onclick="buttonClick();">クリックイベント</button></p>
</div>
```

Sample イベントハンドラー属性の例（JavaScript 部分）

```html
<script>
  const buttonClick = () => {
    alert('ボタンがクリックされました。');
  };
</script>
```

　<script>タグにtype="module"がないことに注目してください。type="module"があるとその<script>はモジュールスコープになるので、モジュールの外側（つまり、<script>～</script>の外側）からの関数呼び出しは受け付けません。そのため、イベントハンドラー属性を使う場合はtype="module"を外さなければならないのです。

　イベントハンドラー属性は古くからありますが、実際の開発ではaddEventListener()メソッドの使用を強くおすすめします。addEventListner()を使えば同一要素、同一イベントに複数の処理を設定できるほか、「イベントの待機を中断する」といった、イベントハンドラー属性ではできないことができるからです。また、<script>タグからtype="module"を外さないといけないことからわかるとおり、スクリプト全体のスコープを広くしないといけないため、安全性の面から考えてもaddEventListener()のほうが有利です。

12-3-2　イベントリスナーを設定する

　イベントリスナーを設定する例を見てみましょう。次の例では、<div id="box"> にクリックイベントを設定し、クリックされたらコンソールに「click」と、テキストを出力します。

Sample click イベントに待機する（HTML 部分）

```html
<div id="box">Event</div>
```

Sample click イベントに待機する（JavaScript 部分）

```javascript
const box = document.querySelector('#box');
box.addEventListener('click', () => {
  console.log('click');
});
```

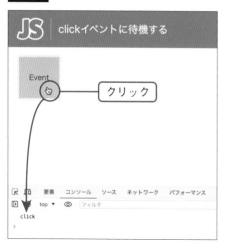

同じ要素に複数のイベントリスナーを設定する

1つの要素に複数のイベントリスナーを設定することもできます。次の例では、click イベントのほか に mouseenter、mouseleave イベントを追加します。mouseenter は要素にマウスポインターが乗っ たとき、mouseleave はマウスポインターが外れたときに発生します。

Sample 複数のイベントに待機する（JavaScript 部分）　　　　　　　　　c12/event-events.html

```javascript
const box = document.querySelector('#box');
box.addEventListener('click', () => {
  console.log('click');
});
box.addEventListener('mouseenter', () => {
  console.log('mouseenter');
});
box.addEventListener('mouseleave', () => {
  console.log('mouseleave');
});
```

実行結果

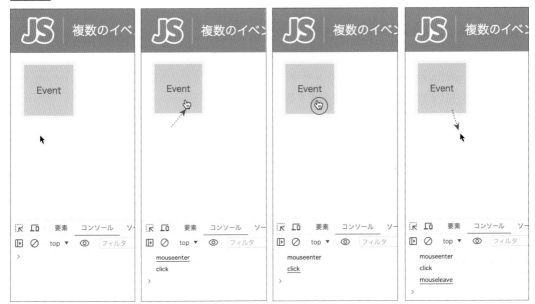

複数の要素に同じイベントリスナーを設定する

複数の要素に同じイベントリスナーを設定することもできます。いくつかの方法がありますが、document.querySelectorAll( )を使って要素を取得し、forEach( )メソッドでイベントリスナーを設定するのが便利です。

書式 document.querySelectorAll( )で取得したすべての要素にイベントリスナーを設定する

```
document.querySelectorAll(' セレクター ').forEach((v, i) => {
  v.addEventListener(' イベント名 ', (e) => {
    イベント発生時の処理
  });
});
```

例を見てみましょう。簡易的なヘルプチップを実装するサンプルです。<span class="help">に囲まれたテキストにマウスポインターが乗るとヘルプチップが表示され、外れると消えます。取得したすべての要素に mouseenter イベントと mouseleave イベントを設定するために forEach( )メソッドを使用します。

イベントの設定方法とは直接関係ありませんが、このサンプルでは次の4つの機能を使用しています。詳しい使い方についてはそれぞれの項目を参照してください。

- Event オブジェクト（イベントが発生した要素を取得）―― e.currentTarget と書かれている部分で使用。12-3-3「イベントリスナーのコールバック関数に渡される Event オブジェクトを利用する」(p.428)

- data-help 属性（ヘルプチップのテキストを表示）── 12-4-5「data-* 属性を利用して HTML に
  データを残す」(p.451)
- class 属性の操作（ヘルプチップの表示、非表示の切り換え）── 12-4-4「class 属性を操作する」
  (p.447)
- < 要素 >.getBoundingClientRect() メソッド（ヘルプチップを表示する位置を計算）── Note「要
  素が表示されている位置や大きさを特定する」(p.427)

p.451 · p.447 · p.427

Sample 複数の要素に同じイベントリスナーを設定する（HTML 部分）　　　c12/events-multi-elements.html

```
<main>
  <div class="container">
    <p><span class="help" data-help="HTML ドキュメントから要素を取得するメソッドの一種。
">document.querySelectorAll()</span> で複数の要素を取得しすべてに同じ<span class="help"
data-help=" 発生するであろうイベントに待機すること ">イベントリスナー</span> を設定するときは、
forEach() メソッドを使うのが便利です。</p>
  </div>
</main>
<div id="helptip">text</div>
```

「class="help"」の要素にポインターが乗ったら「data-help」のテキストが書かれたヘルプチップを表示

ヘルプチップ要素

Sample 複数の要素に同じイベントリスナーを設定する（CSS 部分、動作に関係する箇所のみ）

c12/events-multi-elements.html

```
#helptip {
  display: none;
  position: fixed;
  略
}
#helptip.show {
  display: inline;
  max-width: 200px;
}
```

非表示のスタイル

表示されているときのスタイル

Sample 複数の要素に同じイベントリスナーを設定する（JavaScript 部分）　　　c12/events-multi-elements.html

```
// 複数の<span class="help">にイベントを設定
document.querySelectorAll('.help').forEach((v, i) => {
  v.addEventListener('mouseenter', (e) => {
    const t = e.currentTarget;
    const bounds = t.getBoundingClientRect();
    showHelptip(bounds, t.dataset.help);
  });
  v.addEventListener('mouseleave', (e) => {
    document.querySelector('#helptip').classList.remove('show');
  });
```

すべての要素に繰り返し処理

mouseenter イベントを設定

要素の位置情報を取得、bounds に代入

showHelptip( ) 呼び出し。bounds と data-help 属性を渡す

mouseleave イベントを設定

```
});

// ヘルプチップを表示する
const showHelptip = (bounds, text) => {
  const help = document.querySelector('#helptip');          ← ヘルプチップ要素を取得
  help.textContent = text;                                   ← ヘルプテキストを挿入
  help.classList.add('show');                                ← クラス「show」を追加
  const myBounds = help.getBoundingClientRect();
  const pos = {
    x: bounds.x,
    y: bounds.y - myBounds.height - 8,                        ← 座標を計算。位置
  };                                                            は transform プロ
  const transVal = `translate(${pos.x}px, ${pos.y}px)`;        パティで設定
  help.style['transform'] = transVal;                        ←
};
```

実行結果 下線がついているテキストにマウスオーバーするとヘルプチップが表示される

JS　複数の要素に同じイベントリスナーを設定する
HTMLドキュメントから要素を取得するメソッドの一種
document.querySelectorAll() で複数の要素を取得しすべてに同じイベントリスナーを設定するときは、forEach()メソッドを使うのが便利です。

JS　複数の要素に同じイベントリスナーを設定する
発生するであろうイベントに待機すること
document.querySelectorAll() で複数の要素を取得しすべてに同じイベントリスナーを設定するときは、forEach()メソッドを使うのが便利です。

$\mathcal{N}ote$　要素が表示されている位置や大きさを特定する

　<要素>.getBoundingClientRect()メソッドは、<要素>の、ビューポート左上を (0, 0) とする位置や幅、高さを取得します。このメソッドを呼び出すと、次のようなオブジェクトが返ってきます。

▽　getBoundingClientRect()メソッドの返り値

```
{
    x: 要素のボックスの左座標 ,
    y: 要素のボックスの上座標 ,
    width: 要素のボックスの幅 ,
    height: 要素のボックスの高さ ,
    left: 要素のボックスの左座標（x と同じ）,
    top: 要素のボックスの上座標（y と同じ）,
    right: 要素のボックスの右座標 ,
    bottom: 要素のボックスの下座標 ,
}
```

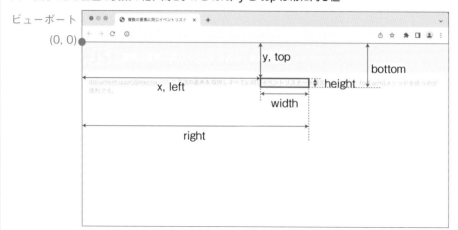

図　取得できる位置と要素の幅、高さ。x と left、y と top は常に同じ値

p.426の例では、マウスポインターが乗った<span class="help">と、ヘルプチップ自体の大きさ（入るテキストの長さによって変わります）を調べるために getBoundingClientRect() を使っています。取得した情報をもとに座標を計算し、CSSのtransformプロパティでヘルプチップを配置します。

▌12-3-3　イベントリスナーのコールバック関数に渡される Event オブジェクトを利用する

Event オブジェクトは、イベントリスナーに設定したコールバック関数が実行されるときに渡される引数です。「click」や「mouseenter」などマウス操作に関連するイベントの場合は、MouseEvent という Event オブジェクトを継承したオブジェクトが渡されます。Event オブジェクトには、イベントが発生したときの各種情報を保持するプロパティや、イベントを制御するメソッドが含まれています。あまり使われないものも多いためすべては挙げませんが、使用頻度が高く、重要なものを紹介します。

次のサンプルは、「Event Object」と書かれたボックス（<div id="box">）をクリックすると、Event オブジェクトのうち 7 つのプロパティをコンソールに出力します。

Sample　Event オブジェクトの例（HTML 部分）　　　　　　　　　　　　　　c12/event-object.html

```
<div id="box"><strong>Event Object</strong></div>
```

Sample　Event オブジェクトの例（JavaScript 部分）　　　　　　　　　　　　c12/event-object.html

```
const box = document.querySelector('#box');
box.addEventListener('click', (e) => {
  console.log(`${e.type} イベント発生`);
  console.log(e.currentTarget);
  console.log(e.target);
  console.log(`client position: (${e.clientX}, ${e.clientY})`);
```

```
    console.log(`offset position: (${e.offsetX}, ${e.offsetY})`);
});
```

実行結果

コンソールに出力した Event オブジェクトの 7 つのプロパティを見てみましょう。

表　Event オブジェクトの各種プロパティ

プロパティ	説明	このサンプルでの値
< イベント >.type	発生したイベント名	click
< イベント >.currentTarget	イベントリスナーを設定した要素	<div id="box">
< イベント >.target	イベントが実際に発生した要素	クリックした場所による
< イベント >.clientX	イベントが発生したビューポート上の X 座標	クリックした場所による
< イベント >.clientY	イベントが発生したビューポート上の Y 座標	クリックした場所による
< イベント >.offsetX	イベントが発生した要素の左上からの X 座標	クリックした場所による
< イベント >.offsetY	イベントが発生した要素の左上からの Y 座標	クリックした場所による

clientX、clientY と offsetX、offsetY はどれもイベント発生時のマウスポインターの座標です。プロパティ名に「client」とつくほうはビューポートの左上を 0 とした座標、「offset」とつくほうは発生した要素のパディング領域左上を 0 とした座標を表しています。

図　clientX、clientY と offsetX、offsetY の違い

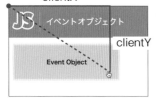

currentTarget と target の違いも見ておきましょう。currentTarget は常に「イベントリスナーを設定した要素」、target は「イベントが実際に発生した要素」です[8]。ここで、このサンプルの HTML ソースをもう一度確認します。

▼ イベントリスナーを設定した要素の HTML

```
<div id="box"><strong>Event Object</strong></div>
```

イベントを設定した要素は <div id="box"> ですが、その中に子要素として <strong> が含まれています。

イベントは、イベントリスナーを設定した要素以外に、その子要素にも発生します。target は「イベントが実際に発生した要素」であると説明しましたが、この例の場合はクリックする場所によって変化します。ボックスの枠内をクリックしたとき、イベントが実際に発生した要素（target）は <div id="box"> になりますが、「Event Object」のテキスト上をクリックしたときは <strong> になります[9]。target はクリックする場所によって変化する可能性があるので、コールバック関数内で要素を参照するときは、固定していて変化しない currentTarget を使うのが確実です。

𝒩ote　イベントプロパゲーション

HTML要素に発生するイベントの中には、実際にイベントが発生した要素（ターゲット要素）から、1つずつ親要素をたどって同じイベントが発生するものがあります。たとえばclickイベントは、実際にクリックされた要素から、親要素をたどって<html>まで、次々にclickイベントが発生します。

例を見てみましょう。次の例では、<button id="btn">のすべての親要素（近い要素から順に<div id="container">、<main>、<body>、<html>）にclickイベントを設定しています。［クリックしてみて］をクリックするとイベントが発生した要素がコンソールに表示されるようになっていますが、<button>から1階層ずつ親要素をたどって、イベントを設定したすべての要素にclickイベントが発生するのがわかります。

----

[8]　ちなみに addEventListener( ) のコールバックをアロー関数ではなく一般的な無名関数や関数呼び出しにして、その { } 内で this を使った場合、値は常に currentTarget と同じになります。
[9]　offsetX と offsetY はイベントが発生した要素（=target）を基準とした座標になるので、クリックする場所によって大きく数値が変わります。

430

Sample イベントプロパゲーション（HTML部分）　　　　　　　　c12/event-propagation.html

```
<html lang="ja">
 略
<body>
  略
  <main>
    <div class="container">
      <button id="btn">クリックしてみて</button>
    </div>
  </main>
  略
```

Sample イベントプロパゲーション（JavaScript部分）　　　　　　　c12/event-propagation.html

```
const eventHandler = (e) => {
  console.log(e.currentTarget);
};
document.documentElement.addEventListener('click', eventHandler);    // <html>
にclickイベント設定
document.body.addEventListener('click', eventHandler);        // <body>
document.querySelector('main').addEventListener('click', eventHandler);
// <main>
document.querySelector('.container').addEventListener('click', eventHandler);
// <div class="container">
document.querySelector('#btn').addEventListener('click', eventHandler);
// <button id="btn">
```

実行結果 ボタンをクリックすると、下の階層から順に click イベントが発生する

431

この、親要素をたどって次々にイベントが発生するメカニズムを、**イベントプロパゲーション（伝播）**といいます。伝播するイベントは、最初に親から子へ順に発生し、ターゲット要素に達したら、今度はそこから親要素に向かってイベントが発生します。親から子へイベントが伝播する段階を**キャプチャフェーズ**、子から親へイベントが伝播する段階を**バブリングフェーズ**といい、通常の設定では、バブリングフェーズで発生するイベントにのみ、addEventListener( )でリスナーを設定できるようになっています[※10]。

図　伝播するイベントが発生する順序

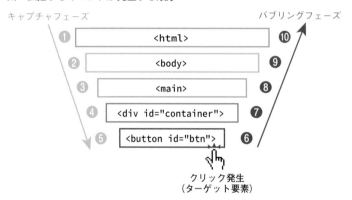

　ちなみに、イベントハンドラーに渡されるEventオブジェクトのstopPropagation( )メソッドを実行すると、イベントの伝播を止めることができます。先ほどのコードを少し変更し、<button id="btn">のイベントハンドラーでstopPropagation( )メソッドを実行するようにしてみます。clickイベントが<button>にだけ発生し、親要素には伝播しなくなります。

Sample　イベント伝播を止める（JavaScript 部分）　　　　　　　　　c12/event-stop.html

```
略
document.querySelector('#btn').addEventListener('click', (e) => {
  e.stopPropagation();
  console.log(e.currentTarget);        // <button id="btn">
});
```

実行結果　イベントの伝播が止まり、<button> にしか click イベントが発生しなくなる

[※10]　addEventListener( ) の capture オプションを true にすると、キャプチャフェーズのイベントに待機することが可能になります。とはいえ、キャプチャーフェーズを使用することはまずありません。

イベントの伝播を気にする機会はそれほど多くないと考えられますが、ある要素と、その親要素に同じイベントを設定するときには注意が必要です。イベントの伝播についてより詳しく知りたい方は、次のWebページを参照してください。

イベント入門 - ウェブ開発を学ぶ | MDN
`URL` https://developer.mozilla.org/ja/docs/Learn/JavaScript/Building_blocks/Events
UI Events（英語）
`URL` https://www.w3.org/TR/uievents/#dom-event-architecture

キーボードイベントに待機する

キーボードイベントに待機する方法も見てみましょう。キーボード（タッチ端末のソフトキーボードなども含む）をタイプしたときに発生するkeydownイベントを使います。また、イベントリスナーを設定するオブジェクトはdocumentにします。

簡単な例を見てみます。キーボード入力があったら、入力されたキーの名前をコンソールに出力します。

12-3
イ
ベ
ン
ト
に
待
機
す
る

`Sample` キー入力のイベントリスナーを設定する　　　　　　　　　　　　　　c12/event-keydown.html

```javascript
document.addEventListener('keydown', (e) => {
  const key = e.key;
  console.log(key);
});
```

12
H
T
M
L
の
操
作

`実行結果` 入力されたキーがコンソールに出力される

どのキーが入力されたかを知るには、Eventオブジェクトのkeyプロパティを参照します。アルファベットや数字キーを押したらCAPSLOCKがかかっていないときは［a］や［3］、かかっているときは［A］や［#］が返ってきます。矢印キー、`delete`キー、`Tab`キーといった文字キーではない特殊なキー

433

を押すと、それぞれ決まった名前が返ってきます。特殊なキーの名前を知りたい方は以下の Web ページを参照してください（英語のみ）。

Key values for keyboard events - Web APIs | MDN（英語）
URL https://developer.mozilla.org/en-US/docs/Web/API/UI_Events/Keyboard_event_key_values

▌12-3-4 イベントが発生した要素に処理をする

イベントが発生した要素自体のコンテンツを書き換えたり、属性を変更したりしたいときは、Event オブジェクトの currentTarget プロパティを使用します。

次の例では <img id="clickable"> にイベントリスナーを設定し、クリックされたら src 属性を書き換えて画像を入れ替えます。同時にタイマーを設定し、1 秒後には元の画像に戻るようにします。属性を書き換える方法については 12-4-2 「属性値を書き換える」（p.440）で改めて取り上げます。

Sample イベントが発生した要素を取得する（HTML 部分）　　　　　　　　c12/event-target.html

```
<div class="container">
  <div class="imgbox">
    <img src="../res/dom-target-default.png" alt="" id="clickable">
  </div>
</div>
```

Sample イベントが発生した要素を取得する（JavaScript 部分）　　　　　c12/event-target.html

```
document.querySelector('#clickable').addEventListener('click', (e) => {
  const me = e.currentTarget; ●──────────────── イベントリスナーを設定した要素を取得
  me.src = '../res/dom-target-arrow.png';
  setTimeout(() => {
    me.src = '../res/dom-target-default.png';
  }, 1000);
});
```

実行結果

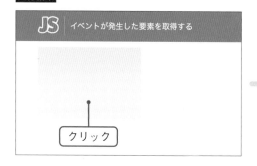

▌12-3-5 特定の要素のデフォルト動作をキャンセルする

<a> は href 属性で決められたページに遷移するようになっていて、<input type="submit"> は action 属性で決められたページにデータを送信するようになっています。このように一部の要素ははじめから組み込まれた動作——デフォルト動作——を持っていて、そうした要素にイベントリスナーを設定する場合はデフォルト動作をキャンセルする必要があります。キャンセルしないと、JavaScript のプログラムが実行される前にデフォルト動作が動いてしまって、たとえば <a> なら次のページに遷移してしまいます。

デフォルト動作をキャンセルするには、コールバック関数の中で Event オブジェクトが持っている preventDefault() メソッドを実行します。このメソッドに引数はありません。

書 式 preventDefault( ) メソッド

```
<要素>.addEventListener('click', (e) => {
  e.preventDefault();
  クリックしたときの実際の処理
});
```

デフォルト動作をキャンセルしていることがわかる簡単な例を紹介します。<a href="#" id="show-alert"> にイベントを設定し、クリックしたらダイアログが表示されるようにします。

Sample デフォルト動作をキャンセルする（HTML 部分） c12/event-preventdefault.html

```
<div class="container">
  <p>                    ┌─ デフォルト動作ではリンクをクリックすると「#」に遷移
    <a href="#" id="show-alert">クリックするとアラートダイアログを表示します。</a>
  </p>
</div>
```

Sample デフォルト動作をキャンセルする（JavaScript 部分） c12/event-preventdefault.html

```
document.querySelector('#show-alert').addEventListener('click', (e) => {
  e.preventDefault();
  alert('デフォルト動作をキャンセルしてダイアログを表示');
});
```

ページ内のリンクをクリックするとダイアログが表示されます。そして［OK］をクリックしてダイアログを閉じたとき、アドレスバーの URL は変化していません。e.preventDefault() が実行され、<a> のデフォルト動作が動かなくなっているので URL が変化せず、ページが遷移しないようになっているのです。もし e.preventDefault() がないと、ダイアログを閉じた後に URL が変化します（この例では末尾に # がつく）。

preventDefault() が実行されると <a> をクリックしても URL が変化しない

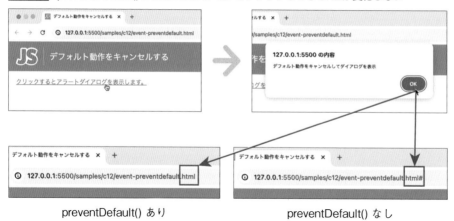

preventDefault() あり　　　　　　　　preventDefault() なし

▌12-3-6　イベントリスナーを削除する

　「一度だけクリックできるようにしたい」など、イベントの処理を限定したいときがあります。その場合は、removeEventListner() メソッドを使ってイベントリスナーを削除します。このメソッドの書式は addEventListener() とほぼ同じですが、注意点があります。イベントリスナーを削除するには、設定したイベントリスナーと、イベント名およびコールバック関数が同じである必要があります。そのため、以下の書式の removeEventListener() の「関数名」には、addEventListener() の 2 つ目の引数に設定した「関数」と同じものを指定しなければなりません。そのため、addEventListener() のコールバックも無名関数にせず、独立した関数として定義しておく必要があります。

書式 removeEventListener( ) メソッド

```
<イベントが発生するオブジェクト>.removeEventListener('イベント名', 関数名)
```

▼ イベントリスナーを削除するときは、addEventListener( ) にも removeEventListener( ) にも同じ関数を指定する

```
const 関数F = (Eventオブジェクト) => {●━━━━━━ 「関数F」という名前の関数を定義
  コールバックの処理内容
};

// イベントリスナーを設定
// 削除する予定があるイベントは、コールバック関数を
// 無名関数ではなく、あらかじめ定義しておく
<要素>.addEventListener('イベント名', 関数F);

// イベントリスナーを削除
// 引数のコールバック関数には、addEventListener() と
```

```
// 同じものを指定
<要素>.removeEventListener('イベント名', 関数F);
```

　例を見てみます。次の例では1回だけクリックできる「いいね」ボタンを作ります。コールバック関
数でイベントリスナーを削除しているため、ボタンは1回しかクリックできません。

c12/event-remove.html

Sample　1回だけクリックできるいいねボタン（HTML部分）

```
<div class="container">
  <div id="fav">
    <span id="like"><img src="../res/like-on.png" alt="" width="40"></span>
    <span id="number">0</span>
  </div>
</div>
```

c12/event-remove.html

Sample　1回だけクリックできるいいねボタン（JavaScript部分）

```
// 数字を足す
const addLike = () => {
  const numElm = document.querySelector('#number');
  const currentLike = Number(numElm.textContent);
  numElm.textContent = currentLike + 1;
};
// アイコンをクリックしたときに呼び出されるコールバック関数clickLikeを定義
const clickLike = (e) => {
  e.currentTarget.children[0].src = '../res/like-off.png';
  addLike();
  e.currentTarget.removeEventListener('click', clickLike); •——————[ イベントリスナーを削除 ]
};
// イベントリスナーを設定
document.querySelector('#like').addEventListener('click', clickLike);
```

実行結果　1回クリックするとそれ以上クリックできなくなる

12-3
イベントに待機する

12

HTML の操作

437

▌12-3-7 一度イベントが発生したら待機を止める

removeEventListener() を使わなくても、addEventListener() にオプションを設定すれば、一度だけイベントに待機しそれ以降は反応しないイベントリスナーを作ることができます。オプションを設定するには、addEventListener() に 3 つ目の引数を渡します。

前項のサンプルを書き直し、オプションを設定することで一度だけイベントに待機するようにします。

Sample イベントリスナーのオプションを設定する   c12/event-once.html

```javascript
// 数字を足す
const addLike = () => {
  const numElm = document.querySelector('#number');
  const currentLike = Number(numElm.textContent);
  numElm.textContent = currentLike + 1;
};
// アイコンをクリックしたときに呼び出されるコールバック関数clickLikeを定義
const clickLike = (e) => {
  e.currentTarget.children[0].src = '../res/like-off.png';
  addLike();
};
// イベントリスナーを設定
document.querySelector('#like').addEventListener('click',
    clickLike,
    {once: true}); ●———[ オプションを定義して一度だけクリックできるように ]
```

addEventListener() の 3 つ目の引数にはオブジェクトを渡します。一度だけ有効なイベントリスナーを設定するなら、once プロパティを true にします。ほかにも設定できるオプションがあり、次表にまとめておきます。once プロパティ以外は使用頻度が低く、本書では詳しく説明しませんが、興味がある方は表の下に記載の Web ページも参照してみてください。

表　addEventListener() のオプション

プロパティ	設定する値（デフォルト値）	説明
once	true または false（false）	値を true にすれば、イベント発生時に一度だけコールバックを実行。2 回目以降に発生したイベントではなにもしない
capture	true または false（false）	値を true にすれば、イベント発生タイミングをキャプチャフェーズにする（➡ Note「イベントプロパゲーション」p.430）
passive[1]	true または false（false）	値を true にすれば preventDefault() メソッドを呼び出さない。一部のイベントで true にすると処理速度が向上
signal[2]	AbortSignal オブジェクト	AbortSignal オブジェクトを指定していると、指定したオブジェクトの abort() メソッドが呼び出されたとき、イベントリスナーが削除される

※ 1 https://developer.mozilla.org/ja/docs/Web/API/EventTarget/addEventListener#パッシブリスナーによるスクロールの性能改善
※ 2 https://developer.mozilla.org/ja/docs/Web/API/AbortSignal

438

12-4 HTMLを書き換える①　〜属性を操作する

要素の属性を書き換えるには、大きく分けて2つの方法があります。1つは属性を要素のプロパティのように扱う方法、もう1つは専用のメソッドを使用する方法です。それとは別に、複数の値を割り当てることができる class 属性には専用の機能も用意されています。

　要素の属性を書き換えるいちばん簡単な方法は、属性を要素のプロパティとして扱い、属性（のプロパティ）に値を直接代入する方法です。すでに設定されている属性値を調べることも、書き換えることもできます。まずは属性値を調べる方法を見てみましょう。なお、class 属性を操作する場合は 12-4-4「class属性を操作する」（p.447）を参照してください。

▍12-4-1　属性値を取り出す

　属性値を取り出す場合は、次のような書式で行います。まず調べたい要素を取得し、それから属性を参照します。属性の参照はドット記法でもブラケット記法でもできます。

書式 属性値を取り出す

```
<要素>.調べたい属性
<要素>['調べたい属性']
```

　例を見てみます。HTML 内の <img> を取得し、src 属性と alt 属性、id 属性の値を取り出します。

Sample 要素の属性値を取り出す（HTML 部分）　　　　　　　　　　　　　　c12/attrs-property.html

```
<div class="container">
  <div id="image-box">
    <img src="../res/square-1.jpg" alt="シュークリーム" id="photo">
  </div>
</div>
```

Sample 要素の属性を取り出す（JavaScript 部分）　　　　　　　　　　　　　c12/attrs-property.html

```
const image = document.querySelector('#photo');
console.log(image.src);        // http://127.0.0.1:5500/samples/res/square-1.jpg
console.log(image.alt);        // シュークリーム
console.log(image.id);         // photo
```

　属性を要素のプロパティとして扱う方法は手軽ですが、注意点があります。それは、<img> の src や <a> の href など URL を指定するような属性では、仮に値が相対パスだったとしても、絶対パスに変換さ

れた値が返されることです。属性に設定した値そのものが必要なときは、専用のプロパティやメソッドを使用します（➡ 12-4-3 「各種プロパティ、メソッドを利用して属性を操作する」p.441）。

▎12-4-2 属性値を書き換える

属性を書き換えたい要素を取得し、その属性に新しい値を代入します。こちらもドット記法とブラケット記法、どちらでもかまいません。

書式 要素の属性を書き換える

```
<要素>.属性 = '値';
<要素>['属性'] = '値';
```

書き換える例を見てみましょう。ボタンが2つあり、クリックすると <img id="photo"> の src 属性を書き換えます。

Sample src 属性を書き換える（HTML 部分）   c12/attr-write.html

```
<div class="container">
  <div class="ui">
    <button id="btn1">シュークリーム</button>
    <button id="btn2">クロワッサン</button>
  </div>
  <div id="image-box">
    <img src="../res/square-1.jpg" alt="" id="photo">
  </div>
</div>
```

Sample src 属性を書き換える（JavaScript 部分）   c12/attr-write.html

```
const changePhoto = (path) => {
  document.querySelector('#photo').src = path;
};

document.querySelector('#btn1').addEventListener('click', () => {
  changePhoto('../res/square-1.jpg');
});
document.querySelector('#btn2').addEventListener('click', () => {
  changePhoto('../res/square-2.jpg');
});
```

実行結果 ボタンをクリックすると画像が変わる

12-4-3 各種プロパティ、メソッドを利用して属性を操作する

属性名、属性値の読み出し、書き換えは、Element オブジェクトの各種プロパティ、メソッドを使って行うこともできます。

表　属性を読み出すプロパティ

プロパティ	説明
<要素>.attributes	<要素>が持っているすべての属性（名）を返す
<要素>.classList	<要素>の class 属性値を返す。12-4-4 「class 属性を操作する」（p.447）参照
<要素>.className	<要素>の class 属性値を返す、書き換える。12-4-4 「class 属性を操作する」（p.447）参照

表　属性を操作するメソッド

書式	説明
<要素>.getAttribute(' 属性 ')	<要素>の 「属性」の値を返す
<要素>.getAttributeNames( )	<要素>が持つ属性の名前を配列で返す
<要素>.hasAttribute(' 属性 ')	<要素>が 「属性」を持っていれば true、なければ false を返す
<要素>.hasAttributes( )	<要素>が属性を持っていれば true、なければ false を返す
<要素>.removeAttribute(' 属性 ')	<要素>から 「属性」を削除する
<要素>.setAttribute(' 属性 ', ' 値 ')	<要素>の 「属性」に 「値」をセットする
<要素>.toggleAttribute(' 属性 ', 削除)	<要素>に 「属性」があれば削除、なければ追加する。「削除」はオプションで、true か false を指定。true なら 「属性」を追加、false なら 「属性」を削除。ブール属性の追加・削除に使用

メソッドを使って個別の属性の値を調べる

属性の値を調べる最も基本的なメソッドは、getAttribute( ) です。このメソッドは引数で指定する属性の値を調べるもので、属性を要素のプロパティとして扱う方法を紹介したときにも触れましたが、URL が値になっている属性を調べるときはとくに役立ちます。

書式 getAttribute( ) メソッド

<要素>.getAttribute('属性')

次の例では、CSS ファイルを指定している <link> タグの href 属性を取得し、コンソールに出力します。

Sample メソッドを使って属性の値を調べる   c12/attr-getattribute.html

```javascript
const cssLinks = document.querySelectorAll('link[rel="stylesheet"]');
for (const cssLink of cssLinks) {
  const url = cssLink.getAttribute('href');
  console.log(url);    // ../res/style.css
}
```

getAttribute( ) の引数で指定した「属性」がなかった場合は null が返ってきます。null が返ってくることを避けたいときは、hasAttribute( ) メソッドを使って属性があるかどうかを事前に調べます。このメソッドは指定した「属性」があれば true、なければ false を返します。

書式 hasAttribute( ) メソッド

<要素>.hasAttribute('属性')

次の例では HTML ドキュメント内のすべての <div> を取得し、その id 属性の値を配列 ids に保存します。配列の値に null が含まれるのを避けるため、取得した <div> に id 属性があるかどうかを、hasAttribute( ) メソッドを使って事前に調べるようにしています。

Sample 属性があるかどうかを確認する（HTML 部分）   c12/attr-hasattribute.html

```html
<div class="container">          ┌── id 属性がある <div> は 1 つしかない
  <div id="sweets">
    <div class="photo"><img src="../res/square-1.jpg" alt=""></div>
    <div class="photo"><img src="../res/square-2.jpg" alt=""></div>
    <div class="photo"><img src="../res/square-3.jpg" alt=""></div>
  </div>
</div>
```

Sample 属性があるかどうかを確認する（JavaScript 部分）   c12/attr-hasattribute.html

```javascript
const divs = document.querySelectorAll('div');   ── すべての <div> を取得
const ids = [];
```

```
for (const div of divs) {
  if (div.hasAttribute('id')) {                     ●——————[ id 属性があれば……]
    ids.push(div.getAttribute('id'));               ●——————[ id 属性の値を配列 ids に追加]
  }
}
console.log(ids);      // ['sweets']
```

要素が持っている属性を列挙する

要素が持っているすべての属性を取得するには getAttributeNames( ) メソッドを使うのが便利です。このメソッドは要素が持っているすべての属性名を取得し、配列にして返します。たとえば次のような \<img\> タグがあるとしたら、src 属性、alt 属性、id 属性、3 つの属性名を要素にした配列が返ってきます。

■ 3 つの属性を持つ \<img\> タグ

```
<img src="../res/square-3.jpg" alt="チョコレートムース" id="photo">
```

次の例では、この \<img\> タグの属性名をすべて取得して配列 attributes に代入します。さらに、配列 attributes に含まれる各属性の値を getAttribute( ) メソッドを使って読み出し、属性名と値をコンソールに出力しています。

Sample 要素のすべての属性の名前を取得する   c12/attr-getattributenames.html

```
const element = document.querySelector('#photo');
const attributes = element.getAttributeNames();        // ['src', 'alt', 'id']
for (const attr of attributes) {
  const value = element.getAttribute(attr);
  console.log(`${attr} = ${value}`);
}
```

実行結果 3 つの属性と値がコンソールに表示される

メソッドを使って属性を書き換える・追加する

属性の値をメソッドで書き換えるには、setAttribute( ) を使用します。このメソッドは、取得した要素に属性がすでにある場合はその値を書き換え、ない場合は追加します。

書式 setAttribute( ) メソッド

```
<要素>.setAttribute('属性', '値')
```

例を見てみましょう。<a> タグを生成してテキストコンテンツを作成し、さらに href 属性、target 属性、rel 属性を追加して、できた要素をコンソールに出力します[11]。新たに要素を生成する document.createElement( ) は、引数で指定したタグ名のタグを作るメソッドです。

Sample 属性を書き換える・追加する　　　　　　　　　　　　　　　　　　c12/attr-setattribute.html

```
const link = document.createElement('a');
link.textContent = 'Studio947.net';
link.setAttribute('href', 'https://studio947.net');
link.setAttribute('target', '_blank');
link.setAttribute('rel', 'nofollow');

console.log(link);    // <a href="https://studio947.net" target="_blank"
                      //    rel="nofollow">Studio947.net</a>
```

ブール属性を追加する・削除する

HTML のブール属性とは、値を持たず、要素にその属性があれば true、なければ false になる属性のことです。たとえば <input type="checkbox"> タグには checked 属性を使うことができ、この属性があればチェックボックスにチェックがついた状態になります。

▽ checked 属性がついているチェックボックス

```
<input type="checkbox" checked>
```

通常の属性と同様、ブール属性もプログラムで追加できます。属性値を代入する方法で行う場合、たとえば <要素> に checked 属性を追加したいときは true を代入します。

▽ <要素> に checked 属性を追加する

```
<要素>.checked = true;
```

----

*11　document.createElement( ) については 12-6「HTML を書き換える③ 〜要素を書き換える・挿入する・削除する」(p.457) を参照してください。

逆に checked 属性を削除したい場合は false を代入します。

▼ <要素>の checked 属性を削除する

```
<要素>.checked = false;
```

　メソッドを使ってブール属性を追加・削除することもできます。追加するときは setAttribute() メソッドを使います。2つ目の引数（値）は、実際にはどんな値にしてもブール属性を追加できるのですが、一般的には空の文字列（''）、もしくは属性名（checked 属性の場合は 'checked'）にします。

▼ メソッドを使って checked 属性を追加する

```
<要素>.setAttribute('checked', '')
```

　ブール属性を追加する簡単な例を見てみます。disabled 属性を使用して、1回だけクリックできるボタン（<button>）を作ります。この属性はブール属性で、ついている要素はクリックや選択ができなくなります。

12-4
HTMLを書き換える① 〜属性を操作する

12 HTMLの操作

Sample　ブール属性を追加する（HTML 部分）　　　　　　　　　　　c12/attr-set-bool.html

```
<div class="container">
  <p><button id="agree">利用規約を読んで承諾しました。</button></p>
</div>
```

Sample　ブール属性を追加する（JavaScript 部分）　　　　　　　　c12/attr-set-bool.html

```
document.querySelector('#agree').addEventListener('click', (e) => {
  const t = e.currentTarget;
  t.setAttribute('disabled', '');
});
```

実行結果　ボタンは一度クリックすると使用不可になる

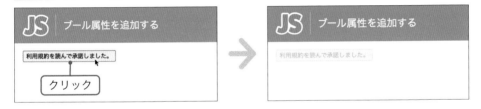

　それでは、メソッドを使って属性を削除する方法も見てみましょう。removeAttribute() メソッドを使用します。

```
<要素>.removeAttribute('削除する属性')
```

　使用例を見てみます。架空の「利用規約」が書かれたスクロール可能なボックス内のテキストを、すべてスクロールしたらクリックできるようになるボタンを作ります。スクロール可能なボックスは <div id="agreement" class="center">、ボタンは <button id="approve" disabled> です。

Sample ブール属性を削除する（HTML 部分）　　　　　　　　　　　　c12/attr-removeattribute.html

```
<div class="container">
  <div id="agreement" class="center">●━━━━━━━━━ スクロール可能なボックス
    <p>ウェブサイト利用規約</p>
    <p>この利用規約（以下、「規約」といいます）は〜
    略
    </p>
  </div>
  <div class="center">
    <button id="approve" disabled>利用規約を読んで承諾しました。</button>●━ ボタン
  </div>
</div>
```

Sample ブール属性を削除する（JavaScript 部分）　　　　　　　　　　c12/attr-removeattribute.html

```
document.querySelector('#agreement').addEventListener('scroll', (e) => {
  const t = e.currentTarget;
  if (t.clientHeight + t.scrollTop >= t.scrollHeight) {
    document.querySelector('#approve').removeAttribute('disabled');
  }
});
```

実行結果 最後までスクロールするとボタンがクリック可能になる

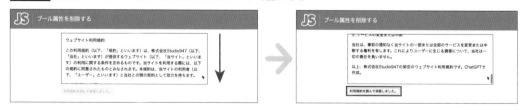

$\mathcal{N}_{ote}$　最後までスクロールしたかどうかを調べる仕組み

　<div id="agreement">〜</div>には長いテキストが含まれていて、CSSでスクロール可能にしてあります。この要素のボックス内をスクロールするとscrollイベントが発生します。scrollイベントのコールバック関数にはほかのイベント同様、引数としてEventオブジェクトが渡されます。このEventオブジェクトのcurrentTargetプロパティを参照すれば、「スクロールしている要素」の要素オブジェクト（Elementオブジェクト）を取得できます。Elementオブジェクトは次に挙げる3つのプロパティを持っていて、これらを使って、どこまでスクロールしたかを計算します。

- clientHeight —— ボックスの高さ（単位：px）
- scrollTop —— 縦方向にスクロールした量（単位：px）
- scrollHeight —— ボックスからはみ出して見えない部分も含めた、コンテンツの全体の高さ（単位：px）

図　3つのプロパティが表す量

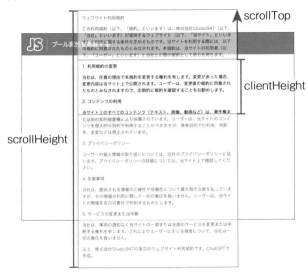

　clientHeightとscrollTopを足せば、どこまでスクロールしたかが計算できます。その計算結果とコンテンツ全体の高さ、つまりscrollHeightを比較すれば、最後までスクロールしたかどうかがわかります。

▌12-4-4　class属性を操作する

　class属性の「class」という単語はJavaScriptの予約語なので使えません。代わりにclassNameという名前のプロパティがあり、参照する場合にはそれを使います。たとえば、次のような要素があったとします。

HTML

```
<div id="layout" class="container center">
```

この要素の class 属性の値を取り出すなら、次のようにします。

```
document.querySelector('#layout').className;
```

JavaScript のフレームワークの中にはこの className プロパティを使うものがありますが、"素の"JavaScript でコーディングするときは忘れてください。もっとよい方法で class 属性の値を操作できる機能があります。それが、< 要素 >.classList プロパティです。

class 属性は半角スペースで区切って複数の値（class 名）を指定できるという特徴がありますが、className 属性は、HTML の class 属性に指定されている値を 1 つの文字列として取り出します。つまり、複数の class 名が設定されていても「1 つの文字列」としてしか扱えないので、個別の class 名を削除したり、追加したりするのが難しいのです。classList プロパティを使えばその class 名を個別に操作することができます。先ほどの <div> の classList プロパティを参照し、定数 classes に代入するなら次のようにします。

▼ classList で class 属性の値を取得する

```
const classes = document.querySelector('#layout').classList;
```

classList プロパティを参照すると、DOMTokenList という配列風オブジェクトが返ってきます（➡ Note「取得できるデータの構造」p.241）。DOMTokenList オブジェクトは class 属性の値（クラス名）を 1 つひとつ配列（風オブジェクト）の要素として保持するため、インデックス番号を使って 1 つひとつのクラスを取り出せるほか、for ～ of 文も利用できます。

▼ インデックス 0 番目のクラスを取り出す

```
console.log(classes[0]);              // container
```

▼ for ～ of 文で繰り返す

```
for (const cls of classes) {
  console.log(cls);
}
// container
// center
```

また、classList（=DOMTokenList オブジェクト）にはいくつかのプロパティやメソッドが用意されていて、便利に class 属性の操作ができるようになっています*12。

---

*12 半角スペースで区切って複数の値を指定できる属性には、class 属性以外に rel 属性があります。rel 属性を取得するときに relList プロパティを使えば、classList と同じ DOMTokenList が返ってきます。ただ、class 属性／ classList プロパティを扱うことのほうが圧倒的に多いので、ここ以降「DOMTokenList といえば classList」「classList といえば DOMTokenList」として話を進めます。

表 classList（DOMTokenList）のプロパティ

プロパティ	説明
<classList>.length	要素数（クラスの数）を返す
<classList>.value	class 属性の元々の値を文字列で返す

表 classList（DOMTokenList）のメソッド

書式	説明
<classList>.item(インデックス番号)	クラスを「インデックス番号」で参照する。インデックス番号に該当するクラスがなければ null を返す。<classList>.item(0) と <classList>[0] は同じ
<classList>.add(' クラス ', ' クラス ', …)	「クラス」を追加する。追加するのは 1 つでも複数でもよい。同名の「クラス」がすでにある場合は追加されない
<classList>.remove(' クラス ', ' クラス ', …)	「クラス」を削除する。削除するのは 1 つでも複数でもよい。削除する「クラス」がなくてもエラーは発生しない
<classList>.toggle(' クラス ')	「クラス」があれば削除、なければ追加する
<classList>.replace('a', 'b')	クラス「a」をクラス「b」に置き換える。クラス「a」がなければ何も起こらず、エラーも発生しない
<classList>.contains(' クラス ')	「クラス」があれば true、なければ false を返す
<classList>.forEach((v, i) => { 処理 })	クラスの数分繰り返し処理をする。コールバック関数に渡される引数は値 (v) とインデックス番号 (i)
<classList>.entries()	[インデックス番号 , ' クラス名 '] というかたちの配列を、クラスの数分取得できるイテレーターを返す
<classList>.keys()	インデックス番号のイテレーターを返す
<classList>.values()	クラスを繰り返し取得できるイテレーターを返す

※ entries()、keys()、values() メソッドは、配列やオブジェクトの同名のメソッドと動作・使い方が同じです。詳しくは 9-1-4「プロパティの個数分繰り返す」（p.302）を参照してください。

クラスを追加／削除して表示を変更する

　要素にクラスを追加したり削除したりすることで、CSS で作成しておいたスタイルを適用／解除することができます。クラスの追加／削除は Web ページの表示を変更するのに非常によく使われるテクニックで、CSS でスタイルを作ることができさえすればさまざまな表現が可能になります。

　例を見てみましょう。スマートフォンサイトでよく見かける「ハンバーガーメニュー」を CSS だけで、画像を使わずに作成します。まず、HTML を確認します。

Sample クラスを追加／削除して表示を切り替える（HTML 部分）　　　c12/classlist-toggle.html

```
<div class="container">
  <div class="hamburger"><span></span><span></span><span></span></div>
</div>
```

親要素が <div class="hamburger"> で、子要素の 3 つの <span></span> でハンバーガーメニューの 3 本線を表現します。そして、<div class="hamburger"> と、open クラスを追加した <div class="hamburger open"> の、それぞれに適用される CSS スタイルを用意して、次図のように 3 本線の状態と、「×」の状態を作ります。

図　open クラスあり／なしで異なる CSS スタイルを作成しておく

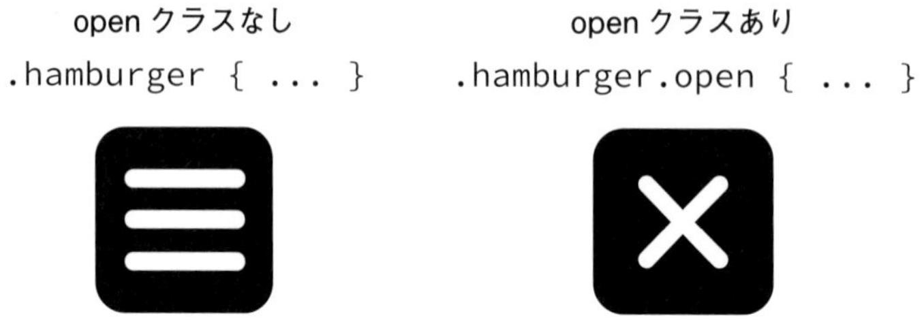

open クラスなし
.hamburger { ... }

open クラスあり
.hamburger.open { ... }

CSS は次のとおりです。

| Sample | クラスを追加／削除して表示を切り替える（CSS 部分） | c12/classlist-toggle.html |

```css
.hamburger {
  display: grid;
  align-items: center;
  padding: 8px;
  border-radius: 8px;
  width: 48px;
  height: 48px;
  background: black;
  cursor: pointer;
}
.hamburger > span {
  display: block;
  border-radius: 4px;
  width: 100%;
  height: 4px;
  background: #fff;
  transition: all 0.3s ease;
}
.hamburger.open > span:nth-of-type(1) {
  transform: translate(0px, 11px) rotate(45deg);
}
.hamburger.open > span:nth-of-type(2) {
  opacity: 0;
}
```

open クラスがあってもなくても適用されるスタイル

open クラスがあるときの追加スタイル。2 本目の線は消し、1 本目と 3 本目は斜めに表示

450

```
.hamburger.open > span:nth-of-type(3) {
  transform: translate(0px, -11px) rotate(-45deg);
}
```

　JavaScript プログラムは短く、簡単です。<div class="hamburger"> にクリックイベントを設定し、クリックするたびに要素に open クラスを追加／削除します。classList.toggle() メソッドを使用しています。

c12/classlist-toggle.html

Sample　クラスを追加／削除して表示を切り替える（JavaScript 部分）

```
document.querySelector('.hamburger').addEventListener('click', (e) => {
  e.currentTarget.classList.toggle('open');
});
```

実行結果　アイコンをクリックすると表示が変わる

12-4-5　data-* 属性を利用して HTML にデータを残す

　HTML タグにはカスタム属性（data-* 属性）と呼ばれる、独自に作成した属性を追加することができます。カスタム属性は、データを HTML ドキュメント内に保存するために使用します。もちろん、JavaScript から値を参照したり書き換えたりすることも可能です。

　カスタム属性を作るには data- に続けて、属性の名前をつけます。たとえば <div> タグに chatid カスタム属性を追加し、値を 2213 にするなら、次のような HTML コードを書きます。

▽　data-chatid 属性を追加する

```
<div data-chatid="2213">チャットで質問する</div>
```

　カスタム属性の属性名には、半角英数字と各種記号が使えます。ただし、英字大文字とコロン（:）は使用できません[13]。

▽　data-* 属性の命名例

```
data-category
data-weather
data-start-date ●────────────── 大文字が使えないので data-startDate にはできない
```

＊13　https://www.w3.org/TR/REC-xml/#NT-NameChar

カスタム属性は dataset プロパティを使って値の取り出し／書き換えができます。以下の書式の「カスタム属性名」のところは、data-**** の「****」の部分にします。たとえばカスタム属性が data-tag なら dataset.tag にする、ということです。ドット記法とブラケット記法、両方とも使えます。

書式 カスタム属性の値を取り出す

```
<要素>.dataset.カスタム属性名;
<要素>.dataset['カスタム属性名'];
```

書式 カスタム属性の値を書き換える

```
<要素>.dataset.カスタム属性名 = '値';
<要素>.dataset['カスタム属性名'] = '値';
```

例を見てみましょう。カスタム属性を使ってフォトギャラリーを作ります。<div id="thumbs"> に含まれる、サムネイルを表示する 4 つの <img> に、それぞれ 2 つのカスタム属性が設定されています。サムネイルをクリックしたときにカスタム属性の値を読み出し、<div class="large"> に含まれる <img> の src 属性、alt 属性を書き換えます。

Sample data-* 属性の使用例（HTML 部分） c12/dataset-gallery.html

```
<div class="container">
  <div id="gallery" class="gallery">
    <div class="thumbs">
      <div class="thumb">●──────── すべての <div class="thumb"> にクリックイベントが設定される
        <img src="../res/thumb1.jpg"
             alt=""
             data-large="../res/d-brown.jpg"
             data-alt="キャラメルチョコレートナッツ"
        >
      </div>
      <div class="thumb">
        <img src="../res/thumb2.jpg"
             alt=""
             data-large="../res/d-white.jpg"
             data-alt="シャイニーホワイト"
        >
      </div>
      <div class="thumb">
        <img src="../res/thumb3.jpg"
             alt=""
             data-large="../res/d-red.jpg"
             data-alt="プリティーストロベリー"
```

```
    >
  </div>
  <div class="thumb">
    <img src="../res/thumb4.jpg"
         alt=""
         data-large="../res/d-black.jpg"
         data-alt="クッキークリームモンスター"
    >
  </div>
 </div>
 <div class="large"><img src="../res/d-brown.jpg" alt=""></div>
 </div>
</div>
```

Sample　data-* 属性の使用例（JavaScript 部分）　　　　　　　c12/dataset-gallery.html

```
function changeImage(src, alt) {
  const largeImage = document.querySelector('.large > img');  ●────── 大きい画像
  largeImage.src = src;  ●───────────── <img> の src 属性・alt 属性を引数の値で書き換え
  largeImage.alt = alt;  ●─────────────
}

document.querySelectorAll('.thumb').forEach((v,i) => {  ●── すべての <div class="thumb"> にイベントリスナーを設定
  v.addEventListener('click', (e) => {
    const image = e.currentTarget.children[0];
    const src = image.dataset.large;
    const alt = image.dataset.alt;
    changeImage(src, alt);  ●── カスタム属性を引数にして changeImage() を呼び出す
  });
});
```

実行結果　サムネイルをクリックすると画像が切り替わる

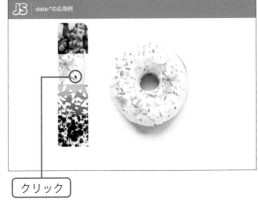

クリック

12-5 HTMLを書き換える②　〜テキストコンテンツを書き換える

HTMLの開始タグと終了タグに囲まれた部分のテキストを書き換える操作を見てみましょう。この操作は、DOM操作の中でも最もよく行われる処理の1つです。

　ある要素のテキストを書き換える、もしくは挿入する／削除する処理をしたいときは、ここに挙げる2つのプロパティ、2つのメソッドのどれかを使用します。

表　テキストコンテンツの参照に関連するプロパティ

プロパティ	説明
Documentオブジェクトのプロパティ	
document.title	<title>のテキストコンテンツを読み出す、または書き換える
Nodeオブジェクトのプロパティ	
<ノード>.textContent	<ノード>のテキストコンテンツを読み出す、または書き換える

表　テキストコンテンツの参照に関連するメソッド

メソッド	説明
Documentオブジェクトのメソッド	
document.createTextNode('テキスト')	「テキスト」からテキストノードを作成。「テキスト」に「<」や「>」などが含まれていた場合はエスケープされる
Elementオブジェクトのメソッド	
<要素>.insertAdjacentText('位置', 'テキスト')	「位置」に「テキスト」を挿入する

　これらのプロパティやメソッドの中でもよく使うのがtextContentプロパティです。このプロパティはノード（要素）のテキストコンテンツを丸ごと取り出す、または書き換えます。

【書式】 textContentプロパティ

```
<要素>.textContent            // 取り出す
<要素>.textContent = 'テキスト';   // 書き換える
```

　textContentプロパティで書き換えられるのはテキストだけで、仮に、代入する「'テキスト'」にHTMLタグと見なされるような文字列が含まれているとエスケープ[14]されます。不用意な要素の挿入を防ぐことができるため、より安全なWebサイトの構築につながります（➡ Note「挿入する要素を文字列で作る場合はスクリプトの埋め込みに注意」p.461）。

----

[14] 「<」や「>」などを文字実体参照に置き換えること。たとえば「<p>」をエスケープすると「<p>」という文字列になり、HTMLタグとしてブラウザーに認識されなくなります。

textContent プロパティの基本的な使い方と、タグが含まれるテキストを挿入しようとしたらどうなるかがわかる例を紹介します。<p id="parent1"></p> のテキストコンテンツは通常のテキストで、<p id="parent2"></p> はタグ（<strong>）が含まれるテキストで書き換えてみます。実行してみると<strong> はエスケープされ、タグとしては機能しないことがわかります。

12-5
HTMLを書き換える②　〜テキストコンテンツを書き換える

12

HTMLの操作

| Sample | textContent プロパティの使い方とタグのエスケープ（HTML 部分） | c12/write-textcontent.html |

```html
<div class="container">
  <p id="parent1"></p>
  <p id="parent2"></p>
</div>
```

| Sample | textContent プロパティの使い方とタグのエスケープ（JavaScript 部分） | c12/write-textcontent.html |

```javascript
// 通常のテキストを挿入
const plainText = 'textContentは要素にテキストを挿入する手軽なプロパティ';
document.querySelector('#parent1').textContent = plainText;

// タグが含まれるテキストを挿入
const htmlText = '<strong>textContent ではタグがエスケープされ、単なるテキストとして挿入される</strong>';
document.querySelector('#parent2').textContent = htmlText;
```

実行結果

textContentは要素にテキストを挿入する手軽なプロパティ ─── <p id="parent1"></p>
<strong>textContentではタグがエスケープされ、単なるテキストとして挿入される</strong> ─── <p id="parent2"></p>

12-5-1 テキストコンテンツを挿入する

textContent プロパティを使うと要素のテキストコンテンツを丸ごと書き換えることになりますが、場合によってはすでにあるテキストをそのままにしておいて、前後に別のテキストを挿入したいこともあるでしょう。その場合は insertAdjacentText() メソッドを使います。

書 式　insertAdjacentText() メソッド

```
<要素>.insertAdjacentText('位置', 'テキスト')
```

このメソッドは <要素> を起点とした相対的な「位置」に、「テキスト」を挿入します。textContent プロパティ同様、挿入できるのはテキスト（文字列）だけで、HTML タグが含まれている場合はエスケー

プされます。

　引数の「位置」は＜要素＞のどこに「テキスト」を挿入するのかを決めるもので、4つのキーワードが定義されています。このキーワードはHTML要素を挿入するinsertAdjacentHTML()メソッドやinsertAdjacentElement()メソッドでも同じものを使用します。

- 'beforebegin' —— 開始タグのすぐ前に挿入する
- 'afterbegin' —— 開始タグのすぐ後ろに挿入する
- 'beforeend' —— 終了タグのすぐ前に挿入する
- 'afterend' —— 終了タグのすぐ後ろに挿入する

図　「位置」が指す場所

　例を見てみましょう。<p id="live">JavaScriptはこう変わる！…</p>の開始タグのすぐ後ろ、テキストの前に「[満員御礼]」というテキストを挿入します。

Sample　テキストを挿入する（HTML部分）　　　　　c12/write-insertadjacenttext.html

```
<div class="container">
  <p id="live">JavaScriptはこう変わる！ECMAScriptの新機能徹底解説</p>
</div>
```

Sample　テキストを挿入する（JavaScript部分）　　　　　c12/write-insertadjacenttext.html

```
document.querySelector('#live').insertAdjacentText('afterbegin', '[満員御礼]');
```

実行結果

456

12-6 HTMLを書き換える③ 〜要素を書き換える・挿入する・削除する

すでにある要素のコンテンツや属性を書き換えるのではなく、新しい要素を挿入したり、既存の要素を削除したり、あるいは子要素を丸ごと書き換えたり、順序を入れ替えたりすることができるさまざまな機能が用意されています。

　要素の属性やコンテンツを書き換えるのではなく、要素の挿入・削除・書き換え・順序の入れ替えという操作をすると、HTMLドキュメントの構造そのものが変わることになります。こうしたHTMLそのものを変更する操作には、大きく分けて4つのパターンがあります。

図　HTMLそのものを変更する操作

1. 特定の場所に要素を挿入する

```
<ul>
    <li>Python</li>
    <li>Go</li>
</ul>

    <li>JavaScript</li>
```

2. 要素、もしくは要素の子要素を丸ごと書き換える

```
<div class="gallery">
    <div class="picurebox">
        <img src="travel.jpg" alt="">
    </div>
</div>

<div class="moviebox">
    <video>
        <source src="video.mp4">
    </video>
</div>
```

3. 要素を削除する

```
<div class="container">
    <div class="box">
        <img src="sea.jpg" alt="">
    </div>
    <div class="box">
        <img src="river.jpg" alt="">
    </div>
</div>
```

4. 要素の順序を入れ替える（移動する）

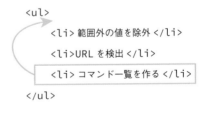

```
<ul>
    <li>範囲外の値を除外</li>
    <li>URLを検出</li>
    <li>コマンド一覧を作る</li>
</ul>
```

　これら4つの操作のうち「1. 特定の場所に要素を挿入する」と「2. 要素、もしくは要素の子要素を丸ごと書き換える」は、挿入または書き換えのための新しい要素を用意する必要があります。要素を用意する方法は2種類あり、1つは「HTML要素を文字列で記述する」方法です。とにかく文字列でHTMLコードを用意すればよく、もちろんStringオブジェクトのメソッドやテンプレートリテラルも使えるの

で柔軟な操作ができます。コードも読みやすく、どんな処理をしているのかひと目でわかることから、現代的なプログラミングではこの方法で記述するケースが圧倒的に多いといえます。

▽ HTML 要素を文字列で記述する例

```
const elm = `<a href=${link.url}>${link.title}</a>`;
```

もう 1 つは「メソッド、プロパティを使って要素オブジェクト（Element オブジェクト）を作成する」方法です（➡ 12-6-4「要素オブジェクトを作成する」p.465）。document.createElement( ) メソッドと、本章でこれまで見てきた要素の属性やコンテンツを操作するメソッドやプロパティを利用して、要素オブジェクトを作ります。文字列では要素を作成できないケース、たとえば既存の要素をコピーしてカスタマイズする場合などに使うことが多いでしょう。

▽ メソッド、プロパティを使って Element オブジェクトを作成する例

```
const elm = document.createElement('a');
elm.setAttribute('href', link.url);
elm.textContent = link.title;
```

HTML の削除・移動に話を移します。「3. 要素を削除する」や「4. 要素の順序を入れ替える（要素を移動する）」は、専用のメソッドやプロパティを使って行います。これら 4 つの操作をするための機能を一覧表にまとめました。

表　特定の場所に要素を挿入するメソッド

メソッド	説明
<要素>.insertAdjacentHTML(' 位置 ', ' 要素 ')	<要素>を起点とした相対的な「位置」に「要素」を挿入。「要素」は文字列で作成

表　要素、もしくは要素の子要素を丸ごと書き換えるメソッド

メソッド	説明
<要素>.replaceChildren(ノード 1, ノード 2, …)	<要素>の子要素を「ノード」で置き換える。「ノード」は要素でもテキストでもよい
<要素>.replaceWith(ノード 1, ノード 2, …)	<要素>を「ノード」で置き換える

表　要素、もしくは要素の子要素を丸ごと書き換えるプロパティ

プロパティ	説明
<要素>.innerHTML	<要素>の子孫要素（コンテンツ）を返す、または書き換える
<要素>.outerHTML	<要素>とその子孫要素を返す、または書き換える

表　要素を削除するメソッド

書式	説明
<要素>.replaceChildren()	引数を渡さなければ<要素>の子要素を削除する
<要素>.remove()	<要素>を削除する

表　要素の順序を入れ替える（要素を移動する）メソッド

メソッド	説明
Node オブジェクトのメソッド	
<ノード>.insertBefore(挿入ノード , 参照ノード)	<ノード>の子要素である「参照ノード」の手前に「挿入ノード」を挿入。「挿入ノード」が既存のノードだった場合は移動。親要素と子要素の関係を正確に把握している必要がある
Element オブジェクトのメソッド	
<要素>.insertAdjacentElement(' 位置 ', 要素)	<要素>を起点とした相対的な「位置」に「要素」を挿入。「要素」は要素オブジェクト。「要素」が既存の要素だった場合は移動
<要素>.before(ノード 1, ノード 2, …)	<要素>の兄要素として（＝開始タグの手前に）「ノード」を挿入。「ノード」は要素でもテキストでもよい
<要素>.prepend(ノード 1, ノード 2, …)	<要素>の最初の子要素として「ノード」を挿入
<要素>.append(ノード 1, ノード 2, …)	<要素>の最後の子要素として「ノード」を挿入
<要素>.after(ノード 1, ノード 2, …)	<要素>の弟要素として（＝終了タグの後ろに）「ノード」を挿入

表　要素オブジェクト（Element オブジェクト）を作成するメソッド

メソッド	説明
Doucment オブジェクト	
document.createElement(' タグ名 ')	「タグ名」の要素を生成
Element オブジェクト	
<要素>.cloneNode(ディープコピー)	<要素>をクローン（複製）して新しい要素を生成。「ディープコピー」に true を指定すると子要素も含めてクローン。false を指定または値を省略すると子要素をクローンしない

▌12-6-1 新しい要素を特定の場所に挿入する

HTML を書き換える操作の中でも最もよく行うのが新しい要素を挿入することで、insertAdjacentHTML() メソッドを使います。このメソッドは取得した<要素>を起点とし、引数の「位置」で指定した場所に「要素」を挿入します。「要素」は HTML を文字列で記述します。

書式　insertAdjacentHTML( ) メソッド

```
<要素>.insertAdjacentHTML('位置', '要素')
```

「位置」には insertAdjacentText( ) でも取り上げた 4 つのキーワードのうちのいずれかを指定します（➡ 12-5-1「テキストコンテンツを挿入する」p.455）。

図　「位置」の指定と要素が挿入される場所

`'beforebegin'`

`<div>`

　`'afterbegin'`

　`<p> すでにあるコンテンツ </p>`

　`'beforeend'`

`</div>`

`'afterend'`

　例を見てみましょう。テーブル行を作成し、それをテーブル（<table id="list">）に挿入します。定数 messages から、2 行 3 列のテーブル行を文字列で作成し、その後、for 〜 of 文を使って 1 行ずつ <table id="list"> に挿入します。

Sample　要素を挿入する（HTML 部分）　　　　　　　　　　　　　　c12/write-insertadjacenthtml.html

```
<div class="container">
  <table id="list">
    <thead>
      <tr><th>送信</th><th>日時</th><th>メッセージ</th></tr>
    </thead>
  </table>
</div>
```

Sample　要素を挿入する（JavaScript 部分）　　　　　　　　　　　　c12/write-insertadjacenthtml.html

```
const messages = [
  {
    from: 'tanaka@example.com',
    date: '2019/08/16T11:15:22',
    message: 'お世話になっております。進行中のプロジェクトの件で...',
  },
  {
    from: 'mailnews@example.jp',
    date: '2019/08/15T21:38:44',
    message: '【最新記事】新規出店が進む中古家具市場、なにが起こっている？...',
  },
];
```

```
for (const msg of messages) {
  const row = `<tr>
    <td>${msg.from}</td><td>${msg.date}</td><td>${msg.message}</td>
  </tr>`;
  document.querySelector('#list').insertAdjacentHTML('beforeend', row);
}
```

実行結果

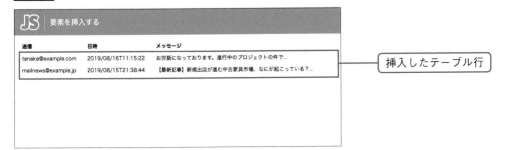

挿入したテーブル行

𝒩ote　挿入する要素を文字列で作る場合はスクリプトの埋め込みに注意

　要素を文字列で作成するのは手軽ですが、セキュリティ上の懸念があることに注意が必要です。文字列の中に JavaScript（のような文字列）を含ませれば、プログラムを組み込むことができてしまうのです。

　次の例を見てみましょう。insertAdjacentHTML() で <div id="parent"> に HTML を挿入していますが、挿入する <p> に onclick イベント属性がついていて、クリックするとプログラムが実行されてしまいます[15]。

| Sample | 要素を文字列で作るとプログラムが組み込めてしまう（HTML 部分） | c12/insert-code.html |

```
<div class="container">
  <div id="parent"></div>
</div>
```

| Sample | 要素を文字列で作るとプログラムが組み込めてしまう（JavaScript 部分） | c12/insert-code.html |

```
const dangerous = `<p onclick="alert(' 文字列でプログラムが組み込めてしまう ')">クリックし
ちゃダメ！</p>`;
document.querySelector('#parent').insertAdjacentHTML('afterbegin', dangerous);
```

---

* 15　ちなみに主要なブラウザーでは innerHTML や insertAdjacentHTML() で <script> タグの挿入はできなくなっています。これはブラウザー独自の実装のようです。実は過去には仕様でも「禁止しよう」としていた時期があったようですが、おそらく <script> タグの挿入を禁止したくらいでは安全にならないと考えたのでしょう。現在の公式の HTML 仕様（DOM 操作関連の仕様も定義されている）ではとくに定められていません。
https://html.spec.whatwg.org/#the-innerhtml-property

スクリプトが埋め込まれ、テキストをクリックするとダイアログが表示されるようになる

　もちろん、今回の例はプログラマーが"意図的に"プログラムを注入しているので大きな問題にはなりませんが、"意図しない"かたちで注入される可能性があることは常に気を配っておくべきです。とくに、フォームに入力された内容をWebページに表示するような処理をするときには注意が必要です。意図しないJavaScriptプログラムや不正なHTMLの注入を防ぐには、次のような対策を講じる必要があります。

- テキストフィールドなどにユーザーが入力したテキストをそのままHTMLに挿入しない
- ネットワークを経由して外部からダウンロードしたデータをそのままHTMLに挿入しない
- HTMLを書き換える必要がなく、テキストだけ変更するときには必ずinsertAdjacentText() メソッドまたはtextContent プロパティを使う。これらは要素を挿入しないので安全

12-6-2 要素を削除する

　取得した要素そのものを削除するにはremove( ) メソッドを使います。次の例では <ul id="todo"> を取得し、削除しています。

Sample 取得した要素を削除する（HTML 部分）　　　　　　　　　　　c12/remove-remove.html

```
<div class="container">
  <ul id="todo">
    <li>簡単すぎるパスワードを登録し直す</li>
    <li>次回メンテナンスの作業工程表を作る</li>
  </ul>
</div>
```

Sample 取得した要素を削除する（JavaScript 部分）　　　　　　　　　c12/remove-remove.html

```
document.querySelector('#todo').remove();
```

　コンソールの［要素］タブを開いて確認すると、<div class="container"> に子要素がなく、取得した要素そのものがなくなっているのがわかります。

`<ul id="todo">` ～ `</ul>` が丸ごと削除されているのがわかる

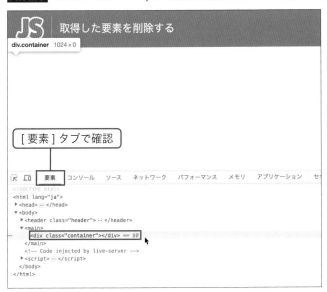

　取得した要素ではなく、その子要素をすべて削除するには replaceChildren( ) メソッドを引数なしで実行します。先ほどと同じ HTML で親要素の `<ul id="todo">` は残して子要素を削除する場合には、次のようにします。

Sample　取得した要素の子要素を削除する replaceChildren( ) メソッド　　　　　c12/remove-replacechildren.html

```
document.querySelector('#todo').replaceChildren();
```

　innerHTML プロパティでも同じことができます。この場合は空の文字列を代入します。

Sample　取得した要素の子要素を削除する innerHTML プロパティ　　　　　c12/remove-innerhtml.html

```
document.querySelector('#todo').innerHTML = '';
```

　引数なしの replaceChildren( ) メソッド、innerHTML プロパティに空文字列を代入、どちらでも取得した要素は残り、子要素だけが削除されます。

<ul id="todo"> の子要素が丸ごと削除されている

```
｜R ｜o   要素   コンソール   ソース   ネットワーク   パフォーマンス   メモリ
<!DOCTYPE html>
<html lang="ja">
▶ <head> ··· </head>
▼ <body>
  ▶ <header class="header"> ··· </header>
  ▼ <main>
    ▼ <div class="container">
        <ul id="todo"></ul> == $0
      </div>
    </main>
    <!-- Code injected by live-server -->
  ▶ <script> ··· </script>
  </body>
</html>
```

▌12-6-3 子要素を丸ごと書き換える

取得した要素の子要素を丸ごと書き換える方法は2通りあります。1つはinnerHTMLプロパティを使う方法、もう1つはreplaceChildren()メソッドを使う方法です。

innerHTMLプロパティは、取得した要素の子要素を返します。書き換える場合は、このプロパティにHTML要素を文字列で代入します。

書式 innerHTMLプロパティで子要素を書き換える

```
<取得した要素>.innerHTML = '子要素に挿入するHTML';
```

例を見てみましょう。ボタンをクリックすると、<div id="latest"> の子要素が丸ごと書き換わります。

Sample 子要素を丸ごと書き換える　～ innerHTMLプロパティ（HTML部分）　　　c12/rewrite-innerhtml.html

```html
<div class="container">
  <div id="latest">
    <p>ニュースフラッシュ</p>
    <p>マイアイティインターナショナル、果物の収穫時期を判定するAI搭載ドローンを発表</p>
  </div>
  <div><button id="update">更新</button></div>
</div>
```

Sample 子要素を丸ごと書き換える　～ innerHTMLプロパティ（JavaScript部分）　　　c12/rewrite-innerhtml.html

```javascript
document.querySelector('#update').addEventListener('click', () => {
  const latestNews = `<p>今日のニュースまとめ</p>
  <ul>
    <li>キャロットシステムズ、高精度にフィッシングメールを識別するプログラムを開発</li>
    <li>迷子をなくせ！　手軽でプライバシーも万全の見守りシステム</li>
  </ul>`;

  document.querySelector('#latest').innerHTML = latestNews;
});
```

464

実行結果　<div id="latest"> の子要素が丸ごと書き換わる

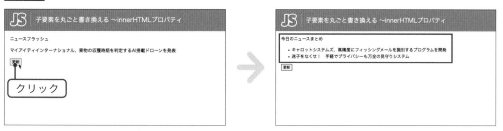

実行結果　<div id="latest"> の子要素が丸ごと書き換わる

　もう1つの replaceChildren( ) メソッドを使う方法は、書き換える要素を文字列ではなく要素オブジェクト（Element オブジェクト）で用意しなければなりません。そこで、まずは要素オブジェクトを作成する方法から見てみることにします。

12-6-4 要素オブジェクトを作成する

　HTML を書き換える操作ができるメソッドには、書き換える要素を文字列で用意する必要があるものと、要素オブジェクトを用意する必要があるものがあります。要素オブジェクトを用意する必要がある場合はまず、document.createElement( ) メソッドでコンテンツも属性も持たない空の要素を生成します。

書 式　document.createElement( ) メソッド

```
document.createElement('タグ名');
```

　このメソッドで空の要素を生成してから、コンテンツや属性を追加します。たとえば、次のような HTML 要素を作るとしましょう。

Sample

```
<p class="note">2段階認証アプリをインストールしてください。</p>
```

　この場合、次のようなコードを書くことになります。

▼ メソッドやプロパティを使って要素を生成する例

```
const paragraph = document.createElement('p');         空の p 要素を生成
paragraph.textContent = '2段階認証アプリをインストールしてください。';    コンテンツを挿入
paragraph.classList.add('note');          class 属性「note」を追加
```

それほど難しいコードではありませんが、文字列を使うときと比べて、どんな要素ができあがるのか
コードを読んだだけではパッと想像しにくくなります。それに、子要素が含まれるような、より複雑な
HTMLを作るのは大変そうです。そこで、replaceChildren( )など、引数の要素をElementオブジェクト
で受け付けるメソッドを少しでも簡単に使えるようにするために、文字列で作成した要素をElement
オブジェクトに変換する方法も見てみましょう。

文字列で作成した要素をオブジェクトに変換する

文字列で作成した要素をElementオブジェクトに変換するようなメソッドは用意されていないので、
次の手順で処理をします。

1. 空の要素を作成する（作成した要素を「要素A」とします）
2. 文字列で作成したHTML要素を、要素Aの子要素として挿入（要素A.innerHTMLに代入）
3. 要素Aの子要素を返す（要素A.childrenを返す）

この一連の処理をする関数を作成してみましょう。文字列で作成したHTMLを引数に取り、HTMLCollection
オブジェクト（→ 12-2-4「documentオブジェクトで特定の要素を取得する」p.409）を返す
makeElementsFromString( )関数を作成します。

▼ 文字列からElementオブジェクトを作る関数。番号は上記の手順に対応

```
function makeElementsFromString(elm) {
    const dummy = document.createElement('div');    1. 空の<div>を作成
    dummy.innerHTML = elm;    2. 引数で渡された文字列のHTMLを、空の<div>に挿入
    return dummy.children;    3. 子要素を返す
}
```

この関数makeElementsFromString( )を利用して、12-6-3「子要素を丸ごと書き換える」（p.464）
でinnerHTMLを使って作成したものを、replaceChildren( )メソッドを使うように書き換えてみます。
HTMLの部分は先述のサンプル（c12/rewrite-innerhtml.html）と同じです。

Sample 子要素を丸ごと書き換える replaceChildren( )   c12/rewrite-replacechildren.html

```
// 文字列からElementオブジェクトを作る関数
略    上記のmakeElementsFromString( )

document.querySelector('#update').addEventListener('click', () => {
    const latestNews = `<p>今日のニュースまとめ</p>    latestNewsには文字列のHTMLが
    <ul>    代入される。HTMLの構造にも注目
        <li>キャロットシステムズ、高精度にフィッシングメールを識別するプログラムを開発</li>
        <li>迷子をなくせ！　手軽でプライバシーも万全の見守りシステム</li>
    </ul>`;
```

```
  const elm = document.querySelector('#latest');
  elm.replaceChildren(...makeElementsFromString(latestNews));
});
```

latestNews をオブジェクト
に変換、replaceChildren()
の引数に

作成した関数 makeElementsFromString() は、処理中に作成した要素 dummy の children プロパティを返しているので、Element オブジェクトそのものではなく、Element オブジェクトを要素に持つ、HTMLCollection オブジェクトを返すことになります（p.410）。今回のサンプルでいえば、定数 latestNews をこの関数に渡しているので、返ってくる HTMLCollection オブジェクトは次のような配列（風オブジェクト）になります。

▼ makeElementsFromString() から返ってくる値（HTMLCollection）のイメージ。要素１つひとつは Element オブジェクト

```
[<p>, <ul>]
```

replaceChildren() メソッドは複数の引数（Element オブジェクト）を受け付けるため、makeElementsFromString() から返ってくる値をスプレッド構文で渡します。スプレッド構文を使うことで、<p> と <ul>、２つの要素オブジェクトを渡せるわけです。

replaceChildren() に限らず、引数に Element オブジェクトを取るメソッドの多くが、複数の引数を受け付けるので、既存の要素をまとめて移動するような処理に向いています。次項で具体的な例を紹介します。

▌12-6-5 既存の要素を移動する

引数に Element オブジェクトを受け付けるメソッドは、新規に作成した Element オブジェクトを渡した場合はその要素を挿入、または既存の要素を書き換えます。しかし、すでに Web ページにある要素を取得し、それを引数として渡すと、いまある場所から指定された場所に要素が移動します。

動作を理解するために insertAdjacentElement() メソッドを取り上げます。このメソッドは１つ目の引数で指定する「位置」に、２つ目で指定する要素を挿入します。１つ目の引数には、insertAdjacentText() メソッドや InsertAdjacentHTML() メソッドと同じものを渡します。

書式 insertAdjacentElement() メソッド

```
<要素>.insertAdjacentElement('位置', Elementオブジェクト);
```

insertAdjacentHTML() メソッドと非常によく似ていますが、２つ目の要素は Element オブジェクトで指定する必要がある点が異なります。もし、２つ目に指定する要素が、すでに HTML ドキュメント内にある既存の要素だった場合、その要素が元あった場所から１つ目の引数で指定した位置に移動します。

簡単な例を見てみましょう。ページ内に２つのボックスがあり、「画像を移動」をクリックすると画像

がBOX1からBOX2に移動します。画像を表示している <img id='image'> を取得し、insertAdjacentElement( ) メソッドを使って移動させているのです。

Sample 要素を移動する insertAdjacentElement( )（HTML 部分）　　　　c12/move-img.html

```
<div class="container">
  <div id="box1" class="box">
    <p>BOX1 <a href="#" id="move">画像を移動</a></p>
    <img src="../res/car2.jpg" id="image">  ●———  定数 image に代入される要素
  </div>
  <div id="box2" class="box">
    <p>BOX2</p>  ●————————————————  ここに移動
  </div>
</div>
```

Sample 要素を移動する insertAdjacentElement( )（JavaScript 部分）　　　　c12/move-img.html

```
document.querySelector('#move').addEventListener('click', () => {
  const image = document.querySelector('#image');
  document.querySelector('#box2').insertAdjacentElement('beforeend', image);
});
```

実行結果

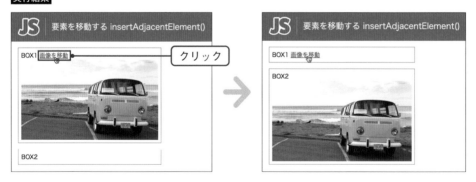

複数の要素を同時に移動する

いま紹介した insertAdjacentElement( ) を除く、引数に Element オブジェクトを受け付けるメソッドには、引数として複数の要素を渡せます。querySelectorAll( ) や <要素>.children のような複数の要素を取得するメソッドやプロパティを使って取得した値を、スプレッド構文を使ってそのまま引数に指定できるのです。

複数の要素オブジェクトを受け付けるメソッド

before() / prepend() / append() / after() / insertBefore() / replaceChildren() / replaceWith()

これらのメソッドのうち append() を使った例を紹介します。append() メソッドは、次の書式にある < 要素 > にすでに存在する子要素の下に、引数で指定した要素を移動または挿入します。ちょうど、insertAdjacentElement() の位置を 'beforeend' にしたときと同じ場所です。引数には HTML を挿入する場合は Element オブジェクト、単純な（タグを含まない）テキストを挿入する場合は通常の文字列を指定します。

書式 append() メソッド

< 要素 >.append(要素または文字列1, 同2, …)

それではサンプルを見てみましょう。ページの左に「やること」がリストされています（<ul id="todo">）。各項目のチェックボックスにチェックを付けてから真ん中の［← 移動 →］ボタンをクリックすると、右の「終わったこと」に移動します。同様に、「終わったこと」から「やること」にも移動できます。

Sample 複数の要素を同時に移動する（HTML 部分）　　　　　　　　　　　　　c12/move-elements.html

```
<div class="container">
  <div class="task-box">
    <p>やること</p>
    <ul id="todo">                                                    ← 移動する前のリスト
      <li><input type="checkbox"> 試算アプリのバグを修正</li>
      <li><input type="checkbox"> プロジェクトの進捗状況をメッセージ</li>
      <li><input type="checkbox"> nodejsでよく使うコマンドをまとめる</li>
      <li><input type="checkbox"> 宣伝ページのデザインを依頼</li>
    </ul>
  </div>
  <div class="move-box">
    <button id="move">← 移動 →</button>                              ← イベントを設定するボタン
  </div>
  <div class="task-box">
    <p>終わったこと</p>
    <ul id="done"></ul>                                               ← 移動先のリスト
  </div>
</div>
```

```javascript
document.querySelector('#move').addEventListener('click', () => {
  // #todo から #done へ
  const toDone = document.querySelectorAll('#todo li:has(input:checked)');
  toDone.forEach((v, i) => {
    v.firstElementChild.checked = false;
  });
  document.querySelector('#done').append(...toDone);

  // #done から #todo へ
  const toTodo = document.querySelectorAll('#done li:has(input:checked)');
  toTodo.forEach((v, i) => {
    v.firstElementChild.checked = false;
  });
  document.querySelector('#todo').append(...toTodo);
});
```

`const toDone = document.querySelectorAll('#todo li:has(input:checked)');` → `<input> にチェックがついている <li> をすべて取得 *16`

`v.firstElementChild.checked = false;` → チェックを外す

`document.querySelector('#done').append(...toDone);` → 取得した要素を `<ul id="done">` ～ `</ul>` へ移動

`document.querySelector('#todo').append(...toTodo);` → 取得した要素を `<ul id="todo">` ～ `</ul>` へ移動

実行結果 ボタンをクリックするとチェックがついた項目が移動する

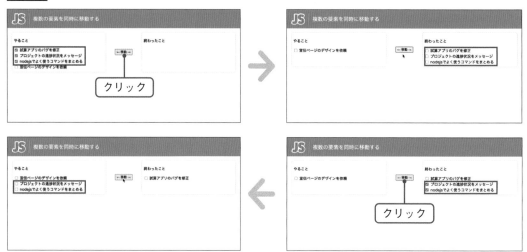

12-7 その他のDOM操作

ページに変化をもたらす処理の多くが HTML を書き換えることで行われますが、なかには書き換えない操作もあります。ここでは DOM 操作のうち、HTML の書き換えを伴わないものを 2 つ紹介します。

　HTML の書き換えをせずに表示を変化される代表例の 1 つは「アニメーションスクロール」です。ペー

＊16　:has( ) セレクター（CSS）　https://developer.mozilla.org/ja/docs/Web/CSS/:has

ジトップへアニメーションしながらスクロールさせて移動する手法で、多くの Web サイトで導入されているおなじみのものです。

　もう 1 つはページの表示を変化させるために作られた特別なオブジェクト、Intersection Observer（インターセクション・オブザーバー）を使った例です。2019 年ごろまでに主要な Web ブラウザーに実装された機能で、それまでは複雑な処理を書かなくてはいけなかったパララックス[*17] を、より手軽に実現できるようになりました。

▌ 12-7-1　ページトップにスクロールする

　ボタン（リンク）をフッターに配置し、クリックするとページトップまでアニメーションしながら戻るようにします。scroll( ) というグローバルメソッドがあるので簡単に実装できます。イベントリスナーは設定しますが HTML を書き換えるような操作はしません。

　scroll( ) メソッドは、引数で指定するスクロール位置にページをスクロールします。書式は 2 通り、引数として数値を 2 つ渡すものとオブジェクトを 1 つ渡すものがありますが、本書ではオブジェクトを指定するほうを中心に説明します。なお、scrollTo( ) という同じ機能、同じ使い方のメソッドもあります。どちらを使ってもかまいません。

書式　scroll( ) メソッドまたは scrollTo( ) メソッド

```
// 引数を 2 つ渡す場合
scroll( 上方向の座標 ,  左方向の座標 )

// オブジェクトを 1 つ渡す場合
scroll({
  top: 上方向の座標 ,
  left: 左方向の座標 ,
  behavior: ' スクロールの仕方 ',
})
```

　引数の「上方向の座標」「左方向の座標」は、ビューポートの左上を (0, 0) とした座標を、単位 px の数値で指定します。

[*17]　ページをスクロールするとアニメーションしながらコンテンツが表示されるように作られたページのこと。

図　scroll() の引数の「上方向」「左方向」に指定するのはビューポートの左上を (0, 0) とした座標

behavior プロパティには、次の 3 つのキーワードのいずれかを指定します。

- 'smooth' ── アニメーションをしながらスムーズに指定位置までスクロールする。一般的にはこれを指定する
- 'instant' ── アニメーションせずに一気に指定位置までスクロールする
- 'auto' ─── 'instant' と同じ動作をする（behavior プロパティを設定しなかった場合の初期値）

次の例では長いページのフッター部分にある <div id="gotop"> にイベントリスナーを設定し、クリックしたらページの最上部までスムーズにスクロールするようにしています。

Sample ページトップにスクロールする（HTML 部分）　　　　　　　　　　c12/scroll.html

```html
<body>
  <header class="header">
    略
  </header>
  <main>
    ……長いページ……
  </main>
  <footer class="footer">
    <div id="gotop"><img src="../res/arrow-up.svg" alt=""></div>
    <p>JavaScript Design Center</p>
  </footer>
</body>
```

Sample ページトップにスクロールする（JavaScript 部分）　　　　　　　c12/scroll.html

```javascript
document.querySelector('#gotop').addEventListener('click', () => {
  scroll ({
    top: 0,
    left: 0,
    behavior: 'smooth',
```

```
    });
  });
```

実行結果 クリックするとページ最上部までスクロールする

12-7-2 Intersection Observer

Intersection Observer（インターセクション・オブザーバー）は、監視対象に設定した要素がビューポート内に入った（＝画面上に見えている）かどうかをチェックするオブジェクトです。いわゆるパララックスを表現するために使える機能です。

Intersection Observer を使うには、まず「監視オブジェクト（オブザーバー）」をインスタンス化して定数に保存し、監視対象の要素がビューポートに入ったときに呼び出されるコールバック関数を登録します。そして、監視オブジェクトに「監視対象となる要素（ターゲット）」を登録します。

図　Intersection Observer の動作概要
監視オブジェクト（オブザーバー）をインスタンス化し、コールバック関数を指定

```
const observer = new IntersectionObserver( コールバック );
```

監視対象となる要素（ターゲット）をオブザーバーに登録

```
observer.observe( 監視対象となる要素 );
```

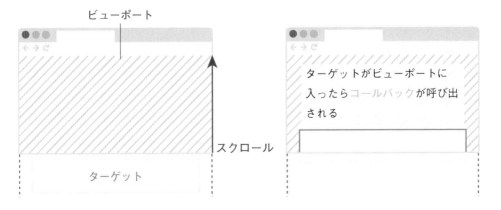

監視オブジェクトをインスタンス化する書式は次のとおりです。

```
const定数 = new IntersectionObserver(コールバック, オプション);
```

「コールバック」には、監視対象となる要素（ターゲット）がビューポートに入ったときに呼び出される関数を指定します。「オプション」は必須ではありませんが、ビューポートの領域やマージンを設定することができます。「オプション」には以下の 3 つのプロパティを持つオブジェクトを渡します。

- root —— ビューポートと見なす Element オブジェクトまたは Document オブジェクトを指定。ターゲットの親要素または祖先要素である必要がある。null を指定することもでき、その場合はブラウザーウィンドウがビューポートになる。一般的には null にしておけばよい
- rootMargin —— ターゲットがビューポートに入ったと見なす領域を拡大（または縮小）するために、ビューポートに設定するマージン。CSS の margin プロパティの書式と同じように、上右下左マージンを一括で設定することができる

図 ルートマージン。ビューポートに設定した領域の四辺につくマージンで、ターゲットが斜線の部分だけでなく色がついた部分に入るとコールバックが呼び出されるようになる

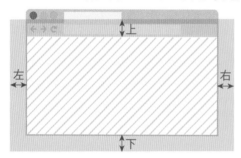

rootMargin プロパティの設定例
・rootMargin: '20px'; —— 四辺を 20px に設定
・rootMargin: '0px 50px 20px 50px'; —— 上右下左の順に 0px、50px、20px、50px に設定（CSS の margin プロパティの設定方法と同じ）

- threshold（スレッショルド、しきい値）—— ターゲットの何割以上がビューポートに入ったらコールバック関数を呼び出すかを、0 以上 1 以下の小数、または「上、右、下、左」の順に配列で指定

図　スレッショルド（しきい値）。コールバックを呼び出すタイミングを、ターゲットが何割以上ビューポートに入っているかで指定

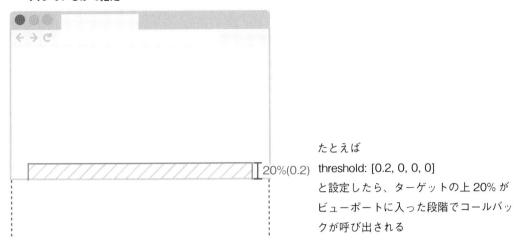

たとえば
threshold: [0.2, 0, 0, 0]
と設定したら、ターゲットの上20%が
ビューポートに入った段階でコールバックが呼び出される

　Intersection Observerを使った例を見てみましょう。長いページを作り、7つの要素を監視対象にしてコールバックを呼び出します。このコールバックでは、ターゲットがビューポートに入ったときclass属性にanimを追加し、ビューポートから出たら削除します。さらに、この7つの要素にはそれぞれ次の2種類のCSSを作ります。

- ターゲット要素にanimクラスがついていないとき、つまり要素がビューポートに入っていないときに適用されるスタイル（初期スタイル）
- ターゲット要素にanimクラスがついているとき、つまり要素がビューポートに入っているときに適用されるスタイル

Sample　Intersection Observer（HTML部分）　　　　　　　　　c12/intersection-observer.html

```
<main>
  <div class="top-image"></div> ●————— キービジュアル、監視なし
  <h1 class="heading header1" id="header1"> ●———— id=header1、監視対象
                                                    （ターゲット）
    Lorem ipsum<br>
    dolor sit amet
  </h1>
  <div class="container container1" id="container1"> ●—— id=container1、ターゲット
    <p>…</p>
  </div>
  <div class="img-left" id="img-left"> ●————— id=img-left、ターゲット
    <img src="../res/io1.jpg" alt="">
  </div>
  <h2 class="heading header2" id="header2">In quis porttitor diam</h2> ●—— id=header2、
                                                                          ターゲット
  <div class="container container2" id="container2"> ●— id=container2、ターゲット
```

475

```
    <p>…</p>
  </div>
  <div class="img-center" id="img-center"> ●━━━━━━[ id=img-center、ターゲット ]
    <img src="../res/io2.jpg" alt="">
  </div>
  <div class="container container3" id="container3"> ●━━━[ id=container3、ターゲット ]
    <p>…</p>
  </div>
</main>
<footer class="footer">
  <div id="gotop"><img src="../res/arrow-up.svg" alt=""></div>
  <p>JavaScript Design Center</p>
</footer>
```

| Sample | Intersection Observer（CSS、アニメーションの部分のみ） | c12/intersection-observer.html |

```
/* animation */
.header1 { ●━━━━━━━[ header1 の初期スタイル。正規の位置から 800px 左、不透明度 0 で配置 ]
  transition: all 0.8s ease-out;
  transform: translate(-800px, 0);
  opacity: 0;
}
.header1.anim { ●━━━━━[ ビューポートに入ったら正規の位置に戻す。以下 .anim クラスは同様 ]
  transform: translate(0);
  opacity: 1;
}
.container1 { ●━━━━━━[ container1 の初期スタイル。正規の位置から 200px 右、不透明度 0 ]
  transition: all 0.8s ease-out;
  transform: translate(200px, 0);
  opacity: 0;
}
.container1.anim {
  transform: translate(0);
  opacity: 1;
}
.img-left { ●━━━━━━━[ img-left の初期スタイル。正規の位置から 400px 左、不透明度 0 ]
  transition: all 0.8s ease-out;
  transform: translate(-400px, 0);
  opacity: 0;
}
.img-left.anim {
  transform: translate(0);
  opacity: 1;
}
```

```
.header2 {
  transition: all 0.8s ease-out;
  transform: translate(0, -100px);
  opacity: 0;
}
.header2.anim {
  transform: translate(0);
  opacity: 1;
}
.container2 {
  transition: all 0.8s ease-out;
  opacity: 0;
}
.container2.anim {
  opacity: 1;
}
.img-center {
  transition: all 0.8s ease-out;
  transform: scale(2);
  filter: blur(32px);
  opacity: 0;
}
.img-center.anim {
  transform: scale(1);
  filter: blur(0);
  opacity: 1;
}
.container3 {
  transition: all 0.5s ease-out;
  transform: translate(0, 80px);
  opacity: 0;
}
.container3.anim {
  transform: translate(0);
  opacity: 1;
}
```

- header2 の初期スタイル。正規の位置から100px 上、不透明度 0
- container2 の初期スタイル。不透明度 0
- img-center の初期スタイル。サイズ 2 倍、ぼかしあり、不透明度 0
- container3 の初期スタイル。正規の位置から 80px 下、不透明度 0

Sample Intersection Observer（JavaScript 部分）　　　　c12/intersection-observer.html

```
const options = {
  root: null,
  rootMargin: '0px 50px',
  threshold: [0.2, 0, 0.2, 0],
};
```

- IntersectionObserver に渡すオプションを作成
- ターゲットの上20%または下20%が入っていたらコールバックを呼び出す

```
const observer = new IntersectionObserver((entries, observer) => {    ●①
  entries.forEach((v, i) => {
    if (v.isIntersecting) {
      v.target.classList.add('anim');    ● ┤ビューポートに入っていたら「anim」クラス追加│
    } else {
      v.target.classList.remove('anim');    ● ┤ビューポートから外れていたら「anim」クラス削除│
    }
  });
}, options);

observer.observe(document.querySelector('#header1'));    ● ┤ターゲットとなる要素を登録│
observer.observe(document.querySelector('#container1'));
observer.observe(document.querySelector('#img-left'));
observer.observe(document.querySelector('#header2'));
observer.observe(document.querySelector('#container2'));
observer.observe(document.querySelector('#img-center'));
observer.observe(document.querySelector('#container3'));
```

実行結果 スクロールするとアニメーションしながらコンテンツが表示される

❶で監視オブジェクトである IntersectionObserver をインスタンス化し、引数として、ターゲットがビューポートに入ったときに呼び出されるコールバック関数を渡しています。このコールバック関数はターゲットが 1 つでもビューポートに入ると呼び出され、2 つの引数を受け取ります。1 つ目は entries で、「ターゲットとして登録されている各要素」の情報（IntersectionObserverEntry オブジェクト）が配列になって含まれています。2 つ目は IntersectionObserver 自身です。重要なのは 1 つ目の引数で、少し詳しく見てみましょう。このサンプルではターゲットが 7 つあるので、1 つ目の引数として渡される配列の長さは常に 7 です。

▼ コールバック関数に渡される entries 配列。サンプルでは 7 つの IntersectionObserverEntry が含まれる

```
[IntersectionObserverEntry, IntersectionObserverEntry, IntersectionObserverEntry,
IntersectionObserverEntry, IntersectionObserverEntry, IntersectionObserverEntry,
IntersectionObserverEntry]
```

1 つひとつの IntersectionObserverEntry オブジェクトには、次表のプロパティが含まれています。

プロパティ	説明
target	ターゲット。監視対象となっている要素
isIntersecting	ターゲットがビューポート内にあれば true、なければ false
boundingClientRect	ターゲットの幅、高さ、座標
intersectionRect	ターゲットの中でビューポート内にある（＝ページに見えている）部分の幅、高さ、座標
intersectionRatio	intersectionRect と boundingClientRect の比率（ターゲット全体のうち、見えている部分の面積の割合）
rootBounds	ルートマージンを含むルート要素（ビューポートと見なされる部分）の幅、高さ、座標
time	ビューポートに入った、または出たときの、ページが読み込まれてからの経過時間（ミリ秒）

　サンプルではこのうちの isIntersecting プロパティを使ってターゲットがビューポート内にあるかどうかを評価し、target プロパティを使ってその要素の class 属性に anim を追加したり、削除したりしています。

フォームの操作

前章の DOM 操作に続いて、フォームやフォーム部品に関連した DOM 操作を取り上げます。フォーム部品には Web ページの利用者が入力・操作をするという、ほかの HTML 要素にはない特徴があり、DOM 操作にも特有の機能やテクニックがあります。本章ではフォームに入力された内容の取得や、入力内容に応じてページの表示を変化させる方法を中心に解説します。

13-1 フォームの要素を取得する

フォームを操作するときも、DOM 操作の基本的な流れは一般的な HTML 要素と変わらず、要素を取得し、イベントリスナーを設定する必要があります。フォームや各種フォーム部品の要素を取得する方法と、それらの要素に発生するイベントを見ていきましょう。

13-1-1 フォーム全体を取得する

フォーム全体、つまり <form> 要素を取得する方法を説明します。<form> 要素の取得には querySelector() メソッドや getElementById() メソッドを使ってもかまいませんが、「forms」という専用のプロパティも用意されています。どちらも機能的な違いはありません。ここでは forms プロパティの使用方法を説明します。forms プロパティはページ内のすべての <form> を取得します。

▽ ページ内のすべての <form> を取得する

```
document.forms
```

ページ内にフォームが複数あっても 1 つしかなくても HTMLCollection オブジェクトが返ってくるので、特定の <form> を取得したい場合はインデックス番号を指定します。たとえばページ内に 1 つしか <form> がない場合は、次のようにします。

▽ ページ内の唯一の <form> を取得する

```
document.forms[0]
```

<form> に id 属性または name 属性がついている場合は、その id 名／ name 名で取得することもできます。取得するフォームがわかりやすいので、可能な場合はインデックス番号よりも、id 属性または name 属性を使うことををおすすめします。

▽ <form> の id 名または name 名で取得する

```
document.forms['id名またはname名']
```

▌13-1-2 フォーム部品を取得する

　次に、個々のフォーム部品を取得する方法を見てみましょう。フォーム部品を取得するには querySelector() メソッドまたは querySelectorAll() メソッドを使い、**name 属性を利用した CSS セレクターで要素を選択します。**たとえば <input type="text" id="firstname" name="firstname"> という要素を取得するのであれば、

```
const firstName = document.querySelector('[name="firstname"]')
```

というようにします。ただし、フォーム部品が <form> ～ </form> 内にあれば、次に説明する form.elements プロパティを使ったほうが、とくにラジオボタンを取得する場合は有利です。

▌13-1-3 <form> に含まれるフォーム部品を取得する

　フォーム部品が <form> ～ </form> 内に含まれている場合、form.elements プロパティで取得できます。取得したフォームの elements プロパティは、<form> 内のすべてのフォーム部品を取得し、配列風のオブジェクトにして返します[1]。elements プロパティには、<form> ～ </form> に含まれる部品のうち、次の 7 つの要素が含まれます。

- <fieldset>
- <input>（ただし <input type="image"> は含まれない）
- <select>
- <textarea>
- <button>
- <output>
- <object>

> ### 𝒩ote　form.elements プロパティが取得できるのは <form> 内にある部品だけ
>
> 　form.elements は、<form> ～ </form> 内にあるフォーム部品を取得するプロパティです。<form> 外にあるフォーム部品を取得することはできないので注意が必要です。なお、入力内容をサーバーに送信しないのであれば、フォーム部品は <form> 内にある必要はありません。

＊1　正確には HTMLFormControlsCollection という、HTMLCollection を継承したオブジェクトが返ってきます。
　　https://developer.mozilla.org/ja/docs/Web/API/HTMLFormControlsCollection

取得できるオブジェクトがどんなものか、実際の例を見てみましょう。次の例では <form id="login"> に含まれる 4 つのフォーム部品を取得しています。

Sample form.elements ですべてのフォーム部品を取得する（HTML 部分）　　c13/form-elements.html

```
<div class="container">
  <form action="#" id="login">
    <dl>
      <dt><label for="email">email</label></dt>
      <dd><input type="email" id="email" name="email"></dd> ①
    </dl>
    <dl>
      <dt><label for="password">password</label></dt>
      <dd><input type="password" id="password" name="password"></dd> ②
    </dl>
    <dl>
      <dt></dt>
      <dd><input type="checkbox" id="nologin" name="nologin" value="nologin">次回からログ
インを省略する</dd> ③
    </dl>
    <p><input type="submit" value="ログイン"></p> ④
</div>
```

Sample form.elements ですべてのフォーム部品を取得する（JavaScript 部分）　　c13/form-elements.html

```
const loginForm = document.forms['login'];  ┤まず <form> を取得
console.log(loginForm.elements);
```

実行結果

elements プロパティから特定のフォーム部品を取得するには、name 属性の値（name 名）を指定します。

書式 elements プロパティから特定のフォーム部品を取得する

```
<form要素>.elements['name名']
```

elements プロパティから name 属性を使って特定のフォーム部品を取得すると、ラジオボタンやチェックボックスをグループで、つまり同じ name 属性がついた要素をまとめて選択することができます。とくにラジオボタンの場合は RadioNodeList というオブジェクトで取得でき、どの要素が選択されているかを調べやすくなります。ラジオボタンの選択を調べる方法については 13-2-3「ラジオボタン」（p.494）で取り上げます。

▌13-1-4 フォームに発生するイベント

フォームや個々のフォーム部品にイベントリスナーを設定しておくと、入力内容が変更された瞬間やフォームを送信するときなどに処理を行うことができます。フォームに関連する主なイベントは次表のとおりです。具体的な使用方法はそれぞれのサンプルで紹介します。

表　フォームまたはフォーム部品に発生する主なイベント

イベント	発生する要素	イベントが発生するタイミング
change	各種フォーム部品	フォーム部品の入力内容が変更されたとき
input	各種フォーム部品	フォーム部品の入力内容が変更されたとき
click	\<button>	ボタンがクリックされたとき
focus	主に各種フォーム部品	フォーム部品にフォーカスが当たった（入力可能な状態になった）とき
blur	主に各種フォーム部品	フォーム部品からフォーカスが外れたとき
submit	\<form>	フォームが送信されるとき。送信ボタンがクリックされたとき。\<form> に発生することに注意

13-2　フォーム部品ごとに入力内容を調べる

フォーム部品ごとに入力されている内容を調べたり、イベントリスナーを設定して入力内容に変更があったかどうかをリアルタイムで検知する方法を見てみましょう。

HTML にはさまざまなフォーム部品があります。タグとしては \<input>、\<select>、\<textarea>、\<button> の 4 種類があり、このうち \<input> は type 属性の値によって異なるフォーム部品を表示させることができます。

タグ	説明	値を取得できるプロパティ
<input type="text">	改行しないテキスト	< 要素 >.value
<input type="password">	パスワード	< 要素 >.value
<input type="email">	メール	< 要素 >.value
<input type="tel">	電話番号	< 要素 >.value
<input type="url">	URL	< 要素 >.value
<input type="search">	検索文字列	< 要素 >.value
<input type="color">	カラー選択／入力	< 要素 >.value
<input type="number">	数値	< 要素 >.value
<input type="range">	数値（スライダー）	< 要素 >.value
<input type="checkbox">	チェックボックス	< 要素 >.value
<input type="radio">	ラジオボタン	< 要素 >.value
<input type="date">	日付入力	< 要素 >.value
<input type="datetime-local">	日付と時間	< 要素 >.value
<input type="month">	月	< 要素 >.value
<input type="week">	週	< 要素 >.value
<input type="time">	時間	< 要素 >.value
<input type="file">	ファイル選択	< 要素 >.files
<input type="button">	ボタン	なし
<input type="submit">	送信ボタン	< 要素 >.value
<input type="image">	画像ボタン。現在はまず使用しない	< 要素 >.value
<input type="reset">	リセットボタン。現在はまず使用しない	なし
<input type="hidden">	非表示	< 要素 >.value
<button>	ボタン	なし
<textarea>	テキストエリア	< 要素 >.value
<select><option>	ドロップダウンメニュー	select.value

　ほとんどのフォーム部品には value プロパティがあり、その値を取得すれば入力されている内容の参照／書き換えができます。ただし、チェックボックスは value プロパティを調べただけではチェックがついているかどうかがわからないなど、フォーム部品の種類によっては値の取得に工夫が必要な場合もあります。チェックボックスの選択を調べる方法は 13-2-4「チェックボックス」（p.496）で取り上げます。

13-2-1 テキストフィールドとそれに類するフォーム部品の操作（<input>、<textarea>）

　テキストフィールドとそれに似たフォーム部品（<input type="text | password | email | tel | url | search">）とテキストエリア（<textarea>）は、要素の value プロパティを参照すれば入力内容を調べることができます。

書 式 フォーム部品の value プロパティを読み出す

```
<フォーム部品>.value
```

value プロパティは値を書き換えることもできます。値を書き換えると、フォーム部品に表示される内容を変更できます。

書 式 フォーム部品の value プロパティを書き換える

```
<フォーム部品>.value = '値';
```

テキストフィールド

テキストフィールドに入力された値を取り出す方法を見てみましょう。次の例では［値を取得］ボタンをクリックすると、テキストフィールド <input type="text" name="text"> に入力されている値を読み出し、コンソールに出力します。

Sample テキストフィールドの値を読み出す（HTML 部分）　　　　　　　　　c13/form-read-textfield.html

```html
<div class="container">
  <dl>
    <dt><label for="text">text</label></dt>
    <dd><input type="text" id="text" name="text"> <button id="btn">値を取得</button></dd>
  </dl>
</div>
```

Sample テキストフィールドの値を読み出す（JavaScript 部分）　　　　　　　c13/form-read-textfield.html

```javascript
const getTextValue = (selector) => {
  return document.querySelector(selector).value; ●──── テキストフィールドに入力された値を返す
};

document.querySelector('#btn').addEventListener('click', (e) => {
  const val = getTextValue('[name="text"]');
  console.log(val);
});
```

実行結果

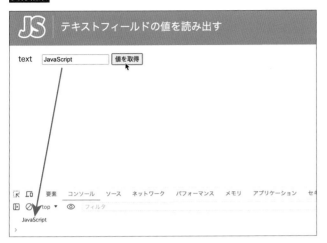

テキストエリア

テキストエリアに入力された値も、テキストフィールドと同じように読み出すことができます。

Sample テキストエリアの値を読み出す（HTML 部分）　　　　　　　　c13/form-read-textarea.html

```
<div class="container">
  <p>
    <textarea name="textarea" id="textarea" cols="30" rows="10"></textarea> <button
id="btn">値を取得</button>
  </p>
</div>
```

Sample テキストエリアの値を読み出す（JavaScript 部分）　　　　　　c13/form-read-textarea.html

```
const getTextareaValue = (selector) => {
  return document.querySelector(selector).value;
};

document.querySelector('#btn').addEventListener('click', (e) => {
  const val = getTextareaValue('[name="textarea"]');
  console.log(val);
});
```

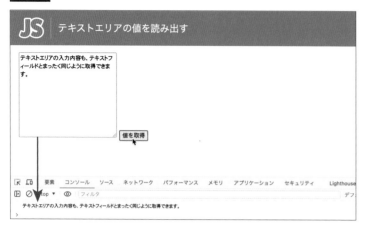

数値を入力するフォーム部品

　数値を入力するフィールド <input type="number | range"> も、テキストフィールドと同じように値を読み出すことができますが、**フォーム部品の value 値は常に文字列で取得される**ため、数値として使用する場合は Number 型（数値型）に変換する必要があります。

　<input type="number"> の例を見てみましょう。

Sample　数値フィールドの値を読み出す（HTML 部分）　　　　　　　　　　　　c13/form-read-number.html

```html
<div class="container">
  <dl>
    <dt><label for="number">number</label></dt>
    <dd><input type="number" id="number" name="number"> <button id="btn">値を取得</button></dd>
  </dl>
</div>
```

Sample　数値フィールドの値を読み出す（JavaScript 部分）　　　　　　　　　　c13/form-read-number.html

```javascript
const getNumberValue = (selector) => {
  return Number(document.querySelector(selector).value);  // Number 型に変換して返す
};

document.querySelector('#btn').addEventListener('click', (e) => {
  const val = getNumberValue('[name="number"]');
  console.log(val);
});
```

488

`<input type="range">` でも同様に値を取得できます。

Sample レンジフィールドの値を読み出す（HTML 部分）　　　　　　　　c13/form-read-range.html

```
<div class="container">
  <dl>
    <dt><label for="range">range</label></dt>
    <dd><input type="range" id="range" name="range"> <button id="btn">値を取得</
button></dd>
  </dl>
</div>
```

Sample レンジフィールドの値を読み出す（JavaScript 部分）　　　　　c13/form-read-range.html

```
const getRangeValue = (selector) => {
  return Number(document.querySelector(selector).value);
};

document.querySelector('#btn').addEventListener('click', (e) => {
  const val = getRangeValue('[name="number"]');
  console.log(val);
});
```

なお、数値フィールドやレンジフィールドの入力値が空だったり、数値でない文字が入力されていたりしたら value 値は 0（数値フィールドの場合）、50（レンジフィールドの場合）になります。undefinedや null、エラーにはなりません[*2]。

日付

`<input type="date | datetime-local | time">` などの値も同様に取得できます。フォーム部品が返す値は ISO 8601 形式で（➡「ISO 8601 形式の日時を表す文字列で作る」p.188）、そのまま new Date( )の引数にでき、簡単に Date オブジェクトを生成できます[*3]。

----
*2　レンジフィールド（ブラウザーによっては数値フィールドも）を操作して空の値や文字列を入力することはできませんが、JavaScriptで強制的に値を設定することはできます。レンジフィールドに限らずフォーム部品はすべて、JavaScript から値を設定することが可能であり、その場合には想定していない（フォーム部品では入力できない）値にできることは気に留めておいてください。安全なWeb アプリケーションを開発するうえで重要です。
*3　通常の文字列で返される `<input type="time">` を除く。

```
<div class="container">
  <dl>
    <dt><label for="date">date</label></dt>
    <dd><input type="date" id="date" name="date"> <button id="btn">値を取得</button></dd>
  </dl>
</div>
```

```
const getDateValue = (selector) => {
  return new Date(document.querySelector(selector).value); ──①
};

document.querySelector('#btn').addEventListener('click', (e) => {
  const val = getDateValue('[name="date"]');
  console.log(val);
});
```

実行結果

　このサンプルではフォームの入力内容を Date オブジェクトに変換して返していますが、文字列で返したい場合には①で値をそのまま返します。

▼ Date フィールドの値をそのまま文字列で返す場合

```
return document.querySelector(selector).value;
```

カラー（<input type="color">）の場合

カラーフィールド（<input type="color">）は選択した色の # で始まる 6 桁の 16 進数値（HEX 値）を返します。

c13/form-read-color.html

Sample カラーフィールドの値を取得（HTML 部分）

```
<div class="container">
  <dl>
    <dt><label for="text">color</label></dt>
    <dd><input type="color" id="color" name="color"> <button id="btn">値を取得</
button></dd>
  </dl>
</div>
```

c13/form-read-color.html

Sample カラーフィールドの値を取得（JavaScript 部分）

```
const getColorValue = (selector) => {
  return document.querySelector(selector).value;
};

document.querySelector('#btn').addEventListener('click', (e) => {
  const colorValue = getColorValue('[name="color"]');
  console.log(colorValue);
});
```

実行結果

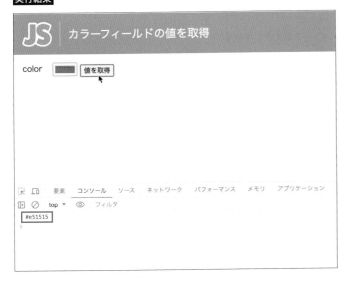

▌13-2-2 イベントリスナーを設定する

テキストフィールドやそれに類するフォーム部品、テキストエリア、数値フィールドの入力内容が変わったことを検知するには、検知したいフォーム部品要素を取得し、input イベントに待機するイベントリスナーを設定します。

入力されている値の取得はイベントリスナーのコールバック関数内で行います。Event オブジェクトの currentTarget の、value プロパティを読み取ります（currentTarget はイベントリスナーを設定した要素であることを思い出してください ➡ 12-3-3「イベントリスナーのコールバック関数に渡される Event オブジェクトを利用する」p.428）。例を見てみましょう。テキストフィールドに入力された内容をリアルタイムに <output id="result"> 〜 </output> に出力します。

Sample テキストフィールドにイベントを設定（HTML 部分）　　　　　　　　　　c13/form-event-text.html

```
<div class="container">
  <dl>
    <dt><label for="text">text</label></dt>
    <dd><input type="text" id="text" name="text"> <output id="result"></output> </dd>
  </dl>
</div>
```

Sample テキストフィールドにイベントを設定（JavaScript 部分）　　　　　　　c13/form-event-text.html

```
document.querySelector('[name="text"]').addEventListener('input', (e) => {
  const t = e.currentTarget;
  document.querySelector('#result').textContent = t.value;
});
```
<output id="result"> にテキストフィールドの値を出力

実行結果 テキストフィールドに入力した内容がそのまま表示される

テキストフィールド以外のフォーム部品にも同様に input イベントが発生します。たとえばレンジフィールド（<input type="range">）なら、スライダーを動かせばそれに応じた数値が取得できます。次の例はレンジフィールドの値を <output id="result"> 〜 </output> に出力しています。ただし、レンジフィールドは操作する前から値を持っているので、input イベントが発生するときだけでなくページが表示されたときにも <output> に数値を出力しています。

```html
<div class="container">
  <dl>
    <dt><label for="range">range</label></dt>
    <dd><input type="range" id="range" name="range"> <output id="val"></output></dd>
  </dl>
</div>
```

```javascript
const updateValue = (value) => {
  document.querySelector('#val').textContent = value;
};

const rangeField = document.querySelector('[name="range"]');
rangeField.addEventListener('input', (e) => {
  updateValue(e.currentTarget.value); ●──── レンジフィールドの値を取得して関数に渡す
});

updateValue(rangeField.value); ●──── ページが表示されたときに数値を出力
```

実行結果

rangeフィールドにイベントを設定

range　━━━●┈┈┈ 70

日付フィールド、カラーフィールドにイベントを設定する

日付フィールドやカラーフィールドでリアルタイムに値を取得したい場合は、change イベントに待機します。次の例では Date フィールドに入力された値をコンソールに出力しています。

```html
<div class="container">
  <dl>
    <dt><label for="date">date</label></dt>
    <dd><input type="date" id="date" name="date"></dd>
  </dl>
</div>
```

```
document.querySelector('[name="date"]').addEventListener('change', (e) => {
  console.log(new Date(e.currentTarget.value));
});
```

> ### 𝒩ote　input イベントと change イベントの基本的な違い
>
> 　<input>、<select>、<textarea> には、入力内容が変わったときに input イベントと change イベントが発生します。ここまで紹介してきたサンプルでは 2 つのイベントを使い分けてきましたが、どう違うのかを確認しておきましょう。
>
> 　input イベントは入力内容に変化があったら常に発生します。入力フィールドに文字が入力されるたびに発生しますし、これから紹介するチェックボックスにもチェックをつけたり外したりするときに発生します。
>
> 　これに対して change イベントは、原則として「入力が完了したと見なされる」タイミングで発生します。そのタイミングはフォーム部品によって少しずつ異なります。
>
> - チェックボックス（<input type="checkbox">）ではチェックがついたり外れたりしたタイミング
> - ラジオボタン（<input type="radio">）ではそのラジオボタンが選択されたタイミング。選択が外れたときには発生しない
> - ドロップダウンメニュー（<select>）や日付フィールド、カラーフィールド、ファイル（<input type="file">）といった、マウスクリックで項目を選択するタイプの、「入力が完了した」タイミングが明確な部品の場合は、入力が完了したタイミング
> - テキストフィールドおよびそれに類した部品およびテキストエリアでは、フォーカスが外れたタイミング
>
> 　これらの発生タイミングから考えると、change イベントは input イベントよりも発生タイミングが遅く、回数も少ないことになります。その特性を利用して、**入力が完了したことが明確で、入力された値をリアルタイムに監視する必要がないフォーム部品には** change イベントを使用します。

▎13-2-3 ラジオボタン（<input type= "radio" >）

　ラジオボタンは、同じ name 属性がついた部品同士でグループを構成し、その中から 1 つだけ選べるフォーム部品です。また、ラジオボタンはクリックして「選択する」ことしかできず、一度選択してしまったらほかのラジオボタンをクリックしないかぎり解除できません。そのためラジオボタンを 1 つだけ単体で使用することはなく、必ず 2 つ以上のセットで使用し、「選択肢から選ばせる」フォームを作るのに使います。

図　ラジオボタンは同じ name 属性同士でグループを構成し、その中の 1 つだけを選択できるフォーム部品

```
<input type="radio" name="yes-or-no" value="yes"> はい
<input type="radio" name="yes-or-no" value="no"> いいえ
```

どのラジオボタンが選ばれているかを調べるには、<form> の elements プロパティで取得したすべてのフォーム部品の中から、name 属性を使ってラジオボタングループを取得します。たとえば name 属性が「radio」のグループがあるとすれば、次のようにします。

▼ ラジオボタングループを取得する

```
const radios = form.elements['radio'];
```

このようにすると、定数 radios には RadioNodeList という、ラジオボタンだけが含まれるオブジェクトが保存されます。このオブジェクトの value プロパティを参照すると、いまどのラジオボタンが選択されているかがわかります。ラジオボタングループの選択内容を調べるにはこれがいちばん簡単で、手間がありません。

▼ 選択されているラジオボタンを調べるには、RadioNodeList オブジェクトの value プロパティを参照する

```
radios.value
```

例を見てみましょう。2 つのラジオボタンで構成された name 属性が payment のグループで、どちらかを選択してから［値を取得］ボタンをクリックすると、その value 値がコンソールに出力されます。

Sample ラジオボタンの値を取得（HTML 部分）　　　　　　　　c13/form-read-radio.html

```
<div class="container">
  <form action="#" id="form">         ← <form>.elements でラジオボタンを取得
    <dl>                                  するために <form> ～ </form> で囲む
      <dt>radio</dt>
      <dd>
        <label><input type="radio" name="payment" value="method1">クレジットカード</label>
        <label><input type="radio" name="payment" value="method2">代引き(+¥500-)</label>
      </dd>
    </dl>
    <p><button id="btn">値を確認</button></p>
  </form>
</div>
```

Sample ラジオボタンの値を取得（JavaScript 部分）　　　　　c13/form-read-radio.html

```
const getRadioValue = (formId, name) => {
  const form = document.forms[formId];
  const radios = form.elements[name];    ← radios には RadioNodeList が代入される
  return radios.value;
};
```

```
document.querySelector('#btn').addEventListener('click', (e) => {
  e.preventDefault();
  const radioValue = getRadioValue('form', 'payment');
  console.log(radioValue);
});
```

実行結果

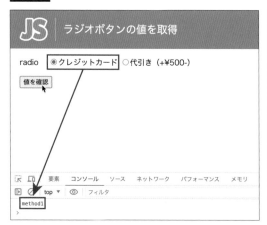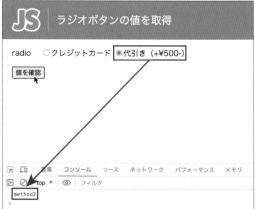

▌13-2-4 チェックボックス（<input type= "checkbox" >）

チェックボックスは、ラジオボタン同様、同じname属性をつけてグループ化できるフォーム部品です。ラジオボタンと違って同一グループ内の複数のチェックボックスにチェックがつけられ、個別のチェックボックスは何度でもチェックしたり解除したりできます。そのため、単一のチェックボックスを作ることもありますし、複数のチェックボックスをグループ化することもあります。

単一のチェックボックスの値を取得する

チェックボックスにもvalue属性があり、それを取得するのはほかのフォーム部品と同様にできますが、それだけではチェックがついているかどうかがわかりません。**チェックがついているかどうかを調べるにはcheckedプロパティを使います。このプロパティはチェックがついていればtrue、ついていなければfalseになります。**

単一のチェックボックスの値を取得する例を見てみます。［値を取得］ボタンをクリックすると、チェックスボックスのcheckedプロパティとvalueを配列にして、コンソールに出力します。

Sample｜ チェックボックスの値を取得（HTML部分） c13/form-read-checkbox-single.html

```
<div class="container">
  <dl>
    <dt>checkbox  チェックボックスが1つだけの場合</dt>
    <dd>
```

```
        <label><input type="checkbox" id="checkbox" name="check-single" value="check-
value">Check</label>
        <button id="btn">値を取得</button></dd>
    </dl>
</div>
```

c13/form-read-checkbox-single.html

Sample チェックボックスの値を取得（JavaScript 部分）

```
const getCheckSingleValue = (selector) => {
  const checkSingle = document.querySelector(selector);
  return [checkSingle.checked, checkSingle.value];
};

document.querySelector('#btn').addEventListener('click', (e) => {
  const checked = getCheckSingleValue('[name="check-single"]');
  console.log(checked);
});
```

チェックボックスの checked
属性と value 属性の値を返す

チェックボックスにチェックがついている場合、コンソールには [true, 'check-value']、チェックがついていない場合は [false, 'check-value'] と表示されます。

実行結果

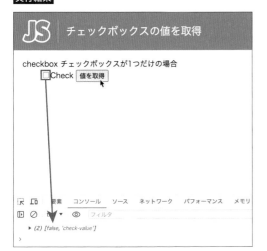

チェックがついていないとき
checked が false に

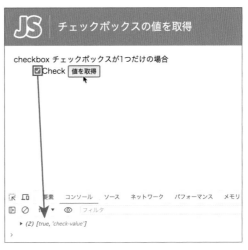

チェックがついているとき
checked が true に

複数のチェックボックスの値を取得する

同じ name 属性がついた複数のチェックボックスの値をまとめて取得するには、まず、querySelectorAll( ) メソッドを使って、同一グループのチェックボックスのうち、チェックがついてい

る要素をすべて取得します。チェックがついている要素を CSS セレクターの :checked 擬似クラスを利用して取得するのがポイントで、checked プロパティが true になっているかどうかを評価するために if 文を使わなくて済み、コードが簡単になります。

次の例では、チェックがついたすべてのチェックボックスの value 値とその要素自体、つまり <input type="checkbox"> を配列にして返します。

Sample チェックがついているチェックボックスを取得（HTML 部分）　　　c13/form-read-checkbox-multi.html

```html
<div class="container">
  <dl>
    <dt>好きな味を選んでください </dt>
    <dd>
      <label><input type="checkbox" name="checkbox-multi" value="marmalade">マーマレード</label><br>
      <label><input type="checkbox" name="checkbox-multi" value="peach">ピーチ</label><br>
      <label><input type="checkbox" name="checkbox-multi" value="strawberry">ストロベリー</label><br>
      <label><input type="checkbox" name="checkbox-multi" value="applecinamon">アップル＆シナモン</label><br>
    </dd>
  </dl>
  <p><button id="btn">値を取得</button></p>
</div>
```

Sample チェックがついているチェックボックスを取得（JavaScript 部分）　　　c13/form-read-checkbox-multi.html

```javascript
const getCheckMultiValue = (selector) => {
  const arr = [];
  const checkboxes = document.querySelectorAll(selector + ':checked');  // チェックがついている要素のみ取得
  checkboxes.forEach((v, i) => {
    arr.push([v.value, v]);  // チェックボックスの value と要素自体を配列にして配列 arr に追加
  });
  return arr;
};

document.querySelector('#btn').addEventListener('click', (e) => {
  const checked = getCheckMultiValue('[name="checkbox-multi"]');
  console.log(checked);
});
```

実行結果

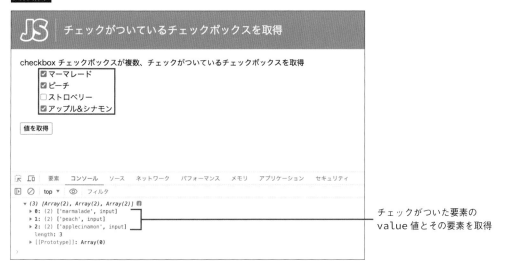

チェックがついた要素の
value 値とその要素を取得

ラジオボタン、チェックボックスにイベントを設定する

ラジオボタンやチェックボックスに直接イベントを設定するときは、個々のラジオボタン／チェックボックスにイベントリスナーを設定し、change イベントに待機します。選択／チェックをつけた瞬間にイベントが発生するので、ページの表示を切り替えるのに役立ちます。次の例では「利用規約を読みました」にチェックをつけると、その下のボタンがクリック可能になります。

Sample チェックボックスにイベントを設定（HTML 部分）　　　　　　　c13/form-event-check.html

```html
<div class="container">
  <p><label><input type="checkbox" name="check" id="check">利用規約を読みました。</label></p>
  <p><button id="ok" disabled>利用規約を承認する</button></p>
</div>
```

Sample チェックボックスにイベントを設定（JavaScript 部分）　　　　　c13/form-event-check.html

```javascript
document.querySelector('[name="check"]').addEventListener('change', (e) => {
  const t = e.currentTarget;
  const btn = document.querySelector('#ok');
  if (t.checked) {
    btn.disabled = false;
  } else {
    btn.disabled = true;
  }
});
```

チェックがついているかどうかを確認し、ボタンの disabled 属性の true/false を切り換える

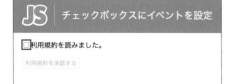

チェックがついていない　　　　　　　　　　チェックがついている

13-2-5 ドロップダウンメニューとリストボックス（<select>）

<select> は <option> と組み合わせてドロップダウンメニューを作成するフォーム部品で、選択肢の中から 1 つを選択できます。

書式 ドロップダウンメニューの HTML コード例

```
<select name="name名" id="id名">
  <option value="値1">選択肢1</option>
  <option value="値2">選択肢2</option>
  …
</select>
```

value 属性は <option> タグにつけますが、選択されている項目を調べるときは <select> の value プロパティを参照します。なお <option> の value 属性はあってもなくてもよく、ない場合には選択している要素のコンテンツ──上の書式では「選択肢 1」など──が value 値として使われます。

次の例では［値を取得］ボタンをクリックしたときに、選択されている値がコンソールに出力されます。

Sample ドロップダウンメニューの値を取得（HTML 部分）　　　　　　　　　c13/form-read-select.html

```
<div class="container">
  <dl>
    <dt>ドロップダウンメニュー</dt>
    <dd>
      <select name="single-select" id="single-select">
        <option>選んでください</option>
        <option value="express">急行</option>
        <option value="rapid">快速</option>
        <option value="local">各駅停車</option>
      </select>
    </dd>
  </dl>
  <p><button id="btn">値を取得</button></p>
</div>
```

Sample ドロップダウンメニューの値を取得（JavaScript 部分） c13/form-read-select.html

```javascript
const getSelectValue = (select) => {
  return document.querySelector(select).value;
};

document.querySelector('#btn').addEventListener('click', (e) => {
  const val = getSelectValue('[name="single-select"]'); ←[<select> を取得するセレクター]
  console.log(val);
});
```

実行結果

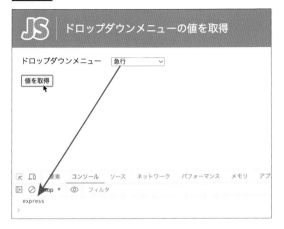

　ドロップダウンメニュー自体にイベントを設定するときは、<select> を取得し、change イベントに待機します。次の例では <select> に change イベントを設定し、選択が変わったらコンソールに出力しています（HTML は先のサンプルとほぼ同じなので省略）。

Sample ドロップダウンメニューにイベントを設定（JavaScript 部分） c13/form-event-select.html

```javascript
document.querySelector('[name="single-select"]').addEventListener( ←[<select> の change イベントに待機]
    'change',
    (e) => {
      const val = e.currentTarget.value;
      console.log(val);
    });
```

リストボックスの場合

　<select> に multiple 属性をつけると、複数選択が可能なリストボックスになります。

`Shift` キーまたは `Ctrl` キー（Mac では `⌘` キー）を押しながらクリックすると複数項目を選択できる

リストボックスで選択されている <option> は、<select> の selectedOptions プロパティで取得できます。このプロパティは選択されたすべての <option> 要素が含まれた、HTMLCollection オブジェクトを返します。書式は次のとおりで、<select 要素 > の部分は取得した <select> に置き換えます。

書式 selectedOptions プロパティ

```
<select要素>.selectedOptions;
```

使用例を見てみましょう。［値を取得］ボタンをクリックすると、選択されている <option> の value 値と要素自体を配列にして、コンソールに出力します。

Sample リストボックスの値を取得（HTML 部分）　　　　　　　　c13/form-read-select-multi.html

```html
<div class="container">
  <dl>
    <dt>リストボックス</dt>
    <dd>
      <select name="multi-select" id="multi-select" multiple>
        <option value="javascript">JavaScript</option>
        <option value="python">Python</option>
        <option value="php">PHP</option>
      </select>
    </dd>
  </dl>
  <p><button id="btn">値を取得</button></p>
</div>
```

Sample リストボックスの値を取得（JavaScript 部分）　　　　　　c13/form-read-select-multi.html

```javascript
const getSelectMultiValue = (selector) => {
  const selected = [];
  const options = document.querySelector(selector).selectedOptions;
  for (const option of options) {
    selected.push([option.value, option]);
  }
```

```
    return selected;
};

document.querySelector('#btn').addEventListener('click', (e) => {
  const val = getSelectMultiValue('[name="multi-select"]');
  console.log(val);
});
```

実行結果 選択した <option> の value 値と要素自体が配列になってコンソールに出力される

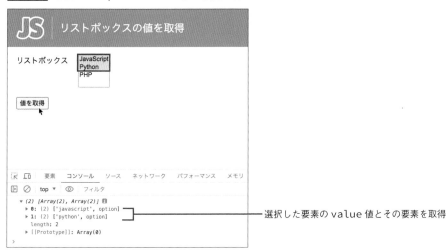

選択した要素の value 値とその要素を取得

▌13-2-6 ファイルフィールド（<input type="file">）

<input type="file"> はファイルをアップロードできるフォーム部品です。サーバーに送信（アップロード）するファイルの選択に使われますが、JavaScript を使えばファイルの情報やコンテンツにアクセスし、Web ページに表示することも可能です。どんな形式のファイルでも扱えます。

はじめに HTML の書式を確認しておきましょう。<input type="file"> には特徴的な 2 つの属性があります。また、タグに value 属性を含める必要はありません。

- multiple 属性 ── 値を持たないブール属性。複数のファイルを選択可能にするならタグに追加
- accept 属性 ── 選択できるファイルの種類を指定

書式 <input type="file"> * 4

```
<input type="file" id="id名" name="name名" accept="選択できるファイルの種類" multiple>
```

----

* 4　ファイルフィールドにはほかにも属性が定義されています。詳しくは次の Web ページを参照してください。
　　https://developer.mozilla.org/ja/docs/Web/HTML/Element/input/file

503

accept 属性には、選択可能なファイルの種類を示す拡張子、または MIME タイプを指定します[*5]。複数の種類を許可する場合はそれぞれをカンマで区切り、拡張子と MIME タイプを交ぜることもできます。また MIME タイプではワイルドカード（*）を使うこともでき、以下のような書き方をすると「動画ファイル全般を許可」「画像ファイル全般を許可」という指定もできます。

- 動画ファイル全般 —— video/*
- 音声ファイル全般 —— audio/*
- 画像ファイル全般 —— image/*

accept 属性の指定例を見てみましょう。たとえば、すべての画像ファイルと PDF ファイルを許可するなら次のようにします。

▼ accept 属性の設定方法。複数の種類のファイルを許可する場合はカンマで区切る。拡張子と MIME タイプの指定が交ざっていてもよい

```
accept="image/*,.pdf"
```

テキストファイルの情報を取得する

ファイルフィールドでアップロードされたファイルを扱う基本的な方法を見てみましょう。［ファイルを選択］などと書かれたファイルフィールドのボタンをクリックし、ダイアログからファイルを選択すると、change イベントが発生します。このイベントのコールバック関数内で「＜ファイルフィールド要素＞.files」プロパティを参照すると、アップロードされたファイルの情報や中身のデータにアクセスできます。＜ファイルフィールド要素＞自体は、コールバック関数に引数として渡される ＜Event オブジェクト＞ の currentTarge プロパティで参照できます。

▼ files プロパティを参照する。＜Event オブジェクト＞.currentTarget はファイルフィールド要素を参照している

```
<Event オブジェクト>.currentTarget.files
```

files プロパティの中身は FileList という配列風オブジェクトになっていて、ファイルの情報やコンテンツを保存している File オブジェクトが、アップロードされたファイルの数だけ保存されています。それぞれの File オブジェクトを参照するには、files プロパティとインデックス番号を組み合わせます。

▼ アップロードしたファイルの情報（File オブジェクト）を参照する

```
<Event オブジェクト>.currentTarget.files[ インデックス番号 ]
```

File オブジェクトには次表のプロパティがあります。

表　File オブジェクトのプロパティ

プロパティ	説明
lastModified	ファイルの最終更新日（1970 年 1 月 1 日からの経過ミリ秒）
name	アップロードされたファイルのファイル名
size	アップロードされたファイルのサイズ（容量、単位は byte）
type	アップロードされたファイルの MIME タイプ

　アップロードされたファイルの情報を参照する、実際の例を見てみましょう。テキストファイルを 1 枚だけ許可するフォームを作成し、そこからアップロードされたファイルの情報にアクセスします。change イベント発生時にファイルの情報を取得し、ファイル名とファイルサイズを <output id="files"></output> に出力、ページに表示します。

Sample　アップロードされたファイルの情報を取得（HTML 部分）　　　　c13/form-read-fileinfo.html

```html
<div class="container">
  <dl>
    <dt>単一のテキストファイル</dt>
    <dd><input type="file" id="textfile" accept=".txt" name="file"></dd>
  </dl>
  <p><output id="file"></output></p>
</div>
```

Sample　アップロードされたファイルの情報を取得（JavaScript 部分）　　　　c13/form-read-fileinfo.html

```javascript
document.querySelector('#textfile').addEventListener('change', (e) => {
  const file = e.currentTarget.files[0]; ●————[ File オブジェクトを取り出す ]
  const fileName = file.name;
  const fileSize = Math.round(file.size / 1024);
  document.querySelector('#file').textContent = `${fileName} (${fileSize}KB)`;
});
```

実行結果　［ファイルを選択］をクリックして「サイト原稿 .txt」をアップロードした例

アップロードされたファイルのコンテンツを Web ページに表示する

　アップロードされたファイルのコンテンツを Web ページに表示することもできます。その場合は FileReader オブジェクトを使用し、File オブジェクトに含まれるコンテンツ（ファイルの中身）をブラ

ウザーに読み込みます。FileReader オブジェクトには、ファイルを読み込むための 3 つのメソッドと、読み込みを中止する 1 つのメソッドが用意されています。

表　FileReader オブジェクトの主なメソッド

メソッド	説明
<fileReader>.readAsText(ファイル, エンコーディング)	「ファイル」をテキストデータとして読み込む。「エンコーディング」にはファイルのエンコーディングを指定（省略した場合の初期値は UTF-8）
<fileReader>.readAsDataURL(ファイル)	「ファイル」をバイナリーデータとして読み込み、Base64 エンコーディングされたデータを保持する
<fileReader>.readAsArrayBuffer(ファイル)	「ファイル」をバイナリーデータとして読み込み、ArrayBuffer オブジェクト[※]を保持する
<fileReader>.abort()	ファイルの読み込みを中止する

※ ArrayBuffer は、バイナリーデータを保持するオブジェクトです。アップロードされたテキストファイル、画像ファイル、動画ファイルなどを“そのままのデータ”として保持しておきたい場合に使用します。

　FileReader オブジェクトを使用する際は、ファイルフィールド要素に発生する change イベントのコールバック内でインスタンス化し、上の表にあるメソッドのうち abort() を除く 3 つのいずれか、ファイルの種類に合わせて適切なものを実行してファイルを読み込みます。

　読み込みが完了し、コンテンツが利用可能になると、FileReader インスタンスに load イベントが発生します。load イベントのリスナーに設定するコールバック関数では、読み込んだコンテンツを参照し、Web ページに表示する処理を行います。その際、**コンテンツを参照するには FileReader.result プロパティを使います。** このプロパティには上の表にある、abort() を除く 3 つのメソッドの実行結果として得られるファイルの中身のデータが保存されています。

　複数のプロセスを踏むため少し複雑ですが、たとえば画像ファイルを読み込むのであれば、FileReader のメソッドには readAsDataURL() を使い、次のようなコードを書くことになります。

▽ 画像ファイルを読み込む

```
<ファイルフィールド要素>.addEventListener('change', (e) => {
  const file = e.currentTarget.files[0]; ●━━ File オブジェクトを取得
  const reader = new FileReader(); ●                         ┌ FileReader をインスタ
  reader.addEventListener('load', () => { ●━ load イベントのリスナーを設定  └ ンス化、定数に保存
    load イベントが発生したときの処理
    読み込んだコンテンツを参照するには
    このコールバック内で reader.result プロパティを参照する
  });
  reader.readAsDataURL(file); ●━━ File オブジェクトを読み込む。ファイルの種類の
});                              よってメソッドを使い分ける
```

　readAsDataURL() の場合、コンテンツを読み込んだあとに参照できる result プロパティには Base64 形式のデータが保存されます。このデータの画像を表示するには、<img> の src 属性にそのま

ま代入します。

　実際の使用例を見てみましょう。JPEG ファイル、PNG ファイルの読み込みを許可したファイルフィールドからアップロードされたファイルを、<div id="content"></div> に挿入します。

c13/form-read-image.html

Sample 画像ファイルを表示（HTML 部分）

```
<div class="container">
  <dl>
    <dt>単一の画像ファイル</dt>
    <dd><input type="file" id="image" accept=".jpg, .png"></dd>
  </dl>
  <div id="content"><img></div>
</div>
```

c13/form-read-image.html

Sample 画像ファイルを表示（JavaScript 部分）

```
document.querySelector('#image').addEventListener('change', (e) => {
  const file = e.currentTarget.files[0];
  const reader = new FileReader();
  reader.addEventListener('load', () => {
    const img = document.querySelector('#content > img');  ●──── HTML の <img> を取得
    img.src = reader.result;  ●──── <img> の src 属性を読み
                                     込んだコンテンツに設定
  });
  reader.readAsDataURL(file);
});
```

実行結果

507

13-2-7 contenteditable 属性がついている要素

contenteditable 属性がついている要素は、ページの利用者がテキストを編集できます。

▼ contenteditable 属性がついている要素の例。ブール属性なので値はない

```
<p contenteditable>このテキストは編集可能です。</p>
```

contenteditable 属性がついた要素は <textarea> のような動作をしますがフォーム部品ではないため、value 属性はありません。編集されたテキストの内容を取得するには、要素の textContent プロパティを使用します。

次の例では、<p id="para"> に contenteditable 属性をつけています。テキストの部分をクリックすると編集可能になり、［値を取得］ボタンをクリックするとコンソールにテキストの内容を出力します。

Sample contenteditable 属性がついた要素のコンテンツを取得（HTML部分）　　c13/form-read-contenteditable.html

```
<div class="container">
  <dl>
    <dt>contenteditable</dt>
    <dd><p id="para" name="para" contenteditable>&lt;p&gt;にcontenteditable属性をつけ
た…</p></dd>
  </dl>
</div>
```

```
  <p><button id="btn">値を取得</button></p>
</div>
```

Sample contenteditable 属性がついた要素のコンテンツを取得（JavaScript 部分）

c13/form-read-contenteditable.html

```
const getContentEditableText = (selector) => {
  const elm = document.querySelector(selector);
  return elm.textContent;
};
document.querySelector('#btn').addEventListener('click', () => {
  const text = getContentEditableText('#para');
  console.log(text);
});
```

実行結果

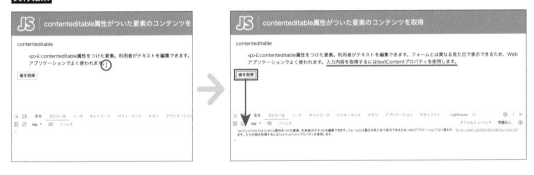

13-2-8 フォーム送信時にイベントを設定する

　フォームを送信する際になんらかの処理を行いたい場合は、submit イベントに待機します。このイベントは、［送信ボタン］をクリック後、フォームのデータが実際にサーバーに送信される前に発生します。**送信ボタンではなくフォーム自体に発生するイベントなので、<form> にイベントリスナーを設定する点に注意が必要です。**以前はフォームに入力された内容を送信前に確認し、間違っている場合は利用者に再入力を促すようなメッセージを表示するために使われることが多かったイベントですが、現在のブラウザーは基本的なチェック機構を備えていて、わざわざ自前で入力値の検証機能を用意する機会は少なくなっているかもしれません[6]。

　submit イベントの簡単な使用例を紹介しておきます。次の例では、［ログイン］ボタンをクリックするとダイアログが表示されるようにしています。

----

[6] 多くのフォーム部品には value sanitization algorithm（入力値を適切・安全な値に変換する処理手順）が定められていて、主要なブラウザーが実装しています。
https://html.spec.whatwg.org/#value-sanitization-algorithm

```html
<div class="container">
  <form action="#" id="login">
    <p>
      メールアドレスまたはユーザー名<br>
      <input type="text" name="username" id="username" required>
    </p>
    <p>
      パスワード<br>
      <input type="password" name="password" id="password" required>
    </p>
    <p>
      <input type="submit" value="ログイン">
    </p>
  </form>
</div>
```

```javascript
document.forms['login'].addEventListener('submit', () => {
  const userName = document.querySelector('[name="username"]').value;
  alert(`${userName} としてログインします。`);
});
```

実行結果　［ログイン］をクリックするとダイアログが表示される

𝒩ote　HTML の required 属性

　今回のサンプルのフォームに何も入力せず［ログイン］をクリックすると、「入力してください」というメッセージが出ます。これはフォーム部品の要素に required 属性がついているからです。required 属性がついたフォーム部品は入力が必須になり、もし空欄のまま送信ボタンをクリックしても、ブラウザーが送信を阻止するようになっています。submit イベントで実行されるプログラム内で何かをコントロールしているわけではありません。

図　空欄のまま［ログイン］をクリックすると表示されるメッセージ

required 属性がついていると、そのフォーム部品は必須入力になる

```
<input type="text" name="username" id="username" required>
略
<input type="password" name="password" id="password" required>
```

　HTML には required 属性以外にもさまざまな入力チェックの機能が用意されていて、主要なブラウザーはすべて対応しています。送信前に入力内容をチェックする必要がある場合、まずは、HTML に組み込まれたチェック機能を活用することをおすすめします。入力内容のチェックや制限に使える HTML の機能（主にフォーム部品に追加できる属性）は以下の Web ページにまとまっています。このページには、JavaScript でチェック機構を組み込むときに利用できる機能も掲載されています。

　なお、本書はセキュリティの本ではないので詳しくは説明しませんが、ブラウザーのフォームで入力内容をチェックするのは、あくまで利用者の利便性を考え、できるだけ早い段階で入力間違いを見つけるためのものです。入力内容が安全かどうかをチェックする役には立ちません。

\<input\>: 入力欄（フォーム入力）要素 - HTML: ハイパーテキストマークアップ言語 | MDN
URL https://developer.mozilla.org/ja/docs/Web/HTML/Element/input# クライアント側の検証

非同期処理

非同期処理とは、サーバーとのあいだでデータを送受信するなど、すぐには結果が返ってこない処理を
うまくこなすための仕組みです。本章では、非同期通信を可能にする Fetch API をはじめとした各種非
同期メソッドの使い方を説明します。また、非同期処理を実現するための基盤となる Promise オブジェ
クトについても詳しく見ていきます。

14-1 いつ終わるかわからない処理を実行する"非同期処理"

データを送信する、ダウンロードする、位置情報を取得する ―― Web 環境では多数の"時間がかかる"
処理が発生します。こうした処理をスムーズに行えるように、JavaScript には「非同期処理」という仕
組みが用意されています。非同期処理とはどういうものか、どんな機能が用意されているのかを見ていく
ことにしましょう。

　外部の Web サーバーからデータをダウンロードするときなど、プログラムの動作には完了までに時間
がかかるものがあります。時間がかかる操作をするときに、その処理が始まってから終わるまでほかの処
理が実行できないとなると、Web ページに表示されているボタンがクリックできなくなったり、アニ
メーションや動画の再生が止まったりしてしまうことになります。

図　データのダウンロード中にほかのことができないと困る

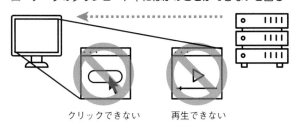

　こうしたことが起こらないよう、時間のかかる処理を、それ以外の処理の妨げにならないように動作さ
せる仕組みを非同期処理といいます。JavaScript には非同期処理の仕組みが複数用意されています。

14-1-1 非同期処理の種類

Web 上でできることが増え、処理が複雑化するにつれ、非同期処理も高度化してきました。その過程でさまざまな機能が作られてきたため、さまざまなプログラミング手法が混在している状態です。そこで、詳しくコードを見ていく前に、非同期処理の機能をまとめておきます。大きく 5 種類に分けられ、下に行くほど新しく作られた機能です。

非同期処理の種類

1. 単純なコールバック関数
   イベントは発生せず、処理が完了したらコールバック関数を呼び出すもの。代表例は setTimeout() メソッドや setInterval() メソッド

2. イベント／イベントリスナー
   イベントが発生したらコールバック関数を呼び出す仕組み

3. 2 つの関数を引数に取るメソッド
   非同期処理には「失敗する」可能性があるものがある（1. と 2. は失敗しない）。失敗に対処するため、成功／失敗で別のコールバック関数を呼び出す仕組みを持つメソッドが作られた。代表例は位置情報を取得する Geolocation オブジェクトのメソッド

4. Promise（プロミス、約束するという意味）
   非同期処理が完了したあとの処理を記述するために作られたオブジェクト。単純なコールバック関数やイベント／イベントリスナーの問題点を解決するために ES2015 で導入

5. async / await（エイシンク*1 ／アウェイト）
   Promise オブジェクトを使った非同期処理を、より書きやすくした構文。ES2017 で導入され、ES2022 で改良

1. と 2. は、前章までに取り上げた機能です。本章では主に 3.、4.、5.、とくに 4. の Promise オブジェクトと、5. の async / await のプログラミング手法を中心に解説します。

14-1-2 単純なコールバック関数やイベント／イベントリスナーの問題点

単純なコールバック関数やイベント／イベントリスナーには古くから抱える問題がありました。それは、非同期処理が連続すると関数が入れ子になり、コードが書きづらく、読みにくくなるという問題です。

こんな場合を考えてみてください。ボタンをクリックするとタイマーを開始し、1 秒後、その 1 秒後、さらにまた 1 秒後に処理を実行するとしたら、どんなコードを書くことになるでしょう？

＊1　アシンクと読むこともあります。

```
const output = document.querySelector('#output');
document.querySelector('#btn').addEventListener('click', () => {
  output.insertAdjacentHTML('beforeend', `<li>タイマーを開始します</li>`);
  setTimeout(() => {
    output.insertAdjacentHTML('beforeend', `<li>1回目のタイムアウト</li>`);
    setTimeout(() => {
      output.insertAdjacentHTML('beforeend', `<li>2回目のタイムアウト</li>`);
      setTimeout(() => {
        output.insertAdjacentHTML('beforeend', `<li>3回目のタイムアウト</li>`);
        output.insertAdjacentHTML('beforeend', `<li>タイマー終了！</li>`);
      }, 1000);
    }, 1000);
  }, 1000);
});
```

setTimeout( ) のコールバックからさらに setTimeout( ) を呼び出すことになり、関数が入れ子になります。このような、コールバックからコールバックを呼び出すコードは俗に「コールバック地獄」と呼ばれ、書きにくくて読みにくいコードの代名詞になっていました。Promise オブジェクトは、コールバック地獄を解消し、コールバック関数が極力入れ子にならないように作られた仕組みです。

14-1-3 Promise オブジェクトの登場

Promise（プロミス、約束）は、すぐには結果が出ない、時間がかかる処理を行ったときに、その処理が成功したときに呼び出されるコールバック関数と、失敗したときに呼び出されるコールバック関数を登録できるオブジェクトです。非同期処理が連続してもコールバックが入れ子にならないようになっているので、プログラムが書きやすく、読みやすくなります。

Promise オブジェクトを使えば、独自の非同期処理を実装することができます。しかし、ライブラリー（モジュール）を開発するならともかく、一般的な Web 開発では、自分で独自の非同期処理を作る機会はそう多くありません。それよりも、JavaScript 自体にすでに用意されている、Promise オブジェクトで作られた非同期メソッドを利用して処理を書くケースのほうが多いため、まずはそうしたメソッドの利用方法から見ていくことにしましょう。Promise オブジェクトで作られた非同期処理の使用例として、本書では Clipboard API と Fetch API という、2 つの機能を取り上げます。

14-2 Clipboard API

Clipboard API はシステムのクリップボードにアクセスし、Web 上のコンテンツをコピーする機能を提供します[2]。

----

[2]　一部の Web ブラウザーではペーストする機能もあります。
https://developer.mozilla.org/ja/docs/Web/API/Clipboard

Clipboard API には、システムのクリップボードにコンテンツをコピーする writeText( ) メソッド、write( ) メソッドの 2 つがあります。

表 コンテンツをクリップボードにコピーするメソッド

メソッド	説明
navigator.clipboard.write(コンテンツ)	画像やテキストなどの「コンテンツ」をクリップボードに書き込み（コピー）、Promise オブジェクトを返す
navigator.clipboard.writeText(テキスト)	「テキスト」をクリップボードに書き込み、Promise オブジェクトを返す。コピーできるのは文字列のみ

これらのメソッドを実行し、コピーが成功した、もしくは失敗したときに Promise オブジェクトが返ってきます。開発者は「コピーが成功したとき」と「失敗したとき」の処理、それから「成功しても失敗しても行う処理」を書くことになります[3]。Promise オブジェクトの処理の書き方には 2 種類、then( ) / catch( ) / finally( ) メソッドを使うパターンと、async / await キーワードを使うパターンがあります。順番に見ていきましょう。

▌14-2-1 then( ) / catch( ) / finally( ) メソッドを使うパターン

Clipboard API に限らず Promise オブジェクトを返すメソッドの使い方は基本的にどれも同じで、then( ) / catch( ) / finally( ) メソッドを使うときの書式は、次のようになります。

書式 Promise オブジェクトを返すメソッドの処理を then( ) / catch( ) / finally( ) で書くパターン

```
メソッド ()
  .then((引数) => {
    メソッドが成功したときの処理
  }).catch((引数) => {
    メソッドが失敗したときの処理
  })
  .finally(() => {
    成功しても失敗しても最後に行われる処理
  });
```

then( ) にはメソッド（Clipboard API の場合は write( ) もしくは writeText( )）の処理が成功したときに実行されるコールバック関数を、catch( ) には失敗したときに実行されるコールバック関数を、finally( ) には成功しても失敗しても実行されるコールバック関数を渡します。

then( ) に渡すコールバック関数には、実行時に引数が渡されます。渡される引数の内容はメソッドに

----

[3] ClipboardAPI の場合、失敗するのは Web ブラウザーがシステムのクリップボードにアクセスする権限がない場合のみです。コピーの権限は、ページがブラウザーの最前面に表示されると自動的に付与されるようになっているため、コピーは原則として常に成功します。

よって異なり、Clipboard API の場合は何も渡されません。また、catch( ) に渡すコールバック関数には、発生したエラーの Error オブジェクトが引数として渡されます。finally( ) に引数は渡されません。

では、テキストコンテンツをコピーする writeText( ) メソッドを使用した実際の例を見てみましょう。コピーボタン（<div class="copybtn">）をクリックすると横にあるテキストがコピーされ、完了するとアラートダイアログが出てきます。同じページに複数の「コピー可能なコンテンツ」があってもよいように、今回のサンプルコードは、「すべてのコピーボタン」に同じイベントを設定し、そのボタンの「1 つ手前の要素（兄要素）の textContent」をクリップボードに保存するようにして、汎用的に動作するようにしています。

c14/clipboard-promise.html

`Sample` writeText( ) メソッドの使用例（HTML 部分）

```html
<div class="container">
  <div class="copycontent">
    <div class="content">https://studio947.net</div>
    <div class="copybtn"><img src="../res/copy.svg" alt="copy"></div>
  </div>
</div>
```

コピー対象のテキストボタンから見て 1 つ手前の兄要素

ボタン

c14/clipboard-promise.html

`Sample` writeText( ) メソッドの使用例 〜 Promise 版（JavaScript 部分）

```javascript
document.querySelectorAll('.copycontent .copybtn').forEach((v, i) => {
  v.addEventListener('click', (e) => {
    const content = e.currentTarget.previousElementSibling.textContent;
    navigator.clipboard.writeText(content)
      .then(() => {
        alert('コピーしました。');
      })
      .catch(() => {
        alert('コピーに失敗しました。');
      });
  });
});
```

ボタンの兄要素のテキストコンテンツを代入

クリップボードにコンテンツを書き込む

`実行結果` 操作後テキストエディターなどにペースト（貼り付け）するとコピーできていることがわかる

14-2
Clipboard API

14
非同期処理

ここで紹介した、then() / catch() を使った書き方が Promise オブジェクトを返すメソッドの最も基本的なコーディングのパターンです。本書では今後、このパターンを「Promise 版（の書き方）」と呼ぶことにします。それではもう 1 つの書き方、async / await キーワードを使うパターンも見てみましょう。

14-2-2 async / await キーワードを使うパターン

Promise オブジェクトの処理をさらに簡単に書けるように作られたのが、async と await という 2 つのキーワードです。非同期処理メソッド——ここでは writeText()——の手前に await キーワードをつけると、処理が完了するまで次の行以降を実行しないようになります。

▽ await の使い方と動作

```
await navigator.clipboard.writeText(content); ●————[ 非同期処理メソッドの前に await をつける ]
alert('コピーしました。'); ●————[ 次の行は await がある行の処理が完了してから実行される ]
```

原則として await は非同期宣言がされた関数の中でのみ使用できます。非同期宣言がされた関数とは、function やアロー関数の () => {} の前に async がついている関数のことで、「この関数の中では await が使われている」ことを示しています（以降、非同期宣言がされた関数を「非同期関数」または「async 関数」と呼びます）。async と await を使った基本的な書式は次のとおりです。

書式 async / await の例①　～関数宣言

```
async function 関数名() {
  await 非同期処理メソッド();
}
```

書式 async / await の例②　～関数式

```
const関数名= async function() {
  await 非同期処理メソッド();
}
```

書式 async / await の例③　～アロー関数

```
const 関数名 = async () => {
  await 非同期処理メソッド();
};
```

518

実際の使用例を見てみましょう。先に紹介した then( ) / catch( ) を使ったパターンのサンプル[*4] を async / await で書き換えます。HTML は同じです。

c14/clipboard-async.html

Sample writeText( ) メソッドの使用例　〜 async / await 版

```
document.querySelectorAll('.copycontent .copybtn').forEach((v, i) => {
  v.addEventListener('click', async (e) => {
    const content = e.currentTarget.previousElementSibling.textContent;
    await navigator.clipboard.writeText(content); ●────── 非同期処理メソッド呼び出し
    alert('コピーしました。');
  });
});
```

実行結果は Promise 版のサンプルと同じです。

async / await で書くと then( ) や catch( ) が不要になるだけでなく、非同期関数・メソッドをあたかも通常のメソッドのように扱えるようになって、コードの書きやすさも可読性も向上します。本書ではこれ以降、async / await を使って書くパターンを「async / await 版」と呼ぶことにします。

14-2-3 async / await でエラー時の処理を追加するには

ところで async / await 版では、Promise 版の catch( ) に相当する部分がありません。そこで、失敗したときの処理を記述したい場合は try 〜 catch 文を使います。先ほどの async / await 版のサンプルに、失敗したときの処理を追加してみます。

Sample writeText( ) メソッドの使用例　〜 async / await 版に try 〜 catch 文を追加

c14/clipboard-async-trycatch.html

```
document.querySelectorAll('.copycontent .copybtn').forEach((v, i) => {
  v.addEventListener('click', async (e) => {
    const content = e.currentTarget.previousElementSibling.textContent;
    try {
      await navigator.clipboard.writeText(content);
      alert('コピーしました。');
    } catch (err) {
      alert(`コピーに失敗しました。Error: ${err}`);
    }
  });
});
```

＊4　c14/clipboard-promise.html

14-3 JSON

非同期処理の中でも最もよく使われるのが、外部サーバーからデータを取得（受信）したり、逆に送信したりする、ネットワーク通信です。いろいろなデータを送受信しますが、現在いちばん使われているのが JSON というデータ形式です。ネットワーク通信の API を使う前に、JSON データとは何か、どう扱うかを先に確認します。

　ここではネットワーク通信を行う非同期処理 API の、Fetch API を見ていきます。この API は外部サーバーからデータを受信したり、ブラウザーからデータを送信したりするのに使います。JavaScript の機能でデータを送受信することによりページの再読み込みが不要になるため、現代的な Web サイト／アプリケーションの開発には極めて重要な機能となっています。

　サーバーとのデータの送受信には JSON という形式のデータを使うことが多いので、非同期処理から少し離れますが、先に JSON データの扱い方を見ていくことにします。

　JSON（JavaScript Object Notation）は、JavaScript のオブジェクトや配列リテラルと同じような書式で書かれ、かつ文字列として扱えるようにしたデータ形式です。文字列として扱えるため、ブラウザーとサーバーとの間でデータ送受信が比較的簡単にできますし、テキストファイルとして保存することもできます[*5]。また、JSON と JavaScript のオブジェクトを相互に変換できるので、さまざまな処理に応用しやすいという利点もあります。

14-3-1 JSON の基本的なフォーマットとオブジェクトリテラルとの違い

　JSON データがどういうものか見てみましょう。次図は、配列に 2 つのオブジェクトが含まれるデータを JavaScript オブジェクトと JSON で書いたものを並べています。

図　同じデータを JavaScript オブジェクトと JSON で書いたもの

JavaScript オブジェクト

```
[
  {
    isbn: '9784815601577',
    title: 'JavaScript「超」入門',
    price: 2480,
    inStock: true,
  },
  {
    isbn: '9784815611651',
    title: 'HTML&CSS のきほん',
    price: 2420,
    inStock: false ⑦
  } ⑨ ──────────── ❹
] ⑧ ❺
```

JSON

```
[
  {      ❶         ❷
    "isbn" : "9784815601577",
    "title": "JavaScript「超」入門",
    "price": 2480,
    "inStock": true ❸
  },
  {
    "isbn": "9784815611651",
    "title": "HTML&CSS のきほん",
    "price": 2420,
    "inStock": false
  }
]
```

＊5　ファイルとして保存する場合の拡張子は「.json」です。

520

JSON は、JavaScript でいうオブジェクト、配列、文字列、数値、ブール値（true または false）、null を書き表すことができます。BigInt などその他のデータ型や関数・メソッド、正規表現を含めることはできません。書式は JavaScript オブジェクトや配列とよく似ていますが、違うところもあります。注意点は次の5つです。

JSON を書くときの注意点

❶ プロパティ名は「"」で囲む。シングルクォートは使えない

❷ 文字列は「"」で囲む。シングルクォートやバックティックは使えない

❸ 数値、ブール値、null は「"」で囲まない

❹ 最後のプロパティの終端に「,」をつけてはいけない

❺ データの終端に「;」をつけてはいけない

14-3-2 JavaScript オブジェクトを JSON データにする

JavaScript オブジェクトを JSON データに変換するには、JSON.stringify( ) メソッドを使います。書式は次のとおりですが、引数の「削除するプロパティ」と「インデント」は省略可能です。

書式 JSON.stringify( ) メソッドの基本的な書式

```
JSON.stringify( オブジェクト , 削除するプロパティ , インデント )
```

次の例ではオブジェクトが代入されている定数 object を JSON データに変換し、定数 json に保存しています。中身を確認するため、データ変換後に <pre id="placeholder"> ～ </pre> に出力しています。

Sample JavaScript オブジェクトを JSON に変換（HTML 部分）　　　c14/object-to-json.html

```
<div class="container">
  <pre id="placeholder"></pre>
</div>
```

Sample JavaScript オブジェクトを JSON に変換（JavaScript 部分）　　c14/object-to-json.html

```
const object = {
  id: 106,
  title: 'JSONデータを使いこなす方法',
  published: true,
  excerpt: '各種プログラミング言語でJSONデータを扱う方法',
};
const json = JSON.stringify(object); ●─ オブジェクトを JSON に変換
document.querySelector('#placeholder').textContent = json; ●─ JSON は文字列なので textContent で表示できる
```

JS　JavaScriptオブジェクトをJSONに変換

{"id":106,"title":"JSONデータを使いこなす方法","published":true,"excerpt":"各種プログラミング言語でJSONデータを扱う方法"}

JSON データの見た目を整形する

　JavaScript オブジェクトを JSON データに変換すると、半角スペース、タブ、改行といった「ホワイトスペース」はすべて削除されます。データとしてはまったく問題ありませんが、可読性が落ちるため人間にとっては不便です。JSON データを目視で確認する必要があるときは、stringify() メソッドの 2 つ目の引数に null を、3 つ目の引数にインデントで挿入する半角スペースの数、もしくはインデントのために挿入する文字列を指定します。これで JSON データを見やすく整形できます[*6]。

▼ JSON データに改行を含め、スペース 4 つを挿入してインデントする場合

```
JSON.stringify(object, null, 4)
```

▼ インデントで挿入する文字列を指定することもできる

```
JSON.stringify(object, null, '□□□□')
```
　　　　　　　　　　　　　　　　　　　　　半角スペース 4 つを指定

　先ほどのサンプルを改良し、JSON データを改行あり、半角スペース 2 つでインデントしてみます。

Sample　JSON データを見やすく整形する（JavaScript 部分）　　　　　c14/json-prettify.html

```
const object = {
  id: 106,
  title: 'JSONデータを使いこなす方法',
  published: true,
  excerpt: '各種プログラミング言語でJSONデータを扱う方法',
};
const json = JSON.stringify(object, null, 2);
document.querySelector('#placeholder').textContent = json;
```

＊6　2 つ目の引数に関数を渡すと、JavaScript オブジェクトのうち JSON データに含めないものをフィルターできます。null にすると何も変更しません。2 つ目の引数の詳しい使い方は次の Web ページを参照してください。
　　https://developer.mozilla.org/ja/docs/Web/JavaScript/Reference/Global_Objects/JSON/stringify

```
JS     JSONデータを見やすく整形する
```

```
{
  "id": 106,
  "title": "JSONデータを使いこなす方法",
  "published": true,
  "excerpt": "各種プログラミング言語でJSONデータを扱う方法"
}
```

14-3-3 JSON データを JavaScript オブジェクトにする

JSON データを JavaScript オブジェクトに変換するときは JSON.parse( ) メソッドを使用します。

書式 JSON.parse( ) メソッド

```
JSON.parse(JSONデータ)
```

次の例では、文字列で作成した JSON データを JavaScript オブジェクトに変換し、変換したオブジェクトに含まれる 3 つのプロパティをコンソールに出力します。

Sample JSON データを JavaScript オブジェクトに変換　　　　　c14/json-to-object.html

```javascript
const json = `{"id": 106, "title": "JSONデータを使いこなす方法", "published": true}`;
const object = JSON.parse(json);
console.log(`id = ${object.id}`);
console.log(`title = ${object.title}`);
console.log(`published = ${object.published}`);
```

実行結果 JSON を変換して作成した定数 object のデータから値を参照している

14-3
JSON

14
非同期処理

14-4 Fetch API

非同期処理が最もよく使われるのがネットワーク通信です。ある Web ページから外部のサーバーに接続してデータを受信したり、送信したりするには Fetch API を使います。

　Fetch API はネットワーク経由で外部サーバーとデータの送受信をする機能で、使いやすく柔軟な操作が可能です。JSON だけでなくテキストや XML [7] のデータはもちろん、画像などのバイナリーデータも扱えます。データの受信／送信には fetch( ) メソッドを使います。

書式 fetch( ) メソッド

fetch(リクエスト先のURL，{オプション（送受信の設定）})

　書式にあるとおり、fetch( ) は 2 つの引数を取ります。1 つ目にはリクエストを送信する先の URL を、文字列または URL オブジェクト（p.540）で指定します。2 つ目のオプションは送受信時の設定をするもので、オブジェクトで渡します。設定の必要がなければ省略してかまいません。2 つ目の引数の使用方法については 14-4-4「データを送信（アップロード）する」（p.533）で説明します。

> ## *Note*　リクエスト―レスポンス
>
> 　Webで使われるデータは、HTTPというプロトコル（通信ルール）に従って、ネットワーク上のサーバーから、**クライアント**（ブラウザー）に送られます。HTTPはクライアント―サーバーモデルと呼ばれるネットワーク通信の一種で、次の流れで進行します。
>
> 　まず、クライアントはURLが指し示すサーバーにデータを**リクエスト**（要求）します。リクエストを受けたサーバーは、HTMLや画像など、要求されたデータを返します。これが**レスポンス**です。HTTPの通信は**リクエスト**で始まり、必ず**レスポンス**で終わります。
>
> 　クライアントからサーバーへデータを送るときも、基本的な流れは変わりません。クライアントからサーバーへのリクエストに、送りたいデータを添付してサーバーに送信します。データを送ったときも、サーバーはなんらかのレスポンスを返します。
>
> 図　リクエスト―レスポンスの関係
>
>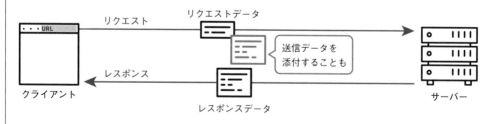
>
> これがリクエスト―レスポンスの大まかな流れです。fetch( ) は、「取ってくる」の意味のとおり、データの受

＊7　HTML と同じように <> で囲んだ「タグ」を使ってデータを記述する形式。タグ名や属性名を自由に決められます。

信だけでなく送信もできる、JavaScript からデータをリクエストするためのメソッドです。

▍14-4-1 JSON データを取得する

fetch( ) メソッドを使って外部サーバーから JSON データを取得する方法を見てみます。

fetch( ) を実行すると、サーバーへリクエストが送信されると同時に、返り値として Promise オブジェクトが返ってきます[8]。

そして、サーバーからレスポンスが返ってきたら Promise オブジェクトの then( ) メソッドが呼び出され、引数として渡したコールバック関数が実行されます。このとき、サーバーから返ってきたレスポンスデータは、実行されるコールバック関数に引数として渡されます。また、通信が失敗し、レスポンスが返ってこなかったら then( ) の代わりに catch( ) メソッドが呼び出されます。

図　fetch( ) 〜 then( ) のイメージ。サーバーからのレスポンスデータはコールバック関数に引数として渡される

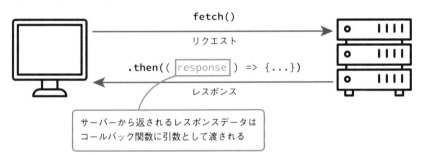

then( ) のコールバック関数に渡される引数は、Response と呼ばれるオブジェクトになっています。Response オブジェクトにはサーバーから返ってきたデータ本体やヘッダー情報などが含まれていて、各種プロパティを使って参照できるほか、データをパース（解析）してオブジェクトや文字列に変換するメソッドも持っています。

表　Response オブジェクトのプロパティ

プロパティ	説明
<response>.headers	サーバーからのレスポンスのヘッダー情報。<response> には引数名を指定。以下同様
<response>.body	サーバーからのレスポンス本体
<response>.bodyUsed	<response>.body を解析済みなら true、まだ解析していないなら false を返す
<response>.ok	サーバーからのレスポンスの HTTP ステータスが成功（ステータスコードが 200 番台）していれば true、していなければ false を返す。正しくデータが返ってきているかどうかを調べるのに使う
<response>.status	サーバーからのレスポンスの HTTP ステータスコード
<response>.statusText	HTTP ステータステキスト

---

[8] Promise オブジェクトは、fetch( ) メソッドの実行後、即座に返り値として返され、サーバーからのレスポンスを待つペンディング（待機）状態になります。Promise オブジェクトの詳しい動作については 14-5-1「Promise オブジェクトの動作」（p.547）で取り上げます。

プロパティ	説明
<response>.url	サーバーからのレスポンスの URL
<response>.type	サーバーからのレスポンスの種類
<response>.redirected	サーバーからのレスポンスがリダイレクトされていたら true、されていなければ false を返す

表　Response オブジェクトの主なメソッド

メソッド	説明
<response>.json()	fetch() で取得したレスポンス本体（<response>.body）を JSON と見なして解析（パース）し、オブジェクト（Object または配列）に変換する。Promise オブジェクトを返す
<response>.text()	fetch() で取得したレスポンス本体を UTF-8 のテキストと見なしてパースし、文字列に変換する。Promise オブジェクトを返す
<response>.blob()	fetch() で取得したレスポンス本体をバイナリーと見なしてパースし、Blob オブジェクト（バイナリーの生データ）を生成する。Promise オブジェクトを返す
<response>.clone()	<response> オブジェクトを複製する

　サーバーから返ってきた JSON データをパースして JavaScript オブジェクトに変換するときは、response.json() メソッドを使います。このメソッドはパースが成功したら Promise オブジェクトを返し、then() のコールバック関数に、変換後の JavaScript オブジェクトを引数として渡します。

　json() に限らず、Response オブジェクトのすべてのメソッドは Promise オブジェクトを返します。Promise オブジェクトを返すということは、再び then() が使えて処理の続きができる、ということです。fetch() メソッドを実行して JSON データを取得し、JavaScript オブジェクトを得るまでの基本的なコードは次のようになります。

▼ fetch() メソッドは Promise を返し、Response オブジェクトのメソッドも Promise を返す

```
fetch('url')●━━❶
  .then((response) => response.json())●━━❷
  .then((data) => {●━━❸
    引数data を処理
  })
```

❶ fetch() は Promise オブジェクトを返す。then() メソッドのコールバックには、fetch() によって得たレスポンスデータが引数（response）として渡される

❷ response.json() は Promise オブジェクトを返す。再び呼び出される then() メソッドのコールバックには、response.json() の処理結果として作られる JavaScript オブジェクトが引数として渡される

❸ 最後の then() メソッドのコールバックには、引数（data）として JavaScript オブジェクトが渡される

一度始めた操作が Promise オブジェクトを返すかぎり、then( ) メソッドでつなげて連続的に処理を書くことができます。この動作を **Promise チェーン**といい、コールバック関数を入れ子にせず、非同期処理を立て続けにこなせるようになっています。

実際の例を見てみましょう。次の例では外部サーバーにリクエストを出し、JSON データを受信します。その JSON データをパースして JavaScript オブジェクトに変換し、それをページ上に出力しています。

`Sample` fetch( ) メソッドの基本（HTML 部分） c14/fetch-promise.html

```html
<div class="container">
  <pre id="placeholder"></pre>
</div>
```

`Sample` fetch( ) メソッドの基本　～ Promise 版（JavaScript 部分） c14/fetch-promise.html

```javascript
fetch('https://jsonplaceholder.typicode.com/todos')
    .then((response) => response.json())
    .then((data) => {
      console.log(data);
      // preに表示
      const str = JSON.stringify(data, null, '  ');
      document.querySelector('#placeholder').textContent = str;
    });
```

data を JSON（文字列）に変換して <pre> に挿入

`実行結果` ページにはサーバーから返ってきたレスポンスデータが表示されている

```
JS   fetch()メソッドの基本 ～Promise版

[
  {
    "userId": 1,
    "id": 1,
    "title": "delectus aut autem",
    "completed": false
  },
  {
    "userId": 1,
    "id": 2,
    "title": "quis ut nam facilis et officia qui",
    "completed": false
  },
  {
    "userId": 1,
    "id": 3,
    "title": "fugiat veniam minus",
    "completed": false
  },
  {
    "userId": 1,
    "id": 4,
    "title": "et porro tempora",
    "completed": true
  },
```

async / await を使ったパターン

　fetch() も response.json() も Promise オブジェクトを返すメソッドなので、async / await で書くことができます。先ほどのサンプルを書き換えてみます。Promise 版に比べてコードがさらにスッキリします。

| Sample | fetch() メソッドの基本　〜 async / await 版（JavaScript 部分） | c14/fetch-async.html |

```javascript
async function getTodos() {
  const response = await fetch('https://jsonplaceholder.typicode.com/todos');
  const data = await response.json();
  const str = JSON.stringify(data, null, '  ');
  document.querySelector('#placeholder').textContent = str;
}

getTodos();    // ブロックで囲む必要があるので関数化する
```

> 14-2-2「async / await キーワードを使うパターン」(p.518)

　実行結果は前項の Promise 版と同じです。

トップレベル await

　ES2022 からは、モジュールのトップレベル、つまりモジュール化された外部 JS ファイルや <script type="module"> 〜 </script> の直下で非同期処理メソッドを実行する際は、async 関数（➡ p.518）で囲む必要がなくなりました。async 関数を省略していきなり await を使う書き方をトップレベル await といい、具体的には次のようなコードが書けるようになっています。

```
<script type="module">
  await 非同期処理メソッド();
</script>
```

ES2022 より前のバージョンでは await は async 関数内でのみ使用できたため、わざわざ関数で囲む必要がありました。

▼ ES2022 より前のバージョンではわざわざ async 関数で囲んでいた

```
async function aFunc() {
  await 非同期処理メソッド();
}
aFunc();
```

もしくは IIFE（Immediately Invoked Function Expression：即時実行関数式、p.158）を使うこともありました。ネットで検索して見かけたことがある方もいらっしゃるかもしれません。トップレベル await が使えなかった時代の少し古い書き方といえます。

▼ async 関数で囲むために IIFE を使うこともあった

```
(async function(){
  await 非同期処理メソッド();
})();
```

「async / await を使ったパターン」で紹介したサンプルでは、await を使うために非同期関数（async function getTodos()）で囲んでいましたが、以下のようにトップレベル await で書き換えられます。コードがとてもシンプルになります。

| Sample | fetch() メソッドの基本　～トップレベル await 版 |

c14/fetch-toplevel-await.html

```
const response = await fetch('https://jsonplaceholder.typicode.com/todos');
const data = await response.json();
const str = JSON.stringify(data, null, '  ');
document.querySelector('#placeholder').textContent = str;
```

通信エラーに対応する

ここまでに見てきたサンプルでは、通信エラーに対応していませんでした。fetch() メソッドはレスポンスが返ってきたかどうかだけで非同期処理の成功／失敗を振り分けるため、URL が間違っているなどしてデータが見つからない、いわゆる 404 エラーなどは「成功」と判断され、.then() のコールバック

が実行されます*9。このような、レスポンスは返ってきたけれども実際にはデータの受信に失敗しているケースに対処するには、response.ok プロパティを使って通信ステータスを確認する必要があります。

次の例では通信ステータスを確認し、失敗していたらエラーを投げます。Promise 版のコードを見てみましょう。then( ) のコールバックでエラーが投げられると catch( ) が実行されます。

Sample fetch( ) メソッドでエラーに対応　〜 Promise 版　　　　　　　　　c14/fetch-error-promise.html

```
const placeholder = document.querySelector('#placeholder');
fetch('https://jsonplaceholder.typicode.com/tod')          ← URL が間違っている
  .then((response) => {
    if (response.ok) {          ← response.ok が true のときのみデータを
      return response.json();      パース、次の .then( ) につなげる
    }
    throw new Error(`エラーが発生しました！ code: ${response.status}`);
  })
  .then((data) => {
    const str = JSON.stringify(data, null, '  ');
    placeholder.textContent = str;
  })
  .catch((err) => {          ← エラーが発生すると実行される。
    placeholder.textContent = err;      投げられたエラーを引数 err で受け取る
  });
```

トップレベル await 版のコードも見てみます。こちらの場合は try {〜} ブロックでエラーが投げられると catch( ) ブロックが実行されます。

Sample fetch( ) メソッドでエラーに対応　〜トップレベル await 版　　　　　c14/fetch-error-await.html

```
const placeholder = document.querySelector('#placeholder');
try {                                                        ← URL が間違っている
  const response = await fetch('https://jsonplaceholder.typicode.com/tod');
  if (!response.ok) {
    throw new Error(`エラーが発生しました！ code: ${response.status}`);
  }                          ← response.ok が false のときエラーを投げる
  const data = await response.json();
  const str = JSON.stringify(data, null, '  ');
  placeholder.textContent = str;
} catch (err) {          ← エラーが発生すると実行される。
  placeholder.textContent = err;      投げられたエラーを引数 err で受け取る
}
```

＊9　fetch( ) が失敗するのはネットワークエラー、つまりコンピューターがネットワークに接続していないようなときのみです。

530

14-4-2 テキストデータを受信する

fetch( ) メソッドを使って外部サーバーからテキストデータを受信することもできます。コードは基本的には JSON を受信するときと変わりませんが、パースの際に text( ) メソッドを使用します。

次の例では、サンプルデータの「res」フォルダーにある「text.txt」を取得します。なお、text( ) メソッドはレスポンス本体、つまり取得したテキストの文字コードを UTF-8 と見なしてパースします。ほかの文字コードのテキストだと文字化けする可能性があります。

$\mathcal{N}ote$ **サンプルではエラーチェックを省略**

本項以降、fetch( ) メソッドを使用するサンプルでは aync / await 版、またはトップレベル await 版のみ紹介し、Promise 版は取り上げません。また、ソースコードを簡略化するためにエラー対策を省略しています。エラー対策をしたいときは前項の「通信エラーに対応する」(p.529) を参考にしてください。

Sample fetch( ) メソッドでテキストデータを受信（HTML 部分）　　　　　　　　c14/fetch-text-await.html

```html
<div class="container">
  <pre id="placeholder"></pre>
</div>
```

Sample fetch( ) メソッドでテキストデータを受信（JavaScript 部分）　　　　　　c14/fetch-text-await.html

```javascript
const response = await fetch('../res/text.txt');
const data = await response.text();
document.querySelector('#placeholder').textContent = data;
```

ピザ各種 ¥2,600-
パスタ ¥1,480-
サラダ ¥1,280-
全品お持ち帰りできます。

text.txt

14-4-3 XML データを受信する

fetch() メソッドを使って XML データを受信するときは、少し工夫が必要です。

Response オブジェクトには XML を直接パースするメソッドがないため、text() でいったんテキストとしてパースし、DOMParser オブジェクトを使ってオブジェクトに変換します。DOMParser は文字列を XML、HTML、SVG に変換するオブジェクトで、基本的な書式は次のとおりです。

書式 DOMParser オブジェクトで文字列を XML に変換する

```
new DOMParser().parseFromString('変換したいソース', 'MIMEタイプ');
```

DOMParser オブジェクトを使うときは、まず new DOMParser() でインスタンス化します。DOMParser オブジェクトが持っているメソッドは parseFromString() の 1 つだけで、このメソッドは「変換したいソース」を、「MIME タイプ」で指定したフォーマットでパースし、DOM 操作可能なオブジェクト（HTMLDocument または XMLDocument）を返します。もし「変換したいソース」に文法上の誤りがあってパースできない場合は TypeError が発生します。

指定できる MIME タイプには次の 5 つがあり、text/html が変換したいソースを HTML にパース、そのほかの 4 つはすべて XML にパースします。

HTML にパース

- text/html

XML にパース

- text/xml
- application/xml
- application/xhtml+xml
- image/svg+xml

それでは実際に XML データを受信する例を見てみましょう。テスト用のサービス「https://httpbin.org/xml」からダミーの XML データを取得し、<pre id="placeholder"> に表示します。また、XML からデータを取り出す方法を試すために、複数ある <slide> タグを取得してコンソールに出力しています。サンプルで使用する querySelectorAll() をはじめ、HTML の DOM 操作で使用するメソッドはすべて

XML にも使えます（➡ Chapter 12「HTML の操作」p.399）。

c14/fetch-xml-await.html

Sample fetch( ) メソッドで XML を受信（HTML 部分）

```html
<div class="container">
  <pre id="placeholder"></pre>
</div>
```

Sample fetch( ) メソッドで XML を受信（JavaScript 部分）

c14/fetch-xml-await.html

```javascript
const response = await fetch('https://httpbin.org/xml');
const str = await response.text();
const xml = new DOMParser().parseFromString(str, 'text/xml'); ← テキストを XML としてパース

document.querySelector('#placeholder').textContent = str;
// XML からデータを取得する方法
const slides = xml.querySelectorAll('slide');
console.log(slides);
```

実行結果 ページ上に受信した XML データが表示され、コンソールにもデータの取得結果が出力される

JS fetch()メソッドでXMLを受信

```
<?xml version='1.0' encoding='us-ascii'?>

<!-- A SAMPLE set of slides -->

<slideshow
  title="Sample Slide Show"
  date="Date of publication"
  author="Yours Truly"
  >

  <!-- TITLE SLIDE -->
  <slide type="all">
    <title>Wake up to WonderWidgets!</title>
  </slide>

  <!-- OVERVIEW -->
  <slide type="all">
    <title>Overview</title>
    <item>Why <em>WonderWidgets</em> are great</item>
    <item/>
    <item>Who <em>buys</em> WonderWidgets</item>
  </slide>

</slideshow>
```

要素　コンソール　ソース　ネットワーク　パフォーマンス　メモリ　アプリケーション　セキュリティ　Lighthouse ≫

top ▼　フィルタ　　　　　　　　　　　　　　　　デフォルトレベル ▼　問題なし

▶ NodeList(2) [slide, slide]　　　　　　　　　　　　　　　fetch-xml-await.html:26

14-4-4 データを送信（アップロード）する

サーバーにデータを送信（アップロード）する場合も fetch( ) メソッドを使います。fetch( ) メソッドで送信できるデータは主に 3 種類あります。

- JSON データを POST で送信
- フォームの入力内容（フォームデータ）を POST で送信
- URL に追加する検索クエリーを使って GET で送信

JSON データを POST で送信

JavaScript オブジェクトを JSON データに変換して送信する方法は、主にブラウザーからサーバー側のプログラム（API）を呼び出し、なんらかの処理を実行させるときに使用します。

POST でデータを送信する場合、fetch() メソッドの 2 つ目の引数（オプション）を渡して、少なくとも次の 3 つの設定をする必要があります[10]。

- リクエストメソッド（method プロパティ）を POST にする
- リクエストヘッダー（headers プロパティ）に Content-Type プロパティを追加し、値を application/json にする
- リクエストボディ（body プロパティ）に送信するデータ本体を設定する

method プロパティには使用する HTTP リクエストメソッドを指定します。HTTP リクエストメソッドとはサーバーに対するリクエストの種類を示すもので、データ受信のメソッドやデータ送信のメソッドなど、全部で 8 種類あります[11]。送信の場合、多くは POST メソッド[12]を指定します。ただし、短いデータを送信する場合は GET メソッドを使用することもあります。

Content-Type には送信するデータの MIME タイプを指定します。JSON データを送信するときは「application/json」にします。以上のことから、JSON データを POST で送信する場合の fetch() メソッドは次のように書きます。

書式 JSON データを POST で送信する場合の fetch() メソッド

```
fetch('リクエスト先URL', {
  method: 'POST',
  headers: {
    'Content-Type': 'application/json',
  },
  body: 送信するJSONデータ,
})
```

例を見てみましょう。テスト用のサービス「https://httpbin.org/anything」に、JSON データに変換した bookData オブジェクトを送信します。そして、返ってきたレスポンスをページに表示します[13]。

Sample JSON データを POST で送信（HTML 部分）   c14/fetch-post-json-await.html

```
<div class="container">
  <p>https://httpbin.org/anythingからのレスポンス</p>
```

----

[10] オプションではさまざまな設定が可能ですが、その多くがサーバー側プログラムの仕様に合わせて行います。
[11] 8 種類のメソッドは次の URL で確認できます。
RFC 9110: HTTP Semantics - https://www.rfc-editor.org/rfc/rfc9110#name-methods
[12] まれに PUT を指定する場合もあります。サーバー側プログラムの仕様によります。
[13] httpbin.org にデータを送信しても、どこにも保存されないので安心してください。

```
  <pre id="placeholder"></pre>
</div>
```

| Sample | JSON データを POST で送信（JavaScript 部分） | c14/fetch-post-json-await.html |

```
// このデータを JSON にして送信
const bookData = {
  title: '確かな力が身につく JavaScript「超」入門',
  isbn: '9784815601577',
  price: 2480,
  taxInclude: false,
};

const response = await fetch('https://httpbin.org/anything', {
  method: 'POST',
  headers: {
    'Content-Type': 'application/json',
  },
  body: JSON.stringify(bookData),
});
const data = await response.json();
const placeHolder = document.querySelector('#placeholder');
placeHolder.textContent = JSON.stringify(data, null, 2);
console.log(data.data); ●━━━━━ 定数 data（オブジェクト）の data プロパティのみコンソールにも表示
```

実行結果

JS │ JSON データを POST で送信

https://httpbin.org/anything からのレスポンス

```
{
  "args": {},
  "data": "{\"title\":\"確かな力が身につく JavaScript「超」入門\",\"isbn\":\"9784815601577\",\"price\":2480,\"taxInclude\":false}",
  "files": {},
  "form": {},
  "headers": {
    "Accept": "*/*",
    "Accept-Encoding": "gzip, deflate, br, zstd",
    "Accept-Language": "ja,en-US;q=0.9,en;q=0.8",
    "Content-Length": "119",
    "Content-Type": "application/json",
    "Host": "httpbin.org",
    "Origin": "http://127.0.0.1:5502",
    "Referer": "http://127.0.0.1:5502/",
    "Sec-Ch-Ua": "\"Google Chrome\";v=\"123\", \"Not:A-Brand\";v=\"8\", \"Chromium\";v=\"123\"",
```

要素　コンソール　ソース　ネットワーク　パフォーマンス　メモリ　アプリケーション　セキュリティ　Lighthouse

top ▼　　　フィルタ　　　　　　　　　　　　　　　　　　　　　　　　デフォルト レベル ▼　問題なし

{"title":"確かな力が身につく JavaScript「超」入門","isbn":"9784815601577","price":2480,"taxInclude":false}　　fetch-post-json-await.html:37

535

　ブラウザーからサーバーにリクエストを送るときのデータは、送信元のコンピューターや送信するデータに関する情報が含まれる**リクエストヘッダー**と、データ本体が含まれる**リクエストボディ**で構成されています。ブラウザーの開発ツールを見れば、リクエストヘッダーにどんな情報が書かれているかを確認できます。

　ブラウザーの開発ツールの［ネットワーク］タブを開き❶、表示内容を［すべて］❷、名前から「anything（URLのパス）」をクリックすると❸、右欄に「リクエストヘッダー」が表示されます。そのヘッダーには「Content-Type」も含まれていることがわかります。

　なお、VSCodeのLive Server経由でサンプルデータを開くなどして、［ネットワーク］タブを開く前にリクエスト―レスポンスが完了したデータは、［ネットワーク］タブに表示されないことがあります。その場合は、ブラウザーで開発ツールの［ネットワーク］タブを開いてから、再読込してください。

図　開発ツールでリクエストヘッダーを確認する。画面はChromeの例だが、どのブラウザーでも同じ操作で確認できる

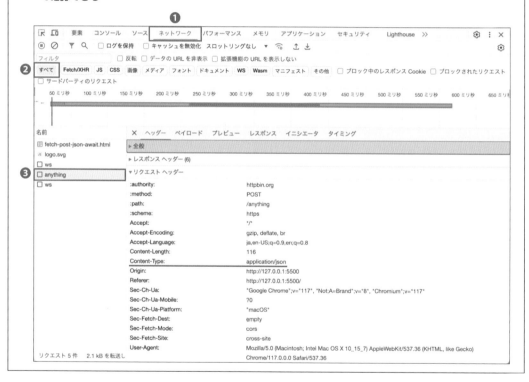

フォームの入力内容（フォームデータ）をPOSTで送信

　フォームに入力された内容をPOSTで送信するには、fetch()メソッドの2つ目の引数（オプション）のbodyプロパティに、formDataオブジェクトを指定します。formDataはフォームの送信ボタンをクリックしたときに生成できるオブジェクトで、フォームに入力された内容が含まれています。formDataオブジェクトを生成するには対象となる<form>要素にsubmitイベントリスナーを設定し、次のようにします。

formData オブジェクトを生成する。<form 要素 > と引数の「<form 要素 >」には、同じものを指定

```
<form要素>.addEventListener('submit', (e) => {
  e.preventDefault();●━━━━━━━━━━━━━━━━━━━━❶
  const formData = new FormData(<form要素>);●━━━━━━━━━❷
});
```

❶ FormData オブジェクトを生成する前に、フォームのデフォルト動作をキャンセルする（➡ 12-3-
   5「特定の要素のデフォルト動作をキャンセルする」p.435）
❷ FormData オブジェクトを生成。引数には取得しておいた <form 要素 > を指定する。つまり
   e.currentTarget でよい

FormData オブジェクトを生成してから fetch( ) を実行します。FormData を送信する際の MIME タイプは「multipart/form-data」ですが、2 つ目の引数（オプション）の中で **Content-Type プロパティは設定しないでください**。フォームに画像やファイルが含まれている場合に誤動作を引き起こします。

それではフォームの送信例を見てみましょう。名前とメールアドレスを入力する欄があるフォームをテスト用のサービス「https://httpbin.org/anything」に POST で送信します。

| Sample | フォームの入力内容を POST で送信（HTML 部分）　　　　　　　c14/fetch-post-form-async.html

```
<div class="container">
  <form action="#" id="form" name="form">
    <p>
      名前：<br>
      <input type="text" name="name" id="name">
    </p>
    <p>
      メールアドレス：<br>
      <input type="email" name="email" id="email">
    </p>
    <p>
      <input type="submit" value="送信" id="submit">
    </p>
  </form>
  <p>https://httpbin.org/anythingからのレスポンス</p>
  <pre id="placeholder"></pre>
</div>
```

async / await 版のコードを見てみます。イベントハンドラー内で await を使用する場合、async はイベントハンドラーの関数の前につけます。

```javascript
document.forms['form'].addEventListener('submit', async (e) => {
  e.preventDefault();
  const formData = new FormData(e.currentTarget);

  const response = await fetch('https://httpbin.org/anything', {
    method: 'POST',
    body: formData,
  });
  const data = await response.json();
  const pl = document.querySelector('#placeholder');
  pl.textContent = JSON.stringify(data, null, 2);
});
```

コールバック関数の前に async をつける

FormData オブジェクトを作成

リクエストボディに formData を設定

実行結果

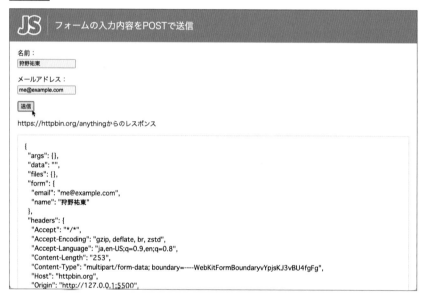

Note　画像やファイルも送信できる

　フォームから画像やファイルも送信できます。HTMLにファイルフィールド（➡ 13-2-6「ファイルフィール
ド」p.503）を追加する必要はありますが、JavaScriptプログラムに特別な処理は不要です。

　本項のサンプル（fetch-post-form-async.html）を改造し、画像ファイルをアップロードできるようにしたサ
ンプルを用意しました。紙面にはすべてのソースコードは掲載しませんが、興味がある方はファイルを開いて動
作を確認してみてください。

```
<form action="#" id="form" name="form">
  略
  <p>
    プロフィール写真：<br>
    <input type="file" name="image" id="file" accept=".jpg, .jpeg, .png">
  </p>
  略
</form>
```

　実行結果に表示されるレスポンスを見てみると、アップロードした画像は Base64 形式でエンコードされ送信されていることがわかります。

実行結果 画像は Base64 形式で送信される

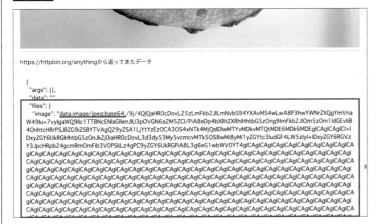

短いデータを GET で送信

　HTTP リクエストメソッドの GET は、本来はデータを受信するためのものです。しかし、URL の後ろに検索クエリーをつけることでデータを送信することもできます。

　検索クエリーとは URL の後ろにつく「?」で始まる文字列で、Google などの検索サイトで検索文字列を入力すると、Web ブラウザーのアドレスバーに表示されることが確認できます。検索サイトの多くが検索文字列をサーバーに送信するのに使用しているほか、WordPress をはじめとする CMS で、ページを識別するための記事 ID 番号などのデータを送信するのにも使われています。

　検索クエリーは 1 つひとつのデータがキーと値のセットになっていて、「key=value」のように書かれます。セットが複数ある場合は、セットとセットのあいだに「&」を挿入して連結します。

図　検索クエリーの例。「?」で始まり「key=value」のセットが「&」で連結される

```
https://www.google.com/search?q=http+request&client=safari&~
```

　　　　　　　　　　　　　　?　　データ　　&　　データ　　&〜

検索クエリーつきの URL を作成する際は、URLSearchParams オブジェクトと URL オブジェクトを使用します。その手順を説明します。

まず、URLSearchParams オブジェクトで検索クエリー文字列を作ります。このオブジェクトはインスタンスを生成する必要があり、その際に引数としてオブジェクトを渡すと、プロパティ名をキーにした検索クエリーを作成してくれます。

URLSearchParams オブジェクトを生成し、検索クエリーを作成する

```
const インスタンス名 = new URLSearchParams(オブジェクト);
```

使い方がわかる簡単な例を見てみましょう。次の例では queries オブジェクトを検索クエリーに変換し、コンソールに出力します。

Sample 検索クエリーを作成する   c14/url-urlsearchparams.html

```
const queries = {
  categoryId: 1,
  search: 'カツオのたたき 薬味',
};
const searchParam = new URLSearchParams(queries);
console.log(searchParam.toString());
```

検索クエリー文字列は次のようになります。

▼ コンソールに出力される検索クエリー

```
categoryId=1&search=%E3%82%AB%E3%83%84%E3%82%AA%E3%81%AE%E3%81%9F%E3%81%9F%E3%81%8D+%
E8%96%AC%E5%91%B3
```

categoryId プロパティと search プロパティが「キー＝値」のセットになり、2 つのセットが「&」でつながっています。また、キーや値に日本語文字など非 ASCII 文字が含まれている場合は URL エンコードされます。

こうして検索クエリーを作成したあと、URL とつなぎ合わせます。URL を扱うのは URL オブジェクトで、こちらもインスタンスを生成する必要があります。次のようにして URL を作成します。

URL オブジェクトを生成する

```
const インスタンス名 = new URL('url');
```

引数の「url」にはリクエスト先の URL を文字列で指定します。あとはインスタンス化した URL オブ

ジェクトの search プロパティに、先ほど作った検索クエリーを代入すれば完成です。なお、search プロパティに URLSearchParams オブジェクトを代入するときは、toString( ) メソッドを実行して文字列に変換する必要はありません。

書式 search プロパティに検索クエリーを代入する

```
<URL>.search = <URLSearchParams>;
```

fetch( ) メソッドでデータを送信する際は、1 つ目の引数（url）に作成した URL オブジェクトを渡します。また、2 つ目の引数（オプション）は指定しません。method プロパティのデフォルト値が 'GET' なのでわざわざ指定する必要がないのと、'GET' メソッドでは body プロパティは使えないので、こちらも指定する必要がないからです。

検索クエリーがついた URL を生成し、fetch( ) を使ってデータを送信する例を見てみましょう。テスト用のサービス「https://jsonplaceholder.typicode.com/comments」に、検索クエリー「postId=3」をつけてリクエストします。

Sample 検索クエリーを使って GET で送信（HTML 部分）　　　　　c14/fetch-get-await.html

```
<div class="container">
  <p>https://jsonplaceholder.typicode.comから返ってきたデータ</p>
  <pre id="placeholder"></pre>
</div>
```

Sample 検索クエリーを使って GET で送信（JavaScript 部分）　　　　c14/fetch-get-await.html

```
// 検索クエリーに含めるデータ
const comments = {
  postId: 3,
};

// URLを作成                                              検索クエリーつき URL を作成
const query = new URLSearchParams(comments);
const url = new URL('https://jsonplaceholder.typicode.com/comments');
url.search = query;

const response = await fetch(url);          1 つ目の引数に作成した URL オブジェクトを渡す。
const data = await response.json();         2 つ目（オプション）は不要
const placeholder = document.querySelector('#placeholder');
placeholder.textContent = JSON.stringify(data, null, 2);
```

テスト用のサービス JSONPlaceholder の動作では、「/comments」に検索クエリーなしでリクエス

トすると500項目のオブジェクトが含まれた配列が返されます。検索クエリーとして postId=3 をつけてリクエストすると、500項目のデータのうち、postId プロパティの値が「3」のデータだけが返って来るようになります。

postId=3 のデータだけが返ってくる

```
JS  検索クエリーを使ってGETで送信

https://jsonplaceholder.typicode.comから返ってきたデータ

[
  {
    "postId": 3,
    "id": 11,
    "name": "fugit labore quia mollitia quas deserunt nostrum sunt",
    "email": "Veronica_Goodwin@timmothy.net",
    "body": "ut dolorum nostrum id quia aut est\nfuga est inventore vel eligendi explicabo quis consectetur\naut occaecati r
epellat id natus quo est\nut blanditiis quia ut vel ut maiores ea"
  },
  {
    "postId": 3,
    "id": 12,
    "name": "modi ut eos dolores illum nam dolor",
    "email": "Oswald.Vandervort@leanne.org",
    "body": "expedita maiores dignissimos facilis\nipsum est rem est fugit velit sequi\nneum odio dolores dolor totam\noccae
cati ratione eius rem velit"
  },
  {
    "postId": 3,
    "id": 13,
    "name": "aut inventore non pariatur sit vitae voluptatem sapiente",
```

14-4-5 処理を中断する

時間がかかる処理を待っているうちに気が変わって、中断したくなるかもしれません。そんな要望に対応しようと中断機能を実装しようと思っても、実は Promise オブジェクト自体には処理を途中で止める機能がありません。そこで、Promise オブジェクトの処理を中断できる AbortController オブジェクトを併用します。fetch( ) メソッドの処理を中断することを例に、基本的な使い方を順を追って見ていきましょう。まず、AbortController オブジェクトをインスタンス化します。

▼ AbortController をインスタンス化して定数に代入

```
const abortController = new AbortController();
```

中断可能な Promise オブジェクトにするには、その Promise オブジェクトと abortController インスタンスが持っている signal プロパティを結びつけます。fetch( ) メソッドを中断可能にするときは、2つ目の引数（オプション）にある同名のプロパティに代入します。

▼ AbortController.signal を、fetch( ) メソッドのオプションにある signal プロパティに代入

```
const signal = abortController.signal;
const response = await fetch('URL', {
  signal, ●————————————————————————————[「signal: signal」の省略形]
});
```

これで中断可能な Promise オブジェクトができあがりました。実際に中断するときは、abortController インスタンスの abort( ) メソッドを実行します。

```
abortController.abort();
```

通信を中断できる fetch() の例を見てみましょう。データのロード開始と中止ができる 2 つのボタンがあるページで、リクエストを開始してから 2 秒以内に中止しなければ、サーバーからレスポンスが返ってきます。中止すると通信が中断され、レスポンスが返って来ないようになります。

なお、AbortController で処理を中断すると AbortError というエラーが発生します。例ではエラーが発生したときの処理も記述していますが、必須ではありません。

$\mathcal{N}ote$ **リクエスト先は単に時間を待つだけの URL**

リクエスト先の「https://httpbin.org/delay/2」はとくに何も処理はしませんが、URLの最後の数字（ここでは2）秒後にレスポンスを返すようになっています。

`Sample` fetch() メソッドを中断（HTML 部分）   c14/fetch-abort-async.html

```
<div class="container">
  <p><button id="start">ロード開始</button> <button id="stop">ロード中止</button></p>
  <pre id="placeholder"></pre>
</div>
```

`Sample` fetch() メソッドを中断（JavaScript 部分）   c14/fetch-abort-async.html

```
// AbortController オブジェクトを生成
const abortController = new AbortController();
const signal = abortController.signal;

// placeholder
const pl = document.querySelector('#placeholder');

// events
document.querySelector('#start').addEventListener('click', async () => {    ──● ロード開始
  pl.insertAdjacentText('beforeend', `ロード開始\n`);                            ボタン
  try {
    const response = await fetch('https://httpbin.org/delay/2', {signal});
    const data = await response.json();
    pl.insertAdjacentText('beforeend', JSON.stringify(data, null, 2) + '\n');
    pl.insertAdjacentText('beforeend', 'ロード終了');
  } catch (err) {                                                            ──● エラー処理
    console.log(err);
    pl.insertAdjacentText('beforeend', `中断 - ${err}\n`);                     ──● エラーメッセージを表示
```

```
  }
}, {once: true}); ●──────── ①

document.querySelector('#stop').addEventListener('click', () => { ●───── ロード中止ボタン
  abortController.abort(); ●───────────────── クリックしたら abort()
}, {once: true}); ●──────── ①
```

実行結果

処理が完了したとき

処理を中断したとき。エラーが表示される

[ロード開始] ボタン、[ロード中止] ボタンとも、addEventListener( ) に 2 つ目の引数(オプション)を渡して(①)、一度しかクリックできないようにしています(➡ 12-3-7「一度イベントが発生したら待機を止める」p.438)。Promise オブジェクトは一度しか実行しないので、成功しても、失敗・中止してもやり直すことはできないため、ボタンも一度しかクリックできないようにしています(➡ 14-5-1「Promise オブジェクトの動作」p.547)。どうしてもやり直したいときはブラウザーを再読込するしかありません。

> ## 𝒩ote CORS
>
> fetch( ) メソッドで外部サーバーのデータを受信しようとして、次のようなエラーメッセージがコンソールに表示され、ダウンロードできない場合があります。
>
> 図 fetch( ) メソッドでエラーが起きたときのコンソール。Chrome(左)、Firefox(右)
>
>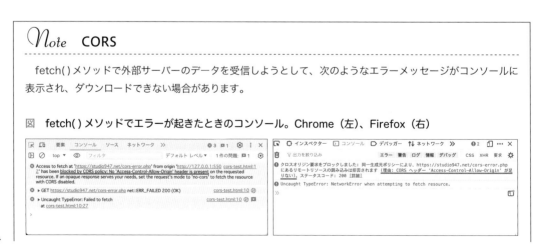

この図のエラーの1行目には、次のようなメッセージが書かれています。日本語化されているFirefoxのメッセージを掲載します（著者が一部編集）。

＜エラーメッセージ＞

クロスオリジン要求をブロックしました：同一生成元ポリシーにより、https://（中略）にあるリモートリソースの読み込みは拒否されます（理由：CORS ヘッダー 'Access-Control-Allow-Origin' が足りない）。ステータスコード：200

データの送受信の安全性を保つために、ブラウザーには「同一生成元ポリシー（同一オリジンポリシー）」と呼ばれる、データの送受信を制限する仕組みが組み込まれています。「同一オリジン（生成元）」とは、次のようなURLを指します。

＜同一オリジン（生成元）の条件＞
- スキーム（http://やhttps://）が同じ
- ホスト（studio947.netなどのドメイン名）が同じ。サブドメイン名も同じ
- ポート番号が同じ

図　スキーム、ホスト、ポート番号

同一オリジン間では、fetch()など*14のメソッドを使ったデータの送受信が自由にできます。いっぽう、同一オリジンでないURL間では、特定の条件*15を満たさないかぎりデータの送受信は原則としてできません。先ほど紹介したようなエラーメッセージが出るのも、「異なるオリジン間で」「特定の条件を満たさないリクエスト／レスポンスをした」ために発生したのです。

同一オリジンでないデータの送受信が禁止されているのはセキュリティ上の配慮で、信用できないサーバーとのデータのやりとりを防ぐ意味合いがあります。しかし、外部サーバーにデータを送信、受信したいときもあるでしょう。

そんなときのために、異なるオリジン間であっても、安全性を確保しつつデータの送受信ができる仕組みが作られました。それがCORS（Cross Origin Resource Sharing、オリジン間リソース共有）です。

CORSの仕組みを利用して異なるオリジン間でのデータ送受信を可能にするには、サーバー側のプログラムから「Access-Control-Allow-Origin」というレスポンスヘッダーを送信する必要があります。サーバー側のプログラムについては本書の範囲を超えるため詳しくは説明しませんが、サーバーからのレスポンスに、次のようなヘッダー情報を追加します。

Access-Control-Allow-Origin の例。この例では https://example.com からのリクエストを許可

```
Access-Control-Allow-Origin: https://example.com
```

- - - - - - - - - - - - -

＊14　本書では紹介していませんが、XMLHttpRequest()という、古くからある、同じような機能を持つメソッドもあります。

＊15　fetch()メソッドには、おおむね<form>要素でできることと同等の機能が許可されていると考えてください。許可されている送受信とCORSについて、詳しくは以下のWebページを参照してください。「特定の条件」については、このページでは「単純リクエスト」として紹介されています。
https://developer.mozilla.org/ja/docs/Web/HTTP/CORS#preflight_requests_and_credentials

CORSはブラウザーの仕組みですが、クライアント側で対応できることはなく、JavaScriptプログラムを変更する必要もありません。ただ、サーバー側のプログラムがCORSに対応していないとデータの送受信ができないことがある、ということは知っておいたほうがよいでしょう。

　異なるオリジン間での送受信を試してみたい方向けに、サンプルデータにPHPプログラム2つと、JavaScriptプログラム（HTMLファイル）を用意しておきました。PHPプログラムを、ご自身が管理しているWebサーバーにアップロードします。HTMLファイルはアップロードする必要ありません。

　Webサーバーにアップロードした2つのPHPファイルには、cors-test.htmlからアクセスします。わざとエラーを出したい場合はcors-error.phpに、正しく通信したい場合はcors-allow.phpに、fetch()メソッドからリクエストを出せば動作を体験できます。なお、コード中の「(URL)」の部分は、PHPファイルをアップロードしたサーバーのURLに書き換えてください。

`Sample` **CORS テスト**　　　　　　　　　　　　　　　　　　　　　　　　　　　　c14/cors-test.html

```
// CORSエラーを出す場合は次の行のコメントアウトを外す。(URL)はPHPをアップロードしたURLに書き換える
// const fetched = await fetch('(URL)/cors-error.php');
// 正しく通信したい場合は次の行のコメントアウトを外す。(URL)はPHPをアップロードしたURLに書き換える
// const fetched = await fetch('(URL)/cors-allow.php');
const data = await fetched.json();
console.log(data);
```

アップロードしたcors-error.phpにアクセスすると、コンソールにエラーが表示されます。

`Sample` **CORS エラーが出る PHP プログラム**　　　　　　　　　　　　　　　　　　c14/cors-error.php

```php
<?php
print('{"book": "サイバーセキュリティのきほん", "price": 2680}');
```

cors-allow.phpにアクセスするとエラーは発生せず、簡単なJSONデータがコンソールに表示されます。cors-allow.php では、Access-Allow-Control-Originヘッダーを追加し、アクセスしてきたURLに通信を許可しているのです。

`Sample` **正しく通信できる PHP プログラム。ヘッダーを追加している**　　　　　　　c14/cors-allow.php

```php
<?php
$referer = parse_url($_SERVER[HTTP_REFERER]);
$allow = $referer['scheme'] . '://' . $referer['host'];
if($referer['port'] != '') {
  $allow .= ':' . $referer['port'];
}
header('Access-Control-Allow-Origin: ' . $allow);
print('{"book": "サイバーセキュリティのきほん", "price": 2680}');
```

cors-error.php と違うところ

実行結果 cors-allow.php にアクセスしたところ

14-5 Promiseを理解する やや高度な内容

ここまで、fetch( ) メソッドを中心に Promise オブジェクトをベースに作られた非同期メソッドを"利用する"方法を見てきました。ここからは、Promise オブジェクトの動作をより深く理解するために、詳しい動作の仕組みと、独自の非同期処理を"作成する"方法を考えます。

　現在、多くの非同期処理が Promise オブジェクトを返すように実装されていることから、Promise オブジェクトそのものを使って独自の非同期処理を作るケースは多くありません。しかし、Promise オブジェクトそのものの仕組みがわかると、独自の非同期処理を実装できるだけでなく、fetch( ) をはじめとする Promise を返すメソッドの動作もより深く理解できるようになります。

　それでは、どんなときに Promise オブジェクトそのものを使うのでしょうか？　それは、複数の非同期処理を組み合わせた複雑な処理を作りたいときや、Promise オブジェクトを返さない非同期処理を「Promise 化」したいとき ——Promise オブジェクトを返す関数・メソッドにするとき —— です。Promise オブジェクトを返さない非同期処理には、たとえば setTimeout( ) があります。また、位置情報を取得する Geolocation API の getCurrentPosition( ) メソッドなども該当します。

　しかし、なぜわざわざ setTimeout( ) など"ふつうに動いている"関数やメソッドを Promise 化するのでしょうか？　理由は 3 つ挙げられます。

- すべての非同期処理を同じようなコードで書けるようにするため
- コールバック地獄に陥らず、可読性の高いコードが書けるようにするため
- Promise チェーンで連続的に処理が書けるようにする、もしくは async / await を使えるようにするため

14-5-1 Promise オブジェクトの動作

　Promise は、いまはまだ参照できない値が参照できるようになるまで、処理の続行を一時的に中断し、「待機する」オブジェクトです。Promise オブジェクトには 3 つの状態があります。

- pending（ペンディング）—— 値が参照できるようになるのを待っている待機状態
- fulfill（フルフィル）——————— 処理が完了し、値が参照できるようになった成功状態
- reject（リジェクト）——————— 処理は完了したが、値が参照できない失敗状態

成功、失敗を合わせて resolve（リゾルブ）、解決状態と呼ぶこともあります[16]。

　Promise オブジェクトはインスタンス化して使用しますが、インスタンス化した時点で、待機状態になります。そして、処理が完了して値が参照できるようになったときに成功状態、完了したけれども値が参照できないときに失敗状態に移行し、それぞれ then()、catch() が実行されます。**状態の移行は一方通行で、待機状態から解決（成功／失敗）状態にはなりますが、一度解決したものが元に戻って待機状態になることはありません。つまり、同じ処理を二度くり返したり、やり直したりはできないのです。**

図　Promise の 3 状態。待機から解決に移行すると元に戻ることはない

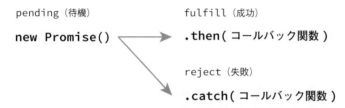

　then()、catch() には引数としてコールバック関数を渡します。渡したコールバック関数はそれぞれ処理が成功したとき、失敗したときに実行され、その際、どちらも引数を受け取ります。**then() のコールバックには非同期処理の結果得られた値が渡され、catch() のコールバックには失敗した理由がわかるエラーオブジェクト（まれに文字列）が渡されます。**また、then() のコールバックが Promise オブジェクトを返すと、その処理結果の値が参照可能になった時点で、次の then()（または catch()）が実行されます。これが、Promise チェーンの中身です。

図　Promise が返す値は then() コールバックに渡され、then() のコールバックが Promise を返すと次の then() に渡される

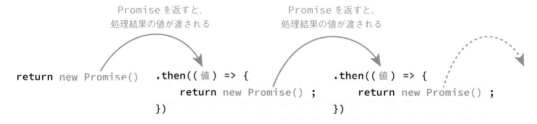

▌14-5-2 Promise オブジェクトの基本的な書式

　Promise オブジェクトの基本的な書式を見てみましょう。書式中の if 文は、非同期処理の成功／失敗が明白なときには省略することもあります（➡ 14-5-3「Promise を返さない非同期処理を "Promise 化" する」p.550）。

- - - - - - - - - - - - -

[16]　英語では resolve のほかに、settled と呼ばれることもあります。どちらも日本語に訳すと「解決」です。

書式 Promiseオブジェクトの基本的な使い方

```
new Promise((resolve, reject) => {
  非同期処理
  …
  if（非同期処理が成功したと見なす条件）{
    成功したときの処理
    resolve(値);          ─── 引数として受け取ったresolve()を呼び出す
  } else {
    失敗したときの処理
    reject(エラーオブジェクトや文字列);   ─── 引数として受け取ったreject()を呼び出す
  }
});
```

　Promiseオブジェクトをインスタンス化する際、引数にコールバック関数を渡します。渡したコールバック関数はPromiseオブジェクトをインスタンス化すると同時に呼び出され、実行されます。このコールバック内の処理が非同期処理の核心部分で、すぐには参照できない値を取得するための操作をこの中で行います。また、このコールバック内でreturnは使えず、値を返すような処理は作れません。処理中にreturnがあっても無視されます。

　このコールバック関数には2つの引数が渡されます。どちらもJavaScriptの実行エンジンから渡される関数で、自分で作るものではありません。引数名は自由につけてかまいませんが、一般的にはresolveとrejectにすることが多いです。

　1つ目の引数resolveは関数で、非同期処理が**成功したときに呼び出します**。resolveを呼び出す際にはコールバック関数内の処理で取得した「値」を、引数として渡します。このresolve関数は、Promiseオブジェクトのthen()を呼び出し、then()に指定されたコールバックに「値」を渡す仕事をします。

　2つ目の引数rejectも関数で、非同期処理が**失敗したときに呼び出します**。こちらには引数として、失敗した理由がわかるエラーオブジェクト（または文字列）を渡します。渡したエラーオブジェクトはcatch()のコールバックに渡されます。

　resolve()やreject()が実行されると、Promiseは解決状態に移行し、終了します。

図 resolve()はthen()を呼び出し、値を渡す。reject()はcatch()を呼び出し、エラーを渡す

```
new Promise((resolve, reject) => {          .then((値) => {
  ...                                           ...
  if（条件）{                                  })
    resolve(値);
  } else {
    reject(エラー);                          .catch((エラー) => {
  }                                             ...
});                                           })
```

▌14-5-3 Promise を返さない非同期処理を "Promise 化" する

Promise オブジェクトを使って、独自の非同期処理を作ってみましょう。非同期的な動作をするけれど Promise オブジェクトは返さない関数・メソッドを "Promise 化する"——Promise オブジェクトを返す関数・メソッドに改造する——方法を見てみます。

非同期的な動作をする関数・メソッドを "Promise 化する" には、インスタンス化した Promise オブジェクトを返す関数を作ります。文章で読むとややこしく感じるかもしれませんが、基本のコードはそれほど難しくありません。

書式 非同期処理を "Promise 化" する

```
function 関数名() {
  return new Promise(( resolve reject) => {
    非同期処理
    if (成功する条件) {
      resolve (値);
    } else {
      reject(エラーオブジェクト);
    }
  });
}
```

具体例を見てみましょう。まずは簡単な例として、setTimeout() を "Promise 化" してみます。引数で渡す「ミリ秒」後に、同じく引数で渡す「メッセージ」を返す関数、timerPromise() を作ります。setTimeout() は必ず成功するので、Promise のコールバック内では resolve() だけを呼び出しています。

作成した関数 timerPromise() を 2 回呼び出し、メッセージをコンソールに出力します。処理の流れを確認するために、まずは Promise 版から見てみましょう。

Sample タイマープロミス　〜 Promise 版　　　　　　　　　　　　c14/timer-promise.html

```
function timerPromise(ms, message) {
  return new Promise((resolve, reject) => {        ←── Promise オブジェクトを返す
    setTimeout(() => {
      resolve(message);
    }, ms);
  });
}

timerPromise(1000, 'タイマー終了1')               ←── 1 回目の timerPromise() 呼び出し
    .then((message) => {
      console.log(message);
      return timerPromise(1000, 'タイマー終了2');  ←── 2 回目の timerPromise() 呼び出し
```

```
  })
  .then((message) => {
    console.log(message);
  });
```

実行結果 指定ミリ秒後、コンソールに 2 回テキストが表示される

```
要素    コンソール    ソース    ネットワーク    パフォーマンス
top ▼  ⊘  👁  フィルタ
タイマー終了1 ───────────────────── timerPromise().then() … 1 回目
タイマー終了2 ───────────────────── timerPromise().then().then() …2 回目
>
```

関数 timerPromise() の呼び出しにトップレベル await を使うと、もっと簡単に書けます。

Sample タイマープロミス 〜トップレベル await 版 　　　　　　　c14/timer-promise-await.html

```
function timerPromise(ms, message) {
  略
}

console.log(await timerPromise(1000, 'タイマー終了1'));
console.log(await timerPromise(1000, 'タイマー終了2'));
```

Geolocation を "Promise 化" する

もう 1 つ、Promise を返さない非同期処理メソッドを "Promise 化" する例を見てみましょう。

Geolocation はブラウザーで端末の位置情報を取得できる API です。位置情報は IP アドレスなど複数の情報をもとに取得するため、すぐには処理が完了せず、結果は非同期的に返ってきます。しかし、位置情報の取得に使う navigator.getCurrentPosition() メソッドは書式が少し特殊で、Promise オブジェクトを返しません。このメソッドを "Promise 化" してみます。

まずは "Promise 化" する前の、標準的な使い方を簡単に確認しましょう。書式は次のとおりです。

書式 navigator.getCurrentPosition() メソッド

```
function 成功時のコールバック(pos) {
  〜
}
function 失敗時のコールバック(err) {
  〜
}
navigator.getCurrentPosition(成功時のコールバック, 失敗時のコールバック);
```

getCurrentPosition() メソッドは成功時と失敗時、2 つのコールバック関数を引数に取ります。引数のうち「成功時のコールバック」には、取得できた位置情報オブジェクト（GeolocationPosition）が引数として渡され、それには緯度・経度の数値などが含まれます。「失敗時のコールバック」にはエラーオブジェクト（GeolocationPositionError）が渡されます。

このメソッドを "Promise 化" せず通常どおりに使用した場合のコードを見てみます。成功時は緯度・経度を、失敗時はエラーを、<div id="output"> に出力します。

| Sample | Geolocation の通常の使い方（HTML 部分） | c14/geolocation-basic.html |

```html
<div class="container">
  <div id="output"></div> ●─────────────── 結果のテキストをここに出力
</div>
```

| Sample | Geolocation の通常の使い方（JavaScript 部分） | c14/geolocation-basic.html |

```javascript
const output = document.querySelector('#output');
// 成功時のコールバック
function success(pos) {
  output.insertAdjacentHTML(
      'beforeend',
      `<p>北緯：${pos.coords.latitude}°</p>`); ●─── pos.coords.latitude は緯度を表すプロパティ
  output.insertAdjacentHTML(
      'beforeend',
      `<p>東経：${pos.coords.longitude}°</p>`); ●─── pos.coords.longitude は経度を表すプロパティ
}
// 失敗時のコールバック
function fail(err) {
  output.insertAdjacentHTML(
      'beforeend',
      `<p>位置情報が取得できません。${err.message} code: ${err.code}</p>`);
}
navigator.geolocation.getCurrentPosition(success, fail);
```

ブラウザーで HTML をファイルを開いて実行すると、位置情報の取得を許可するかどうかをたずねるダイアログが出てきます。このダイアログで［許可］をクリックすれば現在位置の取得処理が開始します。［ブロック］をクリックすれば失敗し、必ずエラーになります。

552

図　位置情報の取得を許可するかどうかをたずねるダイアログ

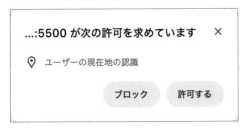

この navigator.geolocation.getCurrentPosition( ) メソッドを "Promise 化" するには、位置情報取得の成功時に resolve( ) を、失敗時に reject( ) を呼び出す Promise オブジェクトを作ります。そしてその Promise オブジェクトを返す関数を作成します。ここでは、Promise オブジェクトを返す関数の名前は geolocationPromise( ) にします。

▼ 関数 geolocationPromise( ) の例

```
function geolocationPromise() {                    ← Promise オブジェクトを返す関数
  return new Promise((resolve, reject) => {
    navigator.geolocation.getCurrentPosition(       ← 成功時のコールバックで resolve( ) を実行、
                                                      引数に取得した位置情報オブジェクトを渡す
        (pos) => resolve(pos),
        (err) => reject(err));                      ← 失敗時のコールバックで reject( ) を実行、エラーオブジェクトを渡す
  });
}
```

この関数 geolocationPromise( ) を使って、実際に動くアプリケーションを作ってみましょう。Geolocation の通常の使い方で紹介したサンプルと同じく、位置情報またはエラーを <div id="output"></div> に出力します。トップレベル await で記述しています。

Sample　geolocationPromise( ) を使ったサンプル　　　　　　　　c14/geolocation-promise.html

```
// Promise版Geolocation
略   ← 上記の関数 geolocactionPromise( )

const output = document.querySelector('#output');
try {
  const pos = await geolocationPromise();
  output.insertAdjacentHTML(
      'beforeend',
      `<p>北緯：${pos.coords.latitude}°</p>`);
  output.insertAdjacentHTML(
      'beforeend',
      `<p>東経：${pos.coords.longitude}°</p>`);
} catch (err) {
```

```
output.insertAdjacentHTML(
    'beforeend',
    `<p>位置情報が取得できません。${err.message} code: ${err.code}</p>`);
}
```

実行結果 位置情報の取得を許可したとき（左）と許可しなかったとき（右）

> ### 𝒩ote　GeolocationPositionError には code プロパティがある
>
> 　位置情報の取得に失敗したときに渡される GeolocationPositionError オブジェクトは、通常の Error オブジェクトにはない、code プロパティを持っています。このプロパティの値を調べれば、なぜ位置情報の取得ができなかったのか、より詳しい理由を知ることができます。code プロパティには 1、2、3 の整数が入っていて、それぞれ次表のとおり具体的なエラーの内容を示しています。
>
> 表　GeolocationPositionError.code プロパティの値が示すエラー内容
>
> | code プロパティの値 | エラーの内容 |
> | --- | --- |
> | 1 | 利用者が位置情報の取得を許可しなかったなどの理由で、取得権限がない |
> | 2 | 内部エラーが発生して位置情報を取得できなかった |
> | 3 | 制限時間内に位置情報を取得できなかった |

▌14-5-4 複数の非同期処理を直列処理する

　直列処理とは「処理 A が終わったら処理 B、それが終わったら処理 C」と、1 つひとつの処理の終了を待って次に進む方法です。ある処理（処理 B）が、前の処理（処理 A）の結果を必要とするときに有効です。Promise チェーンを使って then() メソッドをつなげる、もしくは async / await の処理を順序立てて書くことで直列処理を実現します。

　直列処理の例として、位置情報をサーバーに送信することを考えてみます。前項で作成した関数 geolocationPromise() を使って緯度・経度を取得し、JSON データに変換してからテスト用のサービス「https://httpbin.org/anything」に送信します。コードはトップレベル await で記述しています。

Sample 複数の非同期処理を直列処理する（HTML 部分）　　　　　　　　c14/promise-series-await.html

```
<div class="container">
  <pre id="placeholder"></pre>
</div>
```

```
// Promise版Geolocation
略 •─────────────────────── p.553 の関数 geolocationPromise( )

const placeholder = document.querySelector('#placeholder');
try {
  const pos = await geolocationPromise(); •──────  位置情報を取得（非同期）
  const latlng = { •────────────  Geolocation の結果からオブジェクト作成
    lat: pos.coords.latitude,
    lng: pos.coords.longitude,
  };
  const response = await fetch('https://httpbin.org/anything', { •─  サーバーに送信（非同期）
    method: 'POST',
    headers: {
      'Content-Type': 'application/json',
    },
    body: JSON.stringify(latlng),
  });
  const data = await response.json(); •────  返ってきた JSON データをパース（非同期）
  placeholder.textContent = JSON.stringify(data, null, 2);
} catch (err) {
  if (err.code) { •────  err オブジェクトの code プロパティの有無で表示するメッセージを変える
    // GeolocationPositionErrorの場合
    placeholder.textContent =
    `位置情報が取得できません。${err.message} code: ${err.code}`;
  } else {
    // その他のエラーの場合
    placeholder.textContent = `${err}`;
  }
}
```

14-5

Promise を理解する

14

非同期処理

JS　複数の非同期処理を直列処理する

{
  "args": {},
  "data": "[\"lat\":35.   ,\"lng\":139.   ]",
  "files": {},
  "form": {}, {
  "headers": {
    "Accept": "*/*",
    "Accept-Encoding": "gzip, deflate, br, zstd",
    "Accept-Language": "ja,en-US;q=0.9,en;q=0.8",
    "Content-Length": "35",
    "Content-Type": "application/json",
    "Host": "httpbin.org",
    "Origin": "http://127.0.0.1:5500/",
    "Priority": "u=1, i",
    "Referer": "http://127.0.0.1:5500/",
    "Sec-Ch-Ua": "\"Chromium\";v=\"124\", \"Google Chrome\";v=\"124\", \"Not-A.Brand\";v=\"99\"",
    "Sec-Ch-Ua-Mobile": "?0",
    "Sec-Ch-Ua-Platform": "\"macOS\"",
    "Sec-Fetch-Dest": "empty",
    "Sec-Fetch-Mode": "cors",
    "Sec-Fetch-Site": "cross-site",
    "User-Agent": "Mozilla/5.0 (Macintosh; Intel Mac OS X 10_15_7) AppleWebKit/537.36 (KHTML, like Gecko) Chrome/12
4.0.0.0 Safari/537.36",
    "X-Amzn-Trace-Id": "Root=1-662d09eb-117559f66ec7689a567c2b4f"
  },
  "json": {
    "lat": 35.   ,
    "lng": 139.
  },
  "method": "POST",
  "origin": "126.77.68.114",
  "url": "https://httpbin.org/anything"
}

14-5-5 複数の非同期処理を並行処理する

　最後に、非同期処理を並行に処理する方法を見てみましょう。並行処理とは、複数の非同期処理を同時に行うテクニックです。同時に処理をすることで全体にかかる時間を短縮できる可能性があり、速度が重要視される場面で有効です。ただし、同じサーバーに複数のリクエストを同時に行うとサーバーへの負荷が高まることも考えられるので、注意が必要です。

　並行処理には Promise オブジェクトの静的メソッドを利用します。次表の 4 つあります。

表　Promise オブジェクトの静的メソッド

メソッド	説明
Promise.all([promise, promise, …])	配列に含まれる Promise オブジェクトを返す非同期関数を実行し、すべて成功したら then( ) を実行、1 つでも失敗したらその時点で catch( ) を実行
Promise.allSettled([promise, promise, …])	配列に含まれる Promise オブジェクトを返す非同期関数を実行し、成功／失敗にかかわらずすべて終了（解決）したときに then( ) を実行。失敗しても catch( ) は実行されない
Promise.any([promise, promise, …])	配列に含まれる Promise オブジェクトを返す非同期関数を実行し、どれかが最初に成功したタイミングで then( ) を実行。すべて失敗したら catch( ) を実行
Promise.race([promise, promise, …])	配列に含まれる Promise オブジェクトを返す非同期関数を実行し、最初に終了した処理が成功なら then( )、失敗なら catch( ) を実行

　これら Promise の静的メソッドを使って並行処理をする場合に、すべきことは 3 つあります。

1. Promise を返す複数の非同期関数を用意する
2. 用意した関数を 1 つの配列にまとめる
3. その配列を引数にして表にある静的メソッドのいずれかを実行する

メソッドを実行する際の基本的な書式はどれも同じで、各メソッドに続けて then( )、catch( ) を記述します。Promise の静的メソッドに async / await を使った書式はないので、必ず then( ) / catch( ) を使います。

書式 Promise の静的メソッド　～ Promise.all( ) の場合

```
Promise.all([<Promiseを返す関数>, <Promiseを返す関数>, …])
    .then((data) => {
        成功したときの処理
    })
    .catch((err) => {
        失敗したときの処理
    });
```

複数のデータを並行処理で取得する

Promise.all( ) メソッドを使った例を紹介します。テスト用のサービス「jsonplaceholder.typicode.com」の、「/posts/1」と「/todos/1」に同時にリクエストを出し、データを受信します。2 つの非同期関数 getPosts( )、getTodos( ) を作り、それを配列 fetches に代入し、その後、その配列を引数にして Promise.all( ) を実行します。

Sample 複数の非同期処理を並行処理する（HTML 部分）　　　　　　　c14/promise-all.html

```
<div class="container">
  <pre id="placeholder"></pre>
</div>
```

Sample 複数の非同期処理を並行処理する（JavaScript 部分）　　　　　c14/promise-all.html

```
async function getPosts() {
  const response = await fetch('https://jsonplaceholder.typicode.com/posts/1');
  return response.json();
}
async function getTodos() {
  const response = await fetch('https://jsonplaceholder.typicode.com/todos/1');
  return response.json();
}

const placeholder = document.querySelector('#placeholder');
const fetches = [getPosts(), getTodos()];
Promise.all(fetches)
    .then((values) => {
        const value0 = values[0];
```

2 つの非同期関数を配列に入れる

then( ) のコールバックには成功したすべての非同期関数の結果が配列で渡される

先に終わったほうの結果を代入

557

```
    const value1 = values[1];
    placeholder.insertAdjacentText('beforeend', 'Value1\n');  [次に終わったほうの結果を代入]
    placeholder.insertAdjacentText(
        'beforeend',
        JSON.stringify(value0, null, 2));
    placeholder.insertAdjacentText('beforeend', '\nValue2\n');
    placeholder.insertAdjacentText(
        'beforeend',
        JSON.stringify(value1, null, 2));
  })
  .catch((err) => {
    placeholder.insertAdjacentText('beforeend', `${err}`);
  });
```

実行結果

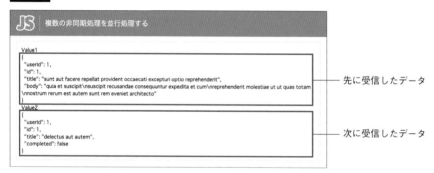

Promise.all() の場合、then() のコールバック関数に渡される値は配列で、成功したすべての非同期関数の結果（値）が含まれます。どの非同期関数が先に終わるかはわからないので、順番が入れ替わる可能性があることには注意が必要です。

　非同期処理が 1 つでも失敗すると、その時点で catch() のコールバックが実行されます。その際、通常の Promise オブジェクトと同様、引数にはエラーオブジェクトが渡されます。

図　エラーが発生した場合。Promise.all() の場合は最初に失敗した処理のエラーオブジェクトが返ってくる

15

Node.js

JavaScript プログラムをデスクトップ上で動かせる実行環境、Node.js は、Web 開発の現場でもよく使われます。本章では Node.js を使った Web サイト開発の基本的な流れを知るために、サードパーティのモジュールをインストールする方法と、ビルドツールを利用したサイトの制作を実習します。

15-1 現在の Web 開発に欠かせないツール、Node.js

Node.js は、ブラウザーではなく PC のデスクトップ上で JavaScript プログラムを実行できるツールです。デスクトップアプリや OS の自動化ツールなどを開発できるだけでなく、現代的な Web 開発にも広く使われています。本章ではインストールから基本的な操作まで、Node.js を Web 開発に活用する際の基礎を紹介します。

　Node.js の操作はすべてコマンドライン経由で行うため、ターミナルの使い方に慣れていないと難しく感じるかもしれません。本章では、Node.js とターミナルの操作に慣れ、実際の Web 開発に応用するための基本的な知識を得ることをゴールにします。

　Node.js は、Web 開発では主に次のような用途で使われています。

Node.js の主な用途

- 公開されているモジュール／パッケージ[*1] をインストールする
- 開発環境を構築する
- 開発用ローカル Web サーバーを起動する
- モジュールのバンドル（複数に分かれているファイルを 1 枚にまとめる）
- 新しい機能を使って書いたコードを、より古いブラウザーでも動作する互換性のあるプログラムに変換する
- 本番公開可能な、最適化された HTML、CSS、JavaScript ファイルを生成する

----

*1　用語の定義を詳しく知っておく必要はありませんが簡単に説明しておきます。モジュールは Chapter 10 で紹介したようないわゆる「モジュール」のことで、エクスポートされた関数やクラス、もしくはそれが書かれたファイルを指します。パッケージはそうしたモジュールのうち配布を目的としたプログラム、もしくは複数のファイルを 1 つのフォルダーにまとめたものを指します。パッケージのうち、配布を目的にしたものには必ず「package.json」という設定ファイルが含まれます。

▌15-1-1 Node.js のインストール

Node.js をインストールする方法は何通りかありますが、ここでは最も簡単な、公式 Web サイトからダウンロードする手順を紹介します。次の URL にアクセスし、[Download Node.js（LTS）] をクリックします。

Node.js 公式サイト
`URL` https://nodejs.org/

図 [Download Node.js (LTS)] をクリック。最新の安定版がダウンロードできる

> ## 𝒩ote   LTS は「安定版」
> -
> Node.js は 6 カ月サイクルで 2 つのバージョンを公開しています。1 つはメジャーバージョン（一番大きな桁の数、21.7.3 の 21 を指す）の番号が奇数になっている最新版で、開発中の新機能を含むすべての機能が利用できます。しかし、まだ開発中のため動作が不安定な場合があります。もう 1 つが LTS (Long-Term Support) 版で、こちらはメジャーバージョンの番号が偶数になっています。深刻なバグがないことが確認されている安定したバージョンで、一般的な用途には LTS 版を使うことをおすすめします。

ダウンロードしたインストーラーをダブルクリックして開きます。あとはダイアログの指示に従ってください。Windows 版ではインストール中に「Tools for Native Modules」と書かれたダイアログが開くことがあります。これは npm（後述）が必要とする別のソフトウェアをインストールするかどうかを聞かれているのですが、必ずチェックをつけてから [Next] をクリックして先に進めます。

図 「Tools for Native Modules」ダイアログではチェックをつける

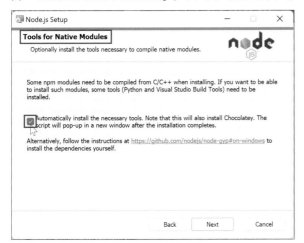

また、Windows をお使いの場合はインストール完了後、再起動してください。

ここまで完了したら、正しくインストールできたか確認します。ターミナルを起動します。Windows では［スタート］メニュー❶を右クリックし、出てきたメニューから［ターミナル］❷を選びます（Windows 10 では［Windows PowerShell]）。これでターミナルが起動します。Mac では［Launchpad］ ❶ ―［その他］❷の順にクリックし、［ターミナル］❸をクリックして起動します。

図 ターミナルを開く

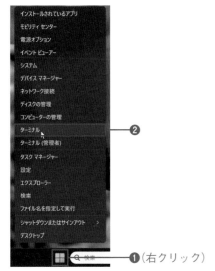

Windows

Mac

起動したターミナルに、次のコマンドを入力して Enter キーを押します。「v.20.13.1」などインストールした Node.js のバージョン番号が返ってくれば（=画面に出力されれば）正しく動作しています。

```
> node --version
v20.13.1
```

ターミナルを操作すると、行の先頭に、作業ディレクトリーのパス[*2]に続いて「>」や「$」「%」などの文字が表示されます。これは**プロンプト**といい、コマンドの入力が可能になっていることを表しています。本書のコマンドの先頭にある「>」を入力する必要はありません。

𝒩*ote* Macでコマンドを入力してバージョン番号が表示されないときは

Macではインストール後node --versionを入力してもバージョン番号が表示されず、「command not found: node」のようなメッセージが出てくることがあります。このメッセージはコマンドサーチパスが登録されていないことが原因と考えられます。コマンドサーチパスを登録するためには、ターミナルに次の1行を入力します。

ターミナル コマンドサーチパスを登録する

```
> export PATH=/usr/local/bin:$PATH
```

その後もう一度node --versionを入力して、バージョン番号が返ってくることを確認します。

コマンドサーチパスとは、コマンドが保存されているフォルダー（ディレクトリー）のパスのことです。ターミナルで入力するコマンド（nodeなど）は実際にはすべてアプリケーションで、システムが管理しているフォルダーのどこかに保存されています[*3]。

ターミナルでコマンドを入力すると、OSがコマンドサーチパスに登録されているフォルダーを1つひとつ探して該当するアプリケーションを実行するのですが、そもそも登録されていないフォルダーは探せません。そこで、コマンドが保存されているフォルダーのパスを登録する作業が必要になります。上で入力した「export PATH=/usr/local/bin:$PATH」は、「/usr/local/bin」フォルダーをコマンドサーチパスに登録・追加する処理をしています。nodeアプリケーションは「/usr/local/bin」に保存されるので、一度パスを登録しておけば次回からnodeコマンドが実行できるようになるのです。

ちなみに、あるフォルダーをコマンドサーチパスに登録することを「パスを通す」といいます。どこにパスが通されているかを調べるには次のコマンドを入力します。「:」で区切られた1つひとつがパスで、複数のフォルダーが登録されていることがわかるでしょう。

ターミナル パスを確認する方法と出力例

```
> echo $PATH
/usr/local/bin:/System/Cryptexes/App/usr/bin:/usr/bin:/bin:/usr/sbin:/sbin
```

---

*2 ターミナル上で開いているディレクトリーのこと。「ワーキングディレクトリー」と呼ぶこともあります。「ディレクトリー」は、WindowsやMacでいう「フォルダー」と同じ意味だと考えてかまいません。ターミナルで入力・実行するコマンドは、基本的に作業ディレクトリーに対して効力を発揮します。

*3 システムにはじめから組み込まれているコマンドなど一部例外もあります。

15-2 パッケージを活用する

Web 開発で Node.js を使う主な用途には「プロジェクトの管理」と「パッケージの管理」が挙げられます。どちらも Node.js と一緒にインストールされる npm コマンドを使って行います。新規プロジェクトの始め方、パッケージのインストール方法を、順を追って解説します。

　JavaScript にはプログラムの開発を便利にするたくさんのパッケージが公開されています。パッケージの中には JavaScript プログラムにインポートして使うモジュールもあれば、より大規模なフレームワークもあります[*4]。また、JavaScript プログラムにインポートすることなく、文法のチェックやテスト、環境構築など、開発支援機能を提供するツールもあります。本章では多数のパッケージのうち、次の2つを紹介します。実際に使いながら、操作方法と利用方法を確認しましょう。

本章で紹介するパッケージ

- Vite ——— Web サイトの開発環境を構築する支援ツール
- anime.js —— アニメーションを簡単に実現できるモジュール

15-2-1 プロジェクトでパッケージを使うときの共通操作を知る

　パッケージを使いたいときは、Web サイトの HTML ファイル、CSS ファイル、JavaScript ファイルを保存するフォルダー（プロジェクトフォルダー）を初期化する必要があります。プロジェクトフォルダーを初期化するには、ターミナルに以下の2行のコマンドを入力・実行します。ただし、ビルドツールを使用する場合、インストール時にこれらの処理を自動的に行うものもあります。本書でこれから使用する Vite も、プロジェクトフォルダーの初期化作業を自動で行うようになっているので、「npm init -y」の入力・実行は不要です。実習は次節以降で進めるので、実際の作業はそこで詳しく説明します。

ターミナル プロジェクトフォルダーを初期化する

```
> cd プロジェクトフォルダーのパス ●──────────────── 作業ディレクトリーを移動
> npm init -y ●──────────── package.json ファイルを作成
```

　npm init -y を実行すると、プロジェクトフォルダーに「package.json」というファイルが作られます。この package.json はプロジェクトの設定ファイルで、プロジェクト名やインストールしたパッケージの情報などが書き込まれるようになっています。**package.json がないフォルダーにはパッケージをインストールできないので、プロジェクトを開始するときは必ず npm init -y を実行します**[*5]。

---

*4　アプリケーションを開発するための基盤となる機能やよく使われるコードを1つにまとめたソフトウェアのこと。
*5　「npm init」と、-y をつけずに実行してもかまいません。その場合はいくつか質問され、プロジェクト名やバージョン番号などの設定ができます。

15-3 ビルドツールを使って開発環境を整える

ビルドツールとは、Web サイトとして公開するのに適した HTML、CSS、JavaScript ファイル、そして画像を出力する処理を一括で、自動で行うツールです。本節ではビルドツールを使った標準的な Web 開発の流れを把握します。

現在の Web 開発では、Sass など特殊な文法で書いたコードから実際に動作する CSS に変換したり、画像を圧縮したり、サイトを公開する前にさまざまな処理をすることが少なくありません。

JavaScript も同じで、読み込み速度を向上させるためにエクスポートファイル、インポートファイルを統合して 1 枚のプログラムファイルにしたり、より多くのブラウザーで動作するように互換性のあるソースコードに変換したり、改行やスペースを取り除いて少しでもファイルサイズを小さくしたり、さまざまな処理をして公開用に最適化されたファイルを作ります。こうした公開用のファイルを作る作業を**ビルド**といい、複数の作業をまとめてこなしてくれる**ビルドツール**と呼ばれるアプリケーションが公開されています。

ビルドツールを導入する場合は、そのビルドツールのルールに沿って Web サイトを開発していくことになります。ルールはビルドツールごとに異なりますが、基本的な考え方はどれも似ているので、1 つ経験すれば、どれを使っても「何をやろうとしているのか」がわかるようになります。そこで、本書では比較的操作が簡単で初めてでも取り組みやすい、Vite を使った開発環境の構築、ビルドの方法を紹介します。

▌15-3-1 Vite を使った開発環境の構築

Vite はローカル Web サーバーを内蔵した開発環境の 1 つで、JSX や Vue.js、Sass など JavaScript や CSS のコンパイルをリアルタイムで処理してくれます[6]。また、開発が完了したら公開用に最適化されたファイルをコマンド 1 つでビルドする、**モジュールバンドル**と呼ばれる機能も備わっています。

＊6 JSX は、JavaScript コード内に出てくる HTML コードを書きやすくする拡張書式セットで、有名な JavaScript フレームワークである React（リアクト）で使われています。Vue.js（ビュージェイエス）は React と並び、高度な Web サイト／ Web アプリケーションの開発で使われるフレームワークの一種です。

簡単な Web ページを作ってみよう

これから 1 枚の Web ページを作る実習をします。目標は 2 つあります。

- 開発環境を構築し、実際に使ってみる
- npm コマンド経由でモジュールをインストールし、利用する

　ページに大きな画像を埋め込み、読み込んで表示するときのアニメーションをつけます。Vite を使って開発環境を構築し、そこで HTML や CSS、JavaScript を編集します。また anime.js というモジュールをインストールして、画像のアニメーションに利用します。

図　完成のイメージ

■15-3-2 Vite をインストールして開発環境を構築する

　Vite を使って開発環境を構築します。まず、どこでもよいのでプロジェクトフォルダーを作る場所を決め、ターミナルでそのフォルダーに作業ディレクトリーを移動します。**まだプロジェクトフォルダー自体は作らないでください。**仮にドキュメント（Windows）／書類（Mac）フォルダーを「プロジェクトフォルダーを作る場所」にするなら、cd コマンドのパスは次のようになります。「ユーザー名」の部分はご自分のユーザー名に置き換えます。

- C:¥Users¥ ユーザー名 ¥Documents ── Windows の場合
- /Users/ ユーザー名 /Documents ──── Mac の場合

`ターミナル` プロジェクトフォルダーを作るフォルダーに作業ディレクトリーを移動する

```
> cd プロジェクトフォルダーを作る場所
```

　作業ディレクトリーに移動したら以下のコマンドを入力します。Vite のインストールプロセスが始まります。このプロセスの途中で自動的にプロジェクトフォルダーが作られ、npm init も実行されるので、事前にプロジェクトフォルダーを作ったり npm init を実行したりする必要はありません。

```
> npm create vite@latest
```

インストールプロセスを開始すると、いくつか質問されます。「Ok to proceed? (y)」と聞かれた場合は Enter キーまたは y キーを押します。次に「Project name」を聞かれるので、プロジェクトの名前を入力します。ここで入力する名前のプロジェクトフォルダーが作られます。例ではプロジェクト名を「vite-animation」にしていますが、好きな名前をつけてかまいません。

ターミナル プロジェクト名を入力。ここで入力した名前がフォルダー名になる

```
✓ Project name:   vite-animation
```

続いて「Select a framework」には「Vanilla」を、「Select a variant」には「JavaScript」を選びます。なお、回答を間違えたりプロジェクトフォルダー名を変えたくなったりしたら、作成したフォルダーをゴミ箱に捨てて、もう一度インストールからやり直すのが手っ取り早い解決方法です。
　質問が終了して以下のメッセージが出たら、書かれている 3 行のコマンドを 1 行ずつ入力、実行します。

ターミナル 質問を回答した後に出てくるメッセージ。3 行のコマンドを 1 行ずつ実行

```
Done. Now run:

  cd プロジェクト名 ●————[作業ディレクトリーを移動]
  npm install ●————————————————[「npm init」を実行し、Vite パッケージをインストール]
  npm run dev
```

最後の npm run dev は開発環境をスタートさせるコマンドです。このときターミナルには次のようなメッセージが表示され、ローカル Web サーバーが起動します。

ターミナル 開発環境がスタートしたときに表示されるメッセージの例

```
VITE v5.2.10  ready in 115 ms

→  Local:   http://localhost:5173/
→  Network: use --host to expose
→  press h + enter to show help
```

「Local:」のところの URL をコピーしてブラウザーのアドレスバーにペーストするか、ターミナル上で o + Enter キーを押せば、ブラウザーにテンプレートのページが表示されます。

図　ブラウザーで URL を開いたところ。テンプレートページが表示されている

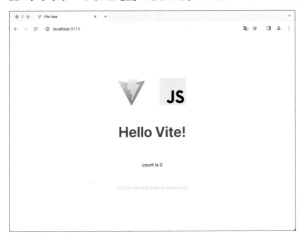

> $\mathcal{N}_{ote}$　ローカル Web サーバーの停止／開発の再開をするには
>
> ローカル Web サーバーを停止するときはターミナル上で [q] + [Enter] キー、もしくは [Ctrl] + [c] キーを押します。開発を再開したいときは、プロジェクトフォルダーに作業ディレクトリーを移動してから npm run dev を実行します。

　ここでプロジェクトフォルダーがどうなっているか見てみましょう。次図は Vite をインストールした直後のプロジェクトフォルダーです。

図　Vite をインストールした状態のプロジェクトフォルダー[7]

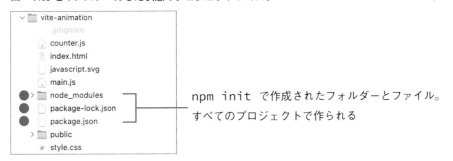

　この図のうち●印がついている「node_modules」フォルダー、「package-json」「package-lock.json」は、「npm init」が実行されて、作られたファイルやフォルダーです。これらのファイルやフォルダーは、「npm init」を実行したすべてのプロジェクトフォルダーに作られるもので、プロジェクトの管理、インストールしたパッケージの保存に重要な役割を果たします。

----

[7]　Mac では「.」で始まるファイル（不可視ファイル）はデフォルトでは表示されません。確認したいときは Finder で作業ディレクトリーを開き、[⌘] + [shift] + [.] キーを押します。もう一度押すと非表示に戻ります。

「package.json」には、インストールしたパッケージと、その情報が書き込まれています。

「package-lock.json」には、インストールしたパッケージのバージョンが書き込まれていて、別のバージョンのパッケージがインストールされないようにしています。これはたとえば、あるプロジェクトを複数の人で共同作業するときに、すべての人の環境を揃えるのに役立ちます。

「node_modules」フォルダーには、インストールしたパッケージが保存されます。中身を見てみましょう。

図　node_modules フォルダーの中身。インストールしたパッケージが保存されている

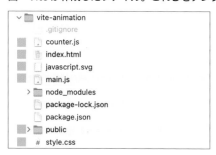

いくつかのフォルダーやファイルができています。インストールしたパッケージの本体はすべてこのフォルダーに保存されます。Vite パッケージもほかの複数のパッケージを利用して作られているので[8]、「node_modules」フォルダーにはたくさんのフォルダー、ファイルが保存されることになります。

それではプロジェクトフォルダー直下に戻って、今度は Vite に関連するファイルを確認します。次図の■印がついているのが、Vite が作成したフォルダーやファイルです。これらは Web サーバーを起動したときに表示されたページを構成するファイルで、サイトを作るときのテンプレートとして使用します。

図　Vite が作成したファイル。これらをテンプレートとしてサイトを作成する

----

[8] 多くのパッケージは別のパッケージを利用して作られています。あるパッケージ（A）が別のパッケージ（B）を利用して作られているとき、パッケージ A は、B と「依存関係にある」といいます。「依存」は英語で dependency、複数形で dependencies で、日本語も英語もパッケージを扱う際によく出てくる単語なので覚えておくとよいでしょう。

サイトの制作

プロジェクトフォルダーにある index.html をテキストエディターで開いてみましょう。ソースコードを見ると、index.html から main.js を読み込んでいます。Vite は、index.html を起点[9]に、<link> タグや <script> タグ、あるいは import で読み込まれるファイルを探して最適化処理をします。リンクをたどって最適化する処理は多くのビルドツールで共通の動作で、このことを理解していると、自分がいまどんな環境でコードを書いているのか、ファイルの構造をどのようにすればよいのかが把握しやすくなります。

ここでは index.html のタイトルを書き換えます[10]。

15-3 ビルドツールを使って開発環境を整える

HTML index.html のタイトルを書き換え　　　　　　　　　　　　　プロジェクトフォルダー /index.html

```html
<!doctype html>
<html lang="en">
  <head>
    <meta charset="UTF-8" />
    <link rel="icon" type="image/svg+xml" href="/vite.svg" />
    <meta name="viewport" content="width=device-width, initial-scale=1.0" />
    <title>ビルドツールを使ったサイト制作</title>
  </head>
  <body>
    <div id="app"></div>
    <script type="module" src="/main.js"></script>    ← main.js を読み込んでいる
  </body>
</html>
```

15 Node.js

次に main.js をエディターで開いてみます。index.html にある `<div id="app"></div>` の部分の HTML は main.js から挿入していることがわかります。そこで、自分でページを作るときは main.js の「document.querySelector('#app').innerHTML = 〜」の部分を編集すればよいことがわかります。

JavaScript 編集前の main.js。index.html の `<div id="app"></div>` に挿入する HTML を生成していることがわかる　　　　　　　　　　　　　　　　　　　　　　　　プロジェクトフォルダー /main.js

```javascript
import './style.css'
import javascriptLogo from './javascript.svg'
import viteLogo from '/vite.svg'
import { setupCounter } from './counter.js'

document.querySelector('#app').innerHTML = `    ← <div id="app"></div> に HTML を挿入
  <div>
    <a href="https://vitejs.dev" target="_blank">
```

＊9　最初の起点になるファイルのことを「エントリーポイント」と呼びます。
＊10　本節で作成する index.html、main.js、bars.js の完成ファイルは、サンプルデータの「samples/c15/ 完成したコード」にあります。

```
      <img src="${viteLogo}" class="logo" alt="Vite logo" />
    </a>
    略
  </div>
`


setupCounter(document.querySelector('#counter'))
```

作例のとおりのページを作れるように、main.js にコピー＆ペーストできるソースコードを用意してあります。本書のサンプルデータの「samples/c15/main.html」をエディターで開き、ソースコードをコピー＆ペーストしてみてください。ページの表示が変わります。

JavaScript main.js に HTML ソースをコピー＆ペーストしたところ プロジェクトフォルダー /main.js

```
略
document.querySelector('#app').innerHTML = `
  <header class="header">
    <div class="container">
      <div class="flcon">
        <div class="logo"><img src="${logo}" alt="JavaScript" width="60"></div>
        <div class="title">
          <h1>ビルドツールを使ったサイト制作</h1>
        </div>
      </div>
    </div>
  </header>
  <main>
    <div class="container">
      <div id="animation" class="animation">
      </div>
    </div>
  </main>
略
```

図 HTMLを書き換えたところ。スタイルは適用されず画像も表示されないがページの見た目は変わっている

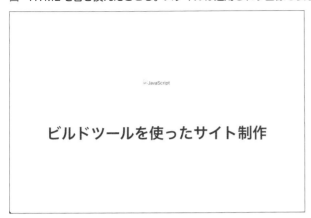

画像を表示する

　ページに画像を表示します。コードを編集する前に、本書のサンプルデータの中にある画像をプロジェクトフォルダーにコピーしましょう。ヘッダーのロゴ画像として使う「samples/c15/logo.svg」をプロジェクトのルートにコピーします。また、「public」フォルダー内に「images」フォルダーを作成し、その中にヒーロー画像として使用する「samples/c15/vege.jpg」をコピーします。

図 logo.svg、vege.jpgをコピーする。もともとあったjavascript.svg、public/vite.svgは使わないので削除してよい

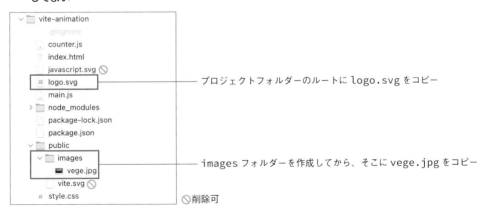

　それではコードを編集して、画像を表示させます。画像の表示方法には2通りあって、1つはmain.jsにインポートする方法、もう1つは「public」フォルダーに入れておく方法です。どちらかの方法を自由に選べるわけではなく、main.jsから直接参照する画像——典型的なのは、index.htmlに挿入するHTMLコード内にある<img>タグから参照する画像——は、インポートします。「JSファイルに画像をインポートする」なんて、慣れないうちは違和感があるかもしれませんが、Viteに限らず多くのビルドツールで行われています。

main.js のインポート部分を次のように書き換え、同時に index.html に挿入される HTML ソースから \<img\> タグを探し、src 属性も書き換えます。

`JavaScript` 画像をインポートして使用する プロジェクトフォルダー /main.js

```
import './style.css'
import javascriptLogo from './javascript.svg'  ●━━━━━━━━━━━━━[削除]
import viteLogo from '/vite.svg'  ●━━━━━━━━[削除]
import { setupCounter } from './counter.js'  ●━━━━━━━[削除]
import logo from './logo.svg';

document.querySelector('#app').innerHTML = `
  <header class="header">
    <div class="container">
      <div class="flcon">
        <div class="logo"><img src="${logo}" alt="JavaScript" width="60"></div>
        <div class="title">
          <h1>ビルドツールを使ったサイト制作</h1>
        </div>
      </div>
    </div>
  </header>
  略
`

setupCounter(document.querySelector('#counter'))  ●━━━━━━━[削除]
```

図　ロゴ画像が表示される

main.js から直接参照する画像は「**public**」フォルダー以外の場所に置いておき、次の書式のようにしてインポートします。「画像のパス」には、main.js からの相対パスを指定します。import 文を使用している

ので、main.js と同階層にあるファイルを参照する場合は先頭に「./」をつける必要があります（➡ 11-3-1「名前つきモジュールをインポートする」p.363）。

（➡ 11-3-1「名前つきモジュールをインポートする」p.363）

書式 画像をインポートする

```
> import 定数名 from '画像のパス';
```

実は、画像をインポートするといっても画像データがプログラムに読み込まれるわけではなく、画像のパスが、「定数名」に文字列として代入されるようになっています。「定数名」は通常の定数として使えます。

CSS を読み込む

画像の利用方法にはもう1つ、画像ファイルを「public」フォルダーに保存しておく方法があります。先ほどの作業で「public/images」に入れた vege.jpg は、style.css から背景画像として読み込みます。main.js から直接参照しない画像はインポートせず、プロジェクトの「public」フォルダーに入れておきます。そして、**参照するときは「public」フォルダーをルートとしたパスを指定します**。

public フォルダーに入れた画像のパスの例
- 「public/vege.jpg」にファイルを置いたとき、指定するパスは「/vege.jpg」
- 「public/images/vege.jpg」にファイルを置いたとき、指定するパスは「/images/vege.jpg」

style.css を編集して、vege.jpg を背景画像として表示させましょう。プロジェクトフォルダーのルートにある style.css をゴミ箱に入れて、本書のサンプルデータの「samples/c15/style.css」を同じ場所にコピーします。

図　ここまでの表示結果。背景画像は表示されないが、ほかの部分のスタイルは適用されている

```
[plugin:vite:import-analysis] Failed to resolve import "./style.css" from
"main.js". Does the file exist?

/Users/Sukeharu/Documents/dev/vite-animation/main.js:1:9
1 |  import './style.css'
  |          ^
2 |  import logo from './logo.svg';
3 |  import {setBars} from './bars.js';

    at formatError (file:///Users/Sukeharu/Documents/dev/vite-animation/node_modules/vite/dist/node/ch
    at TransformContext.error (file:///Users/Sukeharu/Documents/dev/vite-animation/node_modules/vite/d
    at normalizeUrl (file:///Users/Sukeharu/Documents/dev/vite-animation/node_modules/vite/dist/node/c
    at async file:///Users/Sukeharu/Documents/dev/vite-animation/node_modules/vite/dist/node/chunks/de
    at async Promise.all (index 0)
    at async TransformContext.transform (file:///Users/Sukeharu/Documents/dev/vite-animation/node_modu
    at async Object.transform (file:///Users/Sukeharu/Documents/dev/vite-animation/node_modules/vite/d
    at async loadAndTransform (file:///Users/Sukeharu/Documents/dev/vite-animation/node_modules/vite/d
    at async viteTransformMiddleware (file:///Users/Sukeharu/Documents/dev/vite-animation/node_modules

Click outside, press  Esc  key, or fix the code to dismiss.
You can also disable this overlay by setting server.hmr.overlay to false in vite.config.js.
```

エラーの概要は 1 行目に表示される。ここを読んで対策を考える

　「vege.jpg」は JavaScript プログラムで制御するため、この段階ではまだページには表示されませんが、style.css のコードだけ確認しておきます。背景画像を設定しているのは以下の部分です。セレクターが「.bar」になっている、つまり「class="bar"」の要素にスタイルが適用されること、opacity: 0;が設定されていて、ページには表示されないことを記憶に留めておいてください。

CSS　style.css で背景画像を指定している部分　　　　　　　　プロジェクトフォルダー /style.css

```
略
.bar {
  background: url(images/vege.jpg) no-repeat;       「public/Images/vege.jpg」を参照
  background-size: 1000px 632px;
  opacity: 0;
}
```

bars.js を作成し、main.js に読み込む

　ここからアニメーションを動かすための JavaScript プログラムを作成します。まずは背景画像を表示するための関数 setBars() を作成します。この関数は、main.js から index.html に挿入される <div id="animation"></div> の中に、30 個の <div class="bar"></div>（ボックス）を挿入します[*11]。この

[*11]　挿入する <div> のクラス名とボックスの数は引数で設定できるようにします。

574

ボックスは、style.css に書かれた CSS によって敷きつめられるように横方向に並びます。また、1 つずつに背景画像（vege.jpg）が、横方向に少しずつずれながら配置されます。ただ、`<div id="animation">` の幅がブラウザーのウィンドウサイズによって変わるため、挿入するボックスの幅も変化します。そこで、setBars( ) には、ボックスの幅と、背景画像の位置をずらす量を計算し、CSS に適用する機能も組み込みます。

setBars( ) が実行されると、index.html は次図のような状態になると考えてください。

図　setBars() が実行されると多数の `<div class="bar">` が配置され、それぞれに背景画像が設定される

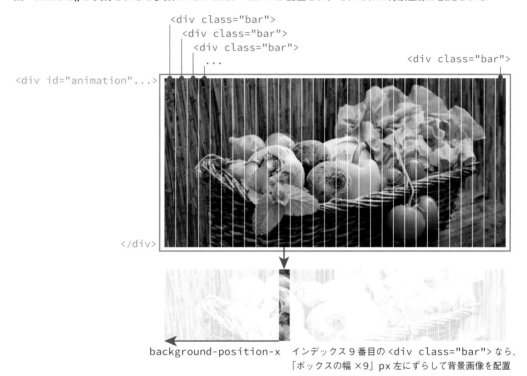

`<div class="bar">`
`<div class="bar">`
`<div class="bar">`
...
`<div class="bar">`

`<div id="animation"...>`

`</div>`

background-position-x　インデックス 9 番目の `<div class="bar">` なら、「ボックスの幅 ×9」px 左にずらして背景画像を配置

main.js と同じ階層に「bars.js」という名前のファイルを作り、そこに関数 setBars( ) を作成します。

JavaScript　ボックスを配置する関数 setBars( )　　　　　　　　　　　プロジェクトフォルダー /bars.js

```javascript
export function setBars(element, className, n) {
  // 要素を挿入
  if (element.children.length === 0) {
    for (let i = 0; i < n; i++) {
      element.insertAdjacentHTML('afterbegin', `<div class="${className}"></div>`);
    }
  }
}
```

引数は順に挿入先の親要素、挿入するボックスのクラス名、ボックスの数。p.576 も参照

引数 element に子要素がないときだけ要素を挿入

```
   // 挿入する要素の幅と高さを設定
   const bars = element.querySelectorAll(`.${className}`); ●━━━━━━━━┓ ┌──────────────────┐
   const bounds = element.getBoundingClientRect(); ●━━━━┓┌──────┐   │ 挿入した要素をすべて取得 │
                                                       ││ p.427│   └──────────────────┘
   const childSize = {w: bounds.width / n, h: bounds.height}; ●━━┓
   bars.forEach((v, i) => {                                       ┃
     v.style['width'] = childSize.w + 'px';              ┌──────────────────┐
     v.style['height'] = childSize.h + 'px';             │ ボックスの幅と高さ │
     v.style['background-position-x'] = -(i * childSize.w) + 'px';  │ を計算して、CSS の │
   }); ●                                                 │ 各プロパティに設定 │
 }                                                       └──────────────────┘
```

　main.js を編集します。作成した setBars() を main.js にインポートして、ボックスを挿入する処理を追加します。また、window オブジェクトの resize イベント（➡表「ブラウザーウィンドウまたはページ全体に発生するイベント」p.421）を設定し、ブラウザーウィンドウがリサイズされたら再び SetBars() を呼び出すようにもしています。

| JavaScript | setBars( )を呼び出す　　　　　　　　　　　　　　　　　　　　プロジェクトフォルダー /main.js

```
 import './style.css'
 import logo from './logo.svg';
 import {setBars} from './bars.js';

 document.querySelector('#app').innerHTML = `
 略

 `

 // ボックスを配置
 const parent = document.querySelector('#animation');
 const className = 'bar';
 setBars(parent, className, 30); ●━━━━━━━━━━┓ ┌─────────────────────┐
 addEventListener('resize', (e) => {           │ setBars( )呼び出し。1 つ目の引数として │
   setBars(parent, className, 30);             │ 渡す親要素は <div id="animation"…> │
 });                                           └─────────────────────┘
```

　この処理により、<div id="animation" class="animation"></div> の中に 30 個、<div class="bar"></div> が挿入されます。ページの表示はまだ変化しませんが、style.css にある .bar に適用されるスタイルの中から opacity: 0; をコメントアウトすれば確認できます。確認が終わったらコメントアウトは戻しておいてください。

図　ここまでの結果。style.css の「opacity: 0;」をコメントアウトすれば背景画像の表示を確認できる

```
.bar {
  background: url(images/vege.jpg) no-repeat;
  background-size: 1000px 632px;
  /* opacity: 0; */
}
```

アニメーションさせる

　背景画像を表示するところまで終わりました。最後にアニメーションを組み込んで仕上げます。今回の作例では、ページが表示されるときに <div class="bar"> を縦に拡大した状態で表示させ、2000 ミリ秒（2 秒）かけて本来の大きさに戻すアニメーションを、左のボックスから順に 10 ミリ秒ずつ遅らせながらスタートさせます。

　このアニメーションを実現するために、anime.js というパッケージをインストールして使用します。ここではモジュールをインストールして main.js にインポートし、プログラミングに生かす方法にフォーカスして解説します。anime.js そのものの使い方は詳しく説明しませんので、興味がある方は anime.js の公式サイトをのぞいてみてください。

anime.js の公式サイト（英語）
`URL` https://animejs.com

　ターミナル上で q ＋ Enter キーを押していったんローカル Web サーバーを停止し、次のコマンドを入力します。これで anime.js がインストールできます。

ターミナル anime.js をインストールする

```
> npm install animejs --save
```

　インストールした anime.js を、main.js にインポートします。そして、ボックスの配置が完了した後に、anime.js が持っているメソッド anime( ) を呼び出します。

　インポートするにはモジュールのパスを指定する必要がありますが、anime.js がどこにインストールされたかわざわざ探す必要はありません。通常はパッケージを公開している開発元の Web サイトや GitHub のページ、もしくは npm の公式サイト（npmjs.com）で検索すると使い方が書いてあるので、それに従います。

```
略
import {setBars} from './bars.js';
import anime from 'animejs/lib/anime.es.js';
```

> anime.js をインポート。使い方は
> 公式サイトなどで調べる

```
略
// ボックスを配置
略
// アニメーション
anime({
  targets: parent.querySelectorAll(`.${className}`),
  scaleY: [1.3, 1],
  opacity: 1,
  duration: 2000,
  delay: anime.stagger(10),
});
```

> anime.js のメソッドを実行

　ターミナルで npm run dev コマンドを実行してローカル Web サーバーを起動し、ブラウザーでプレビューします。

実行結果 画像がアニメーションしながら表示される

本番用のファイルをビルド（出力）する

　サイトが仕上がったら、公開用 Web サーバーにアップロードできる本番用のファイルをビルド（出力）します。ローカル Web サーバーを停止して、次のコマンドを入力します。

ターミナル 本番用のファイルをビルドする

```
> npm run build
```

　プロジェクトフォルダーに「dist」フォルダーが作られ、そこに公開用のファイルが生成されます。

図　ビルドしたところ。「dist」フォルダーの中に公開用のファイル、フォルダーが生成される

これで、作ったサイトのビルドまですべて完了しました。公開するときは、この「dist」フォルダーの中身をすべて Web サーバーにアップロードします。

𝒩ote　パッケージを探す／使い方を調べるには

Node.js/npm を使った Web 開発は「調べること」に多くの時間を費やします。どんなパッケージがあるのか、ビルドツールはどうやって使えばよいのか、どんなコマンドを入力すればよいのか……調べものは尽きません。実は、ほかの言語と比べて JavaScript には「これをやりたいならこのパッケージ」と言えるような定番ツールが少ないのが特徴で、実現したいこと、プロジェクトごとに、ツール探しから始めることになるかもしれません。

パッケージを探すには、パッケージ管理ツール npm の公式サイトが役に立ちます。

npm の公式サイト
URL　`https://www.npmjs.com/`

図　npm 公式サイトで vite を検索したところ。右上に GitHub リポジトリやホームページへのリンクがある

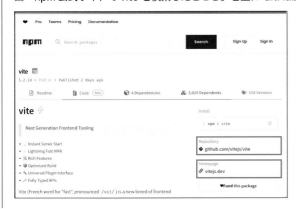

npmの公式サイトで検索すると、公開されているパッケージが一覧になって出てきます。この検索結果をクリックすると、そのパッケージのドキュメンテーション（マニュアル）が開きます。このページにはパッケージの概要、インストール方法、使い方までひととおりの情報が載っていて、ターミナルに入力すべきコマンドも書かれています。

　npmの公式サイト以外には、パッケージのGitHubリポジトリーを見てみることもおすすめです。たいていはnpmjs.comのページの右のほうにGitHubリポジトリーへのリンクがあるので、探すのはそんなに苦労しないでしょう。リポジトリーには使い方が載っているほか、ソースコードも確認できます。ソースコードの解読は難しいですが、小さなパッケージなら理解できるかもしれません。「こんな書き方をするんだ」と、いろいろな発見がありますし、コードリーディングの練習にもなります。チャレンジしてみてください。

図　animejs の GitHub リポジトリー。GitHub リポジトリーではライセンスの確認もしやすい

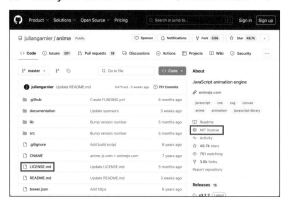

　それから、実際のプロジェクトでパッケージを使うときは、必ずライセンスを確認しましょう。ライセンスの内容によっては商用利用にお金がかかったり、クレジット（コピーライト）の掲示が必要になるなど、なんらかの条件がつく場合があります。オープンソースのライセンスについて大まかに知りたいときは、次のWebページがよくまとまっています。

OSS ライセンスとは（種類、確認方法、違反リスクなどについて）｜日立ソリューションズ
`URL` https://www.hitachi-solutions.co.jp/sbom/sp/blog/2023063003/

　もちろん、検索サイトやX（Twitter）で情報を集めるのもよいですが、記事の更新日時には気をつけてください。そして必ず、パッケージのnpm公式サイトのページやGitHubリポジトリー、公式Webサイトには目を通すようにします。ドキュメンテーションは多くが英語で書かれていますが、翻訳機能／アプリを駆使して英語が苦手な方でもあきらめず、ツール探しを楽しんでください。

Index

■ 本書のサポートページ

https://isbn2.sbcr.jp/18025/

本書をお読みいただいたご感想を上記URLからお寄せください。
本書に関するサポート情報やお問い合わせ受付フォームも掲載しておりますので、あわせてご利用ください。

■ 著者紹介

狩野 祐東 (かのう すけはる)

UIデザイナー／エンジニア／執筆家

アメリカ・サンフランシスコでUIデザイン理論を学ぶ。帰国後会社勤務を経てフリーランス。2016年に株式会社Studio947を設立。同代表取締役。Webサイトやアプリケーションのインターフェースデザイン、インタラクティブコンテンツの開発を数多く手がける。各種セミナーや研修講師としても活動中。
主な著書に『確かな力が身につくJavaScript「超」入門 第2版』『スラスラわかるHTML&CSSのきほん 第3版』『いちばんよくわかるHTML5&CSS3デザインきちんと入門』(SBクリエイティブ)、『WordPressデザインレシピ集』『HTML5&CSS3デザインレシピ集』(技術評論社)など多数。

https://studio947.net
X (旧Twitter) @deinonychus947

サンプルで使用した画像素材の入手先
・https://pixabay.com/
・https://unsplash.com/ja
・https://www.pexels.com/ja-jp/

これからのJavaScriptの教科書

2024年 6月10日　　初版第1刷発行

著　者 ………………… 狩野 祐東
発行者 ………………… 出井 貴完
発行所 ………………… SBクリエイティブ株式会社
　　　　　　　　　　　　〒105-0001 東京都港区虎ノ門2-2-1
　　　　　　　　　　　　https://www.sbcr.jp/
印　刷 ………………… 株式会社シナノ

カバーデザイン ……… 萩原 弦一郎 (256)
本文デザイン ………… 清水 かな (クニメディア)
制　作 ………………… クニメディア株式会社
編　集 ………………… 友保 健太・佐藤 鶴菜・荻原 尚人

Printed in Japan　ISBN978-4-8156-1802-5